Toscane

D1214424

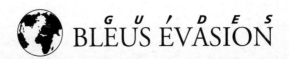

G U I D E S
BLEUS ÉVASION

Ce guide a été établi par **Jean Taverne**.

Journaliste, écrivain et grand voyageur, **Jean Taverne** a collaboré à de grands hebdomadaires parisiens et participe depuis plus de dix ans à l'élaboration des guides Hachette.

L'auteur remercie tous ceux qui l'ont aidé à rédiger ce guide, en particulier la direction de l'Office national italien du tourisme à Paris et l'Office provincial du tourisme à Florence, ainsi que Silvia Ponticelli, guide professionnelle à Florence, et Éric Davout, grand gourmand devant l'éternel.

Direction : Cécile Boyer-Runge. **Direction éditoriale** : Armelle de Moucheron. **Responsable de collection** : Élisabeth Sheva. **Édition** : Safia Aït Si Ahmed, Sophia Mejdoub. **Informatique éditoriale** : Lionel Barth. **Maquette intérieure et mise en pages PAO** : Catherine Riand. **Lecture-correction** : Isabelle Sauvage. **Documentation** : Sylvie Gabriel. **Cartographie** : Cyrille Suss, Fabrice Le Goff. **Fabrication** : Maud Dall'Agnola, Caroline Artémon, Nathalie Lautout. **Couverture** conçue et réalisée par François Supiot.

Avec la collaboration de: *Aude Alric, Denis Jacquemin, Silvia Ponticelli, Christine Rivet, Katherine Vanderhaeghe.*

Régie de publicité : Contact : Valérie Habert, Hachette Tourisme, 43, quai de Grenelle, 75905 Paris Cedex 15 ☎ 01.43.92.32.52. *Le contenu des annonces publicitaires insérées dans ce guide n'engage en rien la responsabilité de l'éditeur.*

Conformément à une jurisprudence constante (Toulouse, 14-01-1887), les erreurs ou omissions involontaires qui auraient pu subsister dans ce guide, malgré nos soins et les contrôles de l'équipe de rédaction, ne sauraient engager la responsabilité de l'éditeur.

Pour nous écrire : < **bleusevasion@hachette-livre.fr** >

Toscane

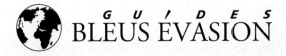

G U I D E S
BLEUS ÉVASION

Sommaire

EN SAVOIR PLUS

CARTES ET PLANS

Toutes les informations
nécessaires à la préparation
et à l'organisation de votre
séjour.

Ci-contre : Chèvres, moutons, berger,
oliviers, vignes et château mystérieux :
l'éternité d'un rêve.

Ci-dessus : Décor fin XIXᵉ s.
des thermes de Montecatini.

EMBARQUER

QUE VOIR ?

Qui ne rêve de découvrir la Toscane ? Cet ouvrage n'a pas vocation à l'encyclopédie, mais à guider le voyageur curieux à travers les multiples «hauts lieux» artistiques de Florence, de Pise, de Lucques, d'Arezzo et de tant de petites cités ou bourgs disséminés çà et là. Mais nous voulons aussi faire sentir l'atmosphère, l'ambiance, la vitalité et la variété d'une région à la beauté presque mythique. Bref, aider à comprendre une société si proche et en même temps si différente de la nôtre.

Pendant le Moyen Âge et longtemps après, la Toscane ne fut qu'une juxtaposition de cités indépendantes qui menaient leur propre politique, mais avaient toutes – ou presque – un point commun : le commerce intensif avec l'Europe et l'Orient. Vite enrichies, elles se parèrent de palais, d'églises et de monuments qui se voulaient plus impressionnants et plus prestigieux que ceux du voisin. Sillonnant aujourd'hui les plaines, collines et montagnes toscanes, nous demeurons encore ébahis de tant de richesses concentrées en si peu d'espace.

Car on peut imaginer les programmes de voyage les mieux conçus, tous laisseront sur leur faim. Dire que la Toscane est inépuisable n'est pas une figure de style. C'est la vérité. Prenez dix jours de vacances n'importe où et rayonnez : vous serez stupéfait de découvrir des petits musées charmants, des abbayes, des villages et des bourgs de caractère qui ne sont pas cités dans les guides. Et pourtant celui-ci en distingue déjà des centaines.

À partir du XIVe s., Florence fit déferler la Renaissance sur l'Italie et l'Europe occidentale. Une révolution pacifique qui, culbutant tabous religieux et culturels, mit l'homme et son génie au centre du monde. Les conséquences s'en font toujours sentir. La Toscane, comme dit le poète, «reste l'épicentre de l'intelligence et de la beauté». Chacun, à sa mesure, s'en rendra compte. Si nous y aidons, ce travail sera récompensé. ■

Région par région

Florence et ses environs

➤ **Florence***** est l'une des capitales mondiales de l'art. La piazza del Duomo*** regroupe trois joyaux de la Renaissance : la cathédrale et son dôme** *(p. 69)*, le campanile** *(p. 71)* et le baptistère*** *(p. 65)*. Sur le trajet du célèbre ponte Vecchio** *(p. 76)*, vous visiterez la ♥ piazza della Signoria*** *(p. 78)*, fabuleux salon de plein air bordé par le palazzo Vecchio** *(p. 79)* et la galleria degli Uffizi*** *(p. 81)*, qui présente les chefs-d'œuvre de la peinture florentine. Michel-Ange et Donatello se découvrent au Bargello** *(p. 90)* et à la galleria dell'Accademia** *(p. 101)*.

Le museo di S. Marco*** *(p. 98)* est consacré à Fra Angelico. À voir aussi, la très belle collection étrusque du Musée archéologique** *(p. 102)*, ou encore les ♥ fresques** de Domenico Ghirlandaio dans la majestueuse église S. Maria Novella** *(p. 108)*…

➤ Aux environs, admirez la magnifique vue sur Florence du haut de la colline de **Fiesole**** *(p. 128)*, avant de faire une promenade dans les villas médicéennes *(p. 130)* et de visiter la **chartreuse de Galluzzo**** et ses ♥ fresques** de Pontormo *(p. 131)*.

Chianti et Val d'Elsa

➤ **La route du Chianti**** *(au S de Florence, p. 141)*, c'est la Toscane telle qu'on la rêve avec ses rangs de cyprès, la lumière bleutée des collines, les villages en belvédère au-dessus des bois, des vallons et des vignes. Si le paradis existe, il est là, sur la place centrale de **Greve*** *(p. 143)*, à Castellina *(p. 144)*, au carrefour du vignoble du chianti classico, à Radda et à Gaiole avec son château de Brolio.

➤ Le **Val d'Elsa*** *(à l'O du Chianti, p. 145)*, parsemé de bourgs perchés, est à découvrir au départ de Florence ou de Sienne. Boccace vécut à **Certaldo*** *(p. 148)* dans sa ♥ ville haute* en briques roses, délicieux havre de paix. Les remparts de ♥ **Monteriggioni*** *(p. 145)* enferment un village de vignerons.

➤ À **San Gimignano**** *(48 km N-O de Sienne, p. 150)*, la ♥ piazza della Cisterna** et celle du Duomo* forment un superbe décor médiéval. La cité conserve 13 de la soixantaine de maisons-tours qui s'élevaient au Moyen Âge.

➤ La cité de **Volterra**** *(29 km S-O de San Gimignano, p. 153)* garde de son passé étrusque des pans de remparts cyclopéens et des collections passionnantes d'urnes et de bronzes.

Pistoia
et le pays de Vinci

➤ En partie déserté par ses anciens habitants, le magnifique centre monumental de **Pistoia**** *(40 km N-O de Florence, p. 164)*, d'époque médiévale, flotte étrangement comme un habit trop grand. Entourée de ♥ palais*, la vaste piazza del Duomo*** abrite aussi le très élégant duomo S. Zeno** et le baptistère** *(p. 165)*, un bijou gothique. Juste derrière, très joli ♥ marché sur la piazza della Sala.

➤ À l'ouest de Pistoia, un charmant itinéraire dans le Val di Nievole traverse le quartier thermal* de **Montecatini** *(p. 170)*, les pépinières et champs de fleurs de **Pescia** *(p. 170)*. Léonard de Vinci naquit dans un hameau au sud de Pistoia: le bourg de **Vinci*** *(p. 171)* lui consacre un musée* passionnant.

Lucques et
les Alpes apuanes

➤ **Lucques***** *(75 km O de Florence, p. 176)* est l'une des cités les plus belles d'Italie. Vous y verrez le duomo S. Martino** *(p. 177)* et l'histoire sculptée de saint Martin, ♥ S. Michele in Foro** *(p. 181)*, une très curieuse église médiévale de pur style pisan, et la torre Guinigi* *(p. 183)*, une des rares tours d'Italie à conserver ses chênes verts plantés au sommet. Tout près, le palazzo Pfanner* *(p. 185)* possède un ♥ jardin délicieux.

➤ Les **villas lucquoises*** *(au N de Lucques, p. 187)* témoignent d'un art de vivre raffiné aux XVIe et XVIIe s. À **Collodi**, le ♥ giardino Garzoni** en terrasses suggère des fastes passés *(p. 189)*.

➤ Au nord de Lucques, la **Garfagnana*** est une vallée montagnarde très préservée avec des bourgs médiévaux comme ♥ **Barga*** *(p. 193)* ou son **parc naturel dell'Orecchiella** *(p. 194)*. À ♥ **Carrare*** *(p. 194)*, ne manquez pas le museo del Marmo** ni le très intéressant circuit dans les ♥ **carrières de marbre****. Au pied des Alpes apuanes, sur la route de Pise, **Viareggio** *(p. 197)* est la capitale de la riviera della Versilia.

Pise et ses environs

➤ **Pise***** *(77 km O de Florence, p. 204)* est une élégante cité universitaire très active, traversée par l'Arno. Le ♥ campo dei Miracoli*** *(p. 205)* regroupe sur une superbe esplanade les chefs-d'œuvre du roman pisan: Duomo***, baptistère*** et Tour penchée***, rouverte au public.

➤ À 5 km au sud-ouest de Pise, l'église **S. Piero a Grado**** *(p. 219)*,

jadis au bord de l'eau, est construite à l'emplacement où Pierre, disciple de Jésus, aurait débarqué. Dans les environs, de merveilleuses petites routes de montagne bordées d'oliviers mènent à la **certosa di Pisa*** *(p. 221)*, véritable palais lambrissé de marbres. Plus au sud, **Livourne** *(p. 220)*, grand port dont le vieux centre*, la Venezia Nuova, est entouré de canaux.

La Maremme

➤ ♥ **Massa Marittima**** *(130 km S-O de Florence, p. 228)* est une superbe petite ville perchée dont la ♥ piazza Garibaldi** vous émerveillera. Aux environs *(37 km N-E)*, il ne faut pas manquer les ruines spectaculaires de l'**abbaye de S. Galgano***, première église gothique de Toscane *(p. 231)*.

➤ La route de Massa Marittima à Grosseto traverse des paysages variés et des bourgs médiévaux (Follonica, Scarlino, Gavorrano et Vetulonia), et mène à ♥ **Roselle*** *(p. 233)*, qui conserve d'émouvants vestiges d'une cité étrusque devenue romaine.

➤ À **Grosseto**, ville moderne *(70 km S-O de Sienne, p. 236)*, on visitera un Musée archéologique* intéressant et, aux environs, **Castiglione della Pescaia*** *(p. 237)*, dont la haute ville médiévale ménage de belles vues sur la mer.

➤ Le ♥ **parc naturel de la Maremme**** *(15 km S de Grosseto, p. 238)* propose, en bord de mer, 4 000 ha sauvages de marais, de dunes et de pinèdes : la Maremme à l'état de nature.

➤ À l'est de Grosseto, ♥ **Sovana*** et ♥ **Pitigliano**** *(p. 242)*, cités perchées dans des sites époustouflants, dévoilent une autre Toscane.

Sienne et ses environs

➤ **Sienne***** *(68 km S de Florence, p. 247)* domine une campagne où les collines jouent à saute-mouton. À voir : le Campo***, l'enchantement d'une des plus conviviales places d'Italie avec, en toile de fond, le Museo civico*** *(p. 248)* et ses fresques célèbres. La cathédrale*** *(p. 254)*, à l'extraordinaire pavement*** en marbre, trône au cœur d'un quartier qui défie le temps. Juste en face, l'ancien hôpital S. Maria della Scala** *(p. 260)* héberge le très insolite ♥ Musée archéologique*** *(p. 261)*. Un peu plus loin, la Pinacothèque nationale*** *(p. 261)* offre un remarquable panorama de la peinture siennoise.

➤ Au sud de Sienne, voici l'étrange paysage de bosses assoiffées, argileuses et crevassées des **Crete*** *(p. 271)*. Ne manquez pas l'**abbaye du Monte Oliveto Maggiore*** *(p. 272)*, dont le cloître abrite des fresques** racontant la vie de saint Benoît, **Montalcino*** *(p. 273)*, un des villages perchés les plus attachants de la région, ♥ **Montepulciano*** *(p. 275)*, un gros bourg fortifié, riche en palais, **Pienza*** *(p. 275)* ou l'étonnante histoire d'un village métamorphosé en petite cité-palais par la grâce d'un pape… et **Chiusi*** *(p. 276)*, important centre étrusque dont il reste des galeries souterraines et plusieurs tombes.

Arezzo, Casentino et Cortone

➤ Le très beau centre-ville médiéval d'**Arezzo**★★ *(84 km S-E de Florence, p. 283)* s'organise autour de l'église S. Francesco★ (fresques de la ♥ *Légende de la Vraie Croix*★★★ de Piero della Francesca, p. 285) et de la ♥ piazza Grande★★ *(p. 287)*.

➤ C'est dans les monts oubliés du **Casentino**★★ *(au N d'Arezzo)* que saint François d'Assise fut marqué par les stigmates (monastère de **La Verna**★★, *p. 289)*. De gros bourgs moyenâgeux jalonnent la haute vallée de l'Arno,

notamment **Bibbiena**★ *(p. 290)*, **Poppi**★ et son ♥ château★ *(p. 293)*, et **Stia**★ *(p. 295)*.

➤ Au cœur d'une très belle campagne, ♥ **Cortone**★★ *(30 km S d'Arezzo, p. 297)*, juchée en surplomb du lac Trasimène, a gardé son cachet médiéval. ■

Si vous aimez...

LA NATURE ET LES PARCS NATURELS

En montagne, le ♥ **parc des Alpes apuanes**, au nord de Lucques *(p. 191)* et le **parc du Casentino**, dans le Casentino, au nord d'Arezzo *(p. 289 et 302)*. Le **parc de la Maremme**★★ *(p. 238)*, en bord de mer, est passionnant. Citons aussi le **parc de l'Orecchiella** *(p. 194)* ou encore le **mont Amiata** *(p. 243)* et leurs petites stations de ski.

L'AMBIANCE DU VIGNOBLE

Le très beau **massif du Chianti**★★ *(p. 142)* entre Florence et Sienne, autour de Castellina, de Radda et de Gaiole. Au sud de Sienne, les vignobles réputés de **Montalcino**★ *(p. 273)* et de ♥ **Montepulciano**★ *(p. 275)*. Un décor qui n'est jamais monotone. Les vendanges, suivies de fêtes, se déroulent en sept. ou début oct. selon les années.

LA CAMPAGNE TOSCANE

Les paysages les plus caractéristiques se trouvent **autour de Sienne** *(p. 271)*. Mais il y a aussi la Toscane montagneuse des **Apennins** (la Garfagnana★,

p. 191, et le Casentino★★, p. 289) et celle du **mont Amiata**, sommet de la région, culminant à 1 738 m *(p. 243)*.

L'ESPRIT MÉDIÉVAL

Aux **environs de Sienne**, les bourgs perchés en nid d'aigle, comme Montalcino★ *(p. 273)* ou ♥ Montepulciano★ *(p. 275)* et les petites cités de San Gimignano★★ *(p. 150)* et Volterra★★ *(p. 153)*: ruelles tortueuses à l'ombre des palais, places-salons et ceinture de remparts. À **Pistoia**★★ *(p. 164)*, sur la piazza del Duomo★★★ et le ♥ marché de la piazza della Sala. À **Pise**, le ♥ campo dei Miracoli★★★ *(p. 204)*.

Les fêtes

La Toscane adore les fêtes, chaque village ayant la sienne. La plus célèbre de toutes est le Palio de **Sienne** *(voir p. 268)*. Suivent à **Florence**, le Calcio in costume, à **Arezzo** la giostra del Saracino *(encadré p. 300)*, à **Pise** le gioco del Ponte et la regata di San Ranieri *(voir p. 223)*, à **Pistoia** la giostra dell'Orso *(encadré p. 173)*. Sans oublier le carnaval de **Viareggio**, l'un des plus réputés *(encadré p. 202)*.

Les jardins à l'italienne

À **Florence**, les ♥ jardins de Bóboli** *(p. 124)* et, **aux environs**, ceux des villas Petraia et Castello, parfaits exemples de jardins à l'italienne, très dessinés *(p. 130)*. Le ♥ jardin du palazzo Pfanner, à **Lucques** *(p. 185)*, ou, aux environs, les parcs des **villas lucquoises*** *(p. 187)* et le spectaculaire ♥ giardino Garzoni** à **Collodi** *(p. 189)*.

Le charme des petits musées

Il y a d'abord les petits musées campagnards dont certains possèdent des merveilles ignorées et dont l'ambiance est délicieuse. Nous en signalons plusieurs aux **environs de Sienne** : à Asciano *(p. 272)*, Buonconvento, Montalcino *(p. 273)*, Pienza et Montepulciano *(p. 275)*. On en trouve aussi dans les montagnes de Toscane, spécialement dans les **Alpes apuanes** *(p. 191)* au nord de Lucques et dans le **Casentino** *(p. 289)* au nord d'Arezzo.

À **Florence**, quelques palais reconstituent l'ambiance d'une autre époque : le ♥ palazzo Davanzati* *(p. 75)* ou le

♥ museo Horne* *(p. 96)*. À **Sienne**, les musées des différents quartiers ou *contrade (encadré p. 282)*. À **Sansepolcro**, le Museo civico* *(p. 288)*, riche d'œuvres de Signorelli, de Pontormo et surtout de Piero della Francesca.

Les grandes fresques murales

À **Florence**, narratives et légères, les fresques de ♥ Ghirlandaio** (S. Trinità, *p. 113*, et S. Maria Novella, *p. 108*) et de ♥ Gozzoli** (palais Medici-Riccardi, *p. 104*) ; puissantes et poétiques, celles d'Uccello** (cloître de S. Maria Novella, *p. 112*) ; fortes et novatrices en leur temps, les fresques de Gaddi* (S. Croce, *p. 94*) et de Masaccio*** (chapelle Brancacci, *p. 117*) ; étranges, celles de la ♥ *Passion du Christ*** de Pontormo à la chartreuse de Galluzzo *(p. 131)*.

À **Sienne**, la fresque singulière de *Guidoriccio**** , par Simone Martini (Museo civico, *p. 250*) ; laïque et didactique, le *Bon et le Mauvais Gouvernement**** , par Ambrogio Lorenzetti (Museo civico, *p. 250*). À **Pise**, le ♥ *Triomphe de la Mort*** dans le cimetière du campo dei Miracoli *(p. 210)*. À **Arezzo**, la ♥ *Légende de la Vraie Croix****, chef-d'œuvre de Piero della Francesca (église S. Francesco, *p. 285*). À **San Gimignano**, le terrifiant ♥ *Jugement dernier** par Taddeo di Bartolo (Duomo, *p. 150*). À l'**abbaye du Monte Oliveto Maggiore**, la *Vie de saint Benoît**, par Signorelli et Sodoma *(p. 272)*.

L'art étrusque

Au VIIe s. av. J.-C., la civilisation étrusque se développe sur le territoire de la Toscane actuelle. Quatre musées importants et très complémentaires lui sont consacrés : à **Florence**, les col-

La Toscane autrement

L'Art, avec un grand « A », colle tellement à l'image de la Toscane qu'il paraît difficile de la découvrir autrement qu'à travers ses grands musées, ses cités monumentales et ses chefs-d'œuvre dûment répertoriés. Pour admirables qu'elles soient, ces merveilles ne peuvent pourtant faire oublier la vie comme elle va dans les petites **fêtes villageoises**, les **foires gourmandes** ici et là autour de la charcuterie locale, du vin, de l'olive, des fromages *(encadré p. 280)* ; la vie comme un art quotidien, avec un petit « a », sans costumes ni trompettes.

Le visiteur n'a pas toujours le temps ni les moyens de rencontrer cette Toscane intime de la montagne, celle du **Casentino** *(p. 289)* ou de la **Garfagnana** *(p. 191)*, au nord d'Arezzo et de Lucques, qui vit en osmose avec ses forêts de châtaigniers, ses torrents, ses pacages saisonniers et ses cascades gelées en hiver. Qui parcourt l'arrière-pays sec et rocailleux de la **Maremme** et se niche pour quelques jours à **Pitigliano** *(p. 242)*, bourg hautain et routinier, grouillant d'une vie frugale ? Qui vient déguster cochonnailles et civets de sanglier dans les **bistrots de villages anonymes**, d'autant plus surprenants que leur beauté n'est repérée par aucun guide ? Il existe mille et une façons passionnantes de visiter la Toscane hors des grands chemins et de mieux comprendre les racines de son génie. Celle des **monts Métallifères** *(p. 225)* où naquit la métallurgie ; celle, fréquentée par les seuls bergers et leurs moutons, du désert argileux des **Crete**, au sud de Sienne *(p. 271)* ; celle des **sites étrusques perdus** dans les maquis de la Maremme *(p. 241)* et autour de Chiusi *(p. 276)* ; celle, éblouissante de marbre blanc, des **carrières de Carrare** *(p. 196, photo ci-dessus)*. Celle, enfin et tout simplement, de superbes petites villes comme **Pistoia** *(p. 164)* ou **Cortone** *(p. 297)*, drapées dans leurs gloires passées, ou encore, cette **Toscane industrieuse** et spécialisée dans un secteur (textile, bois, peausserie, arboriculture) de la vallée de l'Arno. La vogue des séjours à la campagne en **agrotourisme** *(p. 28)* devrait, plus encore qu'hier, aiguiser toutes les curiosités… ❖

lections rénovées et amplifiées du Musée archéologique** *(p. 102)* ; à **Volterra**, l'admirable Musée étrusque Guarnacci** et les vestiges des remparts *(p. 156)* ; à **Cortone**, le musée de l'Académie étrusque* et son très beau lustre *(p. 298)* ; à **Chiusi**, le Musée archéologique*, en grande partie consacré à l'important développement local de la civilisation étrusque, ainsi que le labyrinthe de Porsenna* et les tombes* des environs *(p. 276)*. Signalons également des sites en **Maremme**, comme ♥ **Roselle*** et son extraordinaire muraille *(p. 233)*, la nécropole* de **Vetulonia** *(p. 233)* et **Pitigliano** *(p. 242)*.

LES BEAUX POINTS DE VUE URBAINS

À **Florence**, du haut de la coupole de la cathédrale ou du campanile *(p. 69 et 71)* ; du ponte Vecchio *(p. 76)* ; et puis toute la promenade en belvédère sur Florence *(p. 126)*, jusqu'à S. Miniato al Monte. À **Sienne**, la vue plongeante sur le Campo du haut de la tour de la Mangia *(p. 248)* ; les panoramas des petites rues qui entourent la cathédrale *(p. 254)* ou de la via della Galluzza *(p. 252)*, près de la maison de sainte Catherine. À **Lucques**, le tour des remparts *(p. 186)*. À **Pise**, les quais des rives droite et gauche, vus de l'Arno *(p. 213)*. À **San Gimignano**, du haut de la torre Grossa, sur les tours de la cité *(p. 152)*.

LA PROMENADE DU SOIR (PASSEGGIATA)

Assez tard, à **Florence** (à partir de 22 h 30 en été) : du baptistère à la piazza della Signoria par la via de'Calzaiuoli *(p. 77)*. À **Sienne**, via Banchi di Sopra *(p. 251)*, où toute la ville se retrouve pour la promenade vespérale, et sur le Campo *(p. 248)* où l'on pourrait passer la nuit à regarder les étoiles. À **Pise**, au long du borgo Stretto, autour de la piazza dei Cavalieri *(p. 213)*. À **San Gimignano**, tard, après le dîner, sur le « carré magique » des places du Duomo et surtout della Cisterna, où le temps s'abolit soudain *(p. 151)*. Dans les **bourgs et villages**, ne manquez pas non plus la *passeggiata* dont la rumeur résonne entre les murs ; par exemple à Barga *(p. 193)*, Cortone *(p. 297)*, Massa Marittima *(p. 228)*, Pitigliano *(p. 242)*, Poppi *(p. 293)*… ■

Programme

Trois jours à Florence

➤ **JOUR 1**. Promenade du Duomo et du baptistère à la piazza della Signoria et visite du palazzo Vecchio. L'après-midi, de l'autre côté de l'Arno, empruntez les sentiers et escaliers qui grimpent jusqu'à S. Miniato al Monte, très agréable en début de soirée.

➤ **JOUR 2**. L'église S. Lorenzo, les chapelles médicéennes et le musée de S. Marco, consacré à Fra Angelico. L'après-midi, visitez la galerie des Offices, en vous limitant à la peinture florentine de la Renaissance.

➤ **JOUR 3**. Les fresques de Masaccio dans la chapelle Brancacci. L'après-midi, le palais Pitti et les magnifiques jardins de Bóboli.

Deux jours à Sienne

➤ **JOUR 1**. Le Campo et le Museo civico ; voyez-y au moins les œuvres de Simone Martini et d'Ambrogio Lorenzetti. L'après-midi, rendez-vous à la cathédrale toute proche pour admirer son pavement, sa chaire et ses œuvres d'art. Le soir, la *passeggiata* a lieu via Banchi di Sopra qui bruit alors de toutes les rumeurs de la cité.

➤ **JOUR 2**. Après la Pinacothèque nationale sur la peinture siennoise, visitez l'hôpital de la Scala (peintures très vivantes dans la salle des Pèlerins) et le tout récent Musée archéologique créé dans les sous-sols.

Huit jours en Toscane

➤ **JOUR 1**. Pise : visite du campo dei Miracoli et promenade vers l'Arno.

➤ **JOUR 2**. Coupez le trajet vers Florence par une halte d'une demi-journée à Lucques et une autre à Pistoia.

➤ **JOURS 3 ET 4**. Florence *(programme « Trois jours à Florence » allégé)*.

➤ **JOURS 5 ET 6**. La route du Chianti et séjour à Sienne *(programme « Deux jours à Sienne » allégé)*.

➤ **JOURS 7 ET 8**. San Gimignano et découverte de la campagne toscane au sud de Sienne.

Quinze jours en Toscane

➤ **JOUR 1**. Pise *(voir programme « Huit jours en Toscane »)*.

➤ **JOUR 2**. Lucques.

➤ **JOUR 3**. Carrare et les carrières de marbre.

➤ **JOUR 4**. Trajet vers Florence coupé d'une halte à Pistoia .

➤ **JOURS 5 ET 6**. Florence *(programme « Trois jours à Florence » allégé)*.

➤ **JOURS 7 ET 8**. La route du Chianti et séjour à Sienne *(programme « Deux jours à Sienne » allégé)*.

➤ **JOURS 9 ET 10**. Colle di Val d'Elsa, Certaldo, San Gimignano et Volterra.

➤ **JOUR 11**. Massa Marittima.

➤ **JOURS 12 ET 13**. Montepulciano et ses environs.

➤ **JOURS 14 ET 15**. Cortone, Arezzo et retour à Florence par l'autoroute (80 km) ou, si l'on a le temps, par la S 310 à travers le Casentino et la S 70, à partir de Poppi (100 km). ■

■ Quand partir ?

Le **printemps** et l'**automne**, périodes où la lumière est particulièrement belle, sont les saisons idéales pour visiter cette région. Les **hivers** passent pour être doux, mais ils sont pluvieux et nuageux. La neige est rare en plaine ; mais on peut skier autour du mont Amiata.

Évitez si possible les mois de **juil.- août** dans les villes, où règne la plupart du temps une chaleur étouffante. En revanche, les hauteurs des Alpes apuanes, au nord de Lucques, du Casentino, au nord-est de Florence, et des environs du mont Amiata sont très rafraîchissantes.

La **saison touristique** à Florence, Sienne et Pise va de mars à nov. avec un pic de fréquentation en été. Il est donc indispensable de réserver sa chambre à l'avance à cette période. Il en est de même si vous prévoyez de partir lors de grands week-ends fériés, quel que soit le moment de l'année.

■ Comment partir ?

En avion

COMPAGNIES RÉGULIÈRES

➤ **DEPUIS LA FRANCE.** Nombreux vols directs pour Florence ou Pise (1 h 50 de trajet). À partir de 210 € l'A/R. Modifications et annulations soumises à certaines restrictions. **Air France**, rés. ☎ 0.820.820.820 (0,12 €/mn), < www.airfrance.fr > et **Alitalia**, rés. ☎ 0820.315.315 (0,12 €/mn), < www.

Températures moyennes en °C

Mois	J	F	M	A	M	J	J	A	S	O	N	D
mini	2	2	5	8	12	15	17	17	15	11	6	3
maxi	10	9	12	16	20	24	29	32	31	27	21	14

alitalia.fr >, ont signé des accords commerciaux. Réservation chez l'un ou l'autre, mais tous les vols sont effectués sur des avions Air France au départ de Roissy-Charles-de-Gaulle 2. Vols quotidiens réguliers à destination de Florence (6/jour) et de Pise (4 /jour).

➤ **Depuis la Belgique**. Env. 4 h de vol. À partir de 270 € l'A/R. **Alitalia**, rés. ☎ (02) 720.97.28. Liaisons quotidiennes Bruxelles/Pise *via* Milan et Bruxelles/Florence *via* Milan.

➤ **Depuis la Suisse**. Les correspondances ne sont pas très bonnes : compter 5 à 6 h de voyage. À partir de 300 €. **Alitalia** ☎ 0.848.848.016. De Zurich, liaisons pour Florence ou Pise *via* Rome ou Milan. De Genève, liaisons pour Florence ou Pise *via* Milan.

Spécialistes de la vente de billets d'avion

Nombreuses propositions à bord des compagnies régulières effectuant la liaison directement ou avec changement d'avion. Au départ de Paris, premiers prix équivalents à ceux offerts directement par les compagnies, à partir de 210 € l'A/R. Vous aurez d'autant plus de chances de trouver ces tarifs que vous vous y prendrez tôt.

Bourse des voyages ☎ 0.892.888.949, < www.bourse-des-voyages.com >. Recense les programmes de vols et de voyages de nombreux tour-opérateurs francophones.

Easy Voyages ☎ 0.899.700.207 (1,35 € l'appel + 0,35 €/mn), < www.easy vols.com >. Portail d'informations touristiques rassemblant les offres de plusieurs voyagistes (Opodo, Anyway, Lastminute, Go Voyages, Voyages-SNCF, Directours, Vivacances et Ebookers) présentant vols secs et forfaits à tarifs négociés, ce qui permet de comparer en temps réel. Pour la réservation, on est renvoyé directement sur le site du voyagiste.

Nouvelles Frontières ☎ 0.825.000.747 (0,15 €/mn), < www.nouvelles-frontieres.fr >. Également présent en Belgique, en Luxembourg et en Suisse. Bonne sélection de vols à prix attractifs.

En train

Le prix du voyage en train est, à une dizaine d'euros près, équivalent à celui en avion.

➤ **Depuis la France**. Train de nuit depuis Paris-Bercy. Départs t.l.j. à 19 h 09, arrivée à 7 h 29 à Florence (gare S. Maria Novella). **Rens. SNCF** ☎ 08.92.35.35.35 (0,34 €/mn), < www.voyages-sncf.com >.

➤ **Depuis la Belgique**. Liaisons pour Florence *via* Zurich ou Milan. **Rens. SNCB** ☎ (02) 528.28.28, < www.b-rail.be >.

➤ **Depuis la Suisse**. Liaisons Zurich/Florence. 4 départs/j. avec changement à Milan. Voyage direct de nuit : départ à 22 h, arrivée à 6 h 10. **Railservice** ☎ 900.300.300, < www.bahn.de >.

Par la route

En autocar

De Paris, compter environ 10 h de voyage de nuit et 130 € l'A/R.

Eurolines, gare internationale de Paris-Gallieni, 28, av. du Général-de-Gaulle, BP 313, 93451 Bagnolet Cedex, rés. ☎ 08.92.89.90.91 (0,34 €/mn), < www.eurolines.fr >. Départs quotidiens de Paris (Florence/Rome/Naples *via* Lyon et Grenoble) et de Montpellier et Marseille les mar., ven. et dim.

Intercars, 139 *bis*, rue de Vaugirard, 75015 Paris, rés. ☎ 0892.89.80.80 (0,34 €/mn), < www.intercars.fr >. Départs pour Florence les mer., ven., dim. de Bordeaux, Périgueux, Brive, Ussel, Clermont, Saint-Étienne, Lyon, Grenoble.

En voiture

➤ **De Paris à Florence**, l'itinéraire le plus rapide (1 130 km, dont 1 100 km sur autoroute) emprunte le tunnel du Mont-Blanc. Compter 100 € env. pour les péages.

➤ **De l'est ou du nord de la France**, le plus pratique : gagner Bâle et, par le tunnel du Saint-Gothard (gratuit), Milan. De Lille, 1 275 km dont 1 200 sur autoroute. Péages : 26 € env.

■ Organiser son voyage

S'organiser soi-même

Il suffit de choisir son mode d'acheminement *(voir p. 17-18)* et de réserver un hôtel à l'une des adresses conseillées dans ce guide ou bien *via* les centrales de réservation indiquées ci-dessous.

➤ AGROTOURISME. Une formule originale qui s'est énormément développée ces dernières années *(voir p. 28)*. **FAR Voyages & Agritourisme**, 8, rue Saint-Marc, 75002 Paris ☎ 01.40.13.97.87, < www.locatissimo.com >. Appartements, villas et maisons de charme dans la campagne toscane et en ville.

➤ ÉCHANGES D'APPARTEMENTS OU DE VILLAS. **Home-Link International**, 19, cours des Arts-et-Métiers, 13100 Aix-en-Provence ☎ 04.42.27.14.14, < www.homelink.fr >. **Intervac**, 230, bd Voltaire, 75011 Paris ☎ 01.43.70.21.22, < www.echange-vacances.com >.

➤ LOCATIONS. **Casa d'Arno**, 28, rue Godefroy-Cavaignac, 75011 Paris ☎ 01.44.64.86.00, < www.casadarno. com >. Un choix étendu d'appartements au centre de Florence, du studio au palazzo, sélectionnés pour la beauté du cadre et la tranquillité des lieux. Également chambres d'hôtes à la campagne. **Bellavista**, 24, rue Ravignan, 75018 Paris ☎ 01.42.55.41.92, < www.bellavista-villa-rentals.com >. Villas de grand luxe en Toscane. **Cuendet** ☎ 0800.900.381 ou 912.692 ou 907.886 (appel gratuit depuis la France), < www.cuendet.com >. Large éventail de demeures à louer en Toscane dans toutes les catégories. **Interhome**, 15, av. Jean-Aicard, 75011 Paris ☎ 01.53.36.60.00, < www.interhome.fr >. 3 500 locations de vacances, maisons et appartements, gamme moyenne. **Italie Loc'Appart**, 125, av. Mozart, 75016 Paris ☎ 01.45.27.56.41 (de 14 h à 19 h), < www.italielocappart.fr >. Location d'appartements, de maisons et de villas, pour un minimum de 3 nuits (Florence) ou de 5 nuits (campagne toscane), à partir de n'importe quel jour de la semaine. **Tourisme chez l'habitant**, BP 8338, 15, rue des Pas-Perdus, 95804 Cergy-Saint-Christophe ☎ 01.34.25.44.72, < www.tch-voyages. com >. Grand choix de chambres d'hôtes. Disposent aussi d'une sélection d'hébergement en couvent ou en monastère : < www. sixtina.com > (en français).

➤ SUR INTERNET. < www.bbitalia. com > (en anglais) : répertoire des Bed and Breakfast en Italie. < **www.itwg. com** > (en anglais) : hôtels de toutes catégories, locations de villas, agrotourisme. < **www.venere.it** > (en français) : site italien d'hébergement de toutes catégories en Italie et en Europe.

Via un voyagiste

Vous trouverez dans les brochures des voyagistes proposant l'Italie de nombreux week-ends à Florence (avion + 2 ou 3 nuits) ou bien des circuits d'une semaine combinant la visite de Florence avec celles de Venise et/ou de Rome. En revanche, rares sont les circuits organisés dans la seule Toscane. Les meilleurs spécialistes proposent quelques autotours dans la région et des formules à la carte offrant avion + voiture + réservation d'hôtels aux étapes que vous aurez choisies. Compter env. 490 € pour un week-end (avion +2 nuits d'hôtel 3*) et à partir de 800 € pour un autotour (avion + location de voiture sur la base de 2 pers. + 7 nuits d'hôtels avec petit déjeuner). Sauf mention contraire, vous trouverez en agence de voyages les brochures des voyagistes indiqués ci-dessous :

CIT Évasion, rens. ☎ 0.810.00.70.70 (0,04€/mn). Week-end à Florence combiné avec d'autres villes. Formules train ou avion + voiture. Large choix d'hôtels pour voyages à la carte.

Donatello ☎ 01.44.58.30.81, < www. donatello.fr >. Un des plus complets de notre sélection. Hôtels (charme et élégance) et excursions à Pise, Sienne et San Gimignano ; week-ends à Florence. Places de concert, d'opéra, de ballet pour le Mai musical florentin ; week-end à Sienne, San Gimignano et Cortone. Voyages à la carte. Ces programmes sont repris *in extenso* chez

Voyageurs en Italie, 43, rue Sainte-Anne, 75002 Paris ☎ 01.42.86.17.20, < www.vdm.com >.

Jet Tours, rens. ☎ 01.56.77.14.00, < www.jettours.com >. Week-ends à Florence, autotours avec circuits établis en Toscane.

Nouvelles Frontières, rens. ☎ 0.825. 000.747, < www.nouvelles-frontieres. fr >. Vols secs, voyages à la carte, séjours à Florence et en Toscane, autotours.

Visit Italie ☎ 0.826.802.802 et < www. visiteurope.fr >. Week-ends à Florence, Sienne, Pise. Locations de villas, voyages à la carte, autotours, nombreuses suggestions d'itinéraires, d'excursions et de spectacles.

Circuits culturels

Arts & Vie, 251, rue de Vaugirard, 75015 Paris ☎ 01.40.43.20.21, < www. artsvie.asso.fr >. Antennes à Grenoble, Lyon, Marseille et Nice. Circuits culturels à thèmes d'une semaine. Très bon rapport qualité/prix.

Clio, 34, rue du Hameau, 75015 Paris ☎ 01.53.68.82.82, < www.clio.fr >. Grand choix de circuits accompagnés d'universitaires, historiens, archéologues... spécialistes de la destination.

Intermèdes, 60, rue La Boétie, 75008 Paris ☎ 01.45.61.90.90, < www.inter medes.com >. Quelques circuits culturels avec conférenciers spécialisés.

Circuits thématiques

➤ **Musique. La Fugue**, 32, rue Washington, 75008 Paris ☎ 01.43.59. 10.14, < www.lafugue.com >. Voyages musicaux sur mesure très hauts de gamme à l'occasion du Mai musical florentin. **Korè Voyages**, 86, bd des Batignolles, 75017 Paris, rens. ☎ 01.53. 42.12.24, < www.korevoyages.com >. Week-ends à Florence. Vol, hébergement et demi-journées de visite. Opéras et concerts en option.

➤ **Jardins. Mondes et Merveilles**, 7, rue du 29-Juillet, 75001 Paris ☎ 01.42. 60.34.54, < www.european-garden-tour.com >. Spécialiste de l'organisation de voyages autour des jardins. Quelques circuits ponctuels en Toscane.

■ Formalités

➤ **Papiers.** Carte nationale d'identité délivrée depuis moins de 10 ans ou passeport en cours de validité.

➤ **Permis de conduire.** Permis de conduire national à trois volets ou permis international, carte verte d'assurance internationale (fournie par votre compagnie) et triangle de détresse.

➤ **Douane.** Les prescriptions douanières sont celles en vigueur dans les pays de l'Union européenne. L'exportation d'œuvres d'art est sévèrement réglementée. Rens.: **Centre de renseignements des douanes** ☎ 01.53.24. 68.24, < www.finances.gouv.fr >.

➤ **Animaux domestiques.** Certificat de bonne santé datant de moins de 30 jours et certificat de vaccination antirabique datant de plus d'un mois et de moins de 11 mois. Pour les chiens, muselière obligatoire en ville et dans les transports publics. Les musées et les jardins publics sont interdits aux animaux, et de nombreux hôtels ou restaurants les refusent.

Ambassades et consulats

➤ **À Paris.** 5, bd Émile-Augier, 75016 ☎ 01.44.30.47.00.

➤ **À Bruxelles.** 38, rue de Livourne, 1000 ☎ (02) 537.19.34.

➤ **À Genève.** 14, rue Charles-Galland, 1206 ☎ (022) 839.67.44.

➤ **À Montréal.** 3489, Drummond St., H3G-1X6 ☎ (514) 849.83.51.

■ Faire sa valise

➤ **Vêtements.** À la belle saison: pull léger pour le soir et casquette ou chapeau pour la journée. En hiver, vêtements chauds. Pour la montagne et les parcs nationaux: sac à dos léger, chaussures de marche, crème solaire et lunettes de soleil

➤ **Matériel photo et vidéo.** On trouve pellicules et cassettes vidéo sur place. Prévoyez une paire de jumelles (type théâtre) et une petite torche électrique, bien utiles pour contempler les fresques, les statues haut perchées....

Votre budget

➤ **HÉBERGEMENT**. En moyenne, il faut compter 90 à 150 € pour une chambre double avec salle de bains dans un hôtel de catégorie moyenne et de bon confort. Les **étoilages** attribués aux hôtels dans ce guide répondent aux critères de prix suivants : ▲▲▲▲▲ 141 € et plus ; ▲▲▲▲ 101-140 € ; ▲▲▲ 56-100 € ; ▲▲ 36-55 € ; ▲ jusqu'à 35 €.

➤ **REPAS**. Le panino coûte de 1,50 à 4,25 €, la salade de 2,50 à 8 €, la pizza de 8 à 13 €, un plat de pâtes de 7 à 12 €, le plat de viande ou de poisson de 10 à 19 €, le dessert de 5 à 16 €, le couvert de 1,50 à 3 €. Les **étoilages** attribués aux restaurants dans ce guide répondent aux critères de prix suivants : ◆◆◆◆◆ 40 € et plus ; ◆◆◆◆ 31-39 € ; ◆◆◆ 24-30 € ; ◆◆16-23 € ; ◆ jusqu'à 15 €.

➤ **BOISSONS**. Le café coûte de 0,80 à 3 €, la bière de 1,60 à 5,50 €, la grappa 4 €. Le prix varie du simple au triple selon que vous êtes au comptoir ou en terrasse.

➤ **MUSÉES**. Le prix de l'entrée varie en moyenne de 4 à 5 € pour les petits musées, de 6 à 8 € pour les musées municipaux et les églises, et autour de 10 € pour les grands musées comme les Offices. Une surtaxe de 1,50 € est ajoutée au prix du billet lors des réservations par téléphone.

➤ **TRANSPORTS**. Dans les taxis, le prix du kilomètre est à 3,50 €. Il faut compter de 15,50 à 18,50 € pour le trajet de Florence à l'aéroport Amerigo Vespucci. Le billet de train de Florence à l'aéroport de Pise est à 6 €. Un billet de bus coûte de 1 à 1,20 €. La location d'un scooter pour une journée, 50 € ; la location d'une voiture, à partir de 45 €. ❖

■ Argent

➤ **MONNAIE**. L'unité monétaire italienne est l'euro.

➤ **CARTES BANCAIRES**. Elles sont généralement acceptées dans les hôtels, les restaurants et les magasins. **VISA** et **American Express** sont les plus utilisées. Nombreux distributeurs automatiques.

➤ **EN CAS DE PERTE OU DE VOL DE CARTE**. Avant de partir, la meilleure solution est de se procurer auprès de son agence le numéro à composer de l'étranger qui permet de faire immédiatement opposition. Le noter précieusement dans ses carnets, ainsi que le numéro de sa carte bancaire (mais surtout pas le code confidentiel !). Si vous l'avez égaré, voici les numéros à appeler de l'étranger : **Carte Bleue Visa** : n° vert international ☎ 0.80.00.22.31.10, < www.visa.com >. **Euro-**card/Mastercard, international ☎ (33) 01.45.67.84.84, < www.eurocard mastercard.tm.fr >. **American Express** ☎ (33) 01.47.77.72.00, <www24.ameri canexpress.com/France >. **Diners Club** ☎ (33) 01.40.23.58.31 (24h/24), < www.dinersclub.fr >. Une carte de secours est envoyée dans les 48 h.

➤ **CHÈQUES DE VOYAGE**. Ils se changent dans les banques et dans quelques hôtels et agences de voyages. Certaines banques prennent une commission forfaitaire sur chaque chèque : munissez-vous de grosses coupures.

■ Santé

➤ **VACCINS**. Aucune vaccination n'est exigée.

➤ **MÉDICAMENTS**. Si vous suivez un traitement médical, prenez suffisamment de **médicaments** avec vous, car vous ne serez pas assuré de retrouver les mêmes en Italie. Demandez à votre caisse d'assurance maladie le **formulaire E 111**, à présenter aux services de son équivalent italien, la SAUB, qui vous délivrera un certificat pour la prise en charge des prestations médicales. Le document qui l'accompagne vous informera des procédures à suivre pour bénéficier de la gratuité des soins médicaux en Italie. Si vous réglez votre voyage par carte bancaire, celle-ci peut vous donner droit à une **assurance personnelle** : renseignez-vous auprès de votre banque.

■ S'informer

Offices de tourisme (ENIT)

➤ **À Paris**. 23, rue de la Paix, 75002 ☎ 01.42.66.66.68, < www.enit.it >, n° vert gratuit ☎ 00.800.00.48.25.42.

➤ **À Bruxelles**. 176, av. Louise, 1050 ☎ (02) 647.11.54.

➤ **À Zurich**. Urianastrasse 32, 8001 ☎ (01) 211.36.33.

➤ **À Montréal**. 1, pl. Ville-Marie, suite 1914, H3B-3M9 ☎ (514) 866.76.67.

Instituts culturels

➤ **À Paris**. 50, rue de Varenne, 75007 ☎ 01.44.39.49.39, < www.iicparis.org >. **Centre culturel italien**, 4, rue des Prêtres-Saint-Séverin, 75005 ☎ 01.46. 34.27.00, < www.centrital.com >.

➤ **À Zurich**. Gotthardstrasse 27, 8002 ☎ (01) 202.48.46

➤ **À Montréal**. 1200, Dr Penfield St., H3A-1M9 ☎ (514) 849.34.73.

Sur Internet

< **www.turismo.toscana.it** > (en anglais). Informations touristiques sur la région : art, balnéaire, parcs naturels, spas, montagnes…

< **http://perso.magic.fr/cons.tolosa** > (en français). Consulat d'Italie à Toulouse. Informations économiques et administratives, actualités, nombreux liens vers des sites spécialisés.

< **www.Italie1.com** > (en français). Annuaire francophone associatif. Une foule de renseignements pratiques et culturels.

< **www.france-italie.net** > (en français). Site de la Chambre de commerce italienne en France.

< **www.museionline.it** > (en anglais). Liens pour tous les musées italiens.

< **www.touringclub.it** > (en anglais). Site du Touring Club : conseils d'itinéraires, guides, et cartes.

Librairies

➤ **À Paris**. **L'Astrolabe**, 46, rue de Provence, 75009 ☎ 01.42.85.42.95. **L'Harmattan**, 16, rue des Écoles, 75005 ☎ 01.40.46.79.10, < www.editions-harmattan.fr >. **Institut géographique national** (IGN), 107, rue La Boétie, 75008 ☎ 01.43.98.80.00, < www.ign.fr >. **Itinéraires**, 60, rue Saint-Honoré, 75001 ☎ 01.42.36.12.63 et 3, rue Cassette, 75006 ☎ 01.53. 63.13.58, < www.itineraires.com >. **La Tour de Babel** (librairie italienne), 10, rue du Roi-de-Sicile, 75004 ☎ 01.42. 77.32.40. **Ulysse**, 26, rue Saint-Louis-en-l'Île, 75004 ☎ 01.43.25.17.35, < www.ulysse.fr >. **Voyageurs du monde**, 55, rue Sainte-Anne, 75002 ☎ 01.42.86.17.38, < www.vdm.com >.

➤ **À Bruxelles**. **Anticyclone des Açores**, 34, rue Fossé-aux-Loups, 1000 ☎ (02) 217.52.46, < www.anticyclonedesacores.com >. **Peuples et Continents**, 11, rue Ravenstein, 1000 ☎ (02) 511.27.75. **La Route de Jade**, 116, rue de Stassart, 1050 ☎ (02) 512.96.54, < www.laroutedejade.com >.

➤ **À Zurich**. **Travel Bookshop**, Rindermarkte 20, 8001 ☎ (01) 252.38.83. ■

SAVOURER UN PANFORTE
OU DÉGUSTER UN VERRE
DE CHIANTI, VISITER LES MUSÉES
OU FAIRE DU LÈCHE-VITRINES,
LOGER EN AGROTOURISME
OU CHEZ L'HABITANT,
ASSISTER AU PALIO OU DANSER
AU MAGGIO MUSICALE...
**DE A À Z, VIVRE LA TOSCANE
AU QUOTIDIEN.**
26 LA TABLE TOSCANE

■ Arrivée

➤ **EN AVION.** L'**aéroport Amerigo Vespucci**, situé à 5 km N-O de Florence, n'accueille que les avions petits porteurs. À l'arrivée, bureaux de location de voitures ; au départ, taxis et autobus SITA et ATAF n° 62 à destination de la gare S. Maria Novella.

L'**aéroport Galileo Galilei**, à 2 km S de Pise, principal aéroport international, est relié à Florence *via* Empoli par des trains fréquents (1 h 20 de trajet). Au retour, enregistrez vos bagages à la gare S. Maria Novella (quai 5). Départs toutes les heures de 6 h 45 à 17 h. **Liaisons ferroviaires** fréquentes avec les gares d'Empoli, Lucques, Montecatini, Pistoia et Prato.

➤ **EN TRAIN.** Le train de nuit Galilei au départ de la gare de Lyon arrive le matin en **gare de S. Maria Novella** à Florence. Consigne, station de taxis et principales lignes d'**autobus** (ATAF pour Florence, SITA, LAZZI, CAP et COPIT pour les liaisons interurbaines). **Correspondances ferroviaires** pour les principales villes de Toscane (< www.trenitalia.it >).

■ Courrier

Les timbres-poste *(francobolli)* s'achètent dans les bureaux de tabac *(tabaccheria)*, signalés par un grand « T » blanc sur fond sombre. Délais d'acheminement vers la France très variables (entre 48 h et deux semaines...). Postez votre courrier de préférence dans les postes centrales.

■ Cuisine

Malgré sa grande simplicité, la cuisine de Toscane est l'une des plus variées et des plus raffinées de la péninsule. Les vins régionaux figurent parmi les meilleurs d'Italie *(voir p. 146)*.

En général, une entrée et un seul plat suffisent largement à se restaurer, le plat du jour (piatto del giorno) étant toujours copieux.

La différence entre la **trattoria** et le **ristorante** réside essentiellement dans le soin apporté à la présentation de la table (nappes et ambiance plus cosy dans le *ristorante*) et un choix plus vaste tant pour les plats que pour la carte de vins, raffinements qui se concrétisent par une addition plus élevée. Les **spaghetteria** et **pizzeria** sont des établissements simples, ouverts assez tard. Les **tavola calda** et **cantinetta**, généralement fermées le soir, proposent une petite restauration accompagnée d'un choix de vins régionaux.

POUR LIRE UN MENU

À l'exception des rares restaurants affichant le logo *conto trasparente* (addition transparente) selon le système français, les **additions** italiennes sont à tiroirs : au nombre de plats choisis (les légumes et les pommes de terre sont servis à part) s'ajoute le **couvert** (*coperto*, de 1,50 à 3 €), voire le service (de 10 à 15 % sur le montant de l'addition). On mange le plus souvent à la carte, les « menus touristiques » caractérisant les restaurants de qualité inférieure ignorés par les Toscans. Afin d'éviter les mauvaises surprises au moment de l'addition, consultez la liste des prix affichée à l'extérieur de l'établissement.

➤ **ANTIPASTI** : entrées. Assiette de charcuterie (*antipasto toscano*), toasts de foie de volaille ou de pâte d'olive (*fettunte* ou *crostini*), terrine de viande ou de poisson, ou encore soufflé aux légumes (*sformato*).

➤ **PRIMO PIATTO** : premier plat. En général un plat de pâtes, ou de risotto. Les *spaghetti alle vongole* ou les *spaghetti ai frutti di mare* (aux coques ou aux fruits de mer) pourraient constituer un plat principal à eux seuls. Tout comme le risotto aux truffes (*tartufi*), le *risotto nero alla fiorentina* (avec des seiches), le risotto aux artichauts (*carciofi*), les célèbres *pasta e fagioli* (pâtes et haricots blancs) ou la grande variété de soupes de légumes (*zuppa*) ou de *minestroni*.

➤ **SECONDO** : plat principal (viande ou poisson) servi sans garniture. Le prix indiqué pour la *bistecca* et le poisson est celui de l'*etto* (100 g).

➤ **CONTORNI** : garniture du plat principal, à commander à part. À noter, les *asparagi* (asperges), les *carciofi* (petits artichauts) servis frits ou bouillis et, bien sûr, les nombreuses recettes de haricots blancs…

➤ **DOLCI** : dessert.

Viennent ensuite le café et, éventuellement, le pousse-café, (*grappa* : marc ; ou *amaretto* : liqueur digestive).

■ Fêtes et manifestations

Le détail des manifestations culturelles est donné dans la presse *(voir «Médias» p. 31)* et dans les offices de tourisme. Voici le calendrier des principales manifestations religieuses et profanes, auxquelles s'ajoutent de nombreux festivals de musique en été.

➤ **Février**. Ne manquez pas le spectaculaire *Carnaval* de **Viareggio** *(encadré p. 202)*. À voir aussi, le *Carnaval* de **San Gimignano** qui se déroule durant 4 dim. précédant le Mardi gras.

➤ **Mars**. Le 12 : *fête de Sainte-Fine*, patronne de **San Gimignano**.

➤ **Pâques**. *Explosion du char* à **Florence** *(scoppio del Carro, encadré p. 140)*.

➤ **Avril**. *Exposition florale* sur la piazza della Libertà à **Florence** et *exposition internationale de l'artisanat* à la fortezza da Basso.

➤ **Mai**. Le *Maggio musicale* de **Florence** se déroule en général de la mi-avr. à la mi-juin et fait la part belle aux grands concerts et à la danse. À **Massa Marittima**, le *balestro del Girifalco (p. 246)* se déroule le 1er dim. après la Saint-Bernardin (20 mai).

➤ **Dimanche de l'Ascension**. Au parc de Cascine, à **Florence**, a lieu la *festa del Grillo (p. 139)*.

➤ **Juin**. À **Pise**, la *regata di San Ranieri* (17 juin) opposant les quatre quartiers pisans est précédée de l'illumination nocturne des quais de l'Arno et d'un feu d'artifice *(p. 223)*; le *gioco del Ponte* entre les quartiers Tramontana et Mezzogiorno a lieu le dernier dim. de juin *(encadré p. 223)*. L'*Estate fiesolana* de **Fiesole** se tient au théâtre Romain jusqu'à fin août. Les 19, 24 et 28, le *Calcio* de **Florence** a pour cadre la piazza S. Croce. 3e dim. : la *giostra del Saracino*, célèbre joute chevaleresque d'**Arezzo**, a lieu sur la piazza Grande *(encadré p. 300)*; le même jour, à **San Quirico d'Orcia**, les jeunes gens des différents quartiers montrent leur habileté aux jeux de drapeaux pendant la *festa del Barbarossa*.

➤ **Juillet**. Le 2 : premier *Palio* de **Sienne** *(voir p. 268)*. Le 12 : à **Lucques**, lors du *palio di San Paolino*, les trois *terzieri* s'affrontent au cours d'un tournoi de tir à l'arbalète *(torneo della Balestra)*. Le 25, jour de la Saint-Jacques, patron de **Pistoia**, la *giostra dell'Orso (encadré p. 173)* constitue le temps fort du festival Pistoia Blues,

➤ *suite p. 28*

Héritage des grandes heures du passé, les fêtes médiévales, toujours très prisées, opposent les différents quartiers d'une ville, ou même d'un village.

La table toscane

*L*a cuisine toscane n'échappe évidemment pas aux mille succulentes manières de préparer les pâtes, froides ou chaudes. Mais elle a aussi ses nuances aromatiques et ses points forts, comme le haricot blanc, la côte de bœuf ou le panforte, *spécialité de gâteau siennois.* Cette gastronomie, parmi les plus fines d'Italie, s'accompagne fort bien du riche répertoire des vins *(voir p. 146).*

La Toscane
fournit une part importante de l'Italie en huile d'olive.

Un art de la table simple et léger

La vraie cuisine toscane est toujours très digeste car assez maigre : ce sont les aromates et le type de cuisson qui donnent leur goût aux mets. L'huile d'olive entre dans quantité de recettes, soit en assaisonnement froid, soit pour faire revenir légumes et aromates parmi lesquels, outre les herbes traditionnelles, on utilise largement l'ail, l'oignon et l'échalote. Les deux grands modes de cuisson sont le feu de bois pour les grillades (viande et poisson) et le mijotage, notamment pour les plats d'hiver.

Crostini et grillades

On commence souvent le repas par des croûtons au foie de volaille *(crostini di fegatini)* ou à la rate *(crostini di milza).* On sert aussi d'excellents saucissons, aromatisés aux grains de fenouil, qui leur donnent un parfum très particulier.

La grillade à la broche ou sur le gril est une vieille tradition toscane. La *bistecca alla fiorentina,* très réputée, est un *vitellone,* une belle côte de bœuf ne faisant pas plus de 700 g. Cuite dix à douze minutes sur la braise, la *bistecca* est salée en fin de cuisson et arrosée d'huile d'olive. L'on vous sert alors une viande encore rouge, fondant dans la bouche. Vous pouvez aussi goûter les brochettes de foie de porc *(fegatelli di maiale)* ou un poisson. La mer est toute

L'épicerie de Miccoli,
à Sienne, où l'on s'approvisionne en *finocchione,* une entrée typiquement régionale à base de charcutailles.

La charcuterie, autre spécialité gastronomique de la Toscane, est plus particulièrement réputée à Sienne et à Arezzo.

proche, et les poissons grillés délicieux. Essayez également les anguilles de l'Arno et spécialement les *cieche*, petites anguilles aveugles qui ne se dégustent qu'en Toscane.

Le pays du haricot blanc

On dit des Toscans qu'ils sont des *mangiafagioli*, des mangeurs de haricots. Les haricots blancs *(fagioli* ou *cannellini)*, dont la région est grande productrice, se préparent de mille façons : à l'huile *(fagioli all'olio)*, avec des pâtes *(pasta e fagioli)* ou revenus dans l'huile avec de la sauge, des tomates et des oignons. On nomme cette dernière recette *all'uccelletto* (à l'oiseau), car c'est ainsi qu'on les cuisinait jadis. Enfin vient la *ribollita.* Ce terme, qui définit une préparation en cuissons successives, désigne une soupe d'hiver à base de haricots blancs revenus dans l'huile et cuits à l'étouffée avec des oignons frits, des feuilles de chou, des poireaux, quelques carottes en rondelles, du céleri et des tomates hachées, un brin de thym et du romarin. Le tout est ensuite versé sur des tranches de pain noir sans sel, grillées et frottées à l'ail.

Le panforte, spécialité de gâteau siennois.

Asciano et ses environs, au sud de Sienne, est le pays de la truffe blanche, que l'on accommode avec le risotto *(risotto ai tartufi)*, les pâtes ou le gibier.

Du fromage au dessert

Dans la région des terres argileuses (Crete) au sud de Sienne, le fromage de brebis au goût fort, le *pecorino*, est un des plus savoureux qui soient. Dessert typiquement toscan déjà servi au Moyen Âge : le *cantucci di Prato*, biscuit très sec, trempé dans une tasse de vino santo. Deux autres gâteaux, issus eux aussi de la pharmacopée médiévale, font la gloire de Sienne, le *ricciarelli* et surtout le *panforte* qui se conserve très bien : on peut l'offrir à des amis, au retour de voyage. ∎

ensemble de manifestations culturelles. Dernière semaine du mois : *Semaine musicale* de **Sienne** organisée par la célèbre Accademia Chigiana. À partir de la mi-juil. jusqu'à la fin août, le *Festival pucciniano* de **Viareggio** a pour magnifique cadre le théâtre de verdure près du lac Massaciuccoli. *Festival international* de **San Gimignano** : représentations d'opéras sur la piazza del Duomo et concerts.

➤ **Août.** 1er dim. : à **Livourne**, *palio Marinaro* durant lequel les quartiers de la ville s'affrontent à bord de 16 petites barques de pêche. 1re quinzaine : à **Montepulciano**, le *Cantiere internazionale d'arte*, remarquable festival de théâtre, concerts et ballets. 2e dim. : réédition du *balestro del Girifalco (p. 246)* à **Massa Marittima**. Le 14 et le 15 août, gigantesque barbecue à **Cortone** *(sagra della Bistecca, p. 302)*. Le 16 : second *Palio (p. 282)* de **Sienne** et *Festival d'opéra populaire* à **Montepulciano**. À Montepulciano encore, avant-dernier sam. du mois : fête du Vino nobile *(Il Baccanale)* suivi, le dernier dim. du mois, par le *bravo delle Botti*, folle course de 16 jeunes hommes des 8 quartiers de la ville, poussant des tonneaux de 85 kg dans les ruelles de la cité du vin.

➤ **Septembre.** Le 7 : fête de la *Nativité de la Vierge* (**Florence et Sienne**). La 1re semaine des années impaires, la *Biennale d'arte febrile* est le cadre d'une rencontre de forgerons du monde entier à **Stia**. À **Arezzo**, le 1er dim. du mois, a lieu la seconde édition de la *giostra del Saracino* (encadré p. 300) et, vers la même période, le *Concorso polifonico internazionale Guido Monaco* rassemble des chorales du monde entier au teatro Petrarca. Le 13 : *luminara di Santa Croce* à **Lucques**, procession nocturne qui commémore la translation du Volto Santo au Duomo *(voir p. 177)*. *Fêtes du Vin* dans le **Chianti**, la plus célèbre étant celle de Gaiole in Chianti (2e semaine du mois, *voir p. 146*).

➤ **Octobre.** Du 15 au 18 : la *Fiera di San Luca* à **Impruneta** est une grande

---

Jours fériés

1er janv. : Nouvel An. **6 janv.** : Épiphanie. **25 avr.** : fête de la Libération. **1er mai** : fête du Travail. **15 août** : *Ferragosto* (Assomption). **1er nov.** : *Ognissanti* (Toussaint). **8 déc.** : *Immacolata* (fête de l'Immaculée-Conception). **25 et 26 déc.** : Noël.

Les **14 août, 24 et 31 déc.** sont souvent chômés. ❖

---

foire agricole durant laquelle sont organisées des courses de chevaux montés à cru. Dernier dim. : *sagra del Tordo* à **Montalcino**, compétition d'archers des quatre *contrade* de la ville et banquets avec dégustation des produits de saison (vin, huile, grives).

■ Hébergement

➤ **Réservations et tarifs.** De Pâques à fin sept., il est très difficile de trouver une chambre dans les villes les plus touristiques (Florence, Sienne, Lucques, Pise, San Gimignano) si l'on n'a pas réservé. Florence et Sienne sont de loin les villes les plus chères, les prix des chambres étant nettement plus élevés que dans les autres villes. En revanche, des villes moins touristiques pratiquent des prix très avantageux, comme à Volterra ou à Pistoia. Hors saison, il est possible de trouver des hôtels de luxe pratiquant des prix cassés dans les stations balnéaires de la Versilia.

Généralement, taxes et service sont inclus. Souvent, le petit déjeuner *(prima colazione)* l'est aussi. Faites-le-vous confirmer à la réception. Enfin, les prix doivent toujours être affichés dans les chambres.

➤ **Agriturismo, ou agrotourisme.** On pourrait rapprocher cette formule de nos gîtes ruraux, à cette différence qu'il s'agit le plus souvent, en Toscane, de bâtiments agricoles éparpillés dans de vastes **domaines viticoles ou agricoles** (*azienda* ou *fattoria*) et reconvertis en appartements ou petites maisons individuelles. Le principe est moins convivial que celui du gîte français (à l'exception des fermes où l'on partage le repas du soir cuisiné avec des produits du terroir) ; mais en général ces hébergements sont plus luxueux (piscines fréquentes) et presque toujours situés dans des paysages merveilleux. Ceux que nous avons visités étaient parfaitement restaurés : matériaux locaux, style rural sobre, charme du mobilier. Le prix de cette formule ne revient pas plus cher que celui d'un hôtel très moyen – et même souvent moins – d'autant que l'on dispose d'une cuisine (environ 350 à 400 € la semaine pour deux personnes en haute saison). Ces locations se font à la semaine ou plus en haute saison ; le reste de l'année, des séjours plus souples sont pratiqués (week-end ou 3/4 jours).

Parallèlement à cet hébergement rural s'est développé dans la région autour de Florence et de Sienne un **agrotourisme de luxe**, ayant pour cadre des châteaux, des couvents ou encore de somptueuses villas. Cette formule se paie très cher, et il est souvent plus avantageux de trouver des chambres chez l'habitant ou une chambre d'hôtel dans la région de San Gimignano, du Chianti et des Crete.

La région toscane édite un guide gratuit que l'on peut se procurer dans les agences de promotion touristiques (APT) des grandes villes. Plusieurs provinces de Toscane en éditent également, couvrant leur aire géographique. Enfin, trois associations regroupent l'essentiel de l'offre : **Agriturist Toscana**, piazza S. Firenze, 3, 50122 Firenze ☎ 055.28.78.38, fax 055.23.02.285, < agritosc@confagricoltura.it >. **Turismo Verde Toscana**, via Verdi, 5, 50122 Firenze ☎ 055.23.44.925, fax 055.23.45.039, < cia.toscana@interbusiness.it >. **Terranostra**, via Magazzini, 2, 50122 Firenze ☎ 055.28.05.39, fax 055.29.21.61, < terranostra.toscana@coldiretti.it >.

Le pain et le vin sont, en Toscane, les deux mamelles du bien-être.

▶ **AUBERGES DE JEUNESSE.** Les grandes villes (Florence, Pise, Sienne, Lucques, Arezzo) disposent de structures d'accueil pour les jeunes. Pour les renseignements et les réservations, contactez l'**AIG (Associazione italiana Alberghi della Gioventù)**, viale A. Righi, 2/4, 50137 Firenze ☎/fax 055.60.03.15.

▶ **CAMPINGS.** Les terrains de campings sont classés de une à quatre étoiles selon le cadre et les services offerts. La fédération **FAITA** (via Paisiello, 115, 50144 Firenze ☎/fax 055.35.44.25, < www.camping.it >) édite une brochure des structures touristiques de plein air.

■ Heure locale et horaires

L'heure locale est la même en Italie qu'en France. Le passage à l'heure d'été et d'hiver se fait à la même date.

▶ **HORAIRES DES MUSÉES ET DES ÉGLISES.** Un gros effort d'ouverture prolongée des églises et des principaux musées a été fait ces dernières années. Reste que, d'une façon générale, les **horaires d'ouverture** sont un véritable **casse-**

À l'écoute des bruits du monde, sous le regard de la Louve siennoise.

tête, les établissements nationaux, municipaux ou privés ayant chacun leurs propres grilles. Pour chaque musée, nous indiquons les horaires précis, mais sachez que, pour une raison ou une autre, ils peuvent être modifiés. Pour éviter de mauvaises surprises, il est préférable, avant de commencer les visites, de se procurer une liste de la dernière mise à jour dans les **offices de tourisme**. Étudiez-la bien pour combiner au mieux vos visites, notamment l'après-midi. Habituellement, les musées nationaux sont **fermés le lundi** et ouvrent le reste du temps de 8 h 15 ou 9 h à 14 h en semaine (les grands musées de Florence et de Sienne sont ouverts jusqu'à 19 h) et de 8 h 15 ou 9 h à 13 h les jours fériés. La visite de la majorité des **villas** des environs de Florence, de Lucques et de Sienne se fait sur **demande écrite** préalable ou sur rendez-vous téléphonique (au moins deux jours à l'avance). Les **églises** sont généralement ouvertes de 7 h 30 à 12 h et de 15 h 30 à 19 h. Évitez de programmer des visites le dim. matin.

➤ **BANQUES**. Elles sont ouvertes en général de 8 h 30 à 13 h 30 du lun. au ven. Elles ferment les jours fériés.

➤ **MAGASINS**. Les commerces ouvrent de 9 h à 13 h et de 15 h 30 à 19 h 30. Ils sont fermés le dim., ainsi que le lun. matin en hiver et le sam. après-midi en été (du 15 juin au 15 sept.). Les magasins d'alimentation ferment souvent le mer. D'autre part, les commerces ferment les jours fériés ainsi que, très souvent, le jour de la Saint-Jean-Baptiste (24 juin). Durant la saison touristique (de Pâques au 15 sept.), la plupart des magasins pratiquent l'horaire continu et sont ouverts tous les jours.

➤ **POSTE**. Les bureaux de poste ouvrent généralement de 8 h 15 à 13 h 20 en semaine et de 8 h 15 à 12 h 30 le sam.

➤ **RESTAURANTS**. Si l'horaire d'été prolonge l'ouverture des principaux établissements de Florence, Sienne, Pise, Lucques et Viareggio assez tard le soir, il est fréquent de ne plus être servi après 21 h. On ne dîne pas avant 19 h 30.

■ Informations touristiques

La région toscane est divisée en 15 **agences de promotion touristique** (**APT**). Les bureaux sont ouverts, durant la saison touristique, de 9 h à 19 h du lun. au sam. Florence, Sienne, Pise disposent de plusieurs points d'information touristique, ouverts tous les jours de Pâques à fin sept. Vous y trouverez des hôtesses parlant français ainsi qu'une importante documentation gratuite. Les hôtesses se chargeront de vos réservations d'hôtels et de spectacles et vous fourniront la liste des possibilités d'accueil en agrotourisme ou en chambres d'hôtes. De plus, chaque petite ville et village possède un **centre d'information touristique** (association **Pro Loco**) généralement ouvert le matin de 9 h à 12 h ou 13 h.

■ Internet

Les cybercafés (**Caffè Internet**) et les centres Internet (**Punti Internet**) sont nombreux dans toutes les grandes villes de Toscane. Le tarif horaire varie de 3 à 6 € (réduction sur présentation d'une carte d'étudiant).

■ Langue

Dans les grandes villes, beaucoup d'Italiens comprennent le français, mais l'usage de l'anglais est plus répandu. Cependant, parler l'italien favorisera les contacts et vous permettra de mieux vous immerger dans la vie toscane durant votre séjour *(voir p. 314)*. Les Toscans – surtout les Florentins et les Siennois –, qui ont imposé la langue de Dante au reste de l'Italie, se distinguent des autres Italiens en aspirant les consonnes, surtout les « c ».

■ Médias

➤ **JOURNAUX**. Vous trouverez vos journaux et magazines habituels dans les kiosques des principales artères et les gares des grandes villes touristiques (Florence, Sienne, Pise, Lucques). Pour tout savoir sur les fêtes, spectacles et activités culturelles en Toscane, achetez l'édition locale de *La Nazione*. *La Repubblica* publie un supplément avec le programme des manifestations et événements culturels tous les jeudis. À Florence, le mensuel *Firenze Spettacolo* vous renseigne sur toutes sortes d'activités : spectacles, cafés, restaurants, boîtes de nuit... *Il Giornale della Toscana* est le meilleur quotidien pour ce qui concerne les nouvelles régionales.

➤ **TÉLÉVISION**. L'Italie dispose de **trois chaînes nationales** (RAI 1, RAI 2, RAI 3) et d'une multitude de chaînes privées (Italia 1, Rete 4, Canale 5...) rivalisant dans les spectacles de variété. La plupart des hôtels captent CNN, la BBC et la chaîne internationale de **langue française TV5** qui diffuse plusieurs bulletins d'information par jour.

■ Musées

Selon un accord européen, les musées d'État sont **gratuits** pour les moins de 18 ans et les plus de 60 ans. **Réduction** *(ridotto)* dans les musées municipaux et privés pour les plus de 65 ans et les jeunes de 6/12 à 18 ans. L'entrée est généralement gratuite pour les enfants de moins de 6 ans. La billetterie ferme

À l'ère du tourisme de groupe...

30 mn avant la fermeture du musée. En raison de l'exiguïté des lieux et de la fragilité des **fresques**, la visite de certaines chapelles ne peut être faite que sur réservation. Pour éviter de longues heures d'attente, en particulier en été, pensez à **réserver** la veille, notamment à **Florence** (chapelle Brancacci, chapelle des Mages au palais Medici-Riccardi, bibliothèque Laurentienne, galerie des Offices; *voir encadré p. 68*) et à Arezzo (chœur de l'église S. Francesco). La tendance actuelle est un accès payant pour les **grandes églises de Florence**, celui-ci servant d'une part à limiter le flux touristique, d'autre part à créer un fonds pour la restauration des œuvres d'art.

◼ Politesse et usages

Ne voyez pas dans le **tutoiement** une marque de familiarité excessive, il est beaucoup plus spontané qu'en France. Soyez discret dans les **lieux de culte**, surtout pendant les offices, et abordez une tenue décente. Optez pour le code de politesse italien en n'omettant pas de **saluer** systématiquement vos interlocuteurs. Dès les beaux jours, la *passeggiata* de l'avant-dîner est la promenade incontournable des Italiens de tout âge. Véritable institution, cette longue déambulation apéritive (à partir de 18 h) est le lieu de rencontre privilégié sur l'artère la plus élégante de la ville ou du bourg. Autre institution, la *siesta*, pratiquée hiver comme été. Enfin, il est utile de savoir qu'on paie généralement ses **consommations** à la caisse avant de passer commande au bar. Le prix variant du simple au triple, selon que vous êtes au bar *(banco)* ou en terrasse, ne commettez pas l'impair d'aller vous asseoir à une table avec votre café !

◼ Pourboire

La cherté de la vie a rendu moins systématique que par le passé l'usage du pourboire. Au restaurant, on peut toutefois laisser 10 % en sus du montant de l'addition.

◼ Santé

S'adresser avec le formulaire E111 à l'Unitá sanitaria locale (USL), qui remet un carnet d'assistance médicale avec tous les documents nécessaires à l'obtention de soins, ainsi qu'une liste de médecins conventionnés. Pour les soins dentaires et les soins de médecine spécialisée, s'adresser aux dispensaires gérés directement par l'USL la plus proche.

◼ Sécurité

La Toscane est une région très sûre. Néanmoins, comme partout en Europe, quelques règles de bon sens s'imposent pour éviter toute agression. Les **bus** sont les lieux de prédilection des pickpockets ; maintenez toujours votre main sur la fermeture Éclair de votre sac à main et ne commettez pas l'imprudence de laisser votre portefeuille dans la poche-revolver du pantalon. Ne laissez jamais rien d'apparent dans la **voiture**, *a fortiori* s'il s'agit d'un véhicule immatriculé à l'étranger. En ville, privilégiez le sac à main porté en bandoulière que vous porterez toujours tourné du **côté opposé au trottoir** (les voleurs agissent en Vespa avec une rapidité surprenante). Ne vous promenez pas la nuit dans les **parcs urbains**, lieux de rencontre des dealers et des trafiquants en tout genre.

Enfin, si vous résidez plusieurs jours dans le même hôtel, laissez vos papiers et l'essentiel de votre argent dans le coffre-fort de la chambre ou de la réception.

◼ Shopping

Florence compte parmi les grands centres européens du **commerce de luxe** et de l'**artisanat**, et possède une longue tradition du travail des cuirs et des peaux (Ferragamo et Gucci), de l'argent et de l'or. Vous pourrez également vous procurer de très beaux **livres anciens** ainsi que des **gravures**. La *legatoria* (reliure) et la technique de papier marbré, nées au XIXe s. pour

Un magasin d'antiquités sur le borgo Ognissanti, à Florence.

satisfaire les voyageurs anglais, ont fait la réputation des papetiers florentins, spécialistes de l'art de l'écriture.

Les **antiquaires**, nombreux et de qualité, se concentrent à Florence autour de la via Maggio, à Arezzo aux alentours de la piazza Grande (foire des antiquaires le 1er week-end de chaque mois) et à Lucques (marché tous les 3e week-ends du mois sur la piazza dell'Arancio).

Si le travail de la **soie** fait la fierté des ateliers florentins, Prato et Stia se distinguent depuis le Moyen Âge par la production d'un **drap de laine** de qualité.

Dignes héritières de leur passé étrusque, Arezzo et Sienne sont avec Florence les grands centres d'**orfèvrerie**, spécialisés dans le filigrane et le sertissage de pierres précieuses.

L'**albâtre** est travaillé à Volterra, le **marbre** dans toute la zone autour de Carrare. À Florence, à Sienne et à Montepulciano, où se perpétue la tradition de la précieuse marqueterie de marbre et de la mosaïque, vous pourrez acquérir de superbes tableaux en pierre dure.

Si les centres traditionnels de majolique (Montelupo Fiorentino et Sesto Fiorentino) fabriquent toujours cette belle faïence à reflets dorés, vous trouverez de nombreux **ateliers de céramique émaillée** à Sienne, Livourne et Cortone. Impruneta s'est spécialisée dans la fabrication de grands pots de jardin en terre cuite, résistants au gel.

Colle di Val d'Elsa est le grand centre de production de **cristal**. Quelques rares ateliers fabriquent encore tous leurs verres de manière artisanale, du soufflage au polissage.

Enfin, vous ne manquerez pas de découvrir le travail du **fer forgé** dans le Casentino (Stia) et dans les environs de Sienne, ainsi que la fine **broderie** pratiquée par des mains habiles à Florence, Sienne, Arezzo et Lucques.

■ Sports et loisirs

➤ **BICYCLETTE**. Les amateurs de vélo de randonnée et de moutain bike trouveront moult propositions d'itinéraires dans les APT (guide édité par la *regione Toscana*). Ces parcours sont bien balisés.

Exercice du passage du licou dans un enclos de la Maremme, pays des butteri.

➤ **ÉQUITATION.** Beaucoup de centres d'hébergement en agrotourisme proposent des randonnées à cheval. Dans la Maremme, vous retrouverez les étendues sauvages qui rappellent la Camargue. Rens.: **FISE (fédération italienne de sport équestre)**, via Cavallotti, 41, 55049 Viareggio ☎ 0584. 94.41.82, < www.fisetoscana.com >.

➤ **GOLF.** La Toscane offre 19 terrains dont huit à 18 trous, quatre à 9 trous, quatre promotionnels et trois terrains pour le practice. Rens.: **FIG (fédération italienne de golf)**, via del Confine, 2L, 50137 Firenze ☎ 055. 600.574, < giudicifigtoscana@virgi lio.it >.

➤ **PARAPENTE.** Offrez-vous des sensations fortes en vous envolant depuis le mont Il Bargiglio, dans les Alpes apuanes. Contactez **Fly TEN** à Borgo a Mozzano ☎ 0583.83.80.27, < www.fly ten.it ».

➤ **SKI.** Il existe en Toscane trois stations de sports d'hiver où l'on peut pratiquer le ski de déc. à mars: l'Abetone, Cutigliano (province de Pistoia) et le mont Amiata (province de Sienne). Rens.: **Comité apennin toscan** ☎ 055.57.69.87.

➤ **SPÉLÉOLOGIE.** Le terrain karstique des Alpes apuanes est constellé de grottes et de gouffres, dont certains parmi les plus profonds d'Europe, encore en partie inexplorés. Rens.: **Fédération Speologica Toscana** ☎ 055. 66.07.54, < www.toscana.speleo.it >.

➤ **SPORTS NAUTIQUES.** Les 300 km de côtes font le bonheur des amateurs de sports nautiques: planche à voile, voile, ski nautique, kayak de mer et natation. Dans les terres également, la présence de nombreux plans d'eau favorise la pratique du canoë et du kayak ou encore de la pêche sportive.

➤ **TREKKING.** Les Alpes apuanes et les forêts du Casentino offrent un superbe cadre pour les excursions pédestres de difficulté variable, de la randonnée sur des chemins de muletiers à l'escalade. En montagne, les voies sont balisées par le **Club alpin italien** (CAI). Rens. dans les centres d'accueil du parc des Alpes apuanes à Serravezza (☎ 0584.75.821), à Castelnuovo di Garfagnana (☎ 0583.64.42.42, < www.parcapuane.it >), ainsi qu'au siège du parco nazionale delle Foreste casentinesi à Pratovecchio (☎ 0575. 50.301, < www.parks.it >).

■ Téléphone

➤ **TÉLÉPHONE PUBLIC.** Les **cartes téléphoniques** *(scheda telefonica)* sont en vente dans les bureaux de tabac et les kiosques à journaux. Le coût des communications varie selon l'heure et le jour de l'appel. Il est largement majoré dans les hôtels. Pour appeler à l'étranger, il est préférable d'acheter une **carte avec opérateur** (Europa, Market, Tornado ou Planet).

➤ **APPELER L'ITALIE DE L'ÉTRANGER.** Composez le 00 (le 011 depuis le Canada), suivi de l'indicatif 39 (Italie) et du numéro de votre correspondant précédé du 0 initial.

➤ **POUR TÉLÉPHONER D'ITALIE À L'ÉTRANGER.** Composez le 00, puis l'indicatif du pays (France : 33 ; Belgique : 32 ; Suisse : 41 ; Canada : 1), puis le numéro de votre correspondant, sans le 0 initial.

➤ **EN ITALIE.** Pour téléphoner d'une ville à une autre ou à l'intérieur d'une ville, il faut composer l'ancien indicatif local (Florence : 055 ; Sienne : 0577 ; Rome : 06), désormais intégré au numéro, puis le numéro de votre correspondant.

➤ **NUMÉROS UTILES.** Le 15 permet d'obtenir une communication en PCV pour les pays européens (le 170 pour le reste du monde), le 176 fournit en italien et en anglais des informations sur les numéros de téléphone d'abonnés à l'étranger. Le 12 donne des renseignements sur les abonnés italiens. *Voir aussi « Urgences » p. 37.*

➤ **TÉLÉPHONE PORTABLE.** Les numéros de téléphone portable *(cellulario)* commencent par 3 en Italie. Les quatre compagnies sont Omnitel, TIM, Wind et Blu. Dès votre arrivée en Italie, le nom de la compagnie s'affichera automatiquement sur votre écran. Si tous les portables permettent d'appeler un correspondant en Italie – il suffit de composer les trois chiffres de l'indicatif (340, 347, 330, etc.) et le numéro à 7 chiffres – et de recevoir ou d'envoyer des SMS, seuls les portables à abonnement autorisent des appels à l'étranger. Les prix des communications de télé-phone fixe à téléphone portable sont très élevés. Il vous est également possible d'acheter une carte Sim dans un point de vente de téléphone portable (Omnitel est le plus répandu).

■ Toilettes

Les toilettes publiques sont rares. Si l'on en trouve dans les grands cafés et les musées, beaucoup de bars et même de petits restaurants n'en sont pas dotés. Les bars et les cafés affichant le logo « **Courtesy point** » offrent l'accès aux sanitaires sans qu'il soit nécessaire de consommer.

■ Transports

EN VOITURE

➤ **ESSENCE ET PÉAGES.** Le prix de l'essence est sensiblement le même qu'en France. Attention, les stations-service sont fermées le dim. sauf sur les autoroutes. Il existe cependant des stations avec des distributeurs automatiques acceptant des billets en euros. Prévoyez de la monnaie ou des petites coupures, car les péages sur autoroutes sont assez fréquents.

➤ **LIMITATIONS DE VITESSE.** La vitesse est limitée à 50 km/h dans les centres urbains, 90 km/h sur le réseau routier extra-urbain, 110 km/h sur les voies express et 130 km/h sur les autoroutes.

➤ **LOCATION DE VOITURES.** Afin d'éviter le désagrément d'avoir sa voiture fracturée, voire volée (les plaques d'immatriculation étrangère attirent les voleurs !), optez pour la location d'une voiture sur place. Outre les compagnies internationales Avis, Auto Europa, Europcar et Hertz, il existe de nombreuses compagnies italiennes offrant des tarifs plus avantageux. Lisez attentivement le contrat avant de le signer, et n'oubliez pas de signaler les éventuels dommages avant de prendre la voiture sous votre responsabilité. Il est utile de savoir que les contrats de location faits depuis l'étranger n'incluent pas la franchise (de 400 à 520 €) en cas

Parking mode d'emploi

Une simple nuit en parking «sauvage» dans une ville suffit: la fourrière passe tous les jours, et très tôt!

En vue de limiter la pollution, les centres historiques des grandes villes et les petites villes médiévales sont désormais des **zones à trafic limité**, réservées aux véhicules autorisés (ZTL). Dans les petites villes et les villages, des parkings gratuits sont aménagés hors murailles. Dans les grandes villes, il est possible d'accéder à certaines zones où se trouvent des places de stationnement payant (signalé par un **marquage bleu** au sol). Si le tarif n'est pas excessif, ce type de stationnement n'est intéressant que pour une visite de deux à trois heures. À Florence, les hôtels possèdent leur propre garage ou font appel à des garages extérieurs. À Pise, Sienne, Lucques et Pistoia, les hôtels délivrent une **autorisation de stationnement**; reste toutefois à trouver une place dans les zones autorisées (**marquage blanc ou bleu** au sol). Attention, les stationnements peints en **jaune** sont réservés aux taxis. La plupart des zones de stationnement gratuit sont conditionnées par les limites horaires du disque bleu (en vente dans les bureaux de tabac). ❖

d'accident; il faut contracter une assurance complémentaire sur place (non obligatoire).

▶ **ASSISTANCE ROUTIÈRE. Secours routier de l'Automobile Club italien** ☎ 116. **Touring Club italien**, à Milan ☎ 02.85.26.72. **VAI**, assistance automobile 24 h/24 ☎ 803.803.

EN BUS

En ville, vous circulerez plus facilement en bus, d'autant plus que les centres historiques sont soumis à une sévère limitation de circulation de 7 h 30 à 19 h 30 – seuls sont autorisés les véhicules étrangers ayant une réservation dans un hôtel, pour charger et décharger les bagages. Les tickets de bus urbains sont en vente dans les bars et dans les tabacs et sont valables pendant 1 h.

Il est plus avantageux d'acheter des billets à multitrajets ou un pass de 24 h, 2, 3 ou 7 jours. Attention, les billets de bus sont différents dans chaque ville.

Les **liaisons interurbaines** en car sont fréquentes, ponctuelles et rapides. Les gares routières sont généralement proches des centres historiques. Des renseignements sur les horaires peuvent être obtenus auprès des offices de tourisme locaux. Les principales **compagnies de car** en Toscane sont LAZZI, CAP, COPIT, SITA, RAMA, CLAP, TRA.IN et ATAM.

EN TRAIN

Les principales gares ferroviaires en Toscane sont: Arezzo, Florence, Grosseto, Livourne, Lucques, Massa, Pise, Pistoia, Prato et Sienne. Rens. sur les horaires et les tarifs ☎ 848.888.088 ou < www.trenitalia.it >. Il est plus avantageux de prendre l'aller-retour et, si vous avez l'intention de faire de longs trajets, d'acheter un billet jusqu'à la destination finale, car les Chemins de fer italiens autorisent un nombre illimité d'arrêts en cours de route. La durée de validité du billet croît avec la distance parcourue. L'association **Treno Natura** a remis en activité d'anciens trains à vapeur et des voitures déclassées sur la ligne désaffectée au sud de Sienne (Crete et Val d'Orcia). Pour connaître leurs activités et réserver, consultez < www.terresiena.it >.

■ Urgences

➤ **AMBULANCE** ☎ 118.
➤ **GENDARMERIE** *(carabinieri)* ☎ 112.
➤ **POLICE SECOURS** ☎ 113.
➤ **POLICE ASSISTANCE ÉTRANGERS À FLORENCE** ☎ 055.20.39.11.
➤ **POMPIERS** *(vigili del fuoco)* ☎ 115.
➤ **SECOURS ROUTIER** ☎ 116.

■ Voltage

Le courant électrique fonctionne en 220 volts. Prévoyez un **adaptateur** pour les appareils électriques à grosses fiches, les prises de courant italiennes admettant des fiches mâles à deux ou trois broches plates. ■

Les fresques du *Bon et
du Mauvais Gouvernement*
(1338-1340), allégories
dues à Ambrogio Lorenzetti,
sont exposées au Museo civico
de Sienne, là même où,
au Moyen Âge, les gouvernements
tenaient leurs réunions.
Les trois Vertus, Magnanimité,
Tempérance *(ci-contre)* et Justice,
y sont représentées chacune
avec son attribut : l'or et l'argent,
le sablier et le glaive.

DÉCOUVRIR

HÉRITAGE

« Quelle [...] grande chance ce serait s'il y avait en Italie plus de Toscans et moins d'Italiens. » (Malaparte, Ces Sacrés Toscans.)

Tout visiteur contemporain demeure saisi et comme étourdi par le trop-plein de trésors en tous genres rencontrés à chaque instant en Toscane. Ce qui frappe en Italie, et particulièrement en Toscane, ce sont ces brusques montées de sève qui, le temps de quelques générations, firent pousser ces fabuleuses cités-États gardant intact l'orgueil de leur décor. Des plus petites aux plus grandes, chacune réalisa des prouesses monumentales, artistiques et économiques. Aucun pays au monde, croyons-nous, n'offre un pareil répertoire du génie humain. Et notons en passant un paradoxe : le pays le plus cohérent d'Europe sur le plan géographique fut le dernier à réaliser son unité politique.

La fin d'un âge d'or

Le 14 juillet 1564, les murs de l'église San Lorenzo, à Florence, sont habillés de tentures noires décorées de tableaux et d'inscriptions, illuminés par des centaines de cierges. Un catafalque de 17 m de haut repose dans le chœur. Soudain, les nefs parfumées d'encens et remplies d'une assistance choisie résonnent de cantiques de la Renaissance. Au-dehors, la foule qui envahit

Mercenaire solitaire dans une Toscane éclatée. Fresque de Simone Martini à Sienne.

la place vient rendre un dernier hommage à **Michel-Ange** dont la dépouille, ramenée clandestinement de Rome *(voir p. 95)* et exposée à Santa Croce pendant plusieurs jours, a déjà attiré des milliers d'admirateurs.

En ce chaud mois de juillet, ces funérailles officielles marquent un point d'orgue dans l'histoire de la Toscane. D'abord parce que Michel-Ange, vénéré dans l'Europe entière et admiré à Rome par le terrible Jules II qui le séquestrait presque dans la chapelle Sixtine, resta toujours Toscan de cœur. Né dans les monts du Casentino, c'est à Florence qu'il se forma dans l'atelier de Ghirlandaio ; c'est à Florence qu'il s'enthousiasma pour le génie de Masaccio ; c'est à Florence qu'il sculpta son *David* et qu'il bâtit la bibliothèque des Médicis. Et, surtout, c'est à Florence qu'il rêva sa vie et revint à chaque fois que ses mécènes romains l'y autorisaient. Florence était sa patrie et, sur son lit de mort, à 85 ans passés, il demanda expressément d'y reposer à jamais.

Ensuite parce que, en cette fin de règne glorieux du grand-duc Cosme Ier de Médicis, Florence et la Toscane sont au plus haut de leur histoire. Le pouvoir « intégriste » exercé par le moine Savonarole entre 1494 et 1498 suivi de celui, souvent hésitant, du républicain Pierre Soderini jusqu'en 1512, n'est qu'une parenthèse dans le « règne » des **Médicis** *(voir p. 48)* qui, depuis cent trente ans, dirigent l'État directement ou par responsables interposés. Un règne qui, malgré ses avatars, encouragea et dynamisa l'âge d'or de la Renaissance et acheva presque d'unifier la Toscane autour de la bannière florentine. **Cosme Ier**, personnage autoritaire, brutal et peu sympathique mais incontestable homme d'État, hissera Florence au rang d'égale face à Rome ou à Milan.

La marche funèbre du XVIIe s.

Tout sommet suppose un dévers. Cette brillante décennie des années 1560 sera l'une des dernières avant longtemps. Après Cosme Ier, la cour de Toscane bruira surtout des aventures de son fils, **François Ier**, alchimiste assidu et fou amoureux d'une Vénitienne, Bianca Cappelo, avec laquelle il mènera une vie rocambolesque. Certes, après lui, **Ferdinand Ier** de Médicis gouvernera Florence et la Toscane jusqu'en 1609 avec beaucoup de tact et d'intelligence ; certes, **Cosme II**, allié de l'Autriche par sa femme, renouera avec la tradition de mécénat des Médicis en soutenant Galilée, son ancien professeur, contre l'Église et le pape. Mais, globalement, la sève créatrice qui avait fait rayonner à travers le continent la grande révolution de la pensée incarnée par la Renaissance et l'humanisme *(voir p. 110)* se tarit peu à peu. Les héros sont fatigués. Les entreprenants marchands et banquiers placent leurs capitaux dans la terre. Nouveaux rentiers, ils laissent le commerce de la laine, de la soie et tous les métiers qui gravitent autour, des cardeurs et teinturiers aux étireurs ou tondeurs, amorcer un lent déclin. Ce qui avait fait la fortune et l'allant de la Toscane disparaîtra en trois générations.

Installé à partir de 1550 au palais Pitti que sa femme Éléonore fit agrandir, Cosme Ier disposait d'une résidence autrement plus prestigieuse que le médiéval palazzo Vecchio. En faisant bâtir par Vasari les vastes ministères modernes, qui deviendront le musée des **Offices**, il dotait la Toscane d'un centre administratif et d'un gouvernement centralisé qui en faisait un État capable de parler haut et fort, appuyé sur de solides alliances. Le revers de la médaille fut là aussi une lente mais inéluctable « fonctionnarisation » du régime, encouragée par des courtisans avides de prébendes. Déjà, dans les années 1500, sous la République dirigée par Soderini, **Machiavel** (encadré ci-contre) avait secoué l'inertie bureaucratique naissante et tenté de mettre sur pied une véritable armée au lieu de devoir recourir constamment à des mercenaires ; Cosme Ier lui avait emboîté le pas avec énergie. Mais à l'orée des années 1610, la soif de conquêtes, de bâtir, d'entreprendre et d'étudier abandonne les grands-ducs qui ne gardent plus que le goût du luxe et des fêtes. Avant le réveil du siècle des Lumières, au XVIIIe s., ils conduiront la marche funèbre du XVIIe s., ne faisant preuve d'ambition que pour Pise et Livourne.

Il est vrai que l'unification de la Toscane n'était plus une idée neuve ni vraiment un projet porteur. Les **Étrusques** (voir p. 234) l'avaient réalisée à leur manière vingt siècles plus tôt. Plus récemment, la **reine Mathilde** avait légué à la papauté, en 1115, la tutelle d'une Toscane féodale dont les limites étaient proches de celles que nous connaissons. Las, profitant de la rivalité entre le pape et les empereurs germaniques successifs, les

marchands enrichis allaient écarter la noblesse du pouvoir et créer un peu partout – avec Florence, Sienne, Pise, Arezzo… – des Républiques indépendantes qui aiguisaient leurs compétitions et jalousies commerciales ou politiques. Au début du XIVe s., la Toscane était en miettes ; elle ne pouvait se rassembler à nouveau que par la volonté de la plus forte d'entre elles. Ce fut **Florence**.

Bien avant la montée en puissance des Médicis à partir des années 1430, de nombreuses villes étaient déjà revenues dans le giron florentin : Pistoia en 1324, Prato en 1351, Volterra en 1361, Arezzo en 1384, Pise en 1406, Cortone en 1411, Livourne, achetée à Gênes en 1421. Certaines profiteront des circonstances pour reprendre temporairement leur liberté. Si Lucques échappa au grand-duché jusqu'au XIXe s., la Garfagnana et la région de Carrare, tenue par la famille Malaspina, tombèrent dans son escarcelle à la fin du XVe s. Restait à asservir la principale rivale, Sienne. La lutte fut longue, incertaine et poignante. Cosme Ier ne parviendra à en triompher qu'en 1559.

La querelle des Investitures

Au temps de sa splendeur des XIIe et XIIIe s., **Sienne** prétendait dominer la région et se heurta durement à Florence dont l'ascension ne commença vraiment qu'à partir des années 1300 pour culminer tout au long des décennies 1400 – le fameux **Quattrocento** – jusqu'en 1550-1560 environ. Deux siècles de haines cuites et recuites séparèrent les deux cités, pourtant distantes seulement des 70 petits kilomètres du beau massif du Chianti, en deux camps irréductiblement opposés : celui des **guelfes** et celui des **gibelins** (encadré p. 44). Haines attisées par la papauté elle-même qui, pourtant alliée de Florence, laissa Sienne, la gibeline, gérer ses intérêts. Deux fers au feu valent toujours mieux qu'un seul…

En effet, depuis l'invasion des Francs (Ve s.) dont sont issues les dynasties qui enfanteront la France et l'Alle-

Le curieux destin de Machiavel

Curieux destin, en effet que celui de Machiavel (1469-1527). Il fut à la fois un serviteur intelligent, efficace et convaincu de la République, un grand admirateur des vertus de la Rome antique, étudiée à travers Tite-Live — sur lequel il écrivit —, et enfin un vrai patriote florentin refusant le déclin de sa ville. Il contribua à doter Florence d'une armée capable de faire front aux humiliantes invasions étrangères. Son ouvrage de référence, *Le Prince* (1513), donne pourtant à cet adversaire de l'hypocrisie l'image d'un théoricien du cynisme le plus froid en politique. Il est vrai qu'il manigança pour rentrer dans les bonnes grâces des Médicis qui, de retour d'exil en 1512, le rejetèrent. En fait, Machiavel est un déçu de la république quand elle n'est pas solidement armée et fermement dirigée. Il a connu et étudié sa propension à se diviser en factions qui la mènent à l'impuissance. À la fois idéaliste et pessimiste sur l'homme, il appelle de ses vœux celui dont « la fin justifie les moyens ». Il aura été entendu. ❖

Nicolas Machiavel.
Gravure de Giuseppe Benaglia.

magne (Mérovingiens, puis Carolingiens), Sienne maintenait des liens privilégiés avec la poussière de petits États allemands intégrés à l'Empire germanique. Une tradition gibeline héritée de ce lointain passé qui explique partiellement son antagonisme avec une Florence majoritairement guelfe, soutenue par la papauté. Cette guerre larvée – et parfois ouverte – entre guelfes et gibelins empoisonna la péninsule. Partisans de l'empereur qui revendiquait le nord et le sud de la Botte en vertu d'alliances entre familles régnantes, les gibelins ne cessèrent de lutter contre les guelfes associés à la papauté qui voulait assurer sa prééminence sur l'empereur et arrondir les États pontificaux qui représentaient presque un tiers de la péninsule. La dispute tournait entre autres autour de ces deux questions simples mais riches de prétentions

contraires : « qui t'a fait empereur ? » et « qui t'a fait pape ? ». Le **pape** se targuait, par son onction, de légitimer l'autorité uniquement temporelle de l'**empereur** qui, de son côté, refusait au pape tout pouvoir autre que spirituel et prétendait nommer lui-même ses évêques. C'est ce que l'on appela la « querelle des Investitures » qui, pour nous paraître aujourd'hui surréaliste, était alors au cœur du pouvoir réel.

Or, ce seront les **banquiers de Sienne** – par ailleurs véritables pionniers en la matière *(encadré p. 253)* – qui, au XIIᵉ s., obtiennent du Saint-Siège la charge, confiée aux templiers avant leur dissolution, de récolter en son nom à travers la Chrétienté les fonds convoyés ensuite à Rome. La faveur était de poids : elle donnait le droit de menacer d'excommunication les débiteurs récalcitrants, qui avaient le plus souvent rang de princes ou de rois.

Guelfes et gibelins

Difficile de résumer le lourd contentieux politique attisé de haines personnelles qui oppose pendant des décennies guelfes et gibelins, à Florence, mais aussi ailleurs. En gros, les guelfes, parti essentiellement bourgeois et avide de nouvelles libertés, défendaient avec le pape une certaine indépendance de l'Italie alors que les gibelins, composés d'aristocrates héritiers des valeurs féodales, demeuraient attachés à l'autorité traditionnelle de l'empereur d'Allemagne sur cette même Italie. L'alliance des guelfes de Florence avec le pape était renforcée par le legs, au XIIe s., de leur ville au Saint-Siège par Mathilde, femme du duc de Bavière, Guelfe V.

Après leur victoire en 1250 sur les gibelins, les guelfes florentins choisirent le lion pour emblème de leur cité et remplacèrent les traditionnels lys blancs par des lys rouges (ils le sont toujours). Le podestat, haut responsable des libertés acquises, recruté à l'étranger pour mieux préserver sa neutralité entre les factions, s'installa dans le nouveau palais, le Bargello, et les aristocrates furent bientôt privés du droit de diriger la ville. C'est ainsi, par exemple, que Dante, qui était noble mais du parti des guelfes, dut s'affilier à un Art (les corporations de bourgeois que déléguaient les dirigeants) pour exercer des fonctions publiques. Mais les guelfes finirent par se diviser entre « noirs », intransigeants vis-à-vis des gibelins, et « blancs », plus modérés. Dante, qui était « blanc », le paya de son exil en 1302. ❖

Une telle menace dans une Europe en pleine gestation était la seule garantie efficace pour recouvrer les dettes : la peur de l'enfer dominait alors l'appât du gain. Florence, liée à la curie romaine, vit là une manière de trahison et n'eut de cesse de récupérer ce juteux trafic pour son propre compte. En attendant, Sienne profita au maximum de son avantage, ses banquiers, les Bandinelli, les Salimbeni, les Tolomei, les Colombini... pratiquant le prêt à intérêt et prélevant des redevances sur le pactole pontifical. Le commerce de matières premières (draps, épices) avec l'Angleterre, le continent et l'Orient connut un essor formidable et, bientôt, la monnaie d'argent siennoise concurrença celle de Florence, qui ne reprit l'avantage qu'au milieu du XIIIe s. avec son florin en or. Bref, Sienne exerçait une influence bien supérieure à celle de la plupart des futures grandes capitales d'Europe, mais ce succès était fragile. C'est donc assez logiquement qu'elle choisit de s'appuyer sur l'empereur germanique – sans pour autant s'opposer à Rome qui détenait la clé de sa richesse – pour résister aux ambitions florentines. Un bon calcul, *a priori*. **Manfred**, fils naturel mais légitimé de Frédéric II qui venait de décéder (1250), séduisit vite l'opinion et le **gouvernement des Vingt-Quatre** (12 nobles et 12 roturiers) en se montrant plus siennois que les Siennois. Si bien que, en 1260, l'attaque de Florence contre Sienne, presque sous ses murs, à **Montaperti** (*encadré p. 270*), tourna au désastre. Sienne pavoisait déjà quand tomba l'horrible nouvelle : Rome, furieuse de voir ses banquiers infliger, avec l'aide de l'empereur, une lourde défaite à ses protégés florentins, reniait ses accords financiers avec Sienne, qui furent immédiatement transférés à Florence. Un coup terrible entraînant des faillites en chaîne, sauf pour ceux qui avaient eu la prudence d'investir dans les deux camps, comme les Salimbeni, les Tolomei ou les Malavolti.

Heurs et malheurs de Sienne

Un malheur n'arrivant jamais seul, la guerre contre les **Turcs** qui tentaient de prendre pied dans le sud de l'Italie coupa net le commerce si profitable entre Sienne et Constantinople. Voulant à tout prix regagner les faveurs du pape, Sienne ne fit pas de sentiment et changea son fusil d'épaule en laissant le pouvoir aux guelfes qui se retournèrent contre Manfred, le chassant avec ses troupes en **1266**. Sienne y gagnait de s'appuyer dorénavant sur les mêmes alliés que Florence : **Charles d'Anjou**, le frère de saint Louis, et le pape. Les espoirs de paix entre les deux cités-États paraissaient enfin solides. C'était oublier l'appétit de vengeance des Florentins qui continuaient à harceler Sienne en annexant des territoires de sa chasse gardée. En **1269**, la prise par Florence de la charmante cité de **Colle di Val d'Elsa** donna prétexte à une nouvelle bataille, perdue cette fois par les Siennois qui parvinrent néanmoins à échapper aux griffes florentines. La bourgeoisie prit les rênes et se dota, en 1287, d'un gouvernement de neuf marchands avisés. Un compromis fut trouvé avec Rome, et les affaires reprirent. La **lettre de change**, sorte de chèque avant l'heure, qui mettait l'argent à l'abri des pillards, relança le commerce avec l'Europe et Constantinople sagement gouvernée par les Paléologues.

Le **gouvernement des Neuf** mit à profit cette nouvelle période d'essor pour donner à la ville la physionomie que nous lui connaissons et favoriser l'éclosion de talents qui, de **Giovanni Pisano**, en sculpture, aux **frères Lorenzetti** et **Simone Martini**, en peinture, feront la gloire de l'art siennois. La construction du **palazzo Pubblico** donnait enfin au Campo, qui n'était qu'un déversoir d'eaux de pluie, sa vocation de lieu de grands rassemblements populaires. À deux pas, la cité ambitionnait d'élever la plus grande cathédrale de la Chrétienté *(encadré p. 255)*; un projet fou que stoppera net l'épouvantable épidémie de **peste de 1348** qui laissera exsangue une partie de l'Europe et l'Italie du Nord où près de la moitié de la population fut décimée en un an.

Arrive le XVe s., où le destin des deux villes se croise. Sous Cosme l'Ancien et son petit-fils Laurent le Magnifique, Florence devient la principale puissance bancaire du continent, cependant que ses artistes, philosophes et écrivains ouvrent l'Occident à la pensée moderne en magnifiant le libre arbitre de l'homme. Sienne, elle, choisit la fidélité à l'héritage du Moyen Âge qui, jusqu'alors, assurait sa cohésion. Elle y était encouragée par le franciscain **Bernardin** (1380-1444) dont les prêches attiraient les foules sur la piazza San Francesco, son audace se limitant à justifier le prêt financier avec intérêt… Le libéralisme dans la pensée et le commerce, adopté avec empressement par la bourgeoisie florentine, fut repoussé avec mépris par celle de Sienne. Bousculer les tabous religieux ancestraux qui assignaient à chacun sa place dans la société paraissait source de tous les dangers. Les idées libératrices de la Renaissance ne franchiront pas le Chianti.

Le sang-froid de Cosme Ier

Recroquevillée sur elle-même et son *contado*, son territoire, sourde à la révolution économique et mentale en marche un peu partout, Sienne s'enferra avec délices dans les querelles intestines de ses banquiers et factions. Elle s'affaiblit lentement mais sûrement. Au point que la France de **Louis XII**, cette fois alliée du pape et avec l'accord de Florence, y prit pied facilement dans l'espoir d'une reconquête des provinces perdues sous Charles VIII. L'accueil siennois fut délirant. Mais c'était compter sans **Charles Quint**, empereur depuis 1519, dont les possessions s'étendaient de la Méditerranée à la mer du Nord… Maître de l'Espagne depuis la disparition de Ferdinand d'Aragon, il entendait disposer de voies de communication sûres entre l'Allemagne ou la

En 1555, au cours du siège de Sienne, les troupes de Pierre Strozzi viennent au secours de Montluc. Gravure de Philippe Galle d'après Jean Stradan (XVIe s.).

Bourgogne et la Castille. Il ne pouvait donc admettre que la France entravât son chemin, et poussa, en **1525**, les gibelins siennois à la révolte contre le pape, **Clément VII**, dont le défaut majeur, à leurs yeux, était d'appartenir à la famille honnie des Médicis. Succès complet ; les troupes papales venues châtier Sienne de son insolence furent mises en charpie à **Camollia**.

Cette alerte convainquit Sienne de restaurer son alliance traditionnelle avec l'empereur pour contrer Florence toujours à l'affût. Charles Quint, occupé ailleurs, préféra laisser cette besogne à ses sujets espagnols, ce qui provoqua de nombreux heurts, ces derniers se comportant davantage en colonisateurs qu'en alliés. Venu enfin en **1536** pour apaiser une ambiance devenue électrique entre les deux alliés, il fut acclamé… mais repartit en laissant don **Diego Lopez de Mendoza**, un Espagnol réputé humaniste, faire le ménage. Ce qu'il fit en désarmant la population et en rasant les maisons-tours des familles riches, dont les pierres servirent à édifier une citadelle. La conséquence fut une cohabitation encore plus exécrable qu'auparavant entre Espagnols et Siennois.

Ces derniers comprenaient enfin qu'ils avaient été joués : Charles Quint n'avait pas l'intention de les aider en cas de siège ; il voulait tout simplement faire main basse sur leur cité par Espagnols interposés. D'où une ultime révolte qui réussit à expulser les Espagnols en **1552**.

Le répit fut court. Estimant que Charles Quint se vengerait de l'affront et que Sienne, à présent sans allié, était enfin à sa portée, Cosme Ier opéra une habile volte-face. Il savait que l'empereur n'engagerait pas ses propres troupes et lui proposa un accord discret selon lequel l'Espagne reconquérant Sienne avec son aide à lui, Cosme Ier, la cité lui serait ensuite rétrocédée moyennant finances et un « droit de passage » commercial en Toscane. Sienne sentit le danger et supplia cette fois la France de venir à la rescousse. **Henri II** dépêcha Montluc qui organisa la résistance. Le **siège de Sienne** opéré par les Espagnols et Cosme Ier fut terrible. La famine, la maladie et la guerre dévastèrent la cité qui perdit la moitié de ses 100 000 habitants… Le destin était noué : elle tomba en **1555** et fut par la suite revendue avec son *contado* à Florence qui lui imposa son joug. Humiliée, méprisée, dépossédée de tout, la fière cité en fut réduite à ne vivre que de son agriculture. À l'orée du XVIIᵉ s., elle ne comptait plus que 10 000 habitants. Son rôle historique était définitivement révolu.

Le miracle pisan

Annexée par Florence en 1406, **Pise** ne connut jamais pareil sort. Ce qui ne l'empêcha pas de profiter des événements pour reprendre sa liberté en 1494. Tout comme Lucques et Sienne, Pise avait vécu un Moyen Âge de rêve avec cet avantage de figurer, dès le XIᵉ s., parmi les quatre puissances maritimes d'Italie, en compagnie d'Amalfi, de Gênes et de Venise. Vite enrichie grâce aux butins de ses victoires en mer sur les musulmans, en particulier celle de **Palerme** en **1063**, Pise débloqua par la même occasion les routes maritimes de Méditerranée qui lui étaient jusqu'alors interdites. En quelques années, elle créa des comptoirs commerciaux en Afrique du Nord et envoya à partir de 1096, à l'occasion de la première croisade, 120 bateaux chargés de troupes placées sous le commandement de son archevêque faire le **siège de Jérusalem**. Elle y gagna d'établir une colonie à Jaffa et de jalonner d'entrepôts les côtes arabes et berbères, de l'Algérie à la Syrie. Une profonde solidarité unissait alors la population, des évêques et consuls aux simples citoyens, créant un climat de confiance et un enthousiasme civique traduits par l'embellissement de la ville et la mise en chantier du fabuleux projet de son **campo dei Miracoli** qui, près d'un millénaire plus tard, éblouit toujours les voyageurs du monde entier.

On comprend dans ces conditions que la dynamique cité-État tînt farouchement à son indépendance et préférât s'abriter – pour faire pièce aux visées naissantes de Florence et des cités guelfes alliées au pape – sous la protection gibeline du brillantissime **Frédéric II**, roi de Sicile et empereur germanique. Plus tard, Sienne fera de même avec son fils, Manfred.

La résistance à Florence durera le temps de la prédominance impériale. La destruction de sa flotte à **la Meloria** par les Génois en **1284**, affaiblit brutalement et durablement Pise. Elle s'offrira pourtant le luxe de battre Florence en **1315**, à **Montecatini**. Dix ans plus tard, Florence connaîtra la même déconvenue, cette fois face au gibelin **Castruccio Castracani**, un mercenaire fourbe et sanguinaire, nommé duc de Lucques par l'empereur allemand Louis IV de Bavière. À peine Pise avait-elle à peu près reconstitué sa flotte, outil indispensable de sa survie, que s'abattait sur l'Italie du Nord et du Centre la **peste de 1348** qui allait endeuiller les villes et désorganiser profondément l'économie. À Pise, elle fut encore pire qu'ailleurs, car elle ne toucha pas seulement la cité, mais tout son *contado*, c'est-à-dire la **Maremme**. Très vite, les campagnards tombèrent comme des mouches ou s'exilèrent. En quelques années, les marais patiemment drainés retournèrent à l'état sauvage, colportant la malaria. La situation s'aggrava encore avec les crues catastrophiques de l'Arno qui inondaient la ville de déchets pestilentiels et envasaient peu à peu le port.

C'est donc dans ces circonstances tragiques qu'à l'issue d'un long siège Florence parvint, en **1406**, à conquérir Pise qui, inconsolable, entra en dépression. Il est vrai que, maladroitement, les Florentins l'avaient d'abord traitée comme une colonie en imposant leur loi jusqu'aux moindres détails. Pourtant Cosme l'Ancien et, plus encore, Laurent le Magnifique puis, à sa suite, Cosme Iᵉʳ et Ferdinand Iᵉʳ de Médicis, respectèrent son passé, sa culture et n'eurent de cesse de restaurer sa vocation maritime en la reliant par canaux au bourg voisin de Livourne, parfaitement situé pour devenir un grand port. Par la suite, Pise bénéficia aussi d'une certaine décentralisation administrative et du jumelage de son université avec celle de Florence. Mais rien n'y fit : elle se sentait en cage.

Aussi, profitant de la crise déclenchée par la prise de pouvoir de Savonarole à Florence, en **1494**, et du départ en

➤ *suite p. 50*

La saga Médicis

Trois siècles durant, les Médicis ont fait et défait Florence. C'est entre 1400 et 1500, âge d'or de la Renaissance florentine, que leur rôle fut décisif.

La conquête du pouvoir

Au départ, une famille de petits notables de la corporation des changeurs qui, malgré quelques mariages avec la haute société, demeure d'une bourgeoisie moyenne. C'est la terrible peste de 1348 qui lui offre un premier tremplin. Un Médicis parvient à se présenter comme l'un des banquiers du pape et ouvre des filiales à Gênes, à Venise et à Bruges. En même temps, la famille demeure proche des *ciompi*, les ouvriers du textile, qu'elle encourage dans leur révolte contre les possédants, un trait qui permettra plus tard aux Médicis de s'appuyer sur le petit peuple pour réaliser de hautes ambitions.

Giovanni di Bicci (1360-1429) sera l'artisan de la conquête du pouvoir par l'argent. Grâce à son mariage avec la fille d'un banquier, il crée sa banque à 37 ans et ouvre une succursale à Venise. Le florin d'or de Florence, frappé dès 1252, est respecté partout. Il achète des ateliers de tissage de la laine – corporation la plus respectée – et crée d'autres succursales à Rome et à Naples, hissant sa famille au troisième rang des fortunes florentines. Il commence à jouer un rôle politique en qualité de podestat de Pistoia.

Un roi sans couronne

Si Giovanni fut le véritable fondateur de la « dynastie » familiale, son fils Cosimo, dit Cosme l'Ancien (1389-1464), en fut l'architecte. Endurci par un exil exigé par les Albizzi qui « régnaient » alors sur Florence et voyaient en

Détail des fresques de la Vie de saint François, par Ghirlandaio. Église Santa Trinitá, Florence. Dans le décor de la piazza della Signoria à la fin du XVᵉ s., le pape approuve la règle de saint François. Au premier plan, Ange Politien gravit l'escalier et se trouve face à son ancien « élève », Laurent le Magnifique (deuxième à partir de la gauche).

lui un rival potentiel, il n'aura de cesse, dès son retour triomphal au bout d'un an (au lieu de dix), d'éliminer à son tour ses rivaux et de se protéger en exerçant le pouvoir par notables interposés, tous à sa dévotion. Un scénario qui dura trente ans, de 1434 à sa mort.

Il fut aussi un mécène curieux de nouveautés, faisant siens les idéaux de la Renaissance. Négociateur talentueux, il pallia la faiblesse militaire de Florence par un art consommé de la diplomatie.

Laurent le Magnifique

Pour être brillant, son petit-fils Laurent (1449-1492) n'en manifesta pas moins une absence de prudence dans les affaires et de doigté dans ses rapports avec les autres puissances. Mélangeant les caisses, il tira un profit personnel des rentrées financières de sa banque qu'il mena pratiquement à la ruine. En matière de diplomatie, il fut si maladroit, voire méprisant face à la papauté pourtant l'alliée de sa famille, qu'un complot fut ourdi contre lui, en 1478, avec l'accord plus ou moins tacite du pape, par les Pazzi, une célèbre famille florentine qu'il avait humiliée *(encadré p. 70)*. Durant les vingt-trois ans de son règne sans partage sur Florence, il fit preuve de charisme, d'une ouverture peu commune aux idées de l'humanisme naissant et d'un cynisme cruel, étonnant chez un être aussi fin et cultivé. Son bilan est mitigé. Du moins donna-t-il l'impression d'exercer avec brio un mécénat intellectuel et artistique. Ce qui n'est vrai qu'en partie, car ce sont les ordres religieux et les grandes familles qui passèrent le plus de commandes aux Donatello, Botticelli, Ghirlandaio et autres Lippi.

Un homme d'État : Cosme Ier

Écartés du pouvoir entre 1494 et 1512, les Médicis revinrent par la grande porte après avoir fait accéder deux des leurs au trône pontifical : Jean, sous le nom de Léon X, et Jules, sous celui de Clément VII, qui entraîna Florence dans une politique très hostile à Charles Quint. Mais celui qui acheva l'unification de la Toscane et en fit un État solide, sinon brillant, fut Cosme Ier (1519-1574). De ses deux enfants, les grands-ducs François Ier (1541-1587) et Ferdinand Ier (1549-1609), le second, assez intègre, intelligent et clairvoyant, consolida habilement l'héritage politique de son père.

La décadence

Elle dura plus d'un siècle (1610-1737), malgré quelques sursauts (protection accordée à Galilée et développement de Livourne). Mais la vie de cour, dépensière et vaine, remplaça peu à peu l'action avec Cosme II, Ferdinand II et surtout Cosme III (1670-1723)… Jean Gaston, malade et sans descendance, signera en 1737 la fin de la saga Médicis. ■

Portrait imaginaire de Cosme l'Ancien, réalisé par Pontormo vers 1518. Galerie des Offices, Florence.

Marie de Médicis, par Agnolo Bronzino. Galerie des Offices, Florence. Fille du grand-duc de Toscane François Ier, Marie de Médicis devint reine de France par son mariage avec Henri IV en 1600.

exil des Médicis, elle secoua le joug et reprit son indépendance. Pendant une quinzaine d'années Florence mena ou fit mener par ses alliés français ou impériaux des batailles de reconquête incertaines. Machiavel se démena pour disposer d'une armée, mais la pingrerie de la Seigneurie qui ne payait même pas le ravitaillement des troupes amies lui laissait une faible marge de manœuvre. Finalement, Pise, exsangue, tomba en **1509**. L'intelligence politique du grand-duc Cosme Ier l'emporta sur ses rancœurs. Il en fit une sorte de seconde capitale, y créa, en 1561, l'ordre des Chevaliers de San Stefano chargé de la police du littoral, donna plus d'importance à l'université et entreprit à Livourne de grands travaux portuaires.

Dans l'atmosphère morose de crise économique du XVIIe s., **Livourne** fut une réussite exceptionnelle. Alors que la flotte commerciale italienne, naguère la première d'Europe, s'effondrait au profit de l'Angleterre et des Pays-Bas, Livourne devint un port de transit incontournable. Si Pise demeurait en quelque sorte le siège social de ses activités, l'ancien village de pêcheurs fut érigé en «cité» par **Ferdinand Ier**, en 1577. Pour la peupler, on laissa s'y implanter en toute liberté d'importantes colonies juive, orientale ou anglaise. Devenue **port franc**, Livourne s'accaparera une grande partie du trafic commercial méditerranéen. Avec Gênes, elle demeurera jusqu'à l'époque contemporaine un des grands ports italiens – ce qui lui valut d'être aux trois quarts détruite par les bombardements alliés durant la Seconde Guerre mondiale.

Le bon terreau

Quel **bilan** culturel, économique, politique et artistique la Toscane moderne tire-t-elle de sa marche vers l'unité, entreprise dès le XIIIe s. par la famille florentine des **Albizzi** et poursuivie jusqu'aux années 1600 (et au-delà) par la «dynastie» des **Médicis**? Cette unité se réalisa sur le socle d'un Moyen Âge étourdissant de dynamisme en tous domaines, à Sienne, à Lucques, à Pise, à Florence et même à Arezzo: **commerce**, de la Méditerranée orientale à l'Angleterre; **architecture** d'une hardiesse et d'un éclat uniques; **écrits** en langue «populaire» émancipée du ghetto des savants grâce au trio Dante, Pétrarque et Boccace, pères de la langue et de la littérature italiennes *(encadré ci-contre)*; **peintures à fresque** de Cimabue et de Giotto semant les premières graines de la Renaissance; révolution des **Républiques bourgeoises** qui, malgré tous leurs défauts et leurs vicissitudes, forgèrent l'**État de droit** moderne et offrirent aux théoriciens de l'économie les recettes de base d'un **libéralisme** qui prétend aujourd'hui gouverner la planète.

Ces quelques exemples énoncés rapidement sont le **terreau de la Renaissance**, qui sera le grand œuvre des XIVe et XVe s. florentins. Quoi qu'on pense des Médicis, de leurs fourberies et de leurs cruautés, ils seront les vrais mécènes de cet extraordinaire bouillon culturel qui, appuyé sur la redécouverte de Platon et du modèle antique, provoquera une remise en cause fondamentale de la réflexion sur le destin individuel de l'homme. Comme sous une pression irrépressible, l'Histoire se mit subitement à galoper, et ce n'est pas par hasard qu'elle le fit dans le chaudron effervescent de l'arène toscane. Après le reflux du XVIIe s., les Lumières du XVIIIe s. venues de France apaiseront le paysage chaotique et lui donneront un cadre. La Toscane avait fait son œuvre.

« Un peuple libre »

Quatre cités toscanes jouèrent en leur temps les premiers rôles, même au plan européen: Sienne, Pise, Florence, Lucques. Or, curieusement, ce qui manqua le plus à la Toscane rassemblée fut d'apparaître elle-même et à son tour comme une vraie puissance politique. «Les Toscans sont toujours restés un peuple libre, écrivait Malaparte, le seul en Italie qui n'ait pas supporté l'oppression étrangère. » Voire... Pris en tenaille par les ambi-

Le berceau de la langue italienne

Florence peut être regardée comme le berceau de la langue italienne. Très tôt en effet, le parler toscan devient une langue élaborée, pure et grammaticalement structurée. Il s'impose à partir des XIIIe et XIVe s. comme la langue fondamentale de la littérature italienne, ainsi que l'attestent les œuvres de Boccace, de Dante et de Pétrarque. C'est donc très logiquement que, bien plus tard, le toscan est choisi comme langue officielle du nouvel État qui se crée dans les années 1860 et 1870. ❖

De g. à dr. : Pétrarque, l'Arioste, Boccace et Dante. Peinture anonyme.

tions rivales des papes, des Français et de l'Allemagne épaulée par l'Espagne, les grands-ducs Médicis, dont le dernier s'éteignit en 1737, ne parvinrent jamais à hisser la Toscane sur la scène internationale. Soumise à la maison de Lorraine, à Napoléon qui en fit une province française, ou à l'Autriche, elle n'avait plus assez de ressort au milieu du XIXe s. pour aider la péninsule à s'émanciper. Le rôle revint au Piémont de Cavour. Et si Florence fut pendant cinq ans la capitale de l'Italie, ce fut sans vraie gloire et dans l'attente que Rome prît la relève. La ville, d'ailleurs, n'y gagna rien, au contraire. Pour se doter de fastes modernes, elle dévasta le quartier si vivant de son ancien forum pour le lotir de pâtisse-ries architecturales assez indigestes qui délimitent l'actuelle piazza della Repubblica.

Quel bilan ? demandions-nous. Un passé aussi glorieux pourrait être pesant. Mais la Toscane sait l'alléger le temps de ces fêtes populaires qui jaillissent partout, du Palio de Sienne aux joutes de Pistoia, de Pise, d'Arezzo ou du moindre bourg qui, oriflammes au vent, ressuscitent l'Histoire avec plus ou moins de bonhomie. Le phénomène n'est pas que folklorique : il est le fil rouge d'une mémoire qui nourrit les temps présents. Nous le verrons dans le chapitre suivant : c'est essentiellement sur la tradition que la Toscane a bâti sa modernité. Intéressant, non ? ■

Les repères de l'histoire

En Toscane	Dates	Dans le monde
IIe s. av. J.-C. **Lucca** (Lucques), importante cité romaine.	**IIe-Ier s. av. J.-C.**	
59 av. J.-C. Les Romains fondent **Florentia** (Florence) sur les bords de l'Arno.		**58-51 av. J.-C.** Guerre des Gaules, conduite par Jules César.
20 av. J.-C. Fondation de **Saena** (Sienne), colonie militaire romaine.		
27 av. J.-C.-14 apr. J.-C. À Rome, règne d'**Auguste**.	**Apr. J.-C.**	
Vers 400. Invasions des **Lombards** et des **Francs**.	**Ve-IXe s.**	
Vers 570. La future Toscane devient le duché lombard de Tuscie, dominé au IXe s. par Lucques.		**511-751.** Constitution et partition du royaume mérovingien. Avènement des Carolingiens.
		850. Venise commerce avec l'Orient.
XIe s. Âge d'or **pisan**. Mise en chantier du campo dei Miracoli.	**XIe s.**	**1099.** La première croisade conquiert Jérusalem.
1115. La **reine Mathilde** lègue la Toscane au pape. Florence et Sienne proclament leur indépendance.	**XIIe s.**	**1115.** Fondation de l'abbaye cistercienne de Clairvaux.
Vers 1140. Création des **communes** : le pouvoir est issu du peuple.		**1137.** Par son mariage, **Aliénor d'Aquitaine** apporte son duché à la France.
Vers 1160. Sienne, grande place financière d'Europe.		**1159.** Le Siennois **Alexandre III** devient pape.
1215. Début de la querelle entre **guelfes** (pro-pape) et **gibelins** (pro-empereur).	**XIIIe s.**	**1232.** Le pape crée le **tribunal de l'Inquisition**, confié aux dominicains.
À partir de 1250. Nicola et **Giovanni Pisano** font rayonner l'art de Pise. Le campo dei Miracoli est pratiquement achevé au cours du siècle.		
1252. Le **florin** en or de Florence devient devise internationale.		**1260. Manfred** succède à son père Frédéric II à la tête de l'empire.
1284. Pise écrasée par Gênes à **la Meloria**.		**1270. Saint Louis** meurt de la peste à Tunis.
1324-1384. Florence annexe Pistoia, **Prato**, **Volterra** et **Arezzo**.	**XIVe s.**	**1337.** Crise dynastique en France et début de la **guerre de Cent Ans**.
1369. Lucques achète son indépendance à l'empereur (elle la gardera jusqu'en 1799).		**Vers 1350.** Ferveur mystique en Europe après la grande peste.
1348. La **peste** ravage l'Italie du Nord, dont la Toscane.		
Quattrocento. Apogée de la Renaissance florentine.		**1378. Grand schisme d'Occident** avec un pape à Rome, un autre en Avignon.

1406-1421. Florence annexe **Pise**, **Cortone** et achète **Livourne**.

À partir de 1434. Les **Médicis** au pouvoir pour trois siècles.

1487-1512. Dictature de **Pandolfo Petrucci** à Sienne.

1494-1498. Ordre moral et religieux du moine **Savonarole** à Florence.

1504. **Michel-Ange** sculpte son *David*, placé devant le palazzo Vecchio de Florence.

1512-1527. Florence est gouvernée de Rome par deux **papes Médicis**.

1513. Publication du *Prince* de Machiavel.

1537. Les **Médicis** sont faits ducs de Toscane.

1550. Publication des *Vies* **de Vasari**, première histoire de l'art.

1552. Sienne chasse les **Espagnols**, alliés de Charles Quint.

1555. Le *Persée* de **Cellini** orne la loggia della Signoria à Florence.

1559. Florence annexe **Sienne**.

1569. La **Toscane** est érigée en grand-duché.

1633. Condamné par l'Église, **Galilée** est protégé par les Médicis.

1737. Fin des Médicis. La Toscane échoit aux **Lorraine**, évincés de leur duché.

1860. Le grand-duché de Toscane se rallie au jeune royaume d'Italie.

1865-1870. Florence est **capitale** du nouveau royaume.

1943-1944. Le port de **Livourne** est bombardé par les Alliés. Bataille de Florence : tous les ponts sont détruits, sauf le ponte Vecchio.

1966. La **crue de l'Arno** détruit des dizaines d'œuvres d'art à Florence.

1993. Explosion d'une bombe aux **Offices**.

2001. Silvio **Berlusconi**, président du Conseil des ministres.

2002. La **Tour penchée** de Pise est stabilisée.

XVᵉ s.

1453. Chute de Constantinople.

1460-1500. Expansion du Portugal vers le **Nouveau Monde**.

1469-1492. **Reconquête** de l'Espagne musulmane par les rois catholiques.

1494. Début des **guerres d'Italie**, entre la France et l'Empire germanique pour la domination en Europe.

XVIᵉ s.

Vers 1515. Sous le règne de **François Iᵉʳ**, la Renaissance est introduite en France.

1516. Publication de *L'Utopie* de Thomas More.

1527. **Sac de Rome**. Le pape **Clément VII Médicis** est chassé par Charles Quint.

1530. **Charles Quint** rétablit Clément VII à Rome et se fait couronner empereur.

1555. Fin de la guerre civile en Allemagne entre catholiques et protestants. Séparation des deux confessions.

1558. Mort de Charles Quint.

XVIIᵉ et XVIIIᵉ s.

1738. **Leszczynski**, roi polonais évincé, reçoit la Lorraine.

XIXᵉ s.

1860. Du Piémont à Naples (sauf Rome et Venise), l'Italie est réunie en **royaume**.

1866. La Vénétie est rattachée à l'Italie.

XXᵉ s.

1923. **Mussolini** prend le pouvoir en Italie.

1933. Hitler élu chancelier en Allemagne.

1939-1945. Seconde Guerre mondiale.

1989. Chute du mur de Berlin.

1991. Guerre du Golfe.

XXIᵉ s.

2001. Attentats à New York et à Washington.

2002. L'euro devient monnaie européenne. ∎

ÉCONOMIE ET SOCIÉTÉ

PECORINO
DI PIENZA
PECORINO
DI FOSSA
BRUNELLO DI
MONTALCINO

Entre tradition et modernité, la Toscane fait partie de cette Italie en mouvement qui sut inventer un modèle économique original, mais qui trouve aujourd'hui ses limites. Plongée dans l'univers des entreprises et l'intimité des familles.

Un maître mot :
les « districts » spécialisés

Paola et Sergio ont deux jeunes enfants et habitent une jolie maison rose dans le Chianti, à un quart d'heure en voiture de Sienne où ils enseignent tous deux dans la fort belle nouvelle université, près de la porta Romana. Pour équiper leur demeure et aménager leur jardin, ils ne sont pas allés chez le Darty, le Ikea ou la « jardinerie » du coin. Ils ont fait leur « marché »

comme presque tous leurs amis et parents, en feuilletant des catalogues et en repérant les « **districts** » **spécialisés**. Leur cuisinière au superbe design, ils l'ont rapportée de Vénétie où on les fabrique 40 % moins cher qu'ailleurs. Pour le choix de leurs meubles, ils se sont d'abord rendus à Cascina, près de Pise, une petite ville toscane réputée pour son école d'art et ses ateliers de mobilier qui exposent en permanence dans un immense « show room » du centre-ville. On vient ici rêver sur les créations contemporaines de Meccani ou de Del Cesta, sur les salons en cuir ou les salles à manger classiques, et faire provision d'adresses.

Mais notre jeune couple préférait un ameublement plus personnalisé. Il s'est donc rendu à **Quarrata**, au sud de Pistoia, étrange cité dont 80 % de l'écono-

Carte d'identité

➤ **SITUATION**. Italie centrale, entre la mer Tyrrhénienne (env. 200 km de côtes de Carrare à Orbetello), l'arc de cercle nord et est des Apennins jusqu'au lac Trasimène et le Latium au sud. La Toscane mesure 22 992 km², soit un peu moins que la Bretagne.

➤ **POPULATION**. 3,6 millions d'hab. (Italie : 58 millions d'hab.).

➤ **PRINCIPALES VILLES**. Florence (500 000 hab.), Livourne (162 000 hab.), Pise (92 000 hab.), Arezzo (92 000 hab.), Lucques (85 000 hab.), Grosseto (73 000 hab.) et Sienne (70 000 hab.).

➤ **STATUT ADMINISTRATIF**. Région (il y en a 20 en Italie, dont cinq disposent d'un statut d'autonomie particulier) divisée en neuf provinces. Capitale : Florence.

➤ **PRINCIPALES RESSOURCES**. Petites et moyennes entreprises (bois, métallurgie, marbre, textile, cuir). Également viticulture (domaines importants du Chianti), un peu de pétrochimie et bien sûr le tourisme, surtout à Florence, à Sienne et à Pise (env. 3 millions de visiteurs par an au total). ❖

mie est liée à l'aménagement de la maison. Quarrata est plantée dans une semi-campagne coupée de ruisseaux, environnée de pins et de lignes à haute tension avec pour fond de décor les collines bucoliques de Vinci. Au cours du dernier demi-siècle, une grand'rue très longue a poussé en plein champ et s'est ramifiée au cœur du village resté coquet. Scieries, entrepôts de bois et ateliers par centaines s'alignent tout au long de cette excroissance urbaine : sous-traitants, petits industriels propriétaires de leur marque comme Boffi ou Alpunto avec ses armoires et guéridons violets, chacun disposant de son hall d'exposition. La plupart pratiquent la **vente directe**, garantissant là aussi une économie de 25 à 35 %, voire plus. Paola et Sergio ont fait affaire avec un petit groupement d'artisans qui fabrique sur mesure tables, chaises, buffets à la fois simples et élégants, d'une belle qualité à prix imbattable. Enfin, nos amis ont longuement erré le samedi matin sur le fabuleux marché de Pescia, près de Lucques, qui concentre le meilleur choix au meilleur prix d'arbustes, de semis et de fleurs à replanter, ainsi que dans les pépinières des environs, célèbres dans l'Italie entière pour leur rapport qualité/prix.

Le temps du « miracle »

Ainsi va cette « **troisième Italie** » cantonnée à la partie centrale et nord-orientale de la péninsule : Vénétie, Émilie-Romagne, Marches, Toscane et Ombrie. Au contraire des régions du Nord, hyperindustrialisées autour de grandes firmes, cette Italie-là, encore très agricole voilà cinquante ans, a enraciné en zones rurales des « districts » spécialisés regroupant petites et moyennes entreprises qui fonctionnent en réseaux et sont capables de se battre à l'exportation. Alors que la France organisait d'en haut ses zones de production autour de notables portant à la fois casquette locale (maire), régionale (conseiller général, etc.) et nationale (parlementaire), l'Italie a laissé jouer l'**autocréation** en vertu des lois édictées par chaque région et du non-cumul des mandats. Un maire, un responsable régional ne font pas « carrière » et se cantonnent à leur rôle, ou alors quittent leurs fonctions. Une manière d'obliger *toutes* les élites locales ou régionales, élues directement par le peuple, à être attentives aux demandes de leurs concitoyens et à faire preuve de synergie. Benetton dans le textile,

Dorure sur cadre dans l'atelier de restauration Ponziani (Florence).

Lotto ou Sergio Tacchini dans le matériel de sport, et bien d'autres grands noms de l'économie italienne d'aujourd'hui sont nés dans un village, une petite ville ou un bourg.

L'ancien chef de gouvernement Romano Prodi, qui permit à l'Italie d'entrer de plain-pied dans le «club» de l'euro, définit le district à l'italienne comme un Meccano dont chaque pièce est indispensable à l'ensemble. Invention, technicité, organisation et solidarité sont les maîtres mots du système dont les différentes fonctions s'épaulent, de la formation à la recherche scientifique et à la production en passant par le pool des services juridiques, de comptabilité, de marketing…

Une économie diffuse

En fait, le principe du district fondé sur la **spécialisation** et la **complémentarité** des entreprises n'est pas une invention du XXe s., même s'il a explosé au cours des cinquante dernières années. Ce principe remonte au Moyen Âge et garde ses vertus comme dans l'exemple de **Prato**, près de Florence. L'économie de la ville a toujours tourné autour du textile. Le dispositif était bien rodé; les centaines de petits ateliers étaient spécialisés dans un traitement particulier: cardage, teinture, effilage, bobinage, etc., tous complémentaires les uns des autres. Un patron pouvait en posséder plusieurs; il fournissait alors le matériel adéquat à ses «employés» qui travaillaient le plus souvent à domicile. L'achat des matières premières et la vente du produit fini étaient gérés par les corporations. C'est ce système que l'on désigne sous le terme d'«économie diffuse», toujours en vigueur aujourd'hui. Or, dans les années 1950, on pensa le moderniser en créant des entreprises à cycle complet, du traitement de la matière brute au produit fini. Plusieurs PME se partagèrent le marché, ce qui créa de l'emploi mais aussi une surproduction impossible à écouler. On en revint bien vite à la **souplesse** de la **coordination en réseau** qui permit d'expérimenter sans trop de risques de nouvelles fibres, de les mélanger, d'inventer des tissus très légers et très chauds, tout en créant un actif secteur de la mode travaillant en étroite collaboration avec les grandes griffes milanaises. C'est aussi l'héritage technique de Prato qui

Le grain très fin du marbre de Carrare lui donne sa pureté et sa transparence.

permit à un Enrico Pecci d'équiper l'armée américaine en Allemagne d'uniformes obtenus à partir du retraitement de vieux chiffons.

Le district de Carrare hérite, lui aussi, de la tradition tout en s'étant parfaitement adapté aux besoins contemporains. Outre les produits dérivés issus des « détritus » de marbre (*encadré p. 197*), **Carrare** crée ses propres machines à extraire, à débiter, à polir la variété de plaques de marbre présentées sous tous les angles et à toutes les températures dans de grands halls d'exposition. Deux grandes foires annuelles permettent aux industriels, ingénieurs et architectes du monde entier de prendre commande de machines ou de matériaux qui seront mis en place par des artisans spécialisés formés à Carrare.

Les nouvelles élites

Cette organisation originale à laquelle l'Italie des années 1970 doit son « miracle » économique et celle des années 1990 ses succès à l'exportation est pratiquement sans équivalent en Europe. Mais le ciel s'assombrit. Elle repose sur deux piliers : la tradition, dont nous avons vu quelques aspects,

et la famille. Une part importante de ce **nouveau patronat** a surgi en effet de la pratique du **métayage** des grands domaines agricoles divisés en exploitations familiales. En Toscane, il remonte au Moyen Âge et connut son apogée au XIXe s. et dans la première moitié du XXe s. Un pacte intelligent séparant le « capital » et le « travail » unissait les différents acteurs, les métayers jouissant d'une large autonomie dans la mise en valeur des terres et de leurs produits.

Plusieurs générations de ruraux furent ainsi amenées à exercer des responsabilités et à se frotter aux problèmes économiques. Après la Seconde Guerre mondiale, ces **autodidactes** se montrèrent parfaitement aptes à une reconversion sur place rendue nécessaire par l'effondrement du métayage entre 1971 et 1981, passant de plus de deux millions de postes à 500 000… C'est ainsi qu'ils s'intégrèrent dans des districts en formation en créant des entreprises spécialisées ne nécessitant pas au départ une technologie importante. La gamme allait de l'embouteillage (le vin, en Toscane, est une véritable industrie) à la métallurgie légère issue des très anciennes traditions minières des monts Métallifères et de l'île d'Elbe, en passant par la peausserie, elle-même encouragée par l'important cheptel et l'artisanat de luxe du cuir dont la Toscane est fière, ou la diversification des productions et applications du marbre. La vallée de l'Arno entre Florence et Pise offre un excellent panorama – hélas peu touristique – de ces petites structures qui firent boule de neige en cinquante ans.

Encore fallait-il disposer d'un capital et s'appuyer sur une main-d'œuvre fiable. Comme partout, avant de s'investir à leur tour, les banques jouèrent le temps… C'est la **famille**, « ce chef-d'œuvre de l'Italie » comme l'écrit Peter Nichols dans *Italia, Italia* (1973), qui prit le relais et fournit les premiers apports. Nous imaginons mal la force et la cohésion de la famille italienne. En Toscane comme ailleurs, elle forme un monde en soi, d'autant plus dévouée à sa propre prospérité que l'État l'ignore… Pas de politique de la natalité alors que la nation, en queue de peloton des pays développés, en aurait grand besoin ; peu d'incitations fiscales ; très faible création de crèches, de garderies ou de logements sociaux ; graves lacunes de l'enseignement public. Des associations, des coopéra-tives, des réseaux parentaux très développés ici et là pallient ces manques. D'où, en retour, une énergie, un engagement et une loyauté sans faille dans les projets des proches, et un mépris des lois « romaines » contournées de mille et une façons avec une intense jubilation…

Les mystères familiaux

Voilà un demi-siècle, la cellule familiale de base en Toscane se composait de quatre personnes : les parents et deux enfants. Aujourd'hui, la moyenne est tombée à trois ; dans un pays où l'on dit que l'enfant est roi, c'est peu. Il est vrai que c'est sans compter les grands-parents des deux côtés qui habitent dans la plupart des cas le même immeuble, le même quartier ou la même ville, ni les cohortes d'oncles et de tantes, de cousins et de cousines, et toute la parentèle plus éloignée. Au total, une tribu plus ou moins nombreuse, mais solidement soudée et toujours très regardante de la **tradition**. Antonio et Elsa ne s'entendent plus et parlent de divorcer ? Oh là ! Chacun se penche sur le cas, pèse la raison de l'un et de l'autre autour d'un grappa, épluche les torts et finit – ou non – par admettre le bien-fondé

Vendanges dans le Chianti. Le vin de qualité est en constante progression.

La vie comme elle va, au soleil du soir, sous les faire-part de deuil et la promotion de la langue anglaise. «Ma que», ici on ne parle que l'italien !

d'une… séparation qui dans trois ans – délai de réflexion imposé par la loi – pourrait déboucher sur un divorce. Caricature ? Moins de la moitié des séparations se terminent en Toscane par un divorce. Et sur 100 mariages, une quinzaine finissent par un divorce, contre 35 en France et près de 45 en Grande-Bretagne.

La proportion de jeunes femmes qui accèdent aux études et à l'emploi est très proche de celle que nous connaissons, sinon un peu supérieure. Mais le contexte politique et culturel n'est pas le même et explique en partie la **faible natalité** de l'Italie centrale – vie professionnelle et maternité entrant véritablement en concurrence. Les aides de l'État à la famille sont faibles et même la santé coûte cher. À ces facteurs objectifs s'ajoute le «machisme» qui n'a pas disparu de la société italienne en général. Si la Toscane peut faire figurer en bonne place les «couples modernes» qui se répartissent les tâches domestiques, le phénomène n'est encore que minoritaire. Un homme qui fait la vaisselle, met le couvert ou lave le linge paraît un peu équivoque. En revanche, il peut se

parer d'un tablier et faire la cuisine, surtout s'il y a des invités. Auquel cas il se comporte en chef et chasse l'épouse au salon. Le train de vie *apparent* d'un cadre moyen toscan relève pour l'étranger des savoureux mystères de l'existence. Dieu sait pourtant que de nos jours les impôts sont accablants et le montant de la retraite précaire. Il n'empêche : chaussures mode, tenue impeccable, voiture rutilante, télévision géante et intérieur fleuri de papier peint assorti aux pivoines des rideaux et aux roses rouges du canapé. Telle est la panoplie de ces signes qui flattent, comme voilà déjà des années-lumière, bien avant les Français en tout cas, lorsqu'un Florentin bien né se devait d'arpenter les trottoirs le téléphone vissé à l'oreille.

En fait, le mystère se dissipe un peu en observant le mode de vie ; il éclaire aussi la réticence des jeunes femmes à procréer. Car, sous l'éclat des apparences se cache une véritable âpreté à économiser au quotidien. Le budget nourriture est réduit, toute maîtresse de maison renouvelant chaque soir un exploit avec de l'huile d'olive, un paquet de pâtes fraîches, du parmesan

La place de l'Église

Les oratoires fleurissent toujours au détour des ruelles des villes et villages. Souvent, un lumignon rouge les signale aux passants, jamais indifférents.

Par rapport au reste de l'Italie, la Toscane est relativement peu chrétienne, même si l'on voit toujours dans les églises, surtout le soir, quelques personnes en prière. Traditionnellement, la région vote à gauche et tient moins compte qu'ailleurs du magistère de l'Église sur la vie privée (séparation, divorce, contraception, avortement…).

En 1929, un concordat avait été signé entre le pape et Mussolini, la religion catholique étant définie comme « religion d'État » et soutenue financièrement. Il fallut attendre le 18 février 1984 pour qu'un nouveau concordat abolisse le caractère confessionnel de l'État, abandonne le soutien financier direct et le remplace par le système du « huit pour mille », chaque foyer pouvant déduire de ses impôts huit millièmes de ses revenus et les attribuer à une œuvre humanitaire ou à l'Église, qui en récolte 80 %. L'article 9 de ce concordat précise que « les principes catholiques font partie du patrimoine historique du peuple italien ».

Au total, le clergé italien représente encore 15 % du clergé mondial, les ordinations annuelles (de l'ordre de 500) étant cinq fois plus nombreuses qu'en France. Toutefois, les écoles catholiques, aujourd'hui privées de toute aide publique, ne représentent que 5 % des établissements scolaires. Une loi « à la française » – accordant des subventions de la collectivité à l'enseignement privé à condition que celui-ci ait des programmes identiques à ceux de l'enseignement public – est réclamée, jusqu'alors sans succès, par les familles. ❖

râpé et trois tomates. Les enfants, et surtout les garçons, restent au foyer jusqu'à leur mariage qui a lieu vers la trentaine en moyenne, bien souvent plus tard et parfois jamais. Malgré le desserrement du carcan familial, la dépendance fils-mère reste forte ; en ce début du XXIe s. il viendrait rarement à l'idée d'un célibataire de 35-40 ans de s'installer dans ses meubles…

Baromètre toscan

Ces considérations sur le poids souvent fort pesant de la famille nous ramènent aux questions démographiques. Car la situation devient sérieuse: entre 1981 et 1998, la Toscane s'est dépeuplée. Faiblement certes, mais les décès ont excédé de 40 000 les naissances. Ces chiffres sont à comparer avec un solde encore légèrement positif pour l'Italie entière durant la même période, même si la courbe a tendance à s'inverser depuis 1991. La faible immigration étrangère ou en provenance d'autres provinces italiennes vers la Toscane ne compense pas cette baisse.

Ces informations tirées d'études de tendances et de statistiques consultées à la chambre de commerce de Florence laissent planer quelques inquiétudes sur l'avenir proche, malgré de bons résultats en 2000: une production en hausse de 4,7 %, l'exportation grimpant à + 20,5 % par rapport à 1999 – qui, il est vrai, était une mauvaise année. Depuis, cette croissance a nettement chuté pour avoisiner le 0 %. Au-delà de cette conjoncture devenue morose, le **déclin de la population** inquiète, car tous les bassins d'emploi ou presque sont touchés. L'exemple de la création d'un «district» culturel en Maremme toscane ne pousse pas à l'optimisme. Il regroupe plusieurs bourgs à l'écart de tout et peu connus, mais d'un grand intérêt touristique: Castell'Azarra, Pitigliano, Sorano et Sovana. À l'exception de Pitigliano, près de 10 % de leurs habitants ont disparu en vingt ans et on a constaté une **baisse de l'activité économique** de 16,4 %. La région s'apprête donc, sinon à changer son fusil d'épaule, du moins à opérer certaines **réformes**. Elle constate qu'en changeant de taille, les entreprises qui atteignent 500 personnes et plus présentent une rentabilité deux à trois fois supérieure à celle des petites et moyennes qui constituent encore l'essentiel du tissu économique toscan. Ce sont les poids lourds qui ont «tiré» ces dernières années la croissance industrielle de la Toscane, placée en troisième position derrière l'Émilie-Romagne et la Vénétie, devant le Piémont et la Lombardie.

D'autant que l'**euro** auquel l'Italie a consenti de gros sacrifices est devenu le principal ennemi des petites et moyennes entreprises travaillant en synergie avec un district. Du temps de la lire il était en effet relativement facile de jouer de la faiblesse de cette monnaie pour pousser les produits à l'export. Au contraire des entreprises françaises, les italiennes ont un marché mondial. Elles entrent directement en compétition avec les productions asiatiques. L'appréciation importante (env. 30 %) de l'euro face au dollar dans les années 2003-2004 provoque un séisme commercial en Italie: tous les prix des produits à l'exportation, hors zone euro, ont grimpé eux aussi de 30 %. Le fait est d'autant plus grave que l'implantation de l'euro en Italie a fait augmenter les prix de la vie quotidienne de façon vertigineuse, évidemment sans compensation salariale.

Question: combien de temps le modèle de la «troisième Italie» qui s'est développé autour de petits noyaux de productions complémentaires pourra-t-il encore tenir? Et comment rebondira-t-il? Parions sur la confiance: les Toscans ont toujours montré qu'ils avaient plus d'un tour dans leur sac... ∎

SUR PLACE

Ci-contre : Réplique de *La Nuit*
de Michel-Ange, figurant sur
le tombeau de Julien de Médicis
à l'église San Lorenzo de Florence.

Ci-dessus : Image immuable de la
campagne toscane, avec ses cyprès
plantés comme des chandeliers
auprès des chapelles perdues.

FLORENCE ET SES ENVIRONS

Florence
○ Pise
TOSCANE
○ Sienne

D ès votre arrivée, prenez de la hauteur. C'est des collines de Fiesole ou de l'église S. Miniato al Monte que se dévoile l'urbanisme orgueilleux et chaleureux à la fois de la Florence qui émerveillait déjà les visiteurs du XVᵉ s. Après quoi, chacun organisera sa chasse aux tré-sors à son goût: en flânant ou en qua-drillant méthodiquement la ville. Voici, en 13 promenades, les clés de l'ancienne République des Médicis.

➤ *Plan I* (centre) *en 2ᵉ rabat de cou-verture; plan II (ensemble) p. 66. Carte (environs de Florence) p. 128. Informations pratiques p. 132.*

Piazza del Duomo***

R ien ne prédestinait
les places médié-
vales du Duomo et
de S. Giovanni à devenir
un des théâtres les plus
brillants de la Renaissance.
Et pourtant, architectes,
sculpteurs, peintres, orfèvres et édiles des années
1400 vont plaquer ici les
nouveaux canons esthétiques (géométrie, perspective, espace, volumes) qui
expriment leur nouvelle vision du
monde, exaltant la gloire de l'homme,
presque à l'égal de celle de Dieu.

➤ **I-C2** *Comptez une bonne demi-journée, mais n'enchaînez pas toutes ces
visites en une seule fois, vous seriez
saturé.*

Baptistère***

➤ **I-C2** *Battistero. Ouv. 12h-19h; dim.
et j.f. 8h30-14h. F. 1er janv., Pâques et
Noël. Entrée payante ☎ 055.23.02.885.
Accessible aux handicapés.*

La basilique Saint-Jean (XIe s.) fut
consacrée baptistère de Florence en
1128 et embellie durant plusieurs
siècles de mosaïques, de marbres et de
portes en bronze. La Florence de la
Renaissance est née ici. La lente méta-
morphose de cet édifice roman offre
une synthèse de la révolution des
idées, du décor et de l'architecture qui
a fait de Florence le phare du monde
« civilisé » durant le Quattrocento.

LES PORTES EN BRONZE

Trois portes de bronze magnifiquement décorées s'ouvrent sur les
façades nord, sud et est du baptistère.
Leur réalisation, étalée sur plus d'un
siècle (de 1330 à 1450), retrace l'évolution de la figuration et celle de la
notion de perspective qui sont au
cœur de la réflexion artistique de la
Renaissance. Autrefois recouverts de
dorures, fort endommagés par la pollution et l'inondation de 1966, les
panneaux les plus précieux sont remplacés petit à petit par des copies et

sont exposés au museo dell'Opera del
Duomo *(p. 71)*, derrière la cathédrale.

➤ **PORTE SUD**. Premier ouvrage en
bronze de Florence, elle est l'œuvre
d'**Andrea Pisano** (v. 1290-1349), qui
la commença en 1330. Vingt compar-
timents représentent des scènes de la
vie de saint Jean-Baptiste, patron de
Florence, et huit autres (dans la partie
inférieure) des allégories des vertus.
Les scènes se lisent de haut en bas et
de dr. à g. Pisano organise un espace
sobre, presque rustique, destiné à
individualiser ses personnages. En ce
sens, il traduit pour la première fois en
relief la leçon « expressionniste » de
Giotto *(voir p. 309)*.

➤ **PORTE NORD**. Orfèvre autant que
sculpteur, **Lorenzo Ghiberti** (1378-
1455) travaille vingt ans, entre 1403
et 1423, à cette porte. Les quatre panneaux du bas représentent les docteurs
de l'Église et ceux de la 2e rangée, les

Programme

Florence est une des toutes
premières villes d'art d'Europe et mérite, à elle seule,
un voyage d'au moins une
semaine. Nous ne donnons ici
qu'un aperçu des chefs-
d'œuvre florentins, nécessitant
– avec les environs immédiats
– un minimum de **trois jours**.
Ne pas manquer, au moins,
le Duomo et son baptistère, la
galerie des ❖ Offices et le
palais Pitti. ❖

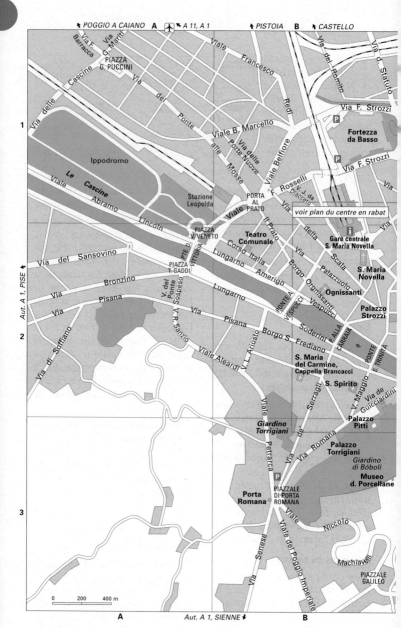

FLORENCE II : PLAN D'ENSEMBLE
plan I (centre) en rabat arrière de couverture

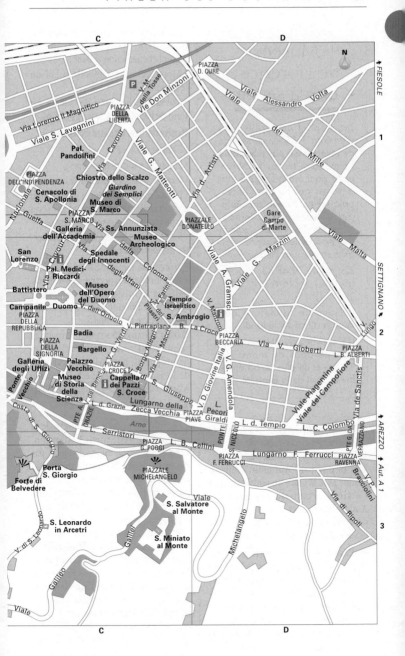

Musées de Florence : bon à savoir

Moyennant un supplément d'environ 1,55 €, un service de **réservation par téléphone** permet d'éviter les files d'attente pour les musées d'État suivants : galerie des Offices, palais Pitti, Musée archéologique, musée de S. Marco, chapelles des Médicis, galerie de l'Académie, musée du Bargello, atelier des Pierres dures. Rés. ☎ 055.29.48.83. Pour les groupes scolaires ☎ 055. 29.01.12.

Le jour de fermeture des musées d'État est le **lundi**.

Les citoyens de l'Union européenne âgés de moins de 18 ans et de plus de 65 ans y bénéficient de la **gratuité**. ❖

---

quatre Évangélistes. À partir de la 3ᵉ rangée, 20 scènes de la vie de Jésus se lisent de g. à dr. et de bas en haut. Très inspiré par l'Antiquité, Ghiberti renoue avec la grâce du gothique, dont s'était pourtant éloigné avant lui Andrea Pisano, et crée des effets de perspective qu'il développe avec une grande liberté dans la porte est.

➤ **PORTE EST*** (ou **porte du Paradis**). C'est le chef-d'œuvre de **Lorenzo Ghiberti**, qui l'entreprit après avoir achevé la porte nord. Il choisit le format de grands panneaux aérés représentant chacun des scènes de l'Ancien Testament. La perspective réaliste, capitale dans l'art de la Renaissance, fait ici des débuts éclatants.

PARTIE GAUCHE, DE HAUT EN BAS

• Création d'Adam et Ève ♥ (à g., la Tentation et à dr., l'expulsion du paradis terrestre) ;

• Noé remercie Dieu après le Déluge ; Noé ivre, allongé ;

• Esaü vend son droit d'aînesse ; dialogue de Rebecca et de Jacob, qui reçoit la bénédiction d'Isaac ;

• Moïse reçoit les Tables de la Loi sur le mont Sinaï ;

• David tranche la tête de Goliath sur fond de bataille contre les Philistins.

PARTIE DROITE, DE HAUT EN BAS

• Caïn tuant Abel ;

• Abraham reçoit les trois anges ;

• Sacrifice d'Isaac (en haut, à dr.) ;

• Histoire de Joseph, tiré du puits, vendu à des marchands, décryptant les rêves du pharaon et finissant sur le trône ;

• Josué assiège Jéricho ; en bas, la traversée du Jourdain à sec ;

• Visite de la reine de Saba à Salomon. La profonde perspective centrale du palais, à la fois gothique et Renaissance, marque une étape importante dans l'œuvre de Ghiberti.

DANS L'ENCADREMENT, fleurs, fruits et animaux alternent avec des figurines de prophètes, de sibylles et d'artistes de l'époque, dont Ghiberti lui-même (coin bas, à dr. du 3ᵉ panneau de g.).

À L'INTÉRIEUR

Ce sont surtout les **mosaïques*** de la coupole qui retiennent l'attention. Commencé au milieu du XIIIᵉ s. par des artistes byzantins venus de Venise, cet ensemble ne fut achevé qu'au XIVᵉ s. par des mosaïstes florentins, dont Cimabue (v. 1240-1302). Sous la hiérarchie céleste (au centre en haut) se développent quatre registres concentriques : la **Genèse**, de la Création au Déluge ; l'**histoire de Joseph** ; la **vie du Christ et de Marie**, de l'Annonciation à la Mise au tombeau ; et la **vie de Jean-Baptiste**, auquel est dédié le baptistère. L'abside représente le **Jugement dernier** avec, au centre, un Christ terrible entouré des anges de la Résurrection, de la Vierge, des apôtres et des saints, et enfin la Résurrection des morts, l'enfer et le paradis.

Donatello (1386-1466) et Michelozzo (1396-1472) réalisèrent le **tombeau de l'antipape Jean XXIII** (à dr. de l'autel), déchu en 1418. Élu pape en 1958, le cardinal Roncalli reprit son nom.

Détail de la façade de la cathédrale de Florence. La parure sobre et équilibrée de marbre rose, vert et blanc est typique de la Renaissance florentine.

LOGGIA DEL BIGALLO

Face au baptistère, à l'angle de la via de'Calzaiuoli, cette loggia en marbre de style gothique florentin du XIVe s. abritait les enfants égarés ou abandonnés.

Duomo**

➤ **I-C2** *S. Maria del Fiore. Ouv. 10 h-17h; jeu. et 1er sam. du mois 10h-15h30; dim. et j.f. 13h30-17h. F. 1er janv., Pâques, 24 juin et Noël ☎ 055.23.02.885. Accessible aux handicapés*

En 1294, le parement extérieur en marbre du baptistère est achevé. L'admiration est unanime. À côté, l'église S. Maria Reparata fait si pâle figure qu'elle est rasée (ses vestiges forment la crypte actuelle) pour laisser place à un projet ambitieux. Toutefois, ce n'est qu'en 1355 que **Francesco Talenti** fixe les grandes lignes du Duomo actuel, le plus vaste de la Chrétienté d'alors, Saint-Pierre de Rome lui étant postérieur. La construction avance pendant 25 ans jusqu'à ce que se pose un problème de taille: comment fermer l'immense ouverture perchée à plus de 50 m, juste à la croisée du transept? L'église reste partiellement à ciel ouvert jusqu'en 1420, quand **Brunelleschi** commence à réaliser le magnifique exploit technique de la coupole *(voir p. 72).*

À L'EXTÉRIEUR

Entièrement parée de marbre blanc de Carrare et vert de Prato (carrières aux environs de Florence), cette cathédrale est dominée par son superbe **dôme***** évoquant une majestueuse voilure d'un roux patiné tendue entre huit nervures en saillie.

Le projet initial de l'entrée principale ne plaisant plus, on démolit en 1587 ce qui avait déjà été construit, sans le remplacer. La façade actuelle, pastiche sans vrai caractère, date des années 1881-1888. Sur le côté dr. s'ouvre la **porte gothique des Chanoines***; sur le côté g., celle **de la Mandorle*** annonce déjà le style de la Renaissance.

La conjuration des Pazzi

Riche et puissant, le clan des Pazzi compose d'abord avec celui des Médicis. Mais Francesco Pazzi, qui déteste Laurent le Magnifique, va tout gâcher. Une première fois, en 1473, il parvient à se substituer aux Médicis comme banquier du pape. Trois ans plus tard, et toujours en connivence avec le pape, il souffle à la barbe de Laurent l'exploitation du gisement d'alun dont les Médicis avaient l'exclusivité. Or, qui détient l'alun – minerai miracle fixant la couleur sur le tissu – s'impose aux drapiers, première force économique de Florence. Furieux, Laurent s'arrange pour priver légalement les Pazzi d'un gros héritage.

Se sentant encouragés par Rome et Naples, les Pazzi ruminent leur vengeance. Le 26 avril 1478, des conjurés se ruent dans la cathédrale sur Laurent et son frère Julien en plein office de Pâques. Laurent, blessé, parvient à s'enfuir par la sacristie, mais Julien est tué. Laurent fait aussitôt pendre aux fenêtres du palazzo Vecchio certains partisans des Pazzi, à commencer par l'évêque de Pise, ce qui entraîne son excommunication immédiate par le pape. Soutenu par l'opinion, Laurent se rebelle. Les armées du pape et de son allié, le roi de Naples, attaquent. Elles sont déjà à Sienne, prêtes au dernier assaut, quand… les Turcs envahissent l'Italie, contraignant le pape à changer ses plans. Florence et Laurent sont sauvés. ❖

À L'INTÉRIEUR

On est loin des envols vertigineux à la mode française. L'élan vertical du gothique est contré et ramené à une sagesse presque froide, privant la cathédrale de cette «grandeur» souhaitée au départ.

➤ **FAÇADE INTÉRIEURE.** Au-dessus du portail central se déploie la mosaïque du *Couronnement de la Vierge* attribuée à Gaddo Gaddi (1260-1333), tandis que les vitraux ont été dessinés par Lorenzo Ghiberti. L'unique aiguille de l'horloge (restaurée) tourne en sens inverse des nôtres, et les quatre têtes penchées sont, peut-être, de Paolo Uccello. À dr. du portail: **tombeau de l'évêque Antonio d'Orso*** (1321), héros de la défense de Florence contre des troupes dépêchées par Dante qui, alors en exil, voulait se venger de son ancienne patrie.

➤ **NEF CENTRALE.** On atteint la **crypte de Sainte-Réparate***, dédiée à une jeune martyre du IIIᵉ s., par un escalier *(ouv. 10h-17h. F. dim. et j.f. Entrée payante).* Les fouilles (1972) ont révélé des restes du pavement primitif et la tombe de Filippo Brunelleschi.

➤ **BAS-CÔTÉ DROIT.** Dans la 1ʳᵉ travée, buste de Brunelleschi, réalisé par son élève et héritier Buggiano (1447). À côté, statue du prophète Isaïe avec un tabernacle en bois, par Nanni di Banco, et un buste de *Giotto travaillant à une mosaïque*, par Benedetto da Maiano (1490). Près de la porte latérale: buste de Marsile Ficin, un des théoriciens de l'humanisme *(voir p. 110)*, par Andrea Ferrucci (1521).

➤ **TRANSEPT.** Les trois absides sont séparées par les portes des sacristies, décorées de bas-reliefs de bronze et de terre cuite émaillée de Luca della Robbia (v. 1400-1482). La *Résurrection** (à g.), datant de 1444, est le premier exemple connu du procédé qui fera la fortune de la «dynastie» Della Robbia *(encadré p. 168)*. C'est par la porte séparant l'abside de g. et celle du centre que, lors de la conjuration des Pazzi, Laurent de Médicis, blessé durant l'office, parvint à s'échapper. Dans l'abside centrale, le **sarcophage** de saint **Zanobi***, premier évêque de Florence, mort en 417, est de Lorenzo Ghiberti.

➤ **COUPOLE***** *(ouv. lun.-ven. 8h30-19h; f. à 15h20 le 1er sam. du mois, à 17h40 les autres sam. F. dim. et j.f. Entrée payante ☎ 055.23.02.885. Non accessible aux handicapés).* Une porte donne accès à l'escalier qui mène au sommet (91 m de haut) après 463 marches! De l'octogone de la croisée du transept, à 54 m du sol, on mesure l'extraordinaire défi que représente cette coupole. Les escaliers se perdent ensuite dans ses « tripes » et permettent de comprendre le fabuleux travail de géométrie abstraite de Brunelleschi dont l'ouvrage repose sur deux coques autoportantes *(voir p. 72)*. De la lanterne qui « bloque » l'ensemble à la façon d'une clé de voûte, la **vue***** sur Florence et ses collines a le charme d'un rêve.

➤ **BAS-CÔTÉ GAUCHE**. Un des deux portraits équestres de condottieri qui servirent Florence est de Paolo Uccello (1436) ; il met en scène, sur un cheval vert, l'Anglais **John Hawkwood***, héros très populaire qui organisa la défense de la ville contre les troupes papales en 1375. Dans la 4e travée, une peinture sur bois de Domenico di Michelino (1465) figure Dante, *La Divine Comédie* à la main.

Campanile de Giotto**

➤ **I-C2** *Ouv. t.l.j. 8h30-19h30 (18h en hiver). F. 1er janv., Pâques, 8 sept. et Noël. Entrée payante ☎ 055.23.02.885. Non accessible aux handicapés.*

Commencé par Giotto en 1334, trois ans avant sa mort, le campanile fut complété par Andrea Pisano et surtout par Francesco Talenti, responsable des trois derniers étages dont les superbes baies gothiques confèrent à l'ensemble une grande légèreté. À la base du campanile, remarquez 28 **médaillons*** hexagonaux (copies) d'Andrea Pisano et de Luca della Robbia dont les originaux sont au museo dell'Opera del Duomo. Un escalier de 414 marches conduit au sommet (plus de 80 m) et au **panorama**** sur le baptistère, le Duomo et le centre de Florence.

Museo dell'Opera del Duomo**

➤ **I-C2** *Piazza del Duomo, 9. Ouv. 9h-19h30; dim. et j.f. 9h-14h. F. 1er janv., Pâques et Noël. Entrée payante ☎ 055. 23.02.885, <www.operaduomo.firenze. it>. Accessible aux handicapés.*

Profondément remanié et agrandi en 1999, ce musée propose une des plus importantes collections d'art religieux qui soient. Y sont exposées les œuvres maîtresses des XIIIe, XIVe et XVe s., provenant de la cathédrale, du campanile et du baptistère. Michel-Ange sculpta dans la cour son célèbre *David*** (1501-1504), aujourd'hui à la galleria dell'Accademia *(p. 101)*.

REZ-DE-CHAUSSÉE

Les baies vitrées de l'entrée donnent sur la cour couverte (par laquelle se termine la visite) où l'on admire les cinq premiers panneaux restaurés de la porte du Paradis du baptistère, ainsi que trois statues, dont le *Baptême du Christ* d'Andrea Sansovino.

➤ **LA 1re SALLE** est consacrée à des sculptures jadis placées à l'extérieur du baptistère : *Vertus, Tête de saint Jean*, fragments de statues diverses.

➤ **LA 2e SALLE** réunit la statuaire de l'ancienne porte du campanile (XIVe s.), en bronze : merveilleuse *Annonciation*** et *Madone à l'Enfant***.

➤ **LA 3e SALLE**, dite « grande », rassemble les statues de la façade de la cathédrale, abattue en 1587. Parmi ces témoignages du Trecento florentin, remarquez le *Saint Jean*, de Donatello, *Saint Luc*, de Nanni di Banco, une

➤ *suite p. 74*

À voir

La ♥ *Pietà**** de Michel-Ange (entresol) ; la *Marie-Madeleine*** de Donatello (1er ét.) ; les **panneaux**** du campanile, de Ghiberti (r.-d.-c.). ❖

Le dôme de Brunelleschi

Chef-d'œuvre d'élégance, le dôme de la cathédrale de Florence constitue un exploit technique qui fait toujours notre admiration. Toutes les conditions matérielles s'opposaient à sa réalisation. Et pourtant, bravant le scepticisme général, Filippo Brunelleschi y parvint, sans même l'aide d'un échafaudage: un coup de génie qui mérite une explication.

Les données du problème

À force de vouloir battre des records, les maîtres d'œuvre du Duomo se trouvent, en 1420, dans une impasse. Ils ont bâti un immense édifice, sans trouver de solution pour coiffer le trou béant du chœur – 42 m de diamètre – dont l'ouverture repose à 54 m du sol sur des murs peu épais. Généralement, une coupole était bâtie à l'aide d'un cintre en bois confectionné à partir d'une grande poutre, placée à l'horizontale au niveau du trou à combler. Ce moule établi, on montait la coupole en pierre, et, une fois les arcs de maçonnerie pris et parfaitement calés par une clé de voûte, on retirait le cintre. Impossible, dans le cas présent, de trouver des arbres assez longs et résistants pour enjamber un vide de 42 m. Et il eût été tout aussi illusoire d'envisager la construction d'un échafaudage de près de 60 m de haut pour soutenir cette poutre. La technique traditionnelle du cintre dut donc être éliminée.

Le dilemme

Dès les années 1415, Brunelleschi avait commencé à étudier les exemples de grandes coupoles déjà réalisées. Celle du baptistère voisin de la cathédrale, pourtant beaucoup plus petite, donnait des signes de faiblesse. Celle de Sainte-Sophie, à Constantinople, s'était effondrée quatre-vingts ans plus tôt. Restait le Panthéon de Rome, bâti mille ans auparavant, dont les dimensions étaient très proches de celles du projet de Florence. Les Romains, eux non plus, n'avaient pu trouver de bois capables de soutenir un cintre. Partant du cercle, ils avaient monté une demi-sphère, dont le poids énorme – bien qu'allégé de caissons – repose sur de véritables murailles.

Mais le problème de Brunelleschi à Florence était encore plus compliqué: il ne disposait pas d'une base circulaire, mais octogonale, et cette base était constituée de murs relativement fragiles. Il lui fallait donc concevoir, sans cintre ni échafaudage, une couverture ultralégère: un casse-tête devant lequel tout le monde avait dû capituler.

Brunelleschi a su calculer avec une grande maîtrise les poussées horizontales et verticales du dôme, ce qui lui donne une légèreté et un élan incomparables.

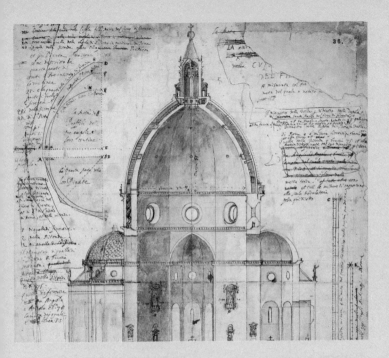

36.

La trouvaille

Brunelleschi eut alors un coup de génie. Il imagina une forme gothique, ovoïde, dont les poussées s'exerceraient essentiellement… vers le haut, une lourde lanterne en marbre venant bloquer le tout. Le squelette du dôme se compose donc de huit fortes nervures élevées à chaque angle de l'octogone, chacune renforcée par deux autres intermédiaires. Au total, 24 nervures, lancées au-dessus du vide et reliées entre elles, à l'horizontale, par des anneaux de maçonnerie absorbant le reste des poussées latérales. Pour couvrir cette structure autoportante sans peser dessus, on ne pouvait qu'établir une très fine toiture, mais qui ne protégeait pas de l'humidité. Brunelleschi inventa alors le principe de la double enveloppe, consistant en deux coques séparées par un vide. C'est dans ce vide que sont cachés les escaliers conduisant à la lanterne ; une occasion d'aller observer de près l'ensemble de cette prouesse architecturale.

L'achèvement du projet

Les travaux durèrent seize ans, de 1420 à 1436, dans une ambiance très hostile, du moins au départ. Il fallait, en effet, trouver les ouvriers prêts à travailler « sans filet » sur un vide vertigineux. Il fallait aussi persuader les édiles et les spécialistes de techniques de construction inédites. Bref, convaincre, au moyen de simples maquettes en bois ou en cire, que 27 000 tonnes d'ouvrage, élevées à près de 100 m de haut sans cintre ni échafaudage, tiendraient en place. Le 26 mars 1436, le dôme est inauguré en grande pompe au son d'un motet à quatre voix de Guillaume du Fay venu de France pour la circonstance… ∎

Vierge avec l'Enfant et des saints et une *Sainte Réparate*, d'Arnolfo di Cambio. Du même artiste, statues du pape Boniface VIII et une *Vierge de la Nativité*.

➤ **LES SALLES DU FOND** *(accès par quelques marches)* exposent des panneaux peints et surtout les 24 **maquettes en marbre*** (XIV⁰ s.) de la clôture du chœur du Duomo. La **chapelle octogonale** expose un retable de Bernardo Daddi (1ʳᵉ moitié du XIV⁰ s.), représentant sainte Catherine d'Alexandrie, et de riches reliquaires. Dans la salle donnant sur la cour, des fragments reconstituent en partie la belle porte de la **Mandorle**.

Avant l'escalier de l'entresol, remarquez un repère à près de 2 m de haut indiquant l'ampleur de la crue de l'Arno, le 4 novembre 1966.

ENTRESOL

La ♥ *Pietà**** de Michel-Ange, qu'il a sculptée à l'âge de 80 ans (v. 1550), était destinée à sa propre tombe. L'artiste s'est représenté sous les traits de Nicodème soutenant le corps effondré du Christ. *Marie-Madeleine* (à g.) est de Daniele da Volterra.

PREMIER ÉTAGE

➤ **1ʳᵉ SALLE**. Deux ♥ **tribunes de chantres*** se font face. Celle de Donatello (à dr.) affiche une vivacité débridée, tandis que Luca della Robbia a ciselé la sienne de 10 scènes d'une fraîcheur et d'une gaieté savoureuses (les originaux sont sous la tribune). Autour sont disposées 16 statues qui ornaient les niches du campanile. Cinq sont de Donatello (inscriptions) et tranchent nettement par la vivacité de leur expression.

➤ **2⁰ SALLE**. À dr., la pathétique et chétive *Marie-Madeleine*** en bois, de Donatello (1455) provient du baptistère où elle subit la crue de 1966. Remarquez également un crucifix en bois peint du XIV⁰ s., un autel en argent massif surmonté d'un **retable*** en argent doré et émail du XVI⁰ s. Voir aussi les broderies or et soie (XV⁰ s.)

d'après des dessins d'Antonio del Pollaiolo, représentant la vie de saint Jean.

➤ **3⁰ SALLE** *(à g. de la 1ʳᵉ salle)*. Elle abrite les remarquables médaillons provenant du campanile. Ceux du registre inférieur sont d'Andrea Pisano et représentent notamment la *Création d'Adam**, la *Création d'Ève*, les *Travaux des champs**, la *Chasse*, la *Navigation**. Les cinq dernières sont de Luca della Robbia et datent de 1439. Les plaques du registre supérieur ont été exécutées par des élèves d'Andrea Pisano. Un **couloir** en pente expose des poulies et des échafaudages installés par Brunelleschi (beau masque mortuaire) pour la construction de la coupole du Duomo. Une petite **maquette** en coupe de la coupole et de la lanterne qui la leste permet de comprendre la complexité de l'ensemble. Suivent différentes maquettes en bois pour remplacer la façade abattue de la cathédrale en 1587. Aucune ne fut retenue.

Terminant la visite par la cour fermée, admirez de près les cinq **panneaux originaux**** restaurés, provenant de la porte du Paradis du baptistère réalisée par Ghiberti. De g. à dr. : *Caïn et Abel*; *David et Goliath* ; *Jacob et Esaü* ; *Joseph*; la *Création d'Adam et Ève*.

Museo di Firenze com'era

➤ **I-D2** *Musée de Florence autrefois. Via dell'Oriuolo, 24. Ouv. 9 h-14 h. F. jeu., 1ᵉʳ janv. et Noël. Entrée payante* ☎ *055.26.16.545. Accessible aux handicapés.*

On y accède par un calme et charmant jardin. Un grand plan de la Florence de 1490 orne l'entrée : le palais Pitti n'était pas encore construit. La salle de dr. présente 12 grandes **lunettes*** de Giusto Utens (1599) reproduisant les villas médicéennes des environs, ainsi que les aquarelles de Della Gatta (scènes de rues à Florence) et des gravures très vivantes des XVIII⁰ et XIX⁰ s. La salle de g. est consacrée à la préhistoire et surtout à la Florence romaine illustrée par des maquettes du théâtre, des thermes, etc. ∎

Du Duomo
au ponte Vecchio

nouvelle piazza fut le centre d'une vie littéraire et artistique effervescente dont le quartier général se tenait – et se tient toujours – dans les arrière-salles du **café Giubbe Rosse**. Moins intellectuels, le **café Paszkowski** et son orchestre traditionnel fleurent bon, eux, les années 1950.

Via Calimala

I-C2 Au Moyen Âge, cette rue abrita la très puissante corporation des **drapiers**. Ils donnaient aux draps bruts importés des Flandres, d'Angleterre et de France un fini dont ils détenaient le secret, et grâce auquel ils entretenaient, dès le XIIIᵉ s., des comptoirs et des hôtelleries à Paris, en Normandie et en Provence. C'est sur son modèle que s'organisèrent les autres corporations de métiers qui gouvernèrent longtemps Florence (*encadré p. 76*).

Le chemin le plus direct entre le Duomo et le ponte Vecchio passe par la piazza della Repubblica, la via Calimala et la via Por S. Maria. Cet axe nord-sud assez bruyant réserve pourtant de belles surprises (palazzo Davanzati), avec, en parallèle, la via de'Calzaiuoli, piétonne et élégante, où se trouve l'église Orsanmichele.

➤ **I-C2-B3** *Compter env. 2h.*

Piazza della Repubblica

I-C2 Bordée d'arcades, de cafés et de magasins (vaste librairie Edison), cette place assez pompeuse date de 1890. Elle remplace le vieux marché qui, au Moyen Âge, s'était lui-même installé sur le forum romain. Pendant des siècles, ce marché fut le site le plus pittoresque et le plus fréquenté de Florence. À partir des années 1900, la

Dans la **loggia di Mercato nuovo** (1551) se tient un petit marché touristique (paille tressée, maroquinerie...). On dit qu'une caresse sur le groin du sanglier de la **fontaine del Porcellino** (1612) porte bonheur (sur le côté g.).

♥ Palazzo Davanzati*

➤ **I-B3** *Museo della Casa fiorentina antica. Via Porta Rossa, 13. F. pour travaux (2004)* ☎ *055.238.86.10.*

Cette maison-tour (XIVᵉ s.), achetée en 1578 à un négociant en laine par l'homme de lettres Bernardo Davanzati, plonge le visiteur dans l'ambiance et l'organisation quotidienne de la vie d'un notable dans la Florence de la Renaissance. La cuisine était tout en haut, très lumineuse, bien séparée du reste de l'habitation pour éviter la propagation des odeurs et surtout d'un incendie éventuel. Un passe-plat vertical la reliait aux niveaux inférieurs. Raffinement suprême, on pouvait tirer de l'eau du puits à tous les étages.

Via Por Santa Maria

I-BC3 En prolongement de la via Calimala, cette très ancienne rue, qui donna son nom à l'importante corporation (ou « Art ») des drapiers, fut détruite en août 1944. Elle donne accès à des rues très pittoresques, comme, à dr., le borgo SS. Apostoli, qui vaut un détour.

♥ Borgo Santi Apostoli

I-B3 Parfait témoin de la Florence médiévale, cette rue conserve des maisons-tours des XIIIe et XIVe s. L'église **SS. Apostoli**, du XIe s. (mais portail Renaissance), s'adosse à d'anciens thermes romains, d'où proviennent les chapiteaux de ses colonnes en marbre vert de Prato. Belle **sinopie**, sur le mur de g., et **tabernacle** en terre cuite de Giovanni della Robbia à g. du maître-autel. L'église conserve quelques éclats de silex qui auraient été pris au Saint-Sépulcre lors de la première croisade. Chaque année, à Pâques, lors de l'« explosion du Char » *(encadré p. 140)*, ils sont apportés à la cathédrale où ils servent à allumer le feu sacré.

On peut revenir par la **via delle Terme** bordée par le **palazzo di Parte guelfa** (XIVe s.), siège de l'Université populaire, décoré par Brunelleschi et Vasari.

Ponte Vecchio**

I-B3 Épargné par les Allemands, alors que ses abords nord et sud ainsi que les autres ponts furent détruits par des mines en 1944, le ponte Vecchio (piéton) et ses étals se transforment, en été, en une sorte de foire touristique. Il faut y venir en fin d'après-midi, lorsque les pierres, le ciel et l'eau composent un

Les bourgeois au pouvoir

Impôt sur la fortune (dès 1201 !), ordonnances de justice (1293) excluant du pouvoir « magnats » ou grandes familles, élections pour deux mois seulement, afin d'éviter tout pouvoir personnel, des membres de la Seigneurie qui gouverne la cité (gonfalonier de justice détenteur de l'exécutif et prieurs, ses assesseurs) : grâce à toutes ces mesures, la bourgeoisie gardera peu ou prou le pouvoir pendant un siècle. La première en Europe, elle bat une monnaie d'or, le **florin**, véritable dollar de son temps, et hisse Florence au rang de banquier du continent, et avant tout de la papauté, la première des puissances.

Qui sont ces bourgeois ? Des marchands, derniers venus à la fortune, regroupés dans les **« Arts »**, ou **corporations de métiers** très structurées. Le premier en date est l'Art de Calimala qui, au commerce du drap, ajoute celui du blé. Viennent ensuite l'Art des changeurs, l'Art de Por Santa Maria (importateurs de textiles et de draps), l'Art des merciers, l'Art de la laine – qui devient prédominant. Les représentants de ces Arts majeurs, dont le nombre variera, composent la **Seigneurie**. Dante sera l'un d'eux, tout comme Giovanni di Bicci, fondateur de la compagnie Médicis (1397), qui, membre de l'Art de la laine, est élu gonfalonier en 1420, à l'âge de 60 ans. Il est déjà riche, mais discrètement. Fort intelligemment, il transforme en filiales autonomes ses comptoirs étrangers, lui évitant la faillite en période de récession. Unanimement apprécié, il trace une voie royale à son fils, dit Cosme l'Ancien. La dynastie des Médicis est alors sur les rails. ❖

Situé au point le plus resserré de l'Arno dont le cours paisible devient parfois torrentiel, le ponte Vecchio fut détruit une première fois en 1333. Il faillit bien l'être à nouveau lors de la crue catastrophique de 1966.

décor d'une chaude atmosphère ocre et jaune. Reliant deux quartiers voués au commerce, il était naturel qu'il se couvrît lui-même de boutiques. Les premiers occupants furent les bouchers et poissonniers qui jetaient dans l'eau leurs déchets… Les orfèvres et les bijoutiers qu'on y voit encore les remplacèrent en 1593. Le corridor de Vasari *(encadré p. 86)* occupe l'étage.

Au-delà du ponte Vecchio, on passe dans l'Oltrarno *(p. 116)*.

Via de'Calzaiuoli*

I-C2 Parallèle à la via Calimala, cette artère est particulièrement agréable le soir, surtout près d'Orsanmichele, où l'on tire les cartes à la lueur des bougies. Ce secteur piéton est coupé de plusieurs rues à caractère médiéval, dont le **Corso**, très vivant et bordé de vieux palais *(p. 88)*.

Église Orsanmichele*

➤ *Via dell'Arte della Lana. F. pour travaux (2004).*

I-C2 En 1290, Arnolfo di Cambio construisit à cet endroit la **loge aux grains**, destinée à servir de grenier en cas de famine ou de siège de la ville. Détruite par un incendie (1304), elle fut reconstruite en plus grand, à partir de 1337, par Francesco Talenti. Mais, assez vite, sa fonction de grenier fut détournée par une simple image réputée miraculeuse de la Vierge, placée contre un des piliers. La foule y venant la prier, on décida d'en faire le sanctuaire des différentes corporations de la ville. Les galeries furent donc fermées en 1380, et des verrières gothiques mises en place pour éclairer l'intérieur. À l'extérieur, les piliers creusés de niches accueillirent les **statues*** des différents saints patrons des Arts de la ville, dont la plupart sont des copies (originaux au musée, 1er et 2e ét.).

➤ **À L'INTÉRIEUR.** Le plan carré de l'église surprend, mais l'édifice a une belle ambiance. Dans la nef dr. se trouve un riche **ciborium*** (1349-1359) d'Andrea Orcagna. Le tabernacle, en marbre incrusté de mosaïques d'or et de lapis-lazuli, abrite la *Madonna delle Grazie* (Bernardo Daddi, 1366). Sur l'autre autel, un groupe de marbre de Sangallo figure *Sainte Anne, la Vierge et l'Enfant* (1526). ■

♥ Piazza della Signoria et palazzo Vecchio***

Par sa forme insolite, ses monuments prestigieux et ses statues, la place de la Seigneurie est à la fois un vaste théâtre et un musée de plein air. Ancien site des bains romains, elle était, au XIIIe s., occupée par les demeures des **Uberti**, puissante famille gibeline alliée à l'empereur d'Allemagne, vaincue au bout de trente ans de guerre de rues par les guelfes, partisans du pape ; leurs 36 palais furent rasés en 1266… En 1291, la construction de l'orgueilleux palazzo Vecchio, forteresse du pouvoir, était entreprise par Arnolfo di Cambio puis Andrea Pisano. Ce n'est que bien plus tard, entre 1376 et 1382, que fut édifiée la gracieuse loggia della Signoria.

♥ Piazza della Signoria***

I-C3 Mieux qu'ailleurs, Florence combine ici la force militaire et la grâce de la Renaissance, l'austérité et la légèreté. C'est un délice d'y musarder tôt le matin dans la fraîcheur quand elle est encore vide. Le soir, elle est souvent occupée par des artistes de rue qui, comme jadis, chantent, bonimentent ou jouent des comédies improvisées. Près du palais, une plaque indique l'emplacement du supplice de Savonarole *(encadré p. 100). Les numéros en* **rouge** *renvoient au plan ci-dessous.*

➤ **FONTAINE DE NEPTUNE 7**. Entreprise en 1563 par Bartolomeo Ammannati, cette fontaine rappelle la vocation maritime de Florence, alors grande puissance commerciale. Si les naïades, dues à Jean de Bologne, sont ravissantes, le grand Neptune balourd paraît intimidé par sa nudité, l'une des premières exposées en place publique.

➤ **LOGGIA DELLA SIGNORIA***. Elle servait de tribune aux personnalités lors des cérémonies officielles et abrite aujourd'hui plusieurs sculptures, dont l'*Enlèvement d'une Sabine** 1 de Jean de Bologne et l'admirable *Persée** 2 de Benvenuto Cellini, restauré en 2001 *(encadré ci-contre).*

1 L'Enlèvement d'une Sabine *(1580-1583), par Jean de Bologne.*
2 Persée *(1554), chef-d'œuvre en bronze de Benvenuto Cellini restauré en 2001. Sur la base : libération d'Andromède dont Persée est tombé amoureux. Original au Bargello (p. 90).*
3 Hercule et Cacus *(1533), par Bandinelli.*
4 David *(1501-1504), par Michel-Ange. Original à la galleria dell'Accademia (p. 101).*
5 Judith et Holopherne, par Donatello. *Placé en 1495 devant le palazzo Vecchio (où se trouve l'original) pour célébrer la fin des Médicis et l'avènement de la République de Savonarole. Judith est en effet une « patriote » : elle séduit le général qui occupe sa ville et lui tranche la tête.*
6 Marzocco, lion héraldique de Florence, par Donatello. *Original au Bargello (p. 92).*
7 Fontaine de Neptune *(1563-1575), par Bartolomeo Ammannati et Jean de Bologne.*
8 Tribunal des marchands *(XIVe s.).*
9 Palazzo Uguccioni *(XVIe s.). Fut un temps attribué à Michel-Ange.*
10 Statue équestre de Cosme Ier *(1594), par Jean de Bologne. À la base, les grands moments de sa carrière.*

La folie de Cellini

Benvenuto Cellini (1500-1571) a raconté lui-même les jours et nuits de folie que lui a fait vivre la fonte de *Persée*. Il voulait couler la statue en un seul bloc, y compris le bras qui tient la tête de Méduse, ce qui posait de gros problèmes techniques. Il construisit chez lui un fourneau spécial et l'activa jour et nuit, en pure perte : la fusion ne prenait pas. Fiévreux et épuisé, il poussa encore le feu qui, du coup, incendia son toit et fit exploser le couvercle du fourneau, mais toujours sans succès. À demi inconscient, Cellini joua alors ses dernières cartouches : il jeta au feu toute sa vaisselle personnelle, plats, bols, couverts et écuelles d'étain, et le miracle se produisit enfin. Une fois refroidie, la statue apparut parfaite, à un détail près : les orteils du pied droit n'avaient pas pris... ❖

Palazzo Vecchio**

➤ **I-C3** *Palais de la Seigneurie. Ouv. 9h-19h; jeu. et j.f. 9h-14h. F. 1er janv., 1er mai, Pâques et Noël. Entrée payante ☎ 055.276.84.65, <www.palazzo vecchio.it>. Visite : 1h30. Accès partiel aux handicapés.*

Siège des autorités communales, le palais ne fut habité par les Médicis que de 1540 aux années 1550 (avant leur déménagement au palazzo Pitti), ce qui suffira à concevoir un décor tout à leur dévotion. Depuis 1872 la municipalité de Florence en occupe une partie.

➤ **LA COUR DE MICHELOZZO** (*accès libre*), élégant portique très lumineux conçu en 1453 par Michelozzo. Au centre, la fontaine de porphyre est couronnée par une copie du *Génie ailé* tenant un dauphin, d'Andrea Verrocchio (1476; original à l'intérieur).

PREMIER ÉTAGE

➤ **SALONE DEI CINQUECENTO.** Construit sous Savonarole (1495), alors à la tête de Florence, ce **salon des Cinq-Cents** abritait les réunions du Conseil, composé de 500 membres. Il servit ensuite de salle d'audience aux Médicis, qui le firent décorer par Vasari à leur gloire avec, au plafond, Cosme Ier couronné au milieu des anges, et, sur les murs, les fresques pompeuses (1555-1572) célébrant les décisives victoires florentines sur Pise, à g., et sur Sienne, à dr.

Notez la statue en marbre du *Génie victorieux* de Michel-Ange, dont le motif en spirale sera souvent repris par les maniéristes.

➤ **STUDIOLO DE FRANÇOIS Ier DE MÉDICIS*.** Féru d'alchimie, le grand-duc François Ier de Médicis (1541-1587) se fit aménager, par Vasari, un cabinet de travail secret, accessible seulement de sa chambre (l'ouverture actuelle n'existait pas). Il est décoré d'allégories (*Mythe de Prométhée* au plafond) et de scènes d'ateliers alchimistes sur le mur de dr. Au fond, beau portrait sur ardoise de sa mère, Éléonore de Tolède, par Bronzino.

➤ **SALLE DE LÉON X.** Premier pape de la famille Médicis, Léon X est glorifié dans une **fresque** de Vasari figurant son arrivée au palais.

DEUXIÈME ÉTAGE

➤ **APPARTEMENT DES ÉLÉMENTS.** Cet appartement était destiné à Cosme Ier, personnage autocrate et brutal. La décoration de Vasari est un hymne aux dieux antiques et à leurs vertus, auxquels les Médicis sont comparés. Sur la **terrasse de Junon** : original du *Génie ailé* de Verrocchio.

➤ **TERRASSE DE SATURNE*.** Très beau **panorama*** sur S. Croce, sur la délicieuse église S. Miniato al Monte (en face, sur la hauteur) et sur les collines. Le plafond est dédié à Saturne qui, au

Terreur blanche et bûchers de vanité

Jérôme Savonarole, prédicateur dominicain, gouverna Florence entre 1494 et 1498.

Autour de 1495, sous la houlette de Savonarole, commence l'embrigadement des enfants de Florence. Dans chaque quartier, les petits de 5 à 10 ans et les adolescents étaient encadrés par des « officiers » et devaient espionner et dénoncer les mauvaises conduites des adultes. Ils faisaient régner la « terreur blanche » dans les rues, indiquant à la vindicte populaire prostituées, blasphémateurs et autres pécheurs (sodomites, en particulier). Ils prenaient d'assaut les maisons pour s'emparer de tous ces objets de « vanité » qu'étaient livres, instruments de musique, tableaux frivoles et production de la Renaissance profane, qu'ils allaient faire brûler sur des bûchers allumés, dans la liesse, sur la place de la Seigneurie. ❖

centre, dévore ses enfants. Notez la statuette du *Diavolino* (petit diable) en bronze de Jean de Bologne.

➤ **APPARTEMENTS D'ÉLÉONORE DE TOLÈDE.** L'aménagement des pièces est dû à Vasari, et la décoration au Flamand Van der Straet, dit le Stradano. La **chapelle*** est décorée par Bronzino (1540-1546), qui signe ici de belles œuvres glaciales comme le *Passage de la mer Rouge (photo p. 265), Moïse* ou l'*Adoration du serpent d'airain*.

On pénètre ensuite dans la partie XVe s. du palais, où résidaient les prieurs des Arts qui dirigeaient la ville. Savonarole passa, en 1498, la nuit précédant son exécution dans la **chapelle des Prieurs**, très ornée de fresques de Ghirlandaio. Après la **salle d'audience** au plafond en bois sculpté, on parvient à la **salle des Lys** qui abrite le **bronze*** de Donatello, *Judith et Holo-*

pherne (1456-1457), restauré en 1986-1988, dont une copie est devant le palais, piazza della Signoria.

➤ ♥ **GARDE-ROBE OU SALLE DES CARTES***. C'est l'une des pièces les plus intéressantes du palais. Les armoires où l'on serrait le linge d'apparat étaient décorées de **55 cartes du monde***, exécutées entre 1563 et 1584 par Ignazio Danti et Stefano Buonsignori. Elles offrent un état précis des connaissances géopolitiques et des routes maritimes au XVIe s. Le **globe***, réalisé par Danti, passe pour être le plus grand de l'époque.

➤ **CHANCELLERIE** *(segreteria).* Cette pièce, éclairée par une belle fenêtre, servait de bureau à Machiavel *(encadré p. 43).* De 1498, juste après Savonarole, à 1512, date du retour des Médicis qui le bannirent, il fut un grand commis aux affaires étrangères de Florence. ∎

Galleria degli Uffizi***

L e palais des Offices est dû à la volonté de Cosme Ier de centraliser en un même lieu les bureaux *(uffizi)* des fonctionnaires. Sa construction, qui dura 20 ans (1560-1580), fut confiée à Vasari. C'est essentiellement la peinture florentine de la Renaissance que nous commentons ci-après et qui fait des Offices un musée unique *(encadré p. 85).*

► **I-C3** *Entrée piazzale degli Uffizi, 6. Ouv. 8h15-18h50. F. lun. Horaire parfois prolongé en été. Entrée payante ☎ 055.238.86.51, rés. ☎ 055.29.48.83, <www.uffizi.firenze.it>. Accès handicapés facilité. Les Offices doivent regrouper plusieurs musées (sculpture, orfèvrerie, histoire...). La surface d'exposition – avec l'ouverture au public dès 2004 de cinq salles au 1er étage – doublera d'ici 2006-2007. Les collections de peinture demeurent, pour l'essentiel, au 2e étage (ascenseurs, cafétéria en terrasse). Visite: 2h30. Plan p. 83.*

Rez-de-chaussée et premier étage

Au **rez-de-chaussée**, vestiges de l'église romane S. Pietro Scheraggio, décorés de la *Bataille de saint Martin*, par Corrado Cagli, et des **fresques*** des grands hommes (1450) d'**Andrea del Castagno**. Cinq nouvelles salles ouvertes en 2004 sont essentiellement consacrées au Caravage (*Sacrifice d'Isaac**, Bacchus**, Tête de Méduse**) et aux caravagesques.

Deuxième étage

GALERIE EST

► **SALLE 2: PRIMITIFS TOSCANS.** Véritable condensé de la peinture primitive toscane, cette salle réunit trois célèbres Vierges en majesté, celles de Cimabue (1280) et du Siennois Duccio di Buoninsegna (1285), ainsi que la **Madone d'Ognissanti*** (au centre), peinte vers 1310 par Giotto. Leur com-

La galerie des Offices, construite par Vasari, concentre l'essentiel des chefs-d'œuvre de la peinture florentine de la Renaissance.

À voir

Salle **2** : la **Madone d'Ognissanti****, par Giotto. Salle **7** : les **portraits du duc et de la duchesse d'Urbino****, par Piero della Francesca ; la ♥ **Bataille de San Romano****, par Paolo Uccello ; **Anne, Marie et l'Enfant***, par Masolino et Masaccio. Salles **10-14** : les **Botticelli*****. Salle **15** : ♥ l'**Adoration des Mages***, par Léonard de Vinci. Salle **18** : le mobilier, les statues et les ♥ **portraits des Médicis***. Salle **21** : le ♥ **Portrait d'un capitaine et son écuyer***, par Giorgione. Salle **25** : la **Sainte Famille****, par Michel-Ange. Salle **28** : la **Vénus d'Urbino***** de Titien. Salle **31** : la **Sainte Famille avec sainte Barbe****, par Paolo Véronèse. Salle **44** : les **portraits de Rembrandt****. ❖

paraison est éclairante : le lent dégagement du formalisme byzantin mène à Giotto dont la Vierge, solidement campée dans un lourd drapé, prend chair.

➤ **SALLE 3 : TRECENTO SIENNOIS.** **Simone Martini** (1284-1344) domine avec une *Annonciation* provenant de la cathédrale de Sienne. Les saints, sur le côté, sont de la main de son beau-frère, Filippo Memmi.

➤ **SALLE 4 : DISCIPLES DE GIOTTO.** Sont regroupées ici les œuvres de Bernardo Daddi, Taddeo Gaddi, Giottino, Giovanni da Milano, et surtout Andrea Orcagna, peintre, architecte et sculpteur au style sévère *(Saint Matthieu)*.

➤ **SALLES 5 ET 6 : GOTHIQUE INTERNATIONAL.** Contemporain des recherches difficiles et austères de la Renaissance (salle suivante), le dernier âge gothique, ou « gothique international », se contente de rendre sa verdeur à l'héritage byzantin. La peinture demeure précieuse et décorative, comme le montrent le *Couronnement de la Vierge* (1414) de Lorenzo Monaco ou l'*Adoration des Mages* (v. 1424) de Gentile da Fabriano.

➤ **SALLE 7 : PREMIERS MAÎTRES DE LA RENAISSANCE.** Une même volonté les anime de renouveler la figuration et d'imposer la perspective, comme dans la *Sainte Lucie* (v. 1445) de Domenico Veneziano. **Anne, Marie et l'Enfant*** (v. 1424), par Masolino et Masaccio, est une œuvre charnière. Elle allie

l'élégance gothique à la présence charnelle des personnages, rendue par la perspective et une nouvelle conception de la lumière. Le *Couronnement de la Vierge* de Fra Angelico, peint vers 1435, s'inscrit dans ce mouvement.

La ♥ **Bataille de San Romano**** de Paolo Uccello (1397-1475), achevée en 1460, est la partie centrale d'un triptyque dont les autres volets sont au Louvre et à Londres. Uccello était passionné par l'étude de la géométrie, qui confine ici à l'abstraction.

Dans les célèbres **portraits**** du duc d'Urbino **Federico de Montefeltro** et de sa femme **Battista Sforza**, Piero della Francesca (1416-1492), affirme la domination de l'homme sur la nature, chère à la Renaissance. Au verso du portrait de la duchesse, un char du Triomphe tiré par des licornes porte les trois vertus théologales ; pour le duc, ce sont les quatre vertus cardinales que tirent des chevaux blancs.

➤ **SALLE 8 : FILIPPO LIPPI** (1406-1469) est l'un des artistes les plus doués de sa génération et l'un des plus déroutants. Son dessin aérien, léger (Botticelli sera son élève), est également sensible à la solidité d'un Masaccio ou d'un Piero della Francesca. D'où ces contrastes dans une même toile. Par exemple dans sa **Vierge à l'Enfant*** (Vierge tendre et Jésus marmoréen) et, dans une moindre mesure, dans son foisonnant *Couronnement de la*

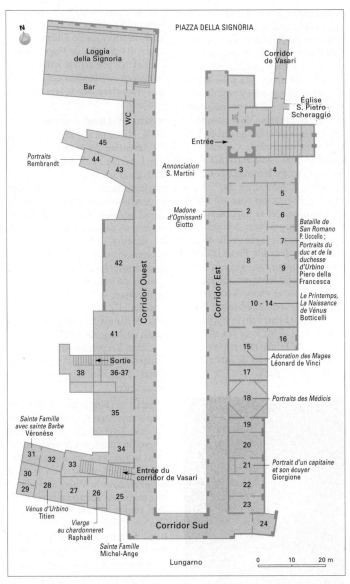

N

PIAZZA DELLA SIGNORIA

Loggia
della Signoria

Bar

WC

Corridor
de Vasari

Église
S. Pietro
Scheraggio

Entrée →

45

Portraits
Rembrandt

44

43

Annonciation
S. Martini

3

4

5

*Madone
d'Ognissanti*
Giotto

2

6

*Bataille de
San Romano*
P. Uccello ;
*Portraits du
duc et de la
duchesse
d'Urbino*
Piero della
Francesca

7

42

Corridor Ouest

Corridor Est

8

9

10 - 14

*Le Printemps,
La Naissance
de Vénus*
Botticelli

41

16

15

Adoration des Mages
Léonard de Vinci

38

36-37

← Sortie

17

35

18

Portraits des Médicis

19

*Sainte Famille
avec sainte Barbe*
Véronèse

34

20

31

32

33

30

28

27

26

25

21

*Portrait d'un capitaine
et son écuyer*
Giorgione

29

22

Vénus d'Urbino
Titien

*Vierge
au chardonneret*
Raphaël

Entrée du
corridor de Vasari

23

24

Sainte Famille
Michel-Ange

Corridor Sud

Lungarno

0   10   20 m

GALERIE DES OFFICES, DEUXIÈME ÉTAGE

Vierge ou son *Adoration de l'Enfant Jésus*. À voir également, plusieurs œuvres du fils de Filippo, **Filippino Lippi** (1457-1504), peintre très élégant formé dans l'atelier de Botticelli.

➤ **SALLE 9 : LES FRÈRES POLLAIOLO.** De **Piero del Pollaiolo** (1443-1496), sont conservées ici six Vertus (*Tempérance, Prudence, Justice, Foi, Espérance* et *Charité*), exécutées pour le tribunal des marchands. La septième, la *Force*, est la plus ancienne œuvre datée de Botticelli. Du frère de Piero, **Antonio del Pollaiolo** (v. 1431-1498), qui fut aussi sculpteur, graveur et orfèvre, deux petites peintures sur bois sur les *Travaux d'Hercule* dans un paysage d'inspiration flamande.

➤ **SALLES 10 À 14: SANDRO BOTTI-CELLI** (1444-1510). *Le Printemps****** (1478) et *La Naissance de Vénus****** (1485) sont les phares de cet ensemble. Ces deux tableaux, inspirés de mythes antiques, ont donné lieu à des tonnes d'interprétations; mieux vaut d'abord méditer d'un œil vierge ces emblèmes de la beauté féminine, dont la suprême élégance et la grâce ont un fort parfum de désenchantement. À remarquer aussi, le très beau *Portrait d'un inconnu**, tenant la médaille de Cosme l'Ancien. L'*Adoration des Mages* (v. 1476) vaut surtout pour son intérêt anecdotique – et sa flagornerie, les trois Rois mages étant des Médicis: Cosme l'Ancien (agenouillé devant Jésus) et ses deux fils, Pierre le Goutteux (en manteau rouge) et Jean. À dr., le futur Laurent le Magnifique, expression modeste et cheveux très noirs, ainsi que son frère Julien (à g.). Botticelli s'est représenté dans le 1er personnage de dr. L'allégorie de la *Calomnie*, elle (à g. du *Printemps*), renvoie sans doute aux détracteurs de Savonarole, qu'admirait Botticelli.

Flore, détail de La Primavera (Le Printemps), *par Sandro Botticelli. Galerie des Offices, Florence.*

Une partie de la salle est consacrée à la **peinture flamande du XVe s.** Le réalisme du triptyque de l'*Adoration des bergers* (1476-1478) de Hugo Van der Goes exerça une grande influence sur Domenico Ghirlandaio dont on voit ici l'*Adoration des Mages* et deux madones.

➤ **SALLE 15: LÉONARD DE VINCI** (1452-1519). Mieux qu'une œuvre achevée, ♥ l'*Adoration des Mages** (1481) de Vinci permet de comprendre sa méthode et ses recherches. Il dessinait minutieusement tous les motifs avant de peindre. Sur un schéma pyramidal auquel la perspective donne de la profondeur, ses dégradés légers estompent les contours. Cette technique d'une imprécision volontaire fera le mystère de ses œuvres les plus célèbres: c'est le *sfumato*, qui fait son apparition dans le beau paysage de l'*Annonciation* composée en 1472 avec son maître Verrocchio. Ce dernier lui confia aussi l'exécution de l'ange de profil du *Baptême du Christ*. L'exposition chronologique s'interrompt jusqu'à la salle **25** où débute ce que l'on nomme la seconde Renaissance.

➤ **SALLE 18: PORTRAITS DES MÉDICIS.** Cette somptueuse pièce octogonale est couverte d'une coupole en nacre. Elle s'organise autour d'une table également octogonale, en mosaïque de pierres dures, et de cinq statues antiques, dont la *Vénus de Médicis*. Aux murs, très intéressants portraits de la famille Médicis: ♥ *Cosme l'Ancien** (v. 1518), de Pontormo (*photo p. 49*), humain et volontaire; ♥ *Laurent le Magnifique**, songeur, sensible et chaleureux (notez sous ses mains le masque du vice), imaginé soixante ans après sa mort, par Vasari; Cosme Ier, dur, lointain, soigneusement désincarné par Bronzino qui réussit avec *Éléonore de Tolède et son fils Jean** une de ses meilleures œuvres, savante et froide. Remarquez également le charmant *Ange musicien* de Rosso Fiorentino.

➤ **SALLE 19: PEINTURE OMBRIENNE.** Belle série de portraits du **Pérugin** (v. 1448-1523), qui transmit à Raphaël

Les « grands » de la Renaissance

S'il s'agit de votre **première visite**, concentrez-vous sur ce que vous ne pourrez voir nulle part ailleurs : la **peinture florentine de la Renaissance**, qui a changé le cours de l'histoire de l'art. Elle est exposée par ordre chronologique dans les salles **2** à **15** puis **25** à **27**. En simplifiant, elle s'articule autour de quelques artistes charnières : Cimabue *(ci-contre)* et surtout Giotto (salles **2-4**), pionnier de l'expression et de l'espace organisé ; puis Masolino, Uccello, Piero della Francesca et Masaccio (salle **7**), le grand initiateur de la Renaissance florentine, sans oublier Filippo Lippi ; enfin Michel-Ange (salle **25**), précurseur des grands maniéristes : Bronzino, Pontormo, Rosso Fiorentino (salle **27**). Plus difficiles à classer, mais tellement importants en leur temps, Sandro Botticelli (salles **10-14**), Léonard de Vinci (salle **15**) et Raphaël (salle **26**) sont inséparables de la Renaissance.

Nous commentons brièvement un choix de tableaux en dégageant ce qui faisait, en leur temps, leur nouveauté. Le visiteur d'aujourd'hui n'y est pas toujours sensible, lui qui a le privilège du recul des siècles.

Voir aussi « Les grands artistes toscans », p. 307. ❖

---

le goût du classicisme et de la douceur ombrienne. Tableaux de **Luca Signorelli** (v. 1450-1523), dont une *Sainte Famille*, et de disciples de Raphaël.

➤ **SALLE 20 : PEINTRES ALLEMANDS.** On découvre ici l'impact de la Renaissance italienne sur quelques artistes germaniques. Ainsi de **Lucas Cranach** (1472-1533), auteur du *Portrait de Luther* et d'*Adam et Ève*, ou d'**Albrecht Dürer** (1471-1528) avec *Madone à la poire, Portrait du père de l'artiste, Adoration des Mages*…

➤ **SALLE 21 : LES VÉNITIENS GIOVANNI BELLINI ET GIORGIONE.** Dans l'*Allégorie sacrée* et son merveilleux paysage de lac enchâssé de montagnes, Bellini (v. 1430-1516) marque le début de l'apogée de la Renaissance vénitienne. Il est accompagné de Giorgione (v. 1477-1510), son élève (*Épreuve de Moïse, Jugement de Salomon*), dont l'œuvre empreinte de mélancolie annonce une des composantes essentielles de la peinture vénitienne : la lumière. Très beau ♥ *Portrait d'un capitaine et son écuyer** de Giorgione, un petit chef-d'œuvre.

➤ **SALLE 22 : MAÎTRES FLAMANDS ET ALLEMANDS** (fin du XVe-début du XVIe s.). Lucas Van der Weyden (v. 1399-1464) et Albrecht Altdorfer (v. 1480-1538) ; *Autoportrait* de Hans Holbein le Jeune (1497-1543) et *Mater Dolorosa* de Joos Van Cleve (1485-1540).

➤ **SALLE 23 : MANTEGNA ET LE CORRÈGE.** Trois superbes œuvres donnant un échantillon du génie d'Andrea Mantegna (1431-1506) : le très péné-

L'exploit du corridor de Vasari

C'est pour joindre à l'abri ses bureaux et le palais Pitti où il venait d'installer sa résidence, que Cosme Ier chargea Vasari, en 1565, de réaliser, en un temps record (six mois !), le corridor aérien qui serpente dans la ville sur plus d'un kilomètre. Sa chenille s'étire le long des quais, enjambe l'Arno par-dessus le ponte Vecchio et va se perdre dans le fouillis urbain de l'Oltrarno avant d'aboutir au palais Pitti. Le cahier des charges était simple : aller au plus court en se raccordant en chemin à S. Felicità, afin de pouvoir assister à l'office. Pour rendre le trajet plus agréable, le corridor se transforma peu à peu en une vraie galerie de tableaux : plus de 700 œuvres, dont beaucoup d'autoportraits, jalonnent une promenade secrète, assez étouffante malgré quelques beaux points de vue sur Florence. Le corridor se visite (rens. ☎ 055.26.54.321). ❖

trant **Portrait du cardinal Carlo de Medici***, le lumineux **triptyque*** (Ascension, Adoration des Mages, Circoncision) et enfin une Madone qui ressemble à un ange. Du Corrège (v. 1489-1534), l'Adoration de l'Enfant Jésus et la Fuite en Égypte, déjà proche par certains côtés du style baroque.

GALERIE OUEST

➤ **SALLE 25 : MICHEL-ANGE** (1475-1564) **ET LES PEINTRES FLORENTINS.** Cette salle permet de confronter la variété de vision artistique chez des artistes florentins (ou formés à Florence) de la même génération, comme Fra Bartolomeo (1472-1517), fasciné tout à tour par Savonarole et le « nuancier » de Raphaël, ou Alonso Berruguete (1486-1561), très influencé par Michel-Ange dont la **Sainte Famille**** (1503) préfigure les maniéristes (voir salle **27**).

➤ **SALLE 26 : RAPHAËL** (1483-1520) **ET ANDREA DEL SARTO** (1486-1530). Cinq tableaux de Raphaël retiennent particulièrement l'attention : son Autoportrait bien mélancolique ; la **Vierge au chardonneret*** (1507), la première du genre ; le **Portrait de Jules II*** (v. 1511), celui, très subtil, de Léon X (1518), et enfin le **Portrait de Guidobaldo*** (v. 1505), enfant triste, qui batailla pour garder son duché d'Urbino. Voir aussi la Madone aux harpies

d'Andrea del Sarto, le dernier grand classique et premier maître de Pontormo et de Rosso Fiorentino (ci-après).

➤ **SALLE 27 : LES PREMIERS MANIÉRISTES** (voir p. 264). Les plus brillants sont présents ici : Beccafumi, Bronzino, Pontormo et Rosso Fiorentino. Dans **Moïse défendant les filles de Jethro***, Rosso Fiorentino remplace la perspective géométrique par une superposition savante de corps tendus à l'extrême. De Pontormo, deux chefs-d'œuvre : le **Repas d'Emmaüs*** (1525) et le ♥ **Portrait de Maria Salviati.** La Sainte Famille avec saint Jean ne montre qu'une des facettes du talent de Domenico Beccafumi, qu'il faut aller découvrir à Sienne. Quant à Bronzino, le cadet, il amorce un maniérisme moins émotionnel : voir son Christ mort et la superbe Vierge de sa **Sainte Famille***.

➤ **SALLE 28 : TITIEN** (1490-1576). Admirez, entre autres, le très beau **Portrait de Flore*** et la célèbre **Vénus d'Urbino***** (1538), profane et provocante à souhait, qui marque, après le règne presque sans partage du nu masculin, le retour au modèle féminin. **Palma l'Ancien** a sa place ici, lui que Titien inspira tant.

➤ **SALLE 29 : LE PARMESAN** (1503-1540). Tout est ambigu dans cette étrange **Madone au long cou*** : le corps nu sous la transparence du tissu ; la pose déhanchée et serpentine, ni assise ni debout ; l'élongation du cou. Trois autres tableaux du Parmesan : *Portrait d'homme* et *Vierge de saint Zacharie* (la *Vierge à l'Enfant* lui est attribuée).

► **SALLE 31** : **PAOLO VÉRONÈSE** (1528-1588). Célébration de la lumière de Venise, dans l'*Annonciation* et la **Sainte Famille avec sainte Barbe****. Plusieurs autres tableaux d'une veine moins inspirée.

► **SALLE 32** : **LE TINTORET** (1518-1594). Remarquable **Portrait de Jacopo Sansovino**, une belle *Samaritaine au puits* et un *Christ au puits de la Samaritaine*. Soit un petit aperçu d'un immense artiste dont les bleus et verts saturés ou le vieil or du ciel ne se découvrent qu'à Venise.

Deux autres « grands » Vénitiens sont exposés dans cette salle : **Jacopo Bassano** *(Deux Chiens)* et **Paris Borbone** (*Portrait d'un cavalier* et *Portrait d'un homme en fourrure*).

► **SALLE 33** ou **CORRIDOR DU CINQUECENTO**. Portraits et scènes bibliques ou allégoriques de petites dimensions, dans le goût maniériste. Vasari, Bronzino Allori y côtoient Niccolò dell'Abate, qui travailla à Fontainebleau, et le Flamand Herri Met de Bles, dit le Civetta, qui place une chouette dans chacun de ses tableaux ; son étrange *Mines de cuivre (Miniere di rame)* n'y échappe pas.

► **SALLE 34** : **L'ART DU PORTRAIT**. Sont regroupés ici une dizaine de portraits du Vénitien **Lorenzo Lotto** (1480-1556), un des portraitistes les plus originaux de la Renaissance. Les Lombards sont représentés par l'excellent G. B. Moroni, Giulio Campi et Bernardino Campi – sans lien de parenté. Le *Portrait d'un gentilhomme* de Paolo Pino est précieux, la presque totalité de son œuvre peinte étant perdue.

► **SALLE 35**, dévolue en grande partie à Federico Barocci, dit le Baroche (v. 1533-1612), excellent portraitiste et auteur d'une **Madonna del Popolo*** très travaillée et grouillante de vie.

► **SALLE 38**. Œuvres relativement mineures de Bernardo Strozzi (1581-1644) et de Guido Reni (1575-1642).

► **SALLE 41** : **RUBENS** (1577-1640). De ce Flamand si imprégné de la peinture florentine du XVIe s., un portrait de sa jeune épouse, **Isabelle Brandt***, et deux grands tableaux vibrants de couleurs à la gloire d'**Henri IV***, réalisés pour Marie de Médicis. Également, un **Philippe II d'Espagne*** de Vélasquez et un remarquable portrait de **Galilée****, exécuté en 1636 à la manière de Rembrandt par l'Anversois Sustermans.

► **SALLE 42**. Copies de Psychés grecques.

► **SALLE 44**. Trois très beaux **portraits**** de **Rembrandt**, le plus émouvant étant peut-être son *Autoportrait*, peint en 1665, quatre ans avant sa mort. Cette salle nous transporte en Hollande avec le *Paysage* de Ruysdaël et les œuvres de Metzu, de Van Mieris et de Gérard Dou, si cher à Dali…

► **SALLE 45**. Les Goya mis à part (œuvres mineures), cette salle brosse un panorama franco-vénitien du XVIIIe s., de qualité mais sans chef-d'œuvre : Chardin et Nattier, d'une part ; Canaletto, Guardi, Longhi et Tiepolo, d'autre part. ■

Du Duomo à Santa Croce*

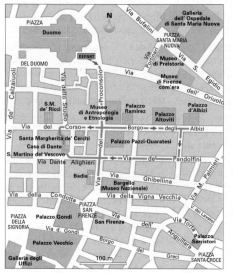

Accessible aux handicapés), restauré en 2000 : intéressantes collections africaines (Somalie, Érythrée), amérindiennes (spectaculaires momies péruviennes), asiatiques (pirogues à balancier) et étonnantes tenues imperméables des îles Aléoutiennes, faites d'intestins de cétacés…

➤ **Le Corso**. C'est une des rues semi-piétonnes les plus vivantes de Florence, où se côtoient palais, restaurants, églises, boutiques en tous genres dans une lumière éteinte par les façades noires. Entrez dans la fraîche église ♥ **S. Maria de'Ricci**, coincée entre un couturier et un café. La lumière y est douce, l'atmosphère recueillie, et l'orgue *(fréquents concerts)* efface le tintamarre des pétrolettes. De l'autre côté de la via del Proconsolo, le Corso se prolonge par le **borgo degli Albizi**, bordé de palais.

➤ **Via del Proconsolo** *(suite)*. Entre le Corso et la via Dante Alighieri se dresse le beau **palazzo Pazzi-Quaratesi***. Deux dauphins, symboles de la famille, sont sculptés à l'angle. Nous sommes là au cœur du quartier cher à Dante *(encadré ci-contre)*. La minuscule église ♥ **S. Martino del Vescovo** se trouve sur une placette, à quelques mètres : charmantes fresques de l'atelier de Ghirlandaio racontant la vie de saint Martin.

➤ **Casa di Dante I-C2** *(entrée via S. Margherita, 1. F. pour travaux en 2004 ☎ 055.21.94.16. Non accessible aux handicapés)*. Étroite et restaurée, la demeure s'étage sur trois niveaux. Elle ne fait qu'évoquer froidement les différentes étapes de la vie de Dante et notamment ses exils. Le dernier étage est consacré à *La Divine Comédie*.

Partant de la cathédrale, la très ancienne via del Proconsolo est l'axe majeur de cette flânerie. Elle permet de rayonner dans le Corso, au cœur d'une Florence aux rues étroites, aux palais sombres, mais vivante et animée. Au bout de la via del Proconsolo, qui est aussi l'épine dorsale du quartier de Dante, la silhouette du Bargello évoque en plus modeste celle du palazzo Vecchio, voisin et plus récent. S'y retrouvent les grands noms de la sculpture florentine : Michel-Ange, Cellini, Donatello.

➤ **I-C2-D3** *Promenade de 1 h (sans compter les visites) : de la cathédrale, descendre la via del Proconsolo et, après la piazza S. Firenze, obliquer à g. pour pénétrer dans le quartier de S. Croce.*

Autour de la via del Proconsolo

➤ **Via del Proconsolo**. Au n° 12, le palazzo Nonfinito date du XVIᵉ s. Il ne fut jamais terminé et abrite aujourd'hui le **musée d'Anthropologie et d'Ethnologie** *(ouv. 9h-13h. F. jeu. et j.f. Entrée payante ☎ 055.239.64.49.*

Le quartier de Dante

Rencontre imaginaire de Dante, adulte, et de Béatrice. Imaginaire, parce que Dante ne la croisa que dans son enfance, et jamais au bord de l'Arno.

Le Corso est au cœur du périmètre quotidien de Dante, né en 1265, au n° 1 (du moins le présume-t-on) de la via S. Margherita. Cette demeure aux murs rudes (casa di Dante), presque entièrement reconstruite à la fin du XIXᵉ s., est transformée en musée. Alentour, la torre della Castagna, elle-même entourée d'autres maisons-tours médiévales entre lesquelles surgit le magnifique dôme de la cathédrale. L'une d'elles, la Pagliazza, est transformée en hôtel de luxe mariant, avec l'audace intrépide et souvent heureuse des architectes italiens, les matériaux les plus contemporains aux vieux murs. C'est dans le périmètre de ce petit quartier, qui demeure un des plus touchants de Florence, que Dante, âgé de 9 ans, rencontra Béatrice, l'amour de sa vie. Elle habitait à deux pas, sur le Corso, à l'emplacement de la banque Salviati (n° 6), où le futur Cosme Iᵉʳ passa une partie de sa jeunesse. Dante n'entrevit Béatrice que quelques fois : elle était promise à un autre et mourut quand il avait 25 ans. Bien des années plus tard, alors qu'il était marié à Gemma Donati, il en fit l'héroïne de *La Divine Comédie.* ❖

➤ **ÉGLISE BADIA** *(via del Proconsolo; entrée par le petit cloître de la via Dante Alighieri. Ouv. uniquement lun. 15h-18 h).* Cette ancienne abbaye bénédictine fut complètement transformée à partir de 1627. Felice Gamberai y fixa un magnifique **plafond en bois*** qui lui avait demandé vingt-sept ans de travail ! L'église possède un **retable*** (1486) de Filippino Lippi relatant l'*Apparition de la Vierge à saint Bernard.* Notez aussi le **tombeau d'Ugo***, marquis de Toscane. À dr. du chœur, joli **cloître des Orangers**, à deux étages, œuvre de l'architecte Bernardo Rossellino (1440). Dans la partie supérieure, des **fresques** du Portugais Giovanni Consalvo (XVᵉ s.) illustrent la *Légende de saint Benoît.*

Bargello**
(Museo nazionale)

➤ **I-C2** *Via del Proconsolo, 4. Ouv. 8h15-14h. F. 2e et 4e lun., et 1er, 3e et 5e dim. du mois. Entrée payante ☎ 055.238. 86.06. Rés. ☎ 055.29.48.83. Visite: 2h. Non accessible aux handicapés.*

Ce superbe palais-forteresse fut édifié en 1254 pour installer le pouvoir communal. Il devint ensuite, pendant trois siècles, une prison avec salle de torture et le siège du capitaine de la police, ou *bargello* (littéralement « sbire »). Les cellules ne furent abattues qu'au XIXe s., et les bâtiments, scrupuleusement restaurés, affectés au Musée national qui abrite une magnifique collection de sculptures toscanes du XIVe au XVIIe s.

COUR ET REZ-DE-CHAUSSÉE

La ♥ **cour**, pavée de briques en arêtes de poisson, est entourée de portiques où sont exposées des statues de Bartolomeo Ammannati, de Vincenzo Danti, et une œuvre de Vincenzo Gemito, le ♥ *Petit Pêcheur napolitain** (1917). Voir également le *Canon de saint Paul* (1638), orné, sur la culasse, de la tête de l'apôtre.

Le rez-de-chaussée abrite la **salle de sculpture du Cinquecento**:

➤ **MICHEL-ANGE** (1475-1564) domine le paysage artistique de Florence à partir des années 1500. Dans cette salle, quatre statues remarquables sont présentées par ordre chronologique. Voyez d'abord son très beau *Portrait en bronze*, réalisé par Daniele da Volterra.

*Bacchus ivre** (1496-1497). Michel-Ange a 21 ans. Le flou du regard, la pose un peu affaissée et le relâchement du bras traduisent à la perfection l'ivresse. La comparaison avec le *Bacchus* de Sansovino est intéressante.

*Tondo Pitti** (1504). Michel-Ange a 29 ans lorsqu'il réalise cette Vierge très humaine et les profils vivants des enfants.

*David-Apollon** (1530-1532). À 55 ans, Michel-Ange s'affirme toujours aussi passionné de corps masculins jeunes et souples.

*Brutus** (1539). Michel-Ange a alors 64 ans et dépeint le meurtre de César par son propre fils, Brutus.

➤ **BENVENUTO CELLINI** (1500-1571). D'abord protégé par les Médicis, Cellini, orfèvre et sculpteur de génie, trouve finalement le vivre et le couvert à Fontainebleau, auprès du roi de France. Son retour à Florence en 1545 redonne à la ville la vitalité qu'elle avait perdue depuis le départ de Michel-Ange pour Rome.

*Buste de Cosme Ier**. L'orfèvre se devine dans la cuirasse, et l'artiste – flatteur – dans les traits énergiques et orgueilleux du personnage.

*Narcisse** accuse un mouvement très souple.

Modèle en bronze du *Persée** de la loggia della Signoria.

➤ **JEAN DE BOLOGNE, dit GIAMBOLOGNA** (1529-1608), était venu à Florence en 1556 pour y étudier. Ce sculpteur flamand servit la cour de Florence pendant cinquante ans. François Ier de Médicis le décrivait comme un second Michel-Ange.

*Mercure**, dont le traitement en équilibre sur la pointe du pied est une petite merveille de grâce et de mouvement.

Florence soumettant Pise devait servir de pendant à la *Victoire* de Michel-Ange au palazzo Vecchio.

À voir

Les **sculptures**** de Michel-Ange (r.-d.-c.) ; les ♥ **animaux*** en bronze de Jean de Bologne (loggia, 1er ét.) ; les **statues**** de Donatello (salle du Conseil général, 1er ét.) ; intéressante **collection d'objets d'art*** (1er ét.) ; salles consacrées à **Giovanni et Andrea della Robbia** (2e ét.). ❖

Les artistes et les garçons

Pour Marsile Ficin, le docte fondateur de l'Académie néoplatonicienne, la beauté physique des garçons est un reflet de la beauté divine. Cet «amour socratique», comme il l'appelle, est partagé par nombre de penseurs de l'humanisme et d'artistes. De Pic de La Mirandole à Politien, de Donatello ou Botticelli à Michel-Ange, de Léonard de Vinci à Verrocchio et à plusieurs maniéristes comme Pontormo, l'amour des *garzoni*, parfois public, parfois caché et même refoulé, faisait partie d'une esthétique de vie et d'un idéal contre lesquels tonnera Savonarole. Il accusa d'ailleurs Florence d'être une «moderne Sodome» (d'où le nom de sodomie).

Mary McCarthy note dans *Pierres de Florence* (éd. Salvy, 1994) : « Dans toute société virile, les garçons deviennent un objet de désir, et les Florentins [...] y étaient presque aussi sensibles que les Athéniens. » Artistes et savants vivaient entourés exclusivement de garçons venus s'initier à l'art ou engagés comme simples domestiques. La référence constante à l'Antiquité exaltait la beauté ambiguë de l'adolescent posant nu comme modèle. Le plus parfait exemple en est le *David* en bronze de Donatello dont l'écho fut si puissant que Florence devint vite la capitale du nu, mais aussi des suaves éphèbes et des anges équivoques. Ce phénomène était lié à une époque, à sa philosophie. Celle-ci tombée en désuétude, le XVIᵉ s. des Titien, Raphaël et Corrège redécouvre la femme. Il s'agit non plus de la «nymphe flexible» (Chastel) de Botticelli, mais de la femme épanouie, voluptueuse, dont la *Vénus* de Titien, conservée aux Offices, est une illustration suggestive. ❖

Le premier nu de la Renaissance:
le David *de Donatello (1430). Bargello, Florence.*

PREMIER ÉTAGE

➤ **LOGGIA**. Elle abrite en particulier les ♥ **animaux*** de bronze (paon, chouette, aigle, dindon, coq...) de Jean de Bologne, conçus pour la grotte de la villa médicéenne de Castello *(p. 130)*.

➤ **SALLE DU CONSEIL GÉNÉRAL**. Donatello, Michel-Ange, Cellini: une trilogie qui donnera en un siècle à Florence quelques-uns des plus beaux fleurons de la sculpture mondiale. **Donatello** (1386-1466) est le premier de la chaîne et l'un des pionniers de la Renaissance. Sont rassemblés ici des **chefs-d'œuvre**** de sa jeunesse et de sa maturité. Nous les présentons dans l'ordre chronologique:

David **en marbre**, taillé en 1409, lorsque l'artiste avait 23 ans, et remanié ensuite.

*Le palais du Bargello est dominé par
la Volognana, tour de 57 m de haut.
Un magnifique exemple de l'architecture
florentine civile au Moyen Âge.*

Saint Georges** (1416) est l'original,
encore de tradition gothique, réalisé
par l'artiste à 30 ans pour l'église
Orsanmichele. « Tant de vie et tant
d'esprit sculptés dans le marbre
étaient alors inconnus », écrira Vasari.

David en bronze***, réalisé à 44 ans
(1430, *photo p. 91*) pour Cosme Ier de
Médicis. La beauté presque androgyne
de ce jeune homme est le premier nu
de l'époque, annonçant ceux de Verrocchio et de Michel-Ange.

De Donatello, remarquez aussi le
buste en terre cuite de **Niccolò da
Uzzano*** traduisant bien la curiosité

intellectuelle de cet homme qui parti-
cipa à la direction de Florence en 1417 ;
le ♥ **Cupidon*** en bronze « rieur, dru et
râblé » (André Michel) ; et le *Marzocco*,
ce lion de pierre représentant le peuple
florentin, autrefois placé devant le
palazzo Vecchio (une copie le remplace).

La même salle réunit des œuvres de
Luca della Robbia (v. 1400-1482) : les
terres cuites émaillées qui le rendirent
célèbre *(encadré p. 168)* mais aussi des
bas-reliefs en marbre. On y voit aussi
les célèbres **panneaux de bronze**** de
Brunelleschi (un mouton perplexe se
gratte la tête) et de Lorenzo Ghiberti,
figurant le *Sacrifice d'Abraham*, présentés au concours de 1401 pour la
seconde porte du baptistère.

De l'autre côté de la galerie, les différentes salles renferment une **collection*** d'objets d'art : **ivoires sculptés**
du Ve au XVIIIe s., émaux limousins et
byzantins, objets islamiques et majoliques (faïences). Une salle regroupe
des petits **bronzes** du XVIe s. reproduisant des œuvres antiques ou contemporaines (la patine noire est obtenue
avec de l'huile ; la verte, avec du
vinaigre).

DEUXIÈME ÉTAGE

Deux salles sont consacrées à la
famille **Della Robbia**, véritable dynastie artistique *(encadré p. 168)*. La salle
consacrée à **Verrocchio** (1435-1488)
expose le gracieux *David** en bronze
de 1476, sans doute inspiré de celui de
Donatello, ainsi que le buste de *Jeune
Guerrier** d'Antonio del Pollaiolo, à
l'expression très fière. Enfin, la **salle
d'armes** présente une collection
d'armes et d'armures des Médicis et
des Della Rovere. ■

Le ♥ quartier de Santa Croce**

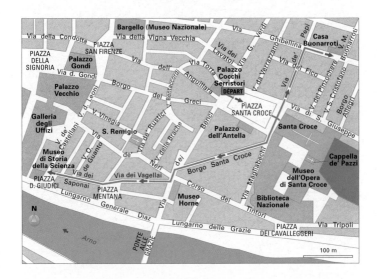

Galilée, Machiavel, Michel-Ange ou Rossini qui reposent dans le Panthéon florentin de S. Croce se retournent parfois dans leur dernier sommeil aux échos des orchestres rock qui, à la belle saison, se déchaînent sur la place. Entre S. Croce et les Offices, les ruelles biscornues font alterner maisons-tours et palais. Avec ses petits commerces, ses bistrots et restaurants d'habitués, cet ensemble, autour de la via de'Neri, garde la saveur d'une Florence quotidienne que l'on aimerait retrouver plus souvent.

▶ **I-D3** *Promenade de 20 mn autour de S. Croce. Rejoindre ensuite la piazza della Signoria par le borgo S. Croce, la via de'Neri et les rues qui l'entourent. Visites comprises, compter une demi-journée.*

Piazza Santa Croce

I-D3 Cette vaste place rectangulaire accueillait, au Moyen Âge, les grandes foules populaires accourues pour écouter les prédications des disciples de saint François ou assister aux tournois et aux jeux du Calcio, qui se déroulent toujours chaque année, à la fin juin *(voir p. 139)*. La place est bordée de palais typiquement florentins: au n° 1, le **palazzo Cocchi Serristori*** (fin du XVe s.), œuvre de Baccio d'Agnolo, et au n° 21, le **palazzo dell'Antella** (1619) avec sa façade en encorbellement et son décor de fresques. Reste que le bric-à-

Buste de Dante Alighieri (1265-1321), sur la piazza Santa Croce.

Santa Croce, la plus importante des églises franciscaines de Florence, n'était, avant 1200, qu'une petite chapelle dédiée à la sainte Croix.

brac des boutiques de souvenirs parasite ce beau décor. Sur la place, une plaque à 5 m au-dessus du sol rappelle la **crue de l'Arno**, qui, dans la nuit du 4 novembre 1966, dévasta le centre historique de Florence.

Église Santa Croce**

➤ **I-D3** *Ouv. t.l.j. 9h30-17h30; dim. et j.f. 13h30-17h30* ☎ *055.24.24.19. Visite payante pour l'église et son musée. Accessible aux handicapés.*

S. Croce était le principal sanctuaire des franciscains, dont les prêches attiraient les foules. Les agrandissements successifs de l'église (1228, 1252 et fin du XIIIᵉ s.) déclenchèrent de vives polémiques. Certains voyaient dans ces projets grandioses un péché d'orgueil alors que les franciscains sont censés prêcher la pauvreté. Mais la rivalité avec les dominicains qui, à la même époque, élevaient la somptueuse église de S. Maria Novella, emporta la décision. La (médiocre) façade en marbre blanc ne sera réalisée qu'en 1857.

NEF

Au 3ᵉ pilier, **chaire*** en marbre de Benedetto da Maiano (1476), dont les panneaux représentent des scènes de la vie de saint François.

BAS-CÔTÉ DROIT

Ce côté rassemble le plus grand nombre de tombes ou monuments (de qualité fort inégale) d'hommes célèbres.

➤ **2ᵉ** TRAVÉE. **Tombeau de Michel-Ange***, par Vasari (1570) qui l'admirait plus que tous. Le pape voulait que Michel-Ange soit enterré à Rome, ce que refusaient les amis de l'artiste et les autorités florentines qui se référaient à ses dernières volontés. Le corps fut donc enlevé subrepticement et envoyé à Florence par un convoi spécial. La dépouille de Michel-Ange fut exposée au public à S. Croce où il fut enseveli, après les funérailles officielles de S. Lorenzo. De g. à dr., Vasari a symbolisé la Peinture, la Sculpture et l'Architecture.

➤ **3ᵉ** TRAVÉE. **Monument de Dante**, mort en exil en 1321, à Ravenne, où il est enseveli. L'œuvre est de Stefano Ricci (1830).

➤ **4ᵉ** TRAVÉE. **Monument de Vittorio Alfieri**, poète mort en 1803 et défenseur des libertés, par Canova (1810).

➤ **5ᵉ** TRAVÉE. **Monument de Machiavel**, par Spinazzi (1787). Mort en 1527, ce personnage attachant, vrai patriote florentin *(encadré p. 43)*, méritait nettement mieux…

➤ **6ᵉ** TRAVÉE. Tabernacle en pierre et or avec une belle **Annonciation***, par Donatello (1430).

➤ **7ᵉ** TRAVÉE. **Tombeau de Leonardo Bruni***, humaniste et chancelier de la République florentine, réalisé par Bernardo Rossellino (1446-1450), et, à côté, celui du musicien **Rossini**, réalisé par Cassioli en 1887.

TRANSEPT DROIT

➤ **CHAPELLE BARONCELLI-GIUGNI*** *(au fond du transept).* Célèbres fresques de la *Vie de la Vierge**, chef-d'œuvre de Taddeo Gaddi (1332-1338), le plus grand élève de Giotto. Sur l'autel, le *Couronnement de la Vierge* est de Giotto ou de Gaddi. Près de la chapelle, un couloir mène au magasin de vente de l'École artisanale du cuir (choix et prix intéressants).

CHAPELLE DU CHŒUR

L'église tient son nom de ces **fresques** aux couleurs fraîches (1380-1385) d'Agnolo Gaddi, qui racontent la *Légende de la sainte Croix*, thème cher aux franciscains qui étaient alors chargés de la garde des lieux saints de Jérusalem.

CHAPELLES À DROITE DU CHŒUR

➤ **CHAPELLE DES BARDI** *(1ʳᵉ chap.).* **Scènes de la vie de saint François***, par Giotto (1317). Sur le **mur de g.**, en haut, saint François quitte son père ; au milieu, saint François rencontre des frères à Arles ; en bas, la mort du saint. Sur le **mur de dr.**, en haut, le pape approuve la règle de l'ordre tandis qu'au milieu, saint François se prête à l'épreuve du feu imposée par le sultan. Enfin, en bas, est peinte l'apparition de saint François à frère Augustin et à l'évêque d'Assise. La voûte est décorée des **vertus franciscaines** : pauvreté, chasteté, obéissance et, sur le mur extérieur, saint François reçoit les stigmates.

➤ **CHAPELLE PERUZZI** *(2ᵉ chap.).* **Scènes de la vie de Jean-Baptiste*** (à g.) et de *Jean l'Évangéliste* (à dr.), par Giotto (1320). Recouvertes de chaux puis nettoyées et, enfin, restaurées, ces fresques sont difficiles à lire. On distingue toutefois assez bien (à dr. en bas) la *Danse de Salomé* et (à g. au milieu) la très belle ♥ *Résurrection de Drusina*, ainsi que (en bas) la scène de science-fiction où Jean s'échappe vers le ciel par le toit d'un palais.

CHAPELLES À GAUCHE DU CHŒUR

Dans la 5ᵉ chapelle, de remarquables **fresques*** (1340) de la *Vie du pape saint Sylvestre*, par Maso di Banco, dit **Giottino**, un élève très doué de Giotto, qui inventa sa propre manière. Ces images racontent la conversion de l'empereur Constantin (premier empereur romain chrétien) par Sylvestre, son baptême et les exploits de Sylvestre.

TRANSEPT GAUCHE

➤ **CHAPELLE DU FOND.** *Crucifix** en bois de Donatello réalisé en 1425 et critiqué par Brunelleschi, qui le jugeait d'un réalisme excessif. Il justifia d'ailleurs sa critique en réalisant lui-même le célèbre *Crucifix* que l'on peut voir à S. Maria Novella *(p. 108).*

➤ **CHAPELLE DE GAUCHE**. Tombeau de la ♥ **princesse Zamoyska Czartoryska*** (morte en 1837), que l'on croirait encore vivante tant le sculpteur, Lorenzo Bartolini, s'est attaché au moindre détail réaliste.

BAS-CÔTÉ GAUCHE

Remarquez, entre autres, le **tombeau de Carlo Marsuppini*** (mort en 1453), chef-d'œuvre de Desiderio da Settignano (1460). Également, grande **pierre tombale de Lorenzo Ghiberti**, auteur de la porte du Paradis au baptistère, enseveli ici avec son fils Vittorio.

FAÇADE INTÉRIEURE

À g. de la porte, **tombeau de Giovanni Battista Niccolini** (mort en 1861), historien et poète tragique. L'œuvre est de Pio Fedi (1883) ; la belle statue de la *Liberté* qui l'orne aurait inspiré Bartholdi pour sa *Liberté* du port de New York.

Museo dell'Opera di Santa Croce**

➤ **I-D3** *Piazza S. Croce, 12; entrée à dr. de l'église. Ouv. 10 h-18 h. F. mer. Entrée payante* ☎ *055.24.66.01.*

Cet ensemble qui s'organise autour de deux cloîtres est très agréable et silencieux. Une des pièces d'art majeures est le *Christ* de Cimabue, reconstitué avec une patience de fourmi après l'inondation de 1966.

➤ **CHAPELLE DES PAZZI**** *(au fond du 1er cloître).* C'est dans cette chapelle aux volumes absolument parfaits, édifiée à partir de 1429 par Brunelleschi, que les Pazzi souhaitaient enterrer leurs défunts. Projet sans suite, la famille ayant été entièrement décimée par Laurent de Médicis après la conjuration ourdie contre lui en 1478 *(encadré p. 70).* À l'extérieur comme à l'intérieur, les **frises** et **médaillons** en terre cuite sont de Luca della Robbia et évoquent les évangélistes et les apôtres.

➤ **MUSÉE**. L'ancien réfectoire des franciscains abrite des fragments d'une fresque d'Andrea Orcagna représentant l'*Enfer et le Triomphe de la mort**. Également, statue de *Saint*

Louis de Toulouse* en bronze doré, par Donatello (1423). La fresque du fond, de Taddeo Gaddi, représente l'*Arbre de vie* et la *Cène*. Le célèbre *Crucifix** peint (v. 1270?), de Cimabue (le maître de Giotto), restauré après les inondations de 1966, porte encore les marques de la catastrophe. Il fallut retirer une à une les parcelles de peinture, les débarrasser des vernis qui jaunissaient les teintes et les recoller sur le bois.

Un enchaînement de salles bien aménagées, où sont exposés fresques, tombes et bustes de belle qualité, mène au cloître de Brunelleschi.

➤ ♥ **CLOÎTRE DE BRUNELLESCHI***. Ce cloître à étage, petite merveille d'élégance, est un des endroits les plus charmants et les plus calmes de Florence. Brunelleschi en avait fait le plan, mais il fut édifié après sa mort, en 1453.

Casa Buonarroti*

➤ **I-D3** *Entrée via Ghibellina, 70. Ouv. 9 h 30-16 h. F. mar. Entrée payante* ☎ *055.24.17.52. Accès partiel aux handicapés.*

À la fin de sa vie, Michel-Ange fit construire ce beau petit palais, destiné à son neveu Leonardo. Depuis 1965, il est le siège du **Centre d'études sur Michel-Ange**. On y voit notamment la *Madone à l'escalier** inspirée de Donatello et la *Bataille de centaures*.

Les autres pièces furent aménagées dans un style assez empesé (XVIIe s.) à la gloire de Michel-Ange par son petit-neveu, qui vécut ici. Dans la galleria, des œuvres évoquent les rencontres de l'artiste avec le pape et des souverains, sa mort, son apothéose (plafond) et des épisodes de sa vie.

♥ Museo Horne*

➤ **I-D3** *Entrée via dei Benci, 6. Ouv. 9 h-13 h. F. dim. et j.f. Entrée payante* ☎ *055.24.46.61. Non accessible aux handicapés.*

Un érudit anglais, **Herbert Percy Horne**, s'est installé en 1911 dans ce très plaisant petit palais construit au xvᵉ s. pour le marchand de draps Simone Corsi. Ici, il suffit de flâner dans les pièces qu'on croirait encore habitées, regarder les tableaux des meilleurs maîtres (dont un petit Giotto), les meubles et les bibelots, tous choisis avec un goût très sûr par le propriétaire. La demeure est d'autant plus agréable qu'elle n'attire que les curieux.

Museo di Storia della scienza**

➤ **I-C3** *Musée de l'Histoire de la science. Piazza dei Giudici, 1. Ouv. juin-sept. lun., mer., jeu. et ven. 9 h 30-17 h; mar. et sam. 9 h 30-13 h. Oct.-mai lun., mer.-sam. 9 h 30-17 h; mar. 9 h 30-13 h et 2ᵉ dim. du mois 10 h-13 h. F. dim. et j.f. Entrée payante ☎ 055. 23.98.876. Pour tout voir, compter plus de 2 h. Petit guide gratuit en français.*

Galilée (1564-1642), qui a passé la majeure partie de sa vie en Toscane, est en vedette dans ce musée passionnant.

Premier étage

➤ **Salles 1 et 2** : de la mesure du ciel à celle de la terre. Plusieurs **astrolabes** (littéralement « chercheurs d'étoiles »), dont un du xiᵉ s. L'astrolabe se simplifie et évolue vers le quadrant, notre sextant d'aujourd'hui. La mesure de la Terre est illustrée par le compas qui, transformé par Galilée, deviendra règle à calcul.

➤ **Salle 3** : elle est consacrée aux **instruments toscans**, tel le **grand astrolabe** du dominicain Danti (1536-1585).

➤ **Salle 4** : les instruments de **Galilée***. C'est un des clous de la visite. Galilée inventa la lunette qui lui permit de découvrir les satellites de Jupiter, qu'il baptisa les « planètes Médicis »... Dans une vitrine consacrée à des « reliques », vous apercevrez le doigt (majeur) du savant, détaché de son squelette lors de son transfert à S. Croce.

➤ **Salles 5 et 6**. Dès 1610, Galilée avait observé la Lune, la constellation d'Orion, Jupiter, Saturne, Vénus. Deux de ses lunettes sont dans la première vitrine. Dans la salle **6**, plusieurs télescopes et jeux d'optique du xivᵉ s.

➤ **Salle 7** : les globes. Entre autres, extraordinaire ♥ **sphère armillaire***** d'Antonio Santucci, construite en 1593 et mesurant 3 m de haut. En son centre se trouve le globe terrestre peint, autour duquel sont figurées les sept sphères des planètes: Lune, Mercure, Vénus, Soleil, Mars, Jupiter, Saturne. Puis vient la sphère des étoiles fixes, portant le zodiaque, et enfin celle des calottes polaires et des méridiens. Une manivelle permettait de faire tourner l'ensemble autour d'un axe passant par la Terre.

Deuxième étage

➤ **Salle 12**. Elle présente une intéressante évolution de l'**horloge mécanique***, depuis les années 1250 aux horloges à console du xixᵉ s., en passant par l'horloge à pendule de Galilée (1640). Dans la section consacrée à la médecine sont exposés des **modèles d'obstétrique*** en cire et en terre cuite. ∎

De San Marco à la Santissima Annunziata*

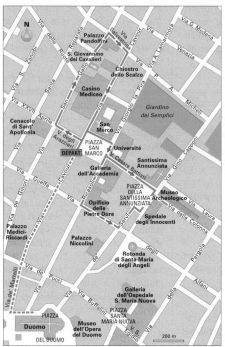

Cenacolo di Sant'Apollonia*

➤ **II-C1** *Via XXVII Aprile, 1. Ouv. 8 h 15-13 h 50. F. 2e et 4e lun., et 1er et 3e dim. du mois. Entrée gratuite* ☎ *055.23.88.607. Accessible aux handicapés*

Cet ancien réfectoire de couvent fut entièrement décoré de fresques par Andrea del Castagno. La **Cène**** (1457), d'une froideur saisissante, isole chaque personnage, notamment Judas. Les fresques de la *Passion* (au-dessus de la *Cène*) et de la *Déposition du Christ* (mur de dr.) font face à leurs sinopies, permettant des comparaisons instructives.

Via San Gallo

II-C1 Au n° 25 de la via S. Gallo se trouve le charmant et très élégant cloître (XVe s.) du couvent ci-dessus. La via S. Gallo accueille également la loggia dei Tessitori (XVIe s.), l'église S. Giovannino dei Cavalieri et le palazzo Pandolfini **II-C1**, construit en 1520 sur les plans de Raphaël.

Chiostro dello Scalzo

➤ **II-C1** *Via Cavour, 69. Ouv. lun., jeu. et sam. 9 h-13 h. Entrée gratuite* ☎ *055. 23.88.604.*

Ce cloître du XVIe s. est orné de belles fresques en grisaille d'Andrea del Sarto qui représentent, en 16 épisodes, la **Vie de saint Jean-Baptiste*** (1512-1514).

Museo di San Marco***

➤ **II-C1** *Piazza S. Marco. Entrée à dr. de l'église. Ouv. lun.-ven. 8 h 15-13 h 50, sam. 8 h 15-18 h 50, dim. 8 h 15-19 h. F. 1er, 3e et 5e dim., 2e et 4e lun. du mois*

P rès d'un siècle les sépare, mais plus que le temps, c'est leur propre vision du monde qui oppose Fra Angelico, exposé à S. Marco, à Michel-Ange, présent à l'Accademia. Le hasard a voulu qu'une place seulement sépare les bâtiments qui abritent une part significative de leur œuvre. Pour s'assurer bonheur et prospérité, les jeunes mariés florentins, eux, ont coutume de venir prier la Vierge miraculeuse de la SS. Annunziata.

Ce sanctuaire, le plus vénéré de Florence, contraste avec la simple élégance de la place sur laquelle se dresse l'église.

➤ **I-C2-D1** *Du Duomo, suivez la via de'Martelli et la via Cavour jusqu'à la piazza S. Marco. Puis la via Cesare Battisti vous conduit vers la piazza della SS. Annunziata. Compter au total une journée pour tout voir calmement.*

et j.f. Entrée payante ☎ 055.238.86.08 ; rés. ☎ 055.29.48.83. Visite : 1 h 30. Accessible aux handicapés. Les numéros et les lettres en **rouge** *renvoient au plan ci-dessous.*

Ce musée, d'un intérêt exceptionnel *(encadré p. 100)*, rassemble l'essentiel des œuvres du moine dominicain **Fra Angelico** (v. 1395-1455), qui étudia la peinture avec Lorenzo Monaco et des miniaturistes. «Ce brave homme qui peignait avec son cœur», comme le définissait Michel-Ange, fit de son art un exercice de méditation religieuse personnel, tout en étant attentif aux idées et techniques de son temps. Les personnages baignent dans un univers radieux, à la limite du surnaturel, où Florence devient la Jérusalem céleste.

REZ-DE-CHAUSSÉE

➤ **Cloître Saint-Antonin*** **A**. Fresques des XVIᵉ et XVIIᵉ s., illustrant la vie du saint, archevêque de Florence et prieur de Saint-Marc.

➤ **Hospice des Pèlerins B**. Cette vaste salle, entièrement consacrée à Fra Angelico, présente plusieurs de ses œuvres les plus célèbres. Notamment son grand *Jugement dernier*** (1430), la *Descente de Croix*** (1443), le *Retable de San Marco** commandé en 1438 par Cosme l'Ancien et la *Madone d'Annalena***.

➤ **Salle du Lavabo C**. À dr. de l'entrée, *Jugement dernier* (1499), fresque détachée, de Fra Bartolomeo et Mariotto Albertinelli.

➤ **Grand Réfectoire D**. Entre autres, une grande fresque (1536) de Sogliani, élève de Fra Bartolomeo, où l'on voit saint Dominique remplir de pain des corbeilles grâce à sa prière.

➤ **Salle du Chapitre E**. Il faut interpréter la grandiose *Crucifixion** (1442) de Fra Angelico comme une adoration de la Croix par les fondateurs (à dr.) d'ordres monastiques. On reconnaît, entre autres, Dominique à genoux, François d'Assise et ses stigmates, Benoît portant un fouet et Bernard à genoux avec un livre. À g., les Médicis et la ville de Florence sont représentés par leurs saints.

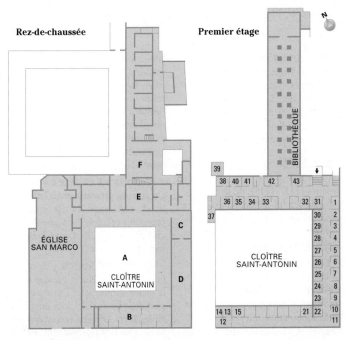

MUSÉE DE SAN MARCO

San Marco,
couvent témoin de son temps

Grand brasseur d'affaires, **Cosme l'Ancien** était aussi soucieux de gagner son paradis. C'est peut-être ce qui l'incita en 1437 à jouer les mécènes, donnant de l'argent sans compter pour faire reconstruire par son architecte préféré, Michelozzo, le couvent de S. Marco, qu'il destinait à l'ordre mendiant des dominicains. Achevé en 1452, le couvent se trouve à la croisée des grands débats qui animent la Renaissance, puisque s'y succèdent deux prieurs fort différents, Antonin et Savonarole. Chacun encouragea des artistes aussi opposés que sont le lumineux **Fra Angelico** et le sombre **Fra Bartolomeo**. Un trait réunit toutefois ces quatre personnages : ils étaient tous dominicains.

Antonin est nommé archevêque de Florence en 1446. Cet homme indépendant, pourtant soutenu avec constance par les Médicis, prêche, dans la ligne de son ordre, l'humilité, la charité et l'amour des autres, sans se désintéresser pour autant des théories humanistes qui fleurissent. Il trouve en Fra Angelico, lui-même impressionné par Masaccio – le grand initiateur de la peinture de la Renaissance –, le traducteur parfait de cet idéal. Leurs cadets, **Savonarole**, né en 1452, et le peintre Fra Bartolomeo, né en 1472, sont des tourmentés. Il est vrai qu'ils arrivent dans un monde iconoclaste qui fait litière des « valeurs » traditionnelles. Encouragés, du moins au début, par Laurent le Magnifique, ils dénoncent, avec violence et succès, leur époque, jugée dissolue et païenne. Parvenu au pouvoir, Savonarole commettra de tels excès qu'en 1498 il devra se retrancher du peuple en furie dans le couvent de S. Marco, avec 500 de ses fidèles, dont Fra Bartolomeo. Il sera exécuté, mais Bartolomeo, devenu ami de Raphaël, ouvrira en 1509, dans ce même couvent, un atelier de peinture. ❖

➤ **Petit Réfectoire F.** Fresque de la *Cène** de Domenico Ghirlandaio (1449-1494). Notez le paon, symbole de résurrection, le chat posté derrière Judas. L'artiste reprit le thème plus tard, avec quelques variations, dans le réfectoire d'Ognissanti *(p. 115)*.

Premier étage

Les cellules sont toutes ornées de fresques (1437-1445), de la main de Fra Angelico lui-même, ou exécutées selon ses instructions très précises. Devant l'escalier est exposée une célèbre **Annonciation***** (1450).

➤ **Cellules 31 à 39** *(couloir de dr.)*. La cellule 31 fut celle d'Antonin, prieur de S. Marco, la suivante celle de Fra Angelico qui en peignit lui-même les fresques, ainsi que celles des cellules 34 et 35. Les cellules 38 et 39 furent affectées à Cosme l'Ancien, qui finança les travaux du couvent ; il aimait s'y retirer pour réfléchir et prier. Elles sont ornées d'une *Crucifixion avec la Vierge et des saints*, par l'Angelico et Benozzo Gozzoli, ainsi que d'une *Adoration des Mages*. On remarquera ici la présence du bleu, absent des autres cellules, conformément à l'idéal de pauvreté de l'ordre.

➤ **Cellules 1 à 10** *(face à l'escalier)*. On attribue généralement à Fra Angelico la réalisation du décor des dix premières cellules, dont une **Annonciation*** dans la 3e et un **Christ aux outrages**** dans la 7e.

➤ **Cellules des novices** (**15** et **21**). Les fresques présentent presque toutes le même thème : saint Dominique au pied de la Croix. Elles sont dues à des élèves de Fra Angelico, et il est fort probable que Benozzo Gozzoli (1420-1497) ait fait ici ses premières armes.

➤ **Cellules de Savonarole** (**12, 13** et **14**). Savonarole exerça sept ans durant les fonctions de prieur de S. Marco avant de mourir sur le bûcher en 1498. Trois cellules, un oratoire, une salle d'étude et une chambre à coucher composaient son appartement. La cellule 13-14 est ornée de peintures de Fra Bartolomeo, dont le célèbre *Portrait de Savonarole*.

➤ **Bibliothèque****. Cette célèbre réalisation de Michelozzo (1441-1444) abrite des missels, des recueils de chants liturgiques, des psautiers enluminés et des manuscrits des XIVe-XVIe s.

Galleria dell'Accademia**

➤ **I-C1** *Via Ricasoli, 60. Ouv. 8 h 15-18 h 50. F. lun. Entrée payante* ☎ *055.238. 86.09 ; rés.* ☎ *055.29.48.83. Visite : 1 h. Accessible aux handicapés.*

Complément indispensable à la visite des Offices pour la connaissance de l'art florentin du XIIIe s. à la Renaissance, la galerie de l'Académie marque surtout un point d'orgue dans la découverte des œuvres de Michel-Ange.

Rez-de-chaussée

➤ **Galerie Michel-Ange*****. Les *Schiavi**** (esclaves) ou *Prigioni* (captifs), datés de 1518, étaient destinés à la partie inférieure du tombeau du pape Jules II jamais exécuté. Mieux, peut-être, que ses œuvres achevées, ces travaux abandonnés traduisent l'extraordinaire exaltation de la matière dont était capable Michel-Ange. Le *Saint Matthieu* exposé ici est le seul des 12 apôtres commandés en 1503 pour la cathédrale à avoir été ébauché. La réalisation du *David*** (1501-1504) en marbre de Carrare est un tour de force qui établit la popularité de Michel-Ange alors qu'il avait à peine 30 ans. Hormis l'exploit, est-ce un chef-d'œuvre ? À chacun d'en juger...

➤ **La Gypsothèque*** *(à g. de la tribune)* rassemble les plâtres originaux du XIXe s., notamment du Florentin Bartolini. Ce sont des esquisses de pièces à réaliser en marbre, comme l'indiquent les points noirs qui doivent en aider l'exécution. Cette collection est l'une des plus importantes au monde.

➤ **Salles florentines** *(à dr. de la galerie).* Dans la **salle 1** se trouve un magnifique **coffre de mariage*** peint (XVe s.), représentant un cortège nuptial. La **salle 2** abrite une *Scène de vie d'ermite*, œuvre de jeunesse de Paolo Uccello et une *Madone avec l'Enfant* de Botticelli, sans doute une de ses dernières œuvres. Dans la **salle 3**, belle *Vierge de la mer**, œuvre de jeunesse de Botticelli, et *Annonciation*, de Filippino Lippi.

➤ **Salles byzantines** *(à g. de la galerie).* Elles regroupent les peintres florentins des XIIIe et XIVe s., antérieurs à la révolution opérée par Giotto. *Arbre de vie** très décoratif de Pacino di Bonaguida (1310), figurant l'enfance, la Passion et la glorification du Christ, ainsi que les œuvres des frères Orcagna qui dirigeaient le plus important atelier de Florence, et celles de Bernardo Daddi et Taddeo Gaddi (*Scènes de la vie du Christ* et *Vie de saint François*).

Premier étage

Très belles œuvres florentines de la fin du XIVe et du XVe s. Dans la première pièce, *Crucifix*** de Lorenzo Monaco. La grande salle abrite une collection exceptionnelle de polyptyques florentins de grand format. La dernière salle est consacrée au gothique international. À voir aussi, une collection d'icônes russes.

Opificio delle Pietre dure

➤ **I-D1** *Atelier des Pierres dures. Via degli Alfani, 78. Ouv. 8 h 15-14 h ; jeu. jusqu'à 19 h. F. 1er, 3e et 5e dim. du mois et j.f. Entrée payante* ☎ *055. 265.111 ; rés.* ☎ *055.29.48.83. Visite : 45 mn. Non accessible aux handicapés.*

Cosme Ier (1519-1574) commença à accumuler des porphyres, matériau noble déjà en vogue dans la Rome impériale. La mode des vases et du mobilier en pierres dures se répandit, en même temps que s'épanouissait une technique de la mosaïque propre à Florence, visant à reproduire des paysages ou d'autres motifs en assemblant des pierres taillées à façon. Cette véritable « peinture de pierre » en couleur naturelle donna des chefs-d'œuvre que l'on peut admirer ici. En 1588, Ferdinand Ier de Médicis fonda l'atelier des Pierres dures pour l'ornementation en pierres semi-précieuses de la **chapelle des Princes** (p. 106). Unique en son genre, il fonctionna jusqu'en 1923, puis se spécialisa dans la restauration, tâche à laquelle il se consacre toujours.

➤ **SALLES 1, 3 ET 4** : marqueteries en marbres polychromes, panneaux et mosaïques de divers ateliers, dont celui de **Giuseppe Antonio Torricceli**, qui fut le grand spécialiste (fin XVIIe-début XVIIIe s.) de l'entaille des pierres dures.

➤ **SALLE 2** : projets, fragments d'autel destiné à la chapelle des Princes Médicis. Magnifiques **paysages*** et **scènes de la Bible***.

➤ **SALLE 5** (mezzanine) : l'atelier avec sa dizaine d'établis très spécialisés et l'outillage des artistes.

➤ **SALLE 6** (XVIIIe s.) : paysages et scènes de genre, souvent inspirés du peintre Giuseppe Zocchi.

➤ **SALLE 7** (fin XVIe-début XVIIe s.) : peintures sur pierre et imitations en gypse de la marqueterie en marbre. Il s'agit de plâtre liquide coloré coulé dans un motif dessiné en creux ; une fois sec, il était poli avec un enduit à base de colle animale lui donnant en surface un aspect dur et brillant comme le marbre.

➤ **SALLES 8 À 10** : œuvres réalisées après l'unité italienne (1859), renouvelant les thèmes décoratifs.

Piazza della Santissima Annunziata*

I-D1 Cette place aux belles proportions, dessinée par Filippo Brunelleschi, est ornée, au centre, de la statue équestre de *Ferdinand Ier de Médicis*, une des dernières œuvres (1608) de Jean de Bologne, et de deux fontaines de style baroque. Elle est bordée par l'église, les portiques de l'hôpital des Innocents et de la maison des Servites de Marie, le palais Riccardi-Mannelli.

Église della Santissima Annunziata**

➤ **I-D1** Ouv. t.l.j. 7h30-12h30 et 16h-18h30 ☎ 055.239.80.34. Visite : 20mn. Accessible aux handicapés.

L'église, édifiée à partir de 1441 par **Michelozzo** et terminée par **Alberti**, possède une *Annonciation* tenue pour miraculeuse.

➤ **À L'INTÉRIEUR**. Entre 1511 et 1516, Andrea del Sarto, dernier maître classique, se confronte, dans l'**atrium**, avec ses élèves, Pontormo et Rosso Fiorentino dont le « maniérisme » l'influence. Les fresques retracent des épisodes de la *Vie de la Vierge*. Successivement à partir de la dr. : *Assomption*, par Rosso Fiorentino, *Visitation**, par Pontormo, *Mariage de la Vierge*, par Franciabigio, *Naissance de Marie** et *Adoration des Mages*, par Andrea del Sarto, auteur également de l'*Histoire de saint Philippe*.

À g. de l'entrée, dans la **nef**, une petite chapelle en marbre abrite la fresque miraculeuse de l'*Annonciation*, d'un anonyme florentin du début du XIVe s. La légende veut que le visage de la Vierge ait été peint par un ange pendant que l'artiste s'était endormi. Les lampes, les lampadaires et l'autel en argent massif (1600) furent offerts par les Médicis. La popularité et le prestige du sanctuaire lui ont valu des donations envahissantes qui masquent en partie la nef couverte d'un magnifique plafond.

➤ **CLOÎTRE DES MORTS** (accès par l'extérieur, à g.). Les artistes florentins de la Renaissance avaient coutume d'exposer leurs œuvres pour les vendre dans le cloître des Morts. Il donne accès à la chapelle Saint-Luc, patron des artistes, qui, depuis 1561, appartient à leur confrérie. Cellini, Pontormo, le Franciabigio, le Pérugin et Bartolini sont ensevelis ici.

Museo archeologico**

➤ **I-D1** Via della Colonna, 38. Ouv. lun. 14h-19h ; mar. et jeu. 8h30-19h ; mer., ven., sam., dim. et j.f. 8h30-14h. Entrée payante ☎ 055.23.575 ; rés.

☎ *055.29.48.83. Visite : 1 h 30. Accès partiel aux handicapés.*

Le Musée archéologique comporte trois grandes sections : **œuvres étrusques** : une collection unique, commencée du temps des Médicis et contenant des pièces de fouilles récentes ; **œuvres égyptiennes** : importante collection provenant de fouilles franco-toscanes entreprises au début du XIXe s. ainsi qu'un riche fonds copte (chrétien) ; **vases attiques, sculptures grecques et bronzes grecs et romains.**

PREMIER ÉTAGE

➤ **COLLECTIONS ÉTRUSQUES.** Parmi l'importante série de monuments funéraires de la **salle IX**, remarquez le **sarcophage des Amazones**** (dessin très fin et têtes superbes), provenant de Tarquinia (fin du IVe s. av. J.-C.). Également, sarcophage en terre cuite de **Larthia Seianti*** (175-150 av. J.-C., *photo p. 234*) provenant des environs de Chiusi. **Salle X**, curieux sarcophage dit « de l'obèse » (Chiusi) et deux statues de *Pleureuses*. **Salle XIV**, trois chefs-d'œuvre : **Minerve***, l'**Arringatore*** (l'Orateur), bronze étrusque tardif (Ier s. av. J.-C.), découvert près du lac Trasimène. Et enfin, la magnifique *Chimère*** menaçante (Ve s. av. J.-C., *photo p. 234*), découverte en 1554 à Arezzo.

Dans le prolongement de la salle **XV**, l'étage de la **Grande Galerie topographique*** courant au-dessus du jardin (le r.-d.-c. est réservé à des expositions temporaires) montre des objets trouvés dans plusieurs sites étrusques de la Toscane actuelle. Voici les plus remarquables : du **site de Vetulonia**, la maquette en bronze d'un bateau (VIIe s. av. J.-C.), et un très bel ensemble d'**orfèvrerie*** (or, argent, bronze) ; **site de Populania** : petit **bronze d'Ajax*** qui se suicide ; **site de La Bassa Val di Cecina** : urne (fin VIIe s. av. J.-C.) dont le couvercle présente la première figuration d'un banquet étrusque, et **stèle de Pomarace** (VIe s. av. J.-C.) ; **site de Chiusi** : canopi, urnes funéraires particulières à Chiusi, **fauteuil en bronze*** du IIIe s. av. J.-C., d'un design qui paraît très contemporain, et **sculpture*** de

Mater matuta, représentant une femme et son enfant (Ve s. av. J.-C.). Au même niveau, la galerie inclut le **corridor des camées*** exposant les pièces de la collection des Médicis (Laurent, entre autres, en était grand amateur), d'origines étrusque, grecque, romaine et jusqu'à la Renaissance *(le corridor étant étroit, seules 10 pers. à la fois sont admises toutes les 45 mn).*

➤ **FONDS ÉGYPTIEN** *(à g.).* C'est l'un des plus riches d'Italie. Il provient essentiellement de l'expédition en Égypte et en Nubie patronnée au XIXe s. par Léopold II, grand-duc de Toscane, et dirigée par l'égyptologue Ippolito Rossellini et par Champollion. Treize salles lui sont consacrées.

DEUXIÈME ÉTAGE

Ces salles présentent par ordre chronologique (de 575 à env. 400 av. J.-C.) une passionnante collection de **céramiques grecques*** où des générations d'artistes racontent en images leur société *(excellentes notices en français à la disposition du public dans chaque salle).* Voir au moins le **vase François**** (v. 570 av. J.-C.), exceptionnel par ses dimensions et sa richesse narrative.

Galerie de l'hôpital des Innocents

➤ **I-D1** *Galleria dello Spedale degli Innocenti. Piazza SS. Annunziata, 12. Ouv. 8 h 30-14 h. F. mer. Entrée payante* ☎ *055.249.17.08. Non accessible aux handicapés.*

L'hôpital est précédé d'un portique commencé par Filippo Brunelleschi (1424). Entre les arcades, les médaillons en terre cuite d'Andrea della Robbia (1463) représentent des **enfants emmaillotés***. La galerie, perchée sous les toits, est nimbée d'une douce lumière sous une belle charpente. Elle présente une œuvre de haute qualité : l'*Adoration des Mages**, par Ghirlandaio (1488), dans laquelle le 2e personnage à dr. de la Vierge est l'artiste lui-même. Le *Massacre des Innocents* est représenté à l'arrière-plan, à g., et l'*Épiphanie*, à dr. ■

Le ♥ quartier
de San Lorenzo**

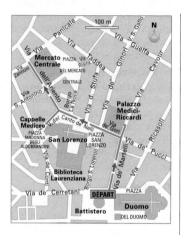

Ce quartier, très vivant avec ses marchés, était la paroisse des Médicis. Giovanni di Bicci, le patriarche, chargea Brunelleschi d'édifier l'église S. Lorenzo; son fils Cosme, dit l'Ancien, y installa son palais (palazzo Medici-Riccardi) et la bibliothèque Laurentienne. Prenez le temps d'y découvrir la Florence quotidienne et animée, aux alentours du marché central.

➤ **I-C2-1** *Du baptistère, la courte via de'Martelli, fort animée, mène au palais Medici-Riccardi. Compter une matinée, et 30 mn supplémentaires pour faire un tour au marché central.*

Palazzo Medici-Riccardi*

➤ **I-C1** *Via Cavour, 3. Ouv. 9h-19h. F. mer. On ne visite que la cour, la chapelle des Mages et la galerie des Riccardi. Entrée payante ☎ 055.27.60.340, < www.palazzo-medici.it >. Visite: 30mn. Non accessible aux handicapés.*

Cette première grande résidence de la Renaissance, construite entre 1444 et 1459 par Michelozzo, servit de modèle à tous les palais florentins du XVe s. Cosme l'Ancien, patriarche des Médicis, voulait une demeure combinant une austère symétrie en façade et l'élégance la plus raffinée à l'intérieur. Le palais s'ordonne autour d'une **cour** (*cortile*) exquise, à colonnades. Il ne fut vraiment habité par les Médicis que jusqu'en 1540, date de leur installation au palazzo Vecchio.

➤ **CHAPELLE DES MAGES** (*cappella dei Magi, 1er ét. Accès dans la cour, 1er escalier à dr. Visite uniquement par petits groupes. Non accessible aux handicapés*). Toute petite et d'un style précieux avec son plafond à caissons et ses stalles marquetées, la chapelle est recouverte de ♥ **fresques**** fraîches et poétiques, peintes en 1459-1460, et qui firent la gloire de Benozzo Gozzoli (1420-1497), un ancien élève de Fra Angelico. Cette *Arrivée des Rois mages à Bethléem* sert de prétexte à un cortège fastueux dans le décor d'un Orient imaginaire mâtiné de campagne toscane. Ce décor est sans doute le souvenir embelli de la venue en Italie de l'empereur byzantin au concile œcuménique de 1439, puisque deux des Rois mages ont les traits de l'empereur lui-même (à dr. du mur de dr.) et du patriarche de Constantinople (près de la porte). Le troisième Roi mage – un adolescent blond tout de blanc vêtu – est Laurent le Magnifique, alors âgé de 15 ans. Gozzoli (qui s'est représenté au milieu du cortège, à g. du mur de dr.; on lit *opus benotii* sur son bonnet rouge), fait aussi figurer les autres Médicis: Cosme l'Ancien, sur un cheval au harnais bleu, et ses deux fils, Pierre le Goutteux sur un cheval dont le harnachement porte la devise *semper* («toujours») et Jean, en turban.

➤ **GALERIE** (*accès dans la cour, 2e escalier à dr.*). Son **plafond***, peint en 1682 par Luca Giordano, représente le destin de l'homme sous la forme d'une vaste allégorie d'un baroque étourdissant.

Église San Lorenzo**

➤ **I-C1** *Piazza S. Lorenzo. Ouv. 10 h-17 h. F. dim. et fêtes. Entrée payante* ☎ *055.21.66.34. Accessible aux handicapés.*

En 1423, Giovanni di Bicci charge **Filippo Brunelleschi** d'édifier un monument digne de sa famille. Les travaux traînent, Brunelleschi étant accaparé par la coupole de la cathédrale. À sa mort, en 1446, l'architecte **Antonio Manetti** prend sa succession. Toutefois la façade demeure inachevée.

À l'intérieur, Brunelleschi crée une architecture claire et légère, et joue sur le gris bleuté et le blanc des matériaux. Mais son chef-d'œuvre est l'ancienne sacristie, achevée avant l'église.

➤ **NEF**. Près du chœur, des chaires, ornées de **bas-reliefs de bronze*** représentant la Passion, sont les œuvres ultimes (v. 1465) d'un Donatello qui, loin de sa grâce passée, cisèle de fortes scènes pathétiques.

➤ ♥ **ANCIENNE SACRISTIE*** *(sagrestia vecchia. Accès au fond du transept g.).* Construite par Brunelleschi entre 1423 et 1429, cette sacristie aux volumes parfaits (deux coupoles sur deux espaces carrés) est un pur poème géométrique, prototype limpide de l'architecture de la Renaissance. La décoration de Donatello mêle des **médaillons*** des Évangélistes, de Jean-Baptiste et de chérubins qui courent en frise.

Il est dommage que l'on ne puisse plus communiquer, de l'autre côté du transept, avec l'autre sacristie, celle des chapelles des Médicis *(voir p. 106)*. Elle fut construite un siècle plus tard par Michel-Ange, sur un plan très voisin, mais dans un tout autre esprit, et la comparaison immédiate entre ces deux génies créateurs serait très instructive.

➤ **CLOÎTRE** *(entrée par la chapelle Martelli ou de l'extérieur, piazza S. Lorenzo).* Cet enclos calme et frais donne accès à la bibliothèque Laurentienne.

Biblioteca Laurenziana*

➤ **I-B1** *Bibliothèque Laurentienne. Piazza S. Lorenzo, 9. Visite du vestibule et de l'escalier de Michel-Ange lun.-sam. 8 h 30-13 h 30. Salle de lecture de Michel-Ange sam. 8 h 30-13 h 30. Entrée payante pour les expositions* ☎ *055. 21.15.90, < www.bml.firenze.sbn.it >. Non accessible aux handicapés.*

La cour du palazzo Medici-Riccardi. C'est dans ce cadre qu'eut lieu, en 1469, le mariage de Laurent de Médicis et de Clara Orsini.

En 1523, le pape Clément VII, qui était un Médicis, chargea **Michel-Ange** de donner à la bibliothèque créée par Cosme l'Ancien un décor prestigieux. Le **vestibule***, théâtral à souhait avec ses fausses fenêtres, ses doubles colonnes et sa puissante volée de marches, mène à une longue salle de lecture. Du plafond sculpté au pavement qui reproduit ses motifs, en passant par les lutrins et les stalles, l'ensemble a été dessiné par Michel-Ange. La bibliothèque conserve de précieux manuscrits que l'on peut consulter sur rendez-vous. Des expositions y sont organisées.

Les chapelles des Médicis*

➤ **I-B 1** *Cappelle Medicee. Piazza Madonna degli Aldobrandini, derrière S. Lorenzo. Ouv. mar.-sam. F. 2e et 4e lun., et 1er, 3e et 5e dim. du mois 8 h 15-17 h (13 h 50 les j.f.). Entrée payante ☎ 055.23.88.602 ; rés. ☎ 055. 29.48.83. Visite: 30 mn. Non accessible aux handicapés.*

➤ **CHAPELLE DES PRINCES***. Écrasante et funèbre, cette immense chapelle octogonale, en forme de panthéon, est tapissée de marbres rares incrustés de calcédoine, d'agate et de lapis-lazuli. Elle fut construite à partir de 1604 et achevée en 1929, lors du pavement du sol en mosaïque de marbre. La coupole, qui devait être marquetée de lapis-lazuli, fut décorée de fresques par **Pietro Benvenuti** (1828). L'autel en pierres dures, les sarcophages des grands-ducs, en granit égyptien, jaspe vert de Corse et granit oriental, complètent un décor grandiose qui verse dans le pompeux. Les tombes de Cosme Ier et de Ferdinand Ier sont surmontées de statues en bronze doré de Ferdinando Tacca.

Derrière l'autel, on accède à la **chapelle du Trésor** où sont regroupés des vases de cristal de roche de Laurent le Magnifique, des reliquaires et des objets d'orfèvrerie des XVIIe et XVIIIe s.

➤ **NOUVELLE SACRISTIE*** *(sagrestia nuova. Accès par un couloir à g. près de la sortie).* Œuvre de **Michel-Ange**, cette sacristie abrite les **tombeaux des Médicis***. Commencée en 1520, elle reprend le plan de celle, symétrique, édifiée un siècle plus tôt par Brunelleschi *(voir p. 105).* La comparaison s'arrête là. Aux volumes dépouillés de Brunelleschi, Michel-Ange préfère le jeu des niches et pilastres qui impriment des rythmes solennels et annoncent déjà le baroque.

Le **tombeau de Laurent II*** est à g. Le petit-fils de Laurent le Magnifique est représenté dans une attitude de réflexion intense: on l'appelle «le Penseur». Des statues inachevées de l'*Aurore* et du *Crépuscule* sont couchées sur son sarcophage. À dr., **Julien*** (mort en 1515), fils du Magnifique, figure en guerrier avec sa cuirasse et son bâton de commandement. À ses pieds reposent le *Jour*, au visage simplement ébauché, et la célèbre **Nuit***, d'une élégance alanguie. Laurent le Magnifique, lui, n'a jamais eu droit à un tombeau: il repose au pied d'un mur, avec son frère Julien, assassiné lors de la conjuration des Pazzi. Avant de quitter la Nouvelle sacristie, remarquez la très belle **Vierge à l'Enfant***, vers laquelle convergent les regards des statues de *Laurent* et de *Julien*. L'abside conserve quelques dessins de Michel-Ange et de son école.

➤ **DESSINS DE MICHEL-ANGE**. *F. pour travaux en 2004.* Une galerie souterraine fut découverte en 1971 dans les soubassements de la Nouvelle sacristie. Les murs et les plafonds sont ornés de 56 croquis de jambes, pieds, têtes et mascarons attribués à Michel-Ange.

Piazza del Mercato Centrale*

I-BC1 Près du marché de S. Lorenzo et des étalages sous parasols de l'artisanat touristique à prix modiques (bois, cuir, tissu), le pouls de la vie quotidienne bat sur cette place, dans les belles ♥ **halles** du XIXe s. entourées de petits restaurants, de commerces de vin et de boutiques variées. Un quartier plein d'odeurs, chaleureux et grouillant, très reposant des fastes de la Renaissance… ∎

De Santa Maria Novella à l'Arno*

Les fresques de l'infatigable Domenico Ghirlandaio, coqueluche du « Tout-Florence » des années 1480, balisent cette promenade, depuis le cycle éblouissant d'élégance et de charme de la *Vie de la Vierge et de Jean-Baptiste* à S. Maria Novella jusqu'au cloître d'Ognissanti où il brosse une *Cène* qui intéressera Léonard de Vinci, en passant par la *Vie de saint François*, dans l'église S. Trinità, située dans le décor de la Florence de la Renaissance.

C'est cette même Florence – ou presque – qui surgit via de'Tornabuoni et alentour ; celle des banquiers ou grands marchands de jadis, les Strozzi, Rucellai, Bartolini-Salimbeni ou Spini-Ferroni qui, amis, parents ou obligés des Médicis, lotissent la ville de leurs palais. Promenade au cœur d'une Florence raffinée et encore guerrière où, remarquait justement Maurras, les murs commencent en prison pour se terminer en dentelle.

➤ **I-B1-A2** *Par la via del Sole, vous rejoindrez la via de'Tornabuoni qui passe devant l'église S. Trinità et aboutit au pont du même nom sur l'Arno. De là, remontez le quai Corsini jusqu'à la piazza Goldoni, où vous pourrez visiter le musée Marino Marini ou continuer vers la piazza Ognissanti et son église. Visites comprises, comptez une bonne demi-journée.*

Piazza Santa Maria Novella

I-B2 Venus à Florence pour y enseigner le renouveau de la foi, les dominicains s'installèrent dans ce faubourg alors populaire et sans grâce. Une église délabrée leur fut concédée vers 1246. Elle servit de base (en gros, le transept actuel) aux deux architectes de l'ordre, Fra Sisto et Fra Ristoro, qui, aidés par de puissantes familles, édifièrent une église grandiose, digne de faire concurrence à la cathédrale. D'où son nom de Sainte-Marie-Nouvelle. Ce monument prestigieux entraîna une refonte complète du quartier. La place qui lui donne accès fut bordée, face à l'église, par la **loggia di S. Paolo**, dont les belles arcades s'ornèrent de terres cuites d'Andrea et de Giovanni della Robbia.

En 1608, Jean de Bologne dressa sur la place deux obélisques en marbre appuyés sur des tortues de bronze. Ils marqueront les limites de la piste des courses d'attelage du **palio dei Cocchi**, introduites par Cosme Ier en 1563 et qui se déroulaient le 24 juin.

➤ **FARMACIA-PROFUMERIA.** Au n° 16 de la **via della Scala**, qui prolonge la loggia, se trouve l'ancienne **pharmacie** de S. Maria Novella, au décor du XVIIIe s. On n'y trouve rien de la pharmacopée habituelle, mais elle vend (cher) tout ce

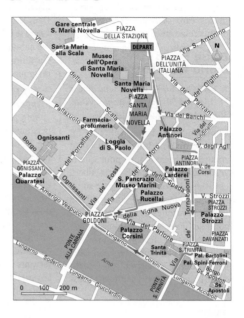

que l'on ne trouve nulle part ailleurs, uniquement à base de plantes et selon de très anciennes recettes des dominicains: savons, huiles essentielles, pommades, eaux cordiales, shampooings, dentifrices, cosmétiques…

Église Santa Maria Novella**

➤ **I-B1** *Ouv. 9h30-16h30; ven., dim. et j.f. 13h-16h30. Entrée payante. Visite: 30mn. Accessible aux handicapés.*

Commencée en 1246, l'église ne fut achevée qu'en 1360. Mais il fallut encore un siècle (1456) pour que le grand architecte Leon Battista Alberti (1404-1472) conçoive la partie supérieure de la **façade*** en s'inspirant des temples antiques. L'intérieur, d'un gothique florentin très souple, donne sa vraie mesure au style cistercien, qui exalte l'espace, la lumière et la sobriété. Un immense *Crucifix** de Giotto d'une grande force dramatique est suspendu dans la nef.

ABSIDE

Cette chapelle (derrière le maître-autel) est appelée aussi **chapelle Tornabuoni**. Cette famille, parente des Médicis, commanda à Domenico Ghirlandaio les ♥ **fresques**** relatant la *Vie de la Vierge* (mur de g.) et la *Vie de Jean-Baptiste* (mur de dr.), réalisées entre 1485 et 1490. L'artiste s'est fait ici le témoin fidèle de son temps. Florence et sa population servent de cadre à plusieurs épisodes, les Tornabuoni y tenant une place importante. Les vêtements féminins, d'une étonnante richesse, sont décrits avec le soin d'un modéliste.

➤ **SUR LE MUR DE GAUCHE**, en bas, le père de la Vierge, Joachim, est chassé du

> # À voir
> Les ♥ **fresques**** de Ghirlandaio (abside, derrière le maître-autel) et la **Trinité*** de Masaccio (bas-côté g.). ❖

Temple: le décor est proche de celui de la piazza S. Maria Novella de l'époque. Ghirlandaio s'est représenté dans le groupe de dr., la main sur la hanche. Dans la scène de dr., la *Naissance de la Vierge* se déroule dans le décor du palais Tornabuoni. La très élégante fille de Giovanni Tornabuoni marche en tête du groupe de cinq femmes.

➤ **SUR LE MUR DE DROITE**, en bas, dans l'*Apparition de l'ange à Zacharie (photo p. 110)*, le groupe de quatre personnages en rond, au premier plan à g., représente entre autres Marsile Ficin (1er à g.), le très brillant fondateur de l'Académie néoplatonicienne qui sera le creuset de l'humanisme, et Ange Politien (de face, 3e en partant de la g.), précepteur des enfants Médicis, qui sauva Laurent lors de la conjuration des Pazzi. Au-dessus, dans la *Naissance de Jean*, notez la superbe servante avec un plateau sur la tête et la véritable gravure de mode qu'est la jeune fille en brocard rose. En haut, dans la lunette, magnifique *Danse de Salomé*, en robe bleue, au cours du banquet d'Hérode.

CHAPELLE STROZZI

1re à dr. du chœur. Elle abrite des **fresques*** (1492-1502) de Filippino Lippi représentant la *Vie de saint Philippe* et la *Vie de saint Jean l'Évangéliste*. Ici, l'élève de Botticelli s'éloigne de son maître et donne à son œuvre un mouvement qui anticipe sur la peinture maniériste et baroque. Le tombeau de Filippo Strozzi l'Ancien est de Benedetto da Maiano (1491).

CHAPELLE GONDI

1re à g. du chœur. *Crucifix** en bois (entre 1410 et 1425) de Filippo Brunelleschi devant lequel son ami Donatello, auteur d'un autre beau *Crucifix* à S. Croce *(p. 95)*, se serait écrié: «À côté de celui-ci, mon Christ n'est qu'un paysan crucifié.»

CHAPELLE STROZZI DI MANTOVA

Transept g. Elle est décorée de **fresques*** encore moyenâgeuses (entre 1328 et 1331) de Nardo di Cione et de son frère Andrea Orcagna. Sur la paroi du

La fresque de la Trinité, *de Masaccio, à l'église Santa Maria Novella, montre l'une des premières applications des lois de la perspective en peinture.*

fond se déploie un *Jugement dernier* (à g. le paradis, à dr. l'enfer) illustrant *La Divine Comédie* de Dante, mort peu d'années avant. On reconnaît le poète, en bas à g., dans la scène de la Résurrection, en adoration au milieu de personnages du paradis, tandis que Pétrarque, poète et humaniste florentin, son contemporain, est en religieux. Le **polyptyque du *Christ triomphant*** (1357), sur l'autel, est d'Orcagna.

BAS-CÔTÉ GAUCHE

Dans la 3ᵉ travée, une **fresque***** (1425 ou 1426) de Masaccio représente la *Trinité*, avec Dieu le père, le Christ et, juste au-dessus de l'auréole, la colombe du Saint-Esprit, peu visible. Au pied de la Croix se tiennent la Vierge et saint Jean l'Évangéliste, tandis que, sous l'autel, la Mort est accompagnée de cette charmante inscription : « J'ai été ce que vous êtes ; vous serez ce que je suis ! » Les deux donateurs figurent sur les côtés à l'échelle réelle. La représentation des colonnes et de la voûte permet de créer l'effet de profondeur, qui guide le regard vers les figures centrales du tableau.

Cette fresque (restaurée en 2000) causa, en son temps, un choc énorme. Pour la première fois, le principe de la **perspective mathématique** chère à Brunelleschi était appliqué en peinture et, qui plus est, au thème du mystère de la Trinité. Ce principe ouvrait, en outre, un débat de fond sur la

➤ *suite p. 112*

Florence et l'humanisme

Qu'est-ce que l'homme? Quelle est sa place par rapport à Dieu? L'homme peut-il maîtriser son destin, être l'acteur de sa propre histoire, tout en demeurant chrétien? Grandes questions qui révolutionnent la croyance, la pensée, les mœurs et même l'économie de la Renaissance.

Le retour de Platon

Redécouvert avec fièvre, Platon (428-348 av. J.-C.) devient le maître à penser des années 1400. Marsile Ficin (1433-1499) fonde l'Académie néoplatonicienne, et tous les grands esprits du temps reviennent à Platon, voyant dans sa curiosité scientifique, son goût de la dialectique et surtout la place éminente qu'il accorde à la raison, la réponse à leurs propres questions. L'Église elle-même le considère presque comme un saint. Ce retour à la pensée grecque s'accompagne d'une véritable passion pour l'Antiquité promue libératrice du génie créateur de l'homme. Après des siècles de soumission à la raison d'Église, l'esclave se rebiffe.

L'homme dans sa gloire

Ce grand mouvement d'affranchissement de l'obscurantisme, déjà initié par les poètes florentins Dante, Pétrarque et Boccace (auteur du *Décaméron*), glorifie la singularité de chacun, naguère noyé dans l'océan collectif. Le «je pense, donc je suis» de Descartes est précédé par le «je pense donc je crée» de la Renaissance. Et l'on crée aussi bien de la beauté, de la réalité que son propre destin. Revendiquant cette faculté créatrice, Masaccio, Donatello, Michel-Ange et tant d'autres refusent la soumission aux canons qui régnaient jusqu'alors. Ils sortent l'homme de l'anonymat, en font l'acteur de sa propre vie. L'art est un vecteur majeur de ces changements. Il émancipe l'individu en lui offrant, en peinture comme en sculpture, le miroir d'une nouvelle image de l'humanité. Le beau est métaphysique, et l'artiste est son prophète.

Avec Dante et Boccace, Pétrarque *(ci-dessus)* développe une pensée affranchie de l'obscurantisme et annonce la Renaissance. Détail d'une fresque d'Andrea del Castagno, galerie des Offices, Florence.

Un quatuor d'humanistes, représenté dans la scène de l'*Apparition de l'Ange à Zaccharie*, peinte à fresque dans la chapelle des Tornabuoni, à Santa Maria Novella (Florence), par Domenico Ghirlandaio. De g. à dr., Marsile Ficin, fondateur de l'Académie néoplatonicienne, Christoforo Landino, Ange Politien, précepteur des Médicis, et Gentile Becchi.

Masaccio, génie précocement disparu à 27 ans, a incarné dans sa peinture la grande idée de l'humanisme : affirmer l'homme dans sa singularité. Ici, *Saint Pierre et saint Jean faisant l'aumône,* détail des fresques de la chapelle Brancacci, Florence.

Un art de vivre

La nouvelle vision des choses plaît à la bourgeoisie, au premier chef à celle qui dirige, les Médicis. L'individualisme nourrit l'esprit de conquête, autorise la réussite personnelle, justifie un libéralisme économique qui ménage des arrangements avec le ciel. Le corset religieux se desserre, la représentation de la divinité se libère, et l'approche de la condition humaine est moins dogmatique. Il ne faudrait pas en déduire hâtivement que l'Église s'efface. Elle reste omniprésente, mais, simplement, elle entrouvre des lucarnes et crée un courant d'air qui se contente de dépoussiérer des vérités éternelles. Devenu raisonneur, l'homme pose des questions. Au nom de sa dignité, il supprime nombre des entraves de sa vie publique et privée. On se méfie tellement de l'autorité que l'argent en vient à remplacer le pouvoir politique ; on a tant méprisé le corps que le nu est magnifié et tant refoulé l'amour que, sous couvert de philosophie, il devient libertin. Mais cette liberté débridée mène au dévoiement, dénoncé plus tard avec succès par Savonarole.

Réussite ou échec de l'humanisme ?

La grande conquête de la Renaissance reste cette liberté qui modifie totalement et pour plusieurs générations la vision du monde, aussi bien religieuse qu'humaine. De réformes en contre-réformes, à son rythme, l'Église s'y pliera aussi. Mais la véritable vigueur de cette pensée nouvelle est donnée par les artistes. La littérature, elle, tout occupée à traduire les anciens et à théoriser, brille par son absence. Les grands poètes sont morts. Ce sont maintenant les grands peintres, sculpteurs et architectes qui prennent leur relève. Mais, là encore, l'humanisme trouvera ses limites. Car, même si la peinture fut le fer de lance des idées nouvelles, elle n'a guère été comprise de son temps. À la « réalité du monde » qu'elle prétendait s'approprier lui fut bien vite préférée celle du rêve… ∎

représentation même de la divinité. Car c'est bien la réalité que la perspective vise à recréer. Et rechercher en toute chose cette réalité, c'est refuser une vision arbitrairement hiérarchisée : le monde divin en haut et celui de l'homme, en bas, renvoyé à l'obscurité de sa croyance. La réalité, c'est ce que l'on voit, ce que l'on comprend. Si le mystère de la Trinité s'inscrit dans la réalité d'une représentation objective, il devient accessible. Vasari, frappé par la technique du trompe-l'œil, écrit que l'effet de la perspective donne l'impression que « la voûte troue le mur ». En 1978, Carlo del Bravo dégage le sens fondamental de l'œuvre : « Les figures ne représentent pas des personnages sacrés, mais plutôt des images matérielles de ces derniers. » C'est, en effet, très exactement ce qu'a voulu faire Masaccio en appliquant l'échelle précise de la perspective à chaque personnage. Cette sacralisation de l'homme en peinture était une « première ».

Museo dell'Opera di Santa Maria Novella*

➤ **I-B1** *Ouv. 9h-14h. F. ven. Entrée payante* ☎ *055.28.21.87. Visite : 40mn. Accessible aux handicapés.*

➤ **CLOÎTRE VERT** (*chiostro Verde, à g. de l'église*). Ce cloître, de style roman (1350), doit son nom aux **fresques**★★ de l'Ancien Testament exécutées à la terre verte par Paolo Uccello et ses élèves, vers 1430. Très abîmées par l'humidité, elles ont été restaurées dans les années 1980, mais la plus grande partie demeure peu lisible. C'est un immense dommage, car ce que l'on voit, par exemple à dr., près de l'entrée, de ♥ l'*Histoire de Noé*★★ est fabuleux. Une perspective hallucinante représente l'arche sous le déluge. Une lumière cathodique éclaire les personnages (quels portraits !) qui s'accrochent désespérément sous la tempête. Les chevelures sont ébouriffées, des hommes plaqués à terre, d'autres se protègent sous leurs vêtements. Le ciel est sinistre, bardé d'éclairs et chargé de nuages qui pèsent sur la mer verte. Au cœur de ce désastre, Noé, très tendu, prie, cependant qu'un naufragé s'accroche à ses chevilles et que des enfants noyés flottent, le ventre déjà ballonné. Chaque détail compte.

➤ **CHAPELLE DES ESPAGNOLS** (*cappellone degli Spagnoli*). Les fresques, peintes ici en 1366 par **Andrea di Bonaiuti**, sont assez hermétiques au profane : elles illustrent la théologie du Salut selon les dominicains et se lisent du mur de l'autel illustrant la Passion (*Calvaire, Crucifixion, Descente aux limbes*) à la voûte où sont peintes la *Résurrection*, l'*Ascension* et la *Pentecôte*. Le décor se poursuit sur le mur d'entrée avec la *Vie de saint Dominique* et *Saint Pierre martyr*. Les deux murs latéraux développent deux grandes allégories : à dr., l'Église conduit les hommes vers le ciel, scène dans laquelle des chiens blancs tachetés de noir, qui représentent les dominicains, protègent les brebis. À g., la Sagesse divine inspire les prophètes et les saints.

Via de'Tornabuoni*

I-B2 Assez courte mais large, c'est la rue aristocratique par excellence, baptisée le **Salon de Florence**. Elle se prolonge sur l'Arno par le pont S. Trinità, l'un des plus élégants de la Renaissance. L'éclairage nocturne donne une atmosphère un peu irréelle à ce décor de palais (dont celui des Strozzi), de banques rutilantes et de magasins de luxe (Gucci, Ferragamo…). Juste après la place de l'église S. Trinità qui abrite les fresques de Ghirlandaio, remarquez (à g.) le **palazzo Spini-Ferroni** (1289), aux allures de forteresse couronnée de créneaux médiévaux, d'où l'on surveillait le pont jeté sur le fleuve.

Palazzo Strozzi

➤ **I-B2** *Façade principale sur la piazza Strozzi.*

Ce cube monumental, d'une sévérité solennelle (1489-1504), s'inspire du palazzo Medici-Riccardi (*p. 104*) édifié quarante ans plus tôt par Michelozzo, mais il en est une sorte d'expansion vaniteuse. L'ensemble s'articule autour d'un vaste et lumineux *cortile*★ à colonnades.

Les Strozzi, gloire et décadence

L'histoire des Strozzi est édifiante. Trop vite enrichis dans la banque et le commerce, ils firent des jaloux et furent condamnés à l'exil par les édiles bourgeois de la ville. Un peu plus tard, en 1433, le Médicis Cosme l'Ancien fut victime de la même mésaventure, accusé (à tort) d'être responsable de la défaite de Florence contre Lucques. Les Strozzi reviendront, comme Cosme, après avoir refait fortune à Lyon et à Naples où ils fondent une banque. Les temps changent. Laurent le Magnifique règne, et la richesse peut s'étaler : Filippo Strozzi se fait construire un insolent palais à Florence et prospère dans ses affaires.

Durant l'intermède de Savonarole, à la fin du siècle, les Médicis sont une fois encore chassés. Savonarole rapidement éliminé, Filippo Strozzi, dont la famille fait partie depuis plus d'un siècle de l'oligarchie qui dirige Florence avec les Albizi et les Médicis, intervient pour faciliter leur retour. Mal lui en prend, car, lorsqu'il s'oppose à l'autocratisme de Cosme Ier, celui-ci le fait jeter en prison. Et Strozzi s'y suicide, tandis que sa famille et celle des Albizi sont méthodiquement poursuivies, ruinées et disparaissent définitivement de la scène. ❖

Église Santa Trinità*

➤ **I-B2-3** *Ouv. 8 h-12 h et 16 h-18 h ; dim. et fêtes 16 h-18 h* ☎ *055.21.69.12. Visite : 30 mn. Accessible aux handicapés.*

La façade baroque a été plaquée en 1593 par Bernardo Buontalenti (1536-1608) sur une église romane, agrandie au XIIIe s., dont l'intérieur à trois nefs est d'une belle simplicité. La **chapelle Sassetti**, à dr. de l'autel principal, abrite les ♥ **fresques de la Vie de saint François**** (1483-1486), peintes par Ghirlandaio. Elles nous font rêver de la Florence ancienne et parlaient aux fidèles de l'époque qui reconnaissaient le décor quotidien et les personnages de leur ville. Ainsi, le *Miracle de l'Enfant ressuscité*, sur le mur du fond, au-dessus de l'*Adoration des bergers*, se déroule sur la piazza S. Trinità même.

➤ **DANS LE REGISTRE DU DESSUS**, le pape approuve la règle de saint François sur la place de la Seigneurie *(photo p. 48)*. Ange Politien, humaniste et ancien précepteur de Laurent le Magnifique, monte l'escalier et se trouve face à quatre hommes : le 2e à partir de la g. est un portrait saisissant de Laurent lui-même, pas très beau, mais avenant et fascinant avec son nez fort, sa bouche gourmande et son menton appuyé. Admirez aussi sur le mur de g., en haut, le paysage de la scène où François renonce aux biens de ce monde et, sur le mur de dr., le décor de sa mort.

➤ **DANS LA CHAPELLE D'À CÔTÉ**, la 1re à dr. du maître-autel, l'histoire du *Crucifix** miraculeux de Jean Gualbert mérite d'être brièvement rappelée : Jean Gualbert apprend qu'un voyou vient d'assassiner son frère et le poursuit. Il le rattrape, mais, au moment de l'exécuter, le meurtrier implore sa clémence avec une telle véhémence que Jean se laisse fléchir et s'en va prier dans l'église S. Miniato toute proche *(p. 127)*, devant ce crucifix qui s'y trouvait alors. Et, stupeur, le Christ approuve sa clémence en inclinant la tête. Bouleversé, Jean se fait moine et fonde le monastère de Vallombrosa *(encadré p. 295)*.

♥ Ponte Santa Trinità*

I-B3 Trois ponts, situés au même endroit, furent emportés par l'Arno avant qu'Ammannati n'en construisît un nouveau (1567), à la fois d'une grande élégance et d'une parfaite résistance. Après qu'il eut sauté pendant la Seconde Guerre mondiale, on

Le travail de la laine

La piazza Ognissanti était occupée au Moyen Âge par les ateliers de frères mineurs *(umiliati)*. Ils étaient venus de Lombardie en 1239, à la demande des autorités florentines, pour exercer leur spécialité : le travail de la laine, à partir de laquelle étaient fabriqués ces draps qui firent la fortune de la cité. En un siècle, les *umiliati* modernisèrent l'outillage et les méthodes de cardage, de filature et de teinture et devinrent des entrepreneurs prospères avant de perdre de leur importance.

La laine était lavée à l'urine de cheval, rincée dans l'Arno tout proche, séchée, battue, peignée et séparée en filaments courts et longs. Les cardeurs intervenaient ensuite (au chardon initial, on substitua un outil approprié), puis les fileuses et les tisserands. Après quoi, les couleurs étaient fixées à l'alun (sulfate double de potassium et d'aluminium hydraté) dont les Médicis eurent longtemps l'exploitation exclusive, tant en Orient qu'en Italie. L'alun était en quelque sorte un secret florentin qui fit la réputation internationale des draps de la cité. ❖

décida de le rebâtir à l'identique tant les calculs de portée d'Ammannati s'étaient révélés exacts. D'où cette merveilleuse souplesse de l'ouvrage dont les trois arches légèrement aplaties semblent se jouer de la pesanteur.

Piazza Goldoni et alentour

I-B2 Cette petite place animée ramifie plusieurs rues moyenâgeuses ou de la Renaissance (**del Moro**, **della Spada**, **della Vigna Nuova**...) pleines de cachet, très vivantes et riches en restaurants, palais, boutiques de toutes sortes, de l'alimentation à la mode en passant par les antiquaires. Au Moyen Âge, des petits cours d'eau ruisselaient **via de'Fossi** pour alimenter en énergie les nombreuses manufactures du quartier, notamment celles de la laine.

➤ **PALAZZO RUCELLAI*** *(via della Vigna Nuova, 18. F. pour travaux en 2004 ☎ 055.21.91.10).* Il fut bâti entre 1446 et 1451 sur un plan d'Alberti. Depuis ses origines, ce premier vrai palais de la Renaissance est habité par la famille Rucellai, dont la comtesse actuelle crée des bijoux. **Leon Battista Alberti** (1404-1472), qui dessina son plan limpide, voulait construire noble, mais sans ostentation. Rompant totalement avec la tradition médiévale, il conçut une demeure lumineuse, agréable à vivre.

➤ ♥ **MUSEO MARINO MARINI*** *(église S. Pancrazio, via della Spada. Ouv. 10h-17h; jeu. jusqu'à 23h en été. F. mar., dim., j.f. et en août. Entrée payante ☎ 055.21.94.32. Visite: 30mn).* L'art contemporain est trop rare à Florence pour bouder le plaisir de découvrir le talent et l'humour de Marino Marini (1901-1980) dans l'église désaffectée de S. Pancrazio, aménagée en 1988 en un dédale de passerelles, escaliers et balcons qui multiplient les points de vue sur les œuvres.

Marino Marini a peint et sculpté à sa manière le cheval dans tous ses états: chevaux solitaires saisis dans l'essentiel ou cavaliers cocasses, cavaliers acrobates, cavaliers danseurs... Ce sculpteur du bronze poli, peint ou maculé, a modelé aussi une belle série de têtes en terre, et notamment un Mies van der Rohe de 1967. Des planches de dessins et plusieurs excellents portraits des années 1927-1930 complètent l'ensemble. Marini, natif de Pistoia qui lui consacre aussi un centre *(p. 169)*, commença sa carrière à Florence où il souhaitait voir exposer son œuvre. Engoncée dans son passé, Florence avait bien besoin d'un sang nouveau de cette veine-là. Dans la crypte réaménagée, remarquables expositions temporaires d'artistes du xxe s.

Piazza Ognissanti*

I-A2 Cette jolie place, ouverte sur l'Arno, donne sur l'harmonieux paysage des collines avoisinantes. Au n° 2, le **palazzo Quaratesi** (XVe s.) est le siège du consulat de France et de l'Institut français. Sur la place se trouve d'ailleurs une bonne librairie française. En face se dresse l'hôtel Excelsior, qui appartint à Caroline Bonaparte, la sœur de Napoléon Ier.

À g. en regardant l'Arno, le **borgo Ognissanti** est bordé par l'hôpital fondé par la famille Vespucci au XIVe s. Au n° 26, la ♥ **casa Galleria**, construite par Michelazzi en 1911, offre un remarquable exemple de style Liberty.

Église Ognissanti*

➤ *Ouv. 8 h-12 h et 16 h-19 h; dim. et j.f. 16 h-18 h* ☎ *055.23.98.700. Accessible aux handicapés.*

Au XIIIe s., le monastère et l'église Ognissanti (Tous-les-Saints) appartenaient aux frères mineurs. Leur industrie déclinant, les ateliers et une partie du monastère furent démolis. Les franciscains reconstruisirent une église qui fut profondément remaniée au XVIIe s. dans le style baroque fort peu apprécié des Florentins. De la première construction, seuls restent le beau **campanile** et le *Couronnement de la Vierge**, tympan en terre cuite émaillée au-dessus du portail, de Benedetto Buglioni (XVe s.).

➤ À L'INTÉRIEUR. Dans le **bas-côté dr.**, au-dessus du 2e autel, se trouve une fresque de Ghirlandaio, où une *Vierge de miséricorde** abrite de son manteau les membres de la famille Vespucci (le palais Vespucci se trouvait non loin de l'église). La peinture date de 1470, soit vingt-deux ans avant les expéditions américaines d'Amerigo Vespucci représenté ici en la personne du jeune homme en habit rouge, entre la Madone et un vieillard.

Entre les 3e et 4e chapelles, admirable *Saint Augustin** de Botticelli (1480). Dans la chapelle du transept dr., une simple plaque dans le sol indique l'endroit où le peintre fut enseveli. Enfin, dans le transept g., se trouvent la tunique et le capuchon triangulaire que portait saint François lorsqu'il reçut les stigmates sur le mont La Verna en septembre 1224.

➤ CLOÎTRE (*entrée à côté de l'église, au n° 42*). Ce joli cloître Renaissance est un havre de silence décoré de fresques racontant la *Vie de saint François*, peintes par J. Ligozzi Giovanni di San Giovanni au début du XVIIe s.

➤ ANCIEN RÉFECTOIRE DU COUVENT (*entrée libre par le cloître. Ouv. lun., mar. et sam. 9 h-12 h. Partiellement accessible aux handicapés*). Ce réfectoire est orné d'une fresque de Domenico Ghirlandaio, la *Cène** (1480). Avec son décor de citronniers, de palmiers, avec les oiseaux qui traversent le ciel et sa lumière douce, cette Cène évoque un repas entre amis, calme et serein. La seule indication de la catastrophe à venir est la présence d'un paon, symbole de la Résurrection. Le réfectoire abrite également plusieurs sinopies. ■

♥ Oltrarno :
le quartier des artisans*

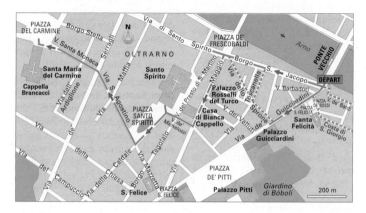

Un des grands plaisirs de Florence est de flâner dans ce dédale de rues étroites qui serre de près l'immense palazzo Pitti *(p. 119)* et de découvrir les portails blasonnés des palais et leurs cours aussi somptueuses qu'imprévues.

▶ **I-AB3** *Promenade de 1 h à 1 h 30 entre le ponte Vecchio et le ponte alla Carraia dans le quartier des artisans et antiquaires.*

Église Santa Felicità

▶ **I-B3** *Ouv. 9h-12h et 15h-18h; dim. et fêtes 9h-13h. Messe t.l.j. à 18h; dim. et fêtes à 9h et à 11h* ☎ *055.21.30.18. Visite: 15mn. Accès partiel aux handicapés.*

La première chapelle de dr. renferme deux grandes œuvres du maniériste Pontormo (1528) : la ♥ *Déposition de Croix*** et une fresque de ♥ l'*Annonciation**. La *Déposition de Croix* met en scène 11 personnages, dont la Vierge placée à la diagonale du Christ. Le Christ nacré, au visage apaisé dans la mort, est déposé de sa croix imaginaire par des porteurs hallucinés. Une lumière irréelle accentue l'aspect fantastique du tableau. Nous sommes là à des années-lumière des représentations habituelles de cette scène et de la peinture de la Renaissance, ancrée dans la réalité. La belle fresque de l'*Annonciation* montre une Vierge extrêmement humaine. Pontormo a admirablement saisi l'instant où elle semble se révolter contre l'idée d'enfanter le Sauveur. Au plafond, les *Quatre Évangélistes*, excellents, sont du même Pontormo.

Les petites rues de l'Oltrarno

I-B3 Sur le côté gauche de l'église (vers l'Arno), de pittoresques ♥ **petites rues** escaladent la colline. Ainsi de la **costa di S. Giorgio** qui s'envole bientôt en virevoltant au milieu des parcs et jardins plantés d'ifs et mène, tout en haut, au forte di Belvedere et, de là, au piazzale Michelangelo *(p. 126)*.

Le ♥ quartier des artisans*

I-B3 En venant du ponte Vecchio, à dr. de la via de'Guicciardini, le **borgo S. Jacopo** et ses maisons-tours, la **via di S. Spirito** qui la prolonge, figurent, avec les rues **dello Sprone, Toscanella** et **Maggio**, parmi les plus chaleureuses de l'Oltrarno. Elles abritent les ateliers de nombreux artisans de très haute qualité, héritiers d'une longue tradition: restaurateurs de porcelaine sur la via dello Sprone; restaurateurs de cadres, de tapis, d'objets en métal, via Toscanella; réparateurs d'horloges anciennes, créateurs de meubles, doreurs et aussi fabricants de chaussures, de cravates le long de la via S. Spirito. Cette promenade, en forme de lèche-vitrines, ménage de belles surprises, comme ces cours et ce jardin inattendu orné d'une fontaine en rocaille, planté de palmiers et de lauriers-roses, et veillé par le clocher de S. Spirito *(via di S. Spirito, 9-11, derrière les boutiques de luxe sous voûte)*.

La **via Maggio**, la plus noble du secteur et quartier des antiquaires, est bordée de palais. Au n° 40, celui de la famille **Rosselli del Turco** (XVᵉ s.) et, au n° 26, la maison de **Bianca Cappello**, la maîtresse de l'héritier du duché de Toscane, François Iᵉʳ de Médicis, construite par Buontalenti en 1566. Sa façade est décorée de fresques étincelantes au soleil.

De la via Maggio, on gagne par une petite rue étroite la piazza S. Spirito.

♥ Piazza Santo Spirito*

I-A3 Cette place ombragée, bordée par la souple façade de l'église S. Spirito, reste très attachante malgré l'accroissement des touristes. Les peintres y plantent leur chevalet, les enfants jouent dans le jardin, les ménagères s'affairent au petit marché et les badauds sirotent un café aux terrasses des bistrots.

Église Santo Spirito**

➤ *Ouv. 8h30-12h et 16h-17h30; sam., dim. et j.f. 16h-17h30. F. mer. apr.-midi. Entrée gratuite ☎ 055.21.00.30. Visite: 30mn. Accessible aux handicapés.*

Malgré ses avatars, l'église conçue en 1440 par Filippo Brunelleschi est, avec S. Lorenzo, du même architecte, l'une des réalisations les plus achevées de la première Renaissance. Outre sa belle ordonnance, S. Spirito réunit des œuvres de qualité et notamment, dans une chapelle latérale, un *Christ** entièrement nu de Michel-Ange.

Au sortir de l'église, traversez la piazza S. Spirito et prenez à dr. la via S. Agostino qui mène à la piazza del Carmine où se trouve la chapelle Brancacci.

Cappella Brancacci***

➤ **I-A3** *Piazza del Carmine. Entrée sur le côté dr. de l'église. Ouv. 10h-17h; dim. et j.f. 13h-17h. F. mar. Entrée payante. Rés. ☎ 055.27.68.224. Visite: 30mn. Non accessible aux handicapés.*

Le cycle représente des scènes de la *Vie de saint Pierre* et le *Péché originel*. Commencée en 1424 par **Masolino** (1383-1440) et par **Masaccio** (1401-1428), son élève, sa réalisation fut

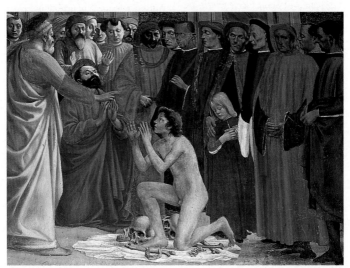

Fresques de Masaccio et de Filippino Lippi dans la chapelle Brancacci: retenu prisonnier à Antioche par Théophile, saint Pierre ressuscite le neveu de ce dernier, mort depuis quatorze ans, et retrouve la liberté.

interrompue par le départ des deux peintres et par la mort prématurée de Masaccio, à l'âge de 27 ans. L'œuvre ne fut achevée que soixante ans plus tard par **Filippino Lippi** (1457-1504), élève doué de Botticelli.

FRESQUES SUPÉRIEURES (DE G. À DR.)

• 1er panneau : ♥ *Adam et Ève chassés du paradis*** (Masaccio) ;

• 2e panneau : *Paiement du tribut**** (Masaccio) ;

• 3e panneau : *Prédication de saint Pierre** (Masolino) ;

• 4e panneau : *Baptême des néophytes** (Masaccio) ;

• 5e panneau : *Saint Pierre ressuscitant Tobie** (Masolino et Masaccio) ;

• 6e panneau : *Tentation d'Adam* (Masolino).

FRESQUES INFÉRIEURES (DE G. À DR.)

• 1er panneau : *Saint Pierre en prison reçoit la visite de saint Paul** (Filippino Lippi) ;

• 2e panneau : *Saint Pierre ressuscitant le neveu de l'empereur* (Masaccio et Filippino Lippi) *et Saint Pierre en chaire* (Masaccio) ;

• 3e panneau : *Saint Pierre guérissant les malades** (Masaccio) ;

• 4e panneau : *Saint Pierre et saint Jean faisant l'aumône* (Masaccio) ;

• 5e panneau : *Crucifixion de saint Pierre* (Filippino Lippi) ;

• 6e panneau : *Saint Pierre devant le proconsul* (Filippino Lippi) ;

• 7e panneau : *Un ange délivrant saint Pierre* (Filippino Lippi).

Nous nous attarderons sur quelques scènes de la main de Masaccio, qui opèrent un tournant décisif dans la peinture du Quattrocento. Le visiteur s'en rend d'ailleurs compte, puisqu'il a aussi sous les yeux les panneaux peints par Masolino et Filippino Lippi.

Il suffit par exemple de comparer *Adam et Ève* de Masaccio (1er panneau en haut, à g.) qui fait fi de tout esthétisme à la mode et l'*Adam et Ève* conventionnel de Masolino (en haut, extrême dr.). La clé est là : parmi les tout premiers, Masaccio fait exister et vibrer individuellement chacun de ses personnages, dans un espace et un volume qui leur sont propres. Dans la scène de guérison des malades que Masaccio transpose dans la Florence de son temps, ou dans le *Baptême des néophytes* (juste à dr. de l'autel, en haut), le ♥ **jeune homme** qui grelotte est saisi dans un instantané de vie, quasiment unique dans les annales de peintures de l'époque.

Ainsi se referme la boucle amorcée par Giotto. D'un coup, l'homme, sujet central de la Renaissance, surgit dans toute sa force. ■

Palazzo Pitti
et jardins de Bóboli**

D ans les années 1440, Cosme l'Ancien, qui avait besoin d'un palais à la dimension de ses affaires, demanda à Brunelleschi d'étudier un programme qu'il jugea finalement trop ambitieux; il s'adressa alors à Michelozzo qui réalisa le palazzo Medici-Riccardi *(p. 104)*.

Brunelleschi proposa alors son projet aux Pitti, banquiers amis mais rivaux des Médicis, qui l'acceptèrent aussitôt. Presque ruinés un siècle plus tard, les Pitti vendent la propriété à Cosme Ier de Médicis, qui y organise sa résidence et la fait relier à ses bureaux, aux Offices, par le corridor dit de Vasari. Les Médicis, puis la maison de Lorraine occupent le palais jusqu'en 1859. Ensuite c'est le tour de la famille royale de Savoie jusqu'en 1919, date à laquelle le palais devient propriété d'État. Entre-temps, les ailes sont construites, les jardins de Bóboli, une des perles de Florence, entièrement aménagés, et la façade Renaissance est triplée par vagues successives: d'où le monstre que l'on a sous les yeux, dépassant les 200 m de long…

➤ **I-B4** *La visite en une seule fois (une grosse demi-journée) des différents musées qui occupent le palazzo Pitti peut être éprouvante. Dans ce cas, privilégiez la galerie Palatine et les appartements royaux qui lui font suite. Une façon intéressante de couper la visite du palais est d'intercaler une promenade d'au moins 1 h dans les superbes jardins de Bóboli qui l'entourent (charmant café-restaurant). Voir* **plan p. 125.**

Palazzo Pitti**

I-B4 Au contraire des Offices qui, exposant les tableaux par ordre chronologique, permettent de « comprendre » l'évolution de la peinture florentine de la Renaissance, le palais Pitti n'a aucun but didactique. Le **musée de l'Argenterie*** et surtout la **galerie Palatine***, prolongée par les **appartements royaux***, proposent un voyage au pays des goûts, rêves et fantasmes des occupants successifs, dont aucun ne prisa la première Renaissance. C'est aussi l'occasion de découvrir une dizaine de chefs-d'œuvre de Titien et de Raphaël, ainsi qu'Allori, Cigoli, Carlo Dolci, Salvator Rosa et autres Volterrano ou Giovanni di San Giovanni, tous peintres florentins (ou d'adoption) des XVIe et XVIIe s., très peu représentés aux Offices.

Signalons aussi l'intéressante **galerie d'Art moderne***, qui montre avec les *macchiaioli* (improprement appelés «tachistes») que Florence a connu de beaux soubresauts après ses siècles d'or. La visite se complète naturellement par une promenade dans les **jardins de Bóboli***, véritable oasis à l'écart d'une vie trépidante.

Palazzo Pitti : bon à savoir

Deux sortes de billets groupés avec réduction importante et valables trois jours sont proposées pour les cinq musées qu'abritent le palais et les jardins de Bóboli (sauf lors d'expositions temporaires) :

➤ **Forfait global d'env. 10,50 €** : galeries Palatine, d'Art moderne et du Costume, musée de l'Argenterie, jardins de Bóboli et musée de la Porcelaine.

➤ **Forfait d'env. 3 €** : musée de l'Argenterie, jardins de Bóboli, musée de la Porcelaine.

Rés. par téléphone ☎ 055. 29.48.83. ❖

I   Antichambre
II   Galerie des Statues
III Salle des Niches
IV à XXI *Voir texte*
XXII Salle des Allégories
XXIII Salle des Beaux-Arts
XXIV Salle de l'Arche d'Alliance
XXV Salle d'Hercule
XXVI Salle de l'Aurore
XXVII Salle de Bérénice
XXVIII Salle de Psyché
XXIX Salle de la Renommée
1 Salle Verte
2 Salle du Trône
3 Salle Bleue
4 Chapelle

Jardins   *de*

Fontaine
de l'Artichaut

COUR
DE
L'AMMANNATI

Galerie   Palatine

PALAIS PITTI : PREMIER ÉTAGE

À voir

Titien** (salles de Vénus et d'Apollon), **Raphaël**** (salles de Jupiter, de Saturne et de l'Iliade) et les **appartements royaux***. ❖

Galleria Palatina**

➤ *Galerie Palatine. Au 1er ét. Ouv. 8h15-18h50. F. lun., 25 déc., 1er janv. et 1er mai. Entrée payante* ☎ *055. 23.88.614; rés.* ☎ *055.29.48.83, <www. polomuseale.firenze.it/palatina>. Visite: au moins 1h30. Accessible aux handicapés. Les chiffres en* **rouge** *renvoient au plan ci-dessus.*

➤ **SALLE DE VÉNUS IV**. Elle rassemble des **œuvres**** maîtresses de Titien, telles que la **Belle*** et le **Concert****, ainsi que le *Retour des paysans*, de Rubens. Du Napolitain **Salvator Rosa** (1615-1673), peintre de cour des Médicis, sont exposées deux marines, dans lesquelles on reconnaît la lumière crépusculaire du Lorrain.

➤ **SALLE D'APOLLON V**: XVIe et XVIIe s. De **Titien**, *Marie-Madeleine* sensuellement enveloppée dans sa chevelure poussée dans le désert et ***Portrait d'un gentilhomme****, chef-d'œuvre de la maturité de l'artiste. Du **Tintoret**, *Portrait de Vincenzo Zeno*. La salle renferme aussi une *Sainte Famille* et une *Descente de Croix* très acidulée d'Andrea del Sarto, ainsi qu'une *Vierge sur le trône* de Rosso Fiorentino, avec une très belle femme au premier plan.

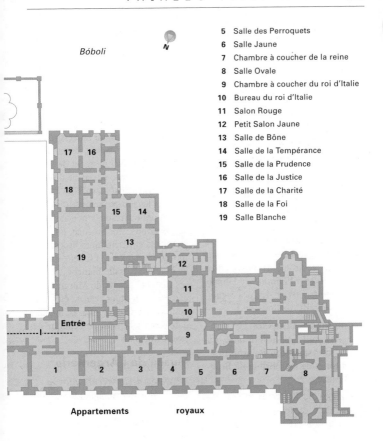

Bóboli

5 Salle des Perroquets
6 Salle Jaune
7 Chambre à coucher de la reine
8 Salle Ovale
9 Chambre à coucher du roi d'Italie
10 Bureau du roi d'Italie
11 Salon Rouge
12 Petit Salon Jaune
13 Salle de Bône
14 Salle de la Tempérance
15 Salle de la Prudence
16 Salle de la Justice
17 Salle de la Charité
18 Salle de la Foi
19 Salle Blanche

Entrée

Appartements   royaux

▶ **SALLE DE MARS VI** : portraits et compositions allégoriques. De **Rubens**, les *Quatre Philosophes** et les *Conséquences de la guerre* (de Trente Ans) où Mars, échappé des bras de Vénus, foule aux pieds les arts et l'humanité. Du **Tintoret**, digne et vibrant *Portrait de Luigi Cornaro**, mécène et écrivain. De **Véronèse**, *Portrait de jeune homme en manteau de fourrure*.

▶ **SALLE DE JUPITER VII**. Un très bel ensemble de tableaux classiques est dominé par la *Femme au voile** de Raphaël (1516), magnifique portrait de sa maîtresse, la Fornarina.

▶ **SALLE DE SATURNE VIII : RAPHAËL**. On admire la plus célèbre de toutes ses madones, la *Vierge à la chaise*** (1515-1516). En face, la très séraphique *Vierge* dite « du grand-duc », car Ferdinand ne voulait jamais s'en séparer.

▶ **SALLE DE L'ILIADE IX**. Le plafond de cette salle, redécorée sous les grands-ducs de Lorraine, illustre des épisodes du poème d'Homère peints par Sabatelli. *La Femme enceinte** est de la période florentine de Raphaël. Remarquer aussi les portraits du Flamand Sustermans, peintre de cour des Médicis.

▶ **SALLE DU POÊLE X**. Elle est ornée des *Quatre Âges de l'homme*, fresque allégorique de Pierre de Cortone (1640). La voûte et les lunettes sont de Matteo Rosselli (1622).

▶ **SALLE DE L'ÉDUCATION DE JUPITER XI**. Chambre à coucher de l'appartement grand-ducal à l'époque médicéenne, cette pièce fut décorée en style néoclassique en 1818. Œuvres les plus importantes : l'*Amour dormant* (1608), du Caravage, et *Judith avec la tête* *d'Holopherne*, toile la plus célèbre d'Allori (qui se représente en Holopherne). L'histoire de cette femme tranchant la tête du général occupant son pays devint le symbole des libertés de Florence. La salle de bains, en stuc et marbre (1813), était destinée à l'appartement de Napoléon.

➤ **Salle d'Ulysse XII**. L'*Ecce Homo* est l'une des peintures les plus connues du Cigoli (1559-1613), dont l'essentiel de l'œuvre est conservé ici. Cigoli fut aussi architecte, à Florence et à Rome. Également, très jolie *Mort de Lucrezia* de Filippino Lippi (fils de Filippo).

➤ **Salle de Prométhée XIV**. Ici est regroupée la quasi-totalité des *tondi* du musée (tableaux arrondis), entre autres, *Vierge à l'Enfant** de Filippo Lippi, *Sainte Famille* de Luca Signorelli et **portraits** de Botticelli.

➤ **Couloir des Colonnes XV** : peinture flamande et hollandaise du XVIIe s. d'inspiration italianisante. Belles toiles de Paul Bril et de Brueghel l'Ancien.

➤ **Galerie du Poccetti XIX**. Cette galerie était, du temps des Médicis, une loggia ouverte reliant l'appartement du grand-duc à celui de la grande-duchesse.

➤ **Salle de la Musique XX** : beau décor néoclassique.

➤ **Salle Castagnoli XXI**. Castagnoli (1754-1832) était un spécialiste du trompe-l'œil. La marqueterie de la très belle table XIXe s. est faite de pierres dures et semi-précieuses.

➤ **Quartier du Volterrano XXII-XXIX**. Il désigne les appartements de la grande-duchesse qui, à l'exception de la chapelle des Reliques **A**, furent redécorés au XIXe s. Dans la 1re salle, dite des Allégories, le Volterrano (1611-1689), grand promoteur du baroque italien, célèbre, au plafond, la *Victoire de la Rovère* (nom de la grande-duchesse). Au mur, la très insolite *Farce du pléban Arlotto* est du même artiste. Le vestibule circulaire **B** et le bain **C** furent conçus pour l'impératrice Marie-Louise.

Appartements royaux*

➤ *Appartamenti reali. Au 1er ét. Ouv. 8h30-18h50. F. lun. Billet couplé avec la galerie Palatine ☎ 055.23.88.614. Visite : 45mn. Accessible aux handicapés. Voir **plan** p. 120.*

Ces appartements, situés dans l'aile dr. du palais Pitti, furent successivement occupés par les Médicis, la maison de Lorraine, puis, au moment de l'unité italienne, par celle de Savoie. Les Lorraine s'installèrent ici en 1734 et redécorèrent les appartements selon le goût de l'époque : fresques néoclassiques aux plafonds, stucs rococo, pourpres étouffants et magnifiques **brocards** à motifs végétaux de la toilette ovale **8** de la reine. La **salle Blanche 19**, avec ses **lustres** géants de Murano et sa décoration de stucs XVIIIe s., était jadis destinée aux fêtes de gala. Le mobilier date essentiellement de l'époque des Savoie (fin XIXe s.).

Musée de l'Argenterie*

➤ *Museo degli Argenti. Au r.-d.-c., entrée à g. sous le portique. Ouv. nov.-fév. 8h15-16h30 ; mars 8h15-17h30 ; avr., mai, sept. et oct. 8h15-18h30 ; juin-août 8h15-19h30. F. 1er et dern. lun. du mois. Entrée payante ☎ 055.23.88.709. Visite : 30mn. Accessible aux handicapés.*

Ce musée, dans les appartements du grand-duc, renferme surtout de l'orfèvrerie, des **vases***, des **ivoires***, des bijoux et des camées provenant essentiellement des collections réunies par les Médicis et les Lorraine.

➤ **Salle Giovanni da San Giovanni**. Elle porte le nom du peintre florentin qui en entreprit, en 1634, les fresques allégoriques à la gloire des Médicis. On y voit (en face) Laurent le Magnifique assis entre ses artistes, notamment Raphaël et Michel-Ange.

➤ **Salle « Buia »**. Très précieuse collection de **vases*** (antiques, sassanides ou vénitiens) ayant appartenu à Laurent de Médicis dont on distingue le monogramme (LAVR MED).

➤ **Les trois salles suivantes**, décorées de fresques et de trompe-l'œil,

Les Bonaparte à Florence

L'attachement très vif des Bonaparte pour Florence remonte peut-être à leur lointaine origine toscane. Nommée grande-duchesse de Toscane par son frère Napoléon Ier, **Élisa** s'installa en 1809 au palais Pitti où elle fit de nombreux travaux, notamment dans les appartements royaux (on admire sa salle de bains). Spontini dédiera *La Vestale* à cette amie des musiciens. **Pauline**, qui épousa le prince Borghèse et fit transformer le palais de la via Ghibellina (au n° 110) en style néoclassique, laissa un souvenir éblouissant. Sa beauté a fait chavirer nombre de cœurs, dont celui du sculpteur Canova qui la représenta en Vénus. Sa

La princesse Pauline Borghèse (1780-1825), sœur de Napoléon Ier.

fille, **Caroline**, acheta une somptueuse demeure de la piazza Ognissanti : c'est aujourd'hui l'hôtel de luxe Excelsior, dont les salons gardent le souvenir des grandes fêtes qu'elle y donna.

D'autres Bonaparte se fixèrent à Florence, dont **Louis**, le père de Napoléon III, et **Joseph**, qui mourut au palais Serristori (via dei Renai), en 1844, après avoir acquis une chapelle à S. Croce pour y ensevelir les siens ; le prince **Jérôme**, lui, vécut un temps dans le palais Corsi, via de'Tornabuoni, actuel siège de la Banca commerciale italiana. Enfin, **Lucien**, qui s'était brouillé dès 1804 avec son frère Napoléon qu'il jugeait dictatorial, s'installa au 52 de la via Faentana, où l'un de ses fils prit sa succession : le blason des Bonaparte d'Ajaccio y est encore visible. ❖

---

présentent un remarquable mobilier, dont un **chiffonnier*** en ébène, et de précieuses collections : **ivoires*** flamands et allemands (XVIe et XVIIe s.), ambre, objets en lapis-lazuli et cristal de roche, dont un **vase*** exécuté pour François de Médicis d'après un dessin de Buontalenti (1583).

➤ **AU 1er ÉTAGE**, le trésor renferme des joyaux rares ayant appartenu, notamment, à Anne-Marie Louise (1667-1743), électrice palatine, la dernière des Médicis : bijoux, camées, coupes d'argent et **collection de faïences*** et de porcelaines de toute provenance.

Galerie d'Art moderne*

➤ *Galleria d'Arte moderna. Au 2e ét., entrée à dr. sous le portique. Ouv. 8 h 30-13 h 50. F. 2e et 4e dim., et 1er, 3e et 5e lun. du mois. Entrée payante ☎ 055.23.88.616. Visite : 30 mn. Accessible aux handicapés.*

Fondée en 1860 et régulièrement enrichie depuis, la galerie est consacrée à la peinture italienne, essentiellement du XIXe s., mais celle de la 1re moitié du XXe s. trouve une plus juste expression depuis l'aménagement de nouvelles salles. Le musée peut, en gros, se diviser en quatre périodes :

➤ **NÉOCLASSICISME** (fin du XVIIIe s.-début du XXe s.). Ce style marque un retour à l'antique, né de l'intérêt porté aux fouilles archéologiques qui se multiplièrent après la mise au jour des ruines de Pompéi. Luigi Mussini, mais aussi Andrea Appiani et Pompeo Batoni sont de bons représentants de ce courant.

➤ **ROMANTISME** (à partir des années 1820). Le mouvement et le caractère épique reviennent à la mode. Les Italiens sont plus portés sur la nature et les scènes intimistes. Les salles **12** et **19**, essentiellement consacrées à **Antonio Ciseri**, rendent compte de cette nouvelle sensibilité.

➤**LES MACCHIAIOLI** (donation Diego Martelli et Cristiano Banti). C'est un journaliste qui, par ironie, définit en 1862 ces artistes de la mouvance impressionniste comme des *macchiaioli*, c'est-à-dire des tachistes. Les collections Martelli et Banti (salles **15**, **16** et suivantes) présentent deux Pissaro et des œuvres de **Giovanni Fattori** (1825-1908), qui fut sans doute la figure marquante, à la fois du groupe et de l'époque. Le musée expose, en particulier, sa célèbre *Rotonda dei Palmieri**, ainsi que sa *Cousine Argia*. De Federico Zandomeneghi, ami de Degas, on verra un *Portrait de Diego Martelli*. À remarquer aussi les tableaux de Giuseppe Abbati, excellent artiste, de Silvestro Lega ou de Giovanni Boldini, qui exécuta avec talent les portraits de la haute société européenne.

➤ **ART DU XXe S.** Il met en vedette un fonds très riche autour d'artistes comme Carra, de Pisis et ses **paysages***, de Chirico, Morandi et ses *Natures mortes**, Giannino Marchig et son étonnante *Mort d'un auteur**, ou comme Élisabeth Chaplin, Mino Maccari et Aldo Carpi, dont le *Dîner en bord de mer* a une belle ambiance.

Galerie du Costume

➤ *Galleria del Costume. Palazzina della Meridiana, accès côté jardins de Bóboli. Ouv. 8 h 30-13 h 50. F. 2e et 4e dim., et 1er, 3e et 5e lun. du mois* ☎ *055. 23.88.713. Accessible aux handicapés.*

Construit en 1776 à l'angle sud-ouest du palais Pitti, ce pavillon servait de résidence privée à la famille de Savoie. La galerie présente par roulement des costumes des XVIIIe et XIXe s., replacés dans un décor d'époque.

Musée de la Porcelaine

➤ *Museo delle Porcellane. Dans les jardins. Mêmes horaires que le Museo degli Argenti. Billet couplé avec les jardins de Bóboli et le Museo degli Argenti* ☎ *055.23.88.605. Non accessible aux handicapés.*

Il abrite de la porcelaine de Sèvres et d'autres manufactures parisiennes, de Chantilly, Vienne, Berlin, Meissen, Worcester, Capodimonte.

♥ Jardins de Bóboli**

➤ **I-B4** *Giardino di Bóboli. Accès par la cour du palazzo Pitti, à l'extrémité dr. de la façade. Mêmes horaires que le musée de la Porcelaine. F. 1er et dern. lun. du mois, 1er janv., 1er mai et Noël. Entrée payante* ☎ *055.26.51.838. Non accessible aux handicapés. Les numéros en* **rouge** *renvoient au plan ci-contre.*

Commencés dès 1550, lorsque Éléonore de Tolède s'installa au palais Pitti, les jardins de Bóboli, conçus par **Niccolò Pericoli**, offrent un magnifique exemple de jardins en terrasse à l'italienne.

➤ **FONTAINE DE BACCHUS 1**. Ce Bacchus à cheval sur une tortue (qui donne son nom à la cour d'entrée) représente en fait l'un des nains favoris de la cour de Cosme Ier : ce clin d'œil maniériste est dû à Valerio Cioli (1560).

➤ **GROTTE DE BUONTALENTI 2**. Le vandalisme en interdit désormais l'accès, ce qui est dommage, car, à l'intérieur, se trouve une fontaine avec la célèbre *Vénus*** de Jean de Bologne. Il vous faudra donc imaginer cette grotte, curieuse création du maniérisme tardif, avec jets d'eau et ruisseaux courant le long des concrétions et des stalactites. Aux quatre coins se tiennent des copies des *Prigioni* (captifs) de

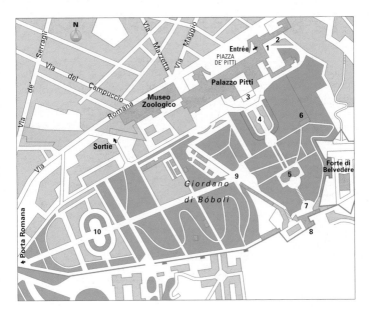

JARDINS DE BÓBOLI

Michel-Ange (les originaux sont à l'Accademia, *p. 101*).

➤ **FONTAINE DE L'ARTICHAUT 3**, par Francesco Susini et Francesco del Tadda (1641).

➤ **AMPHITHÉÂTRE 4**. C'est là que furent célébrés les grandes fêtes et les mariages médicéens. Les pièces qui surplombaient la fontaine de l'Artichaut étaient ouvertes en loggia, offrant une place de choix sur les représentations théâtrales et les ballets. On y donne aujourd'hui des concerts et des pièces de théâtre pendant le **Mai musical** de Florence *(voir p. 139)*. Au centre, la vasque provient des thermes de Caracalla, et l'obélisque, de Thèbes. Au fond se dressent des statues romaines représentant *Septime Sévère*, *Cérès*, etc.

➤ **FONTAINE DE NEPTUNE 5**. De caractère baroque, ornée d'une statue en bronze du dieu de la Mer, elle est de Stoldo Lorenzi (1565).

➤ **KAFFEEHAUS 6**. Ce charmant salon de thé rococo, dû à Zanobi del Rosso (XVIIIe s.), est l'occasion d'une pause très agréable dans un site délicieux.

➤ **STATUE DE L'ABONDANCE 7**. Il s'agit d'une œuvre conjointe de Jean de Bologne et de Pietro Tacca.

➤ **JARDIN DU CHEVALIER 8** *(généralement fermé)*. Cette terrasse-belvédère est située sur un bastion de rempart construit par Michel-Ange en 1529. Le palais du Belvédère, quant à lui, abrite des expositions temporaires, mais n'est accessible que par la via Costa di S. Giorgio, au pied des jardins. Vous y aurez une très belle vue sur Florence et les environs.

➤ **ENTRÉE DU VIOTTOLONE 9** (ou « Grande Avenue »). Allée majestueuse et ombragée, bordée de cyprès, de lauriers et de pins, qui mène à la porta Romana *(généralement fermée)*.

➤ **PIAZZALE DELL'ISOLOTTO 10**, à mi-parcours, est un jardin aquatique imaginé par Alfonso Parigi. Au centre, un îlot où s'élève la *Fontaine de l'Océan* de Jean de Bologne. Le Nil, le Gange et l'Euphrate versent leurs eaux dans la vasque symbolisant l'Océan. Monstres marins, rochers et jeux d'eau donnent toute sa poésie à cet ensemble.

La sortie du jardin s'effectue près du palais Pitti. ■

Le belvédère de Florence*

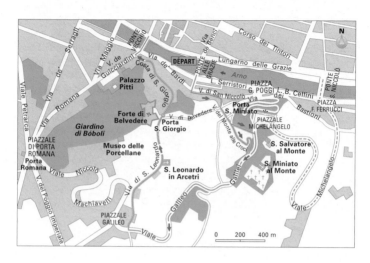

Juste à la porte de la ville, sur la rive gauche de l'Arno, voici la promenade la plus verte et la plus fleurie de Florence, tracée dans la colline durant les cinq années où Florence fut capitale de l'Italie (1865-1870).

▶ **II-DC3** *La promenade à pied part du ponte alle Grazie* **II-C2**. *Il vaut mieux la faire tôt le matin, d'autant que l'église S. Miniato ouvre dès 8h. À pied: env. 3 km de forte grimpette dans la fraîcheur. Couper au plus court par la via del Monte alle Croci ou par l'escalier, au départ de la piazza S. Niccolò. Compter entre 45 mn et 1h.* **En bus:** *bus n° 13, partant de la gare centrale* **II-B2**. **En voiture:** *emprunter le viale Michelangelo* **II-D3**.

Viale Michelangelo*

II-DC3 Partant de la piazza F. Ferrucci, au bord de l'Arno, cette longue avenue bordée de cyprès, puis de tilleuls, de platanes et enfin de chênes, serpente au frais au milieu de villas de rêve et aboutit au piazzale Michelangelo.

▶ **PIAZZALE MICHELANGELO*** **II-C3**. S'il revenait en ce monde, Michel-Ange serait atterré par le monument qui prétend lui rendre hommage... Oublions-le, car, lorsque les autocars

ne déversent pas encore des hordes piaillantes, le site est vraiment très beau. L'Arno et Florence, ses campaniles, ses clochers et ses palais s'étalent au pied en **vue panoramique****. Au loin, on aperçoit les Apennins.

▶ **ÉGLISE SAN SALVATORE AL MONTE** **II-C3**. Au-dessus du piazzale Michelangelo, un ♥ **escalier** bordé de cyprès

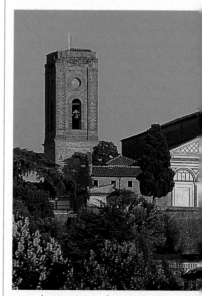

Le site de San Miniato al Monte, au cœur

conduit à cette église Renaissance que Michel-Ange appelait sa «belle paysanne», construite par Simone del Pollaiolo, dit le Cronaca, en 1475. À l'intérieur, au 2e autel de g., une terre cuite des Della Robbia représente une *Descente de Croix*; au 5e autel de dr., *Pietà* attribuée à Neri di Bicci.

San Miniato al Monte***

➤ **II-C3** *Ouv. t.l.j. en été 8 h-19 h 30; en hiver 8 h-12 h 30 et 14 h 30-18 h* ☎ *055.23.42.731. Non accessible aux handicapés.*

Au pied de l'église s'étend un joli cimetière plein d'épigraphes, où l'on trouve la tombe de **Collodi**, le père de Pinocchio *(voir p. 190)*. L'église fut commencée en 1018 en mémoire du premier martyr chrétien florentin, Miniato, décapité en l'an 250.

Derrière la **façade*** du XIIe s., incrustée de marbre et ornée d'une mosaïque sur fond d'or, ♥ **l'intérieur** propose sans doute l'ambiance la plus recueillie de Florence. Même portes grandes ouvertes, la lumière y est douce, comme tamisée par la charpente en bois, le pavement et les grandes fresques du XVe s. peintes dans les bas-côtés. Un décor ample, très simple et même majestueux, tout en étant insolite avec ses gros piliers disparates prélevés sur des monuments romains, et son chœur surélevé au-dessus d'une ♥ **crypte** dont les rangées de fines colonnes évoquent une mosquée.

Au fond de la nef, au pied du chœur, petite chapelle décorée de terres cuites émaillées qui abritait le *Crucifix* miraculeux de Jean Gualbert, aujourd'hui à S. Trinità *(p. 113)*. Sur le bas-côté g., précieuse chapelle Renaissance du cardinal du Portugal. Dans la sacristie, Spinello Aretino a peint à fresque la ***Vie de saint Benoît****.

Au sortir de l'église, plutôt que de redescendre par le même chemin, continuez le viale Galileo Galilei et prenez à dr., à 2 km, la **via di S. Leonardo**, délicieux chemin de campagne au milieu de villas cossues, qui passe devant l'église du même nom.

N'hésitez pas à y entrer, elle est si mignonne. On atteint ensuite le **fort du Belvédère** *(ouv. 10 h-17 h en hiver; ouv. le soir en été; expositions temporaires d'art moderne* ☎ *055.20.01.486)*, avant de rejoindre les quais de l'Arno près du ponte Vecchio. ∎

...d'une verdure parfumée, forme un belvédère naturel au-dessus des toits bruns de Florence.

Aux environs de Florence*

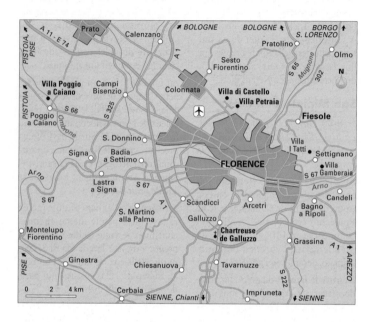

uperbes villas du temps des Médicis, petite cité de Fiesole qui contemple Florence de sa colline, extraordinaires fresques de Pontormo dans la chartreuse de Galluzzo : trois raisons parmi d'autres d'explorer les proches environs de Florence, eux aussi touchés par la grâce de la Renaissance.

Colline de Fiesole

➤ *En bus* : *n° 7 au départ de la gare centrale* **II-B2**, *de la cathédrale ou de la piazza S. Marco (30 mn env.).* **En voiture** : *quitter Florence par le viale Alessandro Volta* **II-D1** *vers le N et Fiesole. Compter une petite journée.*

Ce court itinéraire parcourt l'agréable colline de Fiesole qui domine Florence. Il vous mènera aux portes de plusieurs couvents et églises, aux vestiges romains de Fiesole et, au retour, jusqu'au village de Settignano, où Michel-Ange passa sa jeunesse. Dans la mesure du possible, évitez de prévoir cette excursion le week-end, à cause de la foule. En outre, les restau-

rants sont très chers. Cachée sous les cyprès et les oliviers, cette **colline***, aujourd'hui luxueuse banlieue de Florence, offre des vues magnifiques sur la grande métropole.

Fiesole**

➤ *8 km N-E de Florence.* ❶ *Via Tortigianni, 3* ☎ *055.59.87.20, fax 055. 59.88.22,* < *info.turismo@comune. fiesole.fi.it >. Ouv.t.l.j. 9 h-17 h 30.* **Hébergement** *p. 136.*

Fiesole offre un riche patrimoine monumental à découvrir dans un cadre exquis, où Boccace campa les aventures des héros du *Décaméron* (encadré p. 149).

➤ **Piazza Mino da Fiesole***. La **cathédrale S. Romolo*** fut bâtie en 1208-1213 avec son clocher fortifié, à l'emplacement de l'ancien forum romain. À l'intérieur, dans un décor d'une grande austérité, se trouve une statue de *Saint Romulus* en terre cuite, par Giovanni della Robbia (1521). À dr. du chœur, la **chapelle Salutati*** est ornée de fresques de Cosimo Rosselli (xve s.). On y voit aussi trois œuvres de Mino da Fiesole (1465) : le tombeau de l'évêque Leonardo Salutati, une **Vierge*** et le **buste*** de l'évêque, un des chefs-d'œuvre de l'artiste.

Le **Musée archéologique** et le **théâtre romain**, l'**Antiquarium Costantini** et le **musée Bandini** ont les mêmes horaires d'ouverture : *ouv. en été 9h30-19h; en hiver 9h30-17h et f. mar. Billet d'entrée couplé. Accès partiel aux handicapés.*

➤ **Musée archéologique et théâtre romain** *(via Partigiani, 1. Prendre la via Dupré au chevet du Duomo).* Œuvres étrusques, romaines et barbares, en particulier des statues, stèles, urnes cinéraires et fragments du temple de Bacchus, les vestiges d'une frise provenant du théâtre et une louve en bronze du Ier s. av. J.-C. Le **théâtre***, avec ses 19 rangées de gradins, pouvait contenir environ 3000 personnes. Il fut construit à l'époque de Sylla (Ier s. av. J.-C.) et transformé par Claude et Septime Sévère.

➤ **Antiquarium Costantini** *(via Partigiani, 9).* 170 pièces de céramique de la Grande Grèce et de sites étrusques ont été offertes au musée en 1985.

➤ **Musée Bandini** *(via Dupré, 1).* Intéressant pour ses terres cuites des Della Robbia *(encadré p. 168)* et ses peintures de l'école toscane, notamment des XIVe et XVe s. (Bernardo et Taddeo Gaddi, Lorenzo Monaco), le musée est à visiter pour les majoliques et le mobilier ainsi que les trois **Triomphes*** de Jacopo del Sellaio (1442-1493), un élève de Botticelli : *Triomphe de l'Amour, Triomphe de la Charité* et *Triomphe du Temps*, qui seraient inspirés de Pétrarque.

La via S. Francesco monte à flanc de colline entre le séminaire et l'évêché, et mène à une esplanade : **vue*** spectaculaire sur Florence et ses environs.

➤ **Église Sant'Alessandro***. Cette église romane, plusieurs fois remaniée, remplaça au IVe s. un temple élevé à Bacchus. L'intérieur conserve 16 colonnes provenant de l'ancien temple ou de la basilique du forum.

Settignano

Au sud, par une pittoresque petite route, on atteint Settignano, village partiellement détruit durant la dernière guerre. C'est ici, dans la **villa Buonarroti**, que Michel-Ange passa sa jeunesse. Sur la place centrale se dressent une statue de l'écrivain Niccolò Tommaseo, mort à Settignano en 1874, et l'église de l'Assunta (XVIe s.)

Les Étrusques créèrent Fiesole vers les VIe ou Ve s. avant notre ère. On voit encore quelques restes des remparts qu'ils élevèrent contre les Celtes. Le théâtre, découvert au XIXe s., rappelle quant à lui l'installation romaine, en 80 av. J.-C.

qui renferme une Madone des Della Robbia et une chaire de Gherardo Silvani d'après un dessin de Bernardo Buontalenti (XVIe s.)

Parmi les villas des environs *(visites restreintes)*, citons la **villa Gamberaia**, du XVIIe s., avec un superbe **jardin***, la **villa Capponcina** qui appartint à Gabriele D'Annunzio et la **villa I Tatti** occupée par l'historien d'art Bernard Berenson (1865-1959) qui en fit don à l'université de Harvard.

Trois villas médicéennes

Ces trois villas se visitent aisément dans la journée. À la porte de Florence, Petraia et Castello sont voisines. La troisième, Poggio a Caiano, la plus lointaine, n'est qu'à 18 km de Florence.

Petraia

➤ *Via della Petraia, 40, Castello. 6 km N-O de Florence.* **En bus:** *n° 28 devant la gare centrale* **II-B2**. **En voiture:** *quitter Florence par la via del Romito* **II-B2**. *À 4 km, à Il Sodo, prendre la route à dr. pour la villa. Ouv. t.l.j. nov.-fév. 8 h 15-16 h 30, mars et oct. 8 h 15-17 h 30, avr, mai et sept. 8 h 15-18 h 30, juin-août 8 h 15-19 h 30. F. 2e et 3e lun. du mois. Billet couplé avec la villa Castello* ☎ *055.45.12.08. Non accessible aux handicapés.*

Au cœur d'un vaste parc dessiné par le Tribolo, ingénieur des eaux et forêts du duché, qui travailla également aux jardins de Bóboli, la villa offre un étonnant panorama sur Florence… et sa banlieue industrielle.

Ancien château fort, l'édifice fut reconstruit en 1575 par Bernardo Buontalenti pour le cardinal Ferdinand de Médicis. L'intérieur, réaménagé au XIXe s. par la maison de Savoie (la villa était résidence royale), conserve peu de traces des Médicis. La cour intérieure (fresques du Volterrano, XVIIe s.) fut transformée en salle de bal et couverte d'une verrière par Victor-Emmanuel II. La célèbre *Vénus* de Jean de Bologne, qui ornait le parc, est désormais à l'intérieur de la villa.

Castello

➤ *Via di Castello, Castello. 7 km N-O de Florence.* **En bus:** *n° 28 devant la gare centrale* **II-B2**. **En voiture:** *même itinéraire que pour Petraia. Visite du jardin seulement: mêmes horaires que ceux de la villa Petraia. Billet couplé avec la villa Petraia* ☎ *055.45.47.91. Non accessible aux handicapés.*

Voisine de la villa Petraia, la villa de Castello, dont on ne visite que le jardin, devint la propriété de Laurent le Magnifique en 1477. Endommagée durant le siège de 1530, elle fut restaurée sous Cosme Ier par Bronzino et Pontormo. C'est pour elle que furent commandés, à Botticelli, le *Printemps* (1478, *photo p. 84*) et la *Naissance de Vénus* (1485).

Le très beau **jardin*** à l'italienne (1540), avec ses terrasses à niches et ses grottes d'inspiration maniériste, est une création du Tribolo. Voyez absolument la **grotte des Animaux***, dont les bronzes sont de Jean de Bologne.

Poggio a Caiano (Carmignano)

➤ *18 km O de Florence. Quitter Florence par la via Pistoiese après le jardin Le Cascine* **II-A1**, *sur la rive N de l'Arno, et prendre la S 66 pour Pistoia.* **Villa** *ouv. 9h-15h30.* **Jardin** *ouv. nov.-fév. 9 h 30-15 h 30; mars-avr. et sept.-oct. 9 h 30-16 h 30; mai-août 9 h-18 h 30. F. 2e et 3e lun. du mois. Entrée payante* ☎ *055.24.112.*

Acquise par Laurent le Magnifique en 1480, la demeure fut reconstruite par Giuliano da Sangallo (1480-1485). Comme à la villa de Careggi, Laurent y réunissait Ficin, Politien, Pic de La Mirandole et tout un cercle de peintres et de sculpteurs. Mais plus qu'une paisible retraite campagnarde, Poggio a Caiano fut le haut lieu des fêtes et des réceptions des Médicis. Seul le grand salon conserve son décor médicéen. Les fresques allégoriques du XVIe s. sont dues à Alessandro Allori, le Franciabigio, Andrea del Sarto et Pontormo (**lunette*** du mur dr.) qui y glorifient Cosme l'Ancien et Laurent à travers des scènes de l'histoire romaine.

La chartreuse de Galluzzo se dresse dans un très beau site, sur une éminence.

Chartreuse de Galluzzo**

➤ *6 km S de Florence.* **En bus**: *n° 37 au départ de la piazza S. Maria Novella* **II-B2**. **En voiture**: *sortir par la porta Romana* **II-B3** *et la route de Sienne. Ouv. 9 h-12 h et 15 h-17 h 30. Visites guidées toutes les 30 mn. F. lun. Offrande* ☎ *055.20.49.226.*

➤ **La Chartreuse**** *(certosa di Galluzzo)* fut fondée en 1342 par le riche banquier florentin Niccolò Acciaiuoli, ami de Pétrarque et de Boccace. D'autres donateurs firent ensuite agrandir et transformer les bâtiments. En 1958, les chartreux furent remplacés par les cisterciens.

➤ **Pinacothèque.** Elle contient d'admirables ♥ **fresques de la *Passion*** par Pontormo, artiste génial du «premier maniérisme» *(voir p. 264)* qui se réfugia ici en 1522 pour fuir la peste. Il peignit ces scènes dans le grand cloître où elles restèrent plusieurs siècles à l'air libre avant d'être détachées et transportées ici. Les pâlissant, la grande lumière a ajouté une touche tout à fait étonnante à l'œuvre originelle, qui baigne à présent dans une extraordinaire atmosphère fantoma-

tique. Les safran, verts, mauves, rouges et blancs sont saturés, et la solidité des compositions en paraît renforcée.

➤ **Église.** La façade et le chœur des frères convers (belles stalles de bois sculpté) furent exécutés au XVIᵉ s. Le reste de l'édifice a conservé sa structure gothique. En 1561, Bernardino Poccetti peignit dans le chœur son impressionnante fresque de la *Mort de saint Bruno**.

➤ **Bâtiments conventuels.** On visite, entre autres, la salle capitulaire, abritant une *Crucifixion* par Mariotto Albertinelli (1506) et le monument funéraire de Sangallo (1550), la pharmacie *(vente de liqueurs faites par les moines)* et trois cloîtres, notamment le **grand cloître**, très impressionnant, que décorent 66 médaillons d'Andrea et Giovanni della Robbia, et le ♥ **petit cloître des frères convers**, chef-d'œuvre d'élégance et de proportion, conçu par Brunelleschi. Chacune des cellules a son jardinet; les chartreux ne les quittaient que pour leurs obligations liturgiques. Le guichet passe-plats, à côté de la porte, rappelle que les moines ne mangeaient en commun que les jours de fête. ∎

Un visage plus intime et presque campagnard de Florence.

➤ **Plan I** *(centre) en 2e rabat de couverture*; **plan II** *(ensemble) p. 66*; **carte des environs** *p. 128.*

ℹ **Offices de tourisme** (APT), < www.firenzeturismo.it >, gare centrale, côté arrivée 4, piazza Stazione **I-A1** ☎ 055.21.22.45, fax 055.23.81.226, < turismo3@comune.fi.it >. *Ouv. lun.-sam. 8 h 30-19 h, dim. 8 h 30-14 h*; **Borgo S. Croce**, 29R **I-D3** ☎ 055.23.40.444, fax 055.22.64.524, < turismo2@comune.fi.it >. *Ouv. lun.-sam. 9 h-19 h, dim. 9 h-14 h*; **Via Cavour**, 1R **I-C1** ☎ 055.29.08.32/33, fax 055.27.60.383, < infoturismo@provincia.fi.it >. *Ouv. lun.-sam. 8 h 30-18 h 30, dim. 8 h 30-13 h 30*; **Via Manzoni**, 16 **II-D2** ☎ 055.233.20, fax 055.23.46.286; **Aéroport «A. Vespucci»** ☎/fax 055.31.58.74. *Ouv. t.l.j. 7 h 30-23 h 30.*

■ Adresses utiles

Aéroport et compagnies aériennes

➤ **Aéroport.** Amerigo Vespucci, 5 km N-O de Florence **hors pl. par II-A1** ☎ 055.31.58.74, fax 055.30.61.300, < www.safnet.it >, < infoaeroporto@aereoporto.firenze.it >.

➤ **Compagnies aériennes.** Air France, à l'aéroport ☎ 848.88.44.66 ; rés. à Rome ☎ 06.48.79.11. **Alitalia**, vicolo dell'Oro **II-B3** ☎ 055.27.881; à l'aéroport ☎ 055.30.61.700. **Meridiana**, lungarno Amerigo Vespucci, 28 **I-A2** ☎ 055.23.02.334 ; rés. ☎ 199.111.333.

Automobile

➤ **Assistance. Automobile Club Firenze**, siège de l'ACI, viale G. Amendola, 36 **II-D2** ☎ 055.24.861. **Secours routier de l'ACI** ☎ 116.

➤ **État des routes** ☎ 055.22.76.91.

➤ **Fourrière principale.** Viadotto all'Indiano – Ponte a Greve. *Ouv. 24h/24* ☎ 055.78.38.82, ou auprès de la police municipale ☎ 055.32.83.33.

➤ **Parkings.** Piazza della Stazione **I-B1**, devant la gare centrale. **Piazza del Mercato Centrale I-B1. Piazza della Libertà II-C1. Lungarno Torrigiani I-C3-4. Lungarno della Zecca Vecchia I-D3.** Au N et au S de Florence, deux parkings proposent aux touristes des forfaits très avantageux *(15€/24h, 55€/semaine)* ☎ 055.50.01.994 et 055.32.15.325 : **parking Parterre**, via Madonna della Tosse **II-C1**, et **Piazza della Calza**, porta Romana **II-B3**.

Circuler

➤ **Comment trouver une adresse ?** Les numéros noirs ou bleus concernent les habitations privées et les hôtels; les numéros rouges indiquent les entreprises commerciales et les restaurants. Dans une rue où les magasins l'emportent sur les demeures privées, les numéros rouges seront plus nombreux. La numérotation suit le sens du courant dans les voies parallèles au fleuve et progresse du fleuve vers la périphérie pour les artères perpendiculaires. Dans ce guide, lorsque le numéro d'une adresse est suivi d'un «R», il s'agit d'un chiffre rouge.

➤ **Bus. Informations**: ATAF, piazza S. Maria Novella **I-B2** (côté arrivée) ☎ 055.56.50.642, n° vert ☎ 800.42.45.00, < www.ataf.net >. **Quelques lignes utiles**: **n° 7**, de la gare centrale vers Fiesole (terminus à 7 km de Florence), par la piazza S. Marco; **n° 13**, de la gare centrale ou du Duomo vers le piazzale Michelangelo et le viale dei Colli; **n° 17**, de la gare centrale vers le Duomo et l'E de la ville.

➤ COMPAGNIES DE BUS. LAZZI, piazza della Stazione, 4 **I-B1** ☎ 055.21.51.55, <www.lazzi.it>. **CAP**, largo Alinari, 9 ☎ 055.21.46.37, <www.capautolinee. it>. **SITA**, via S. Caterina da Siena, 15 **I-B1** ☎ 055.26.45.957, n° vert ☎ 800. 37.37.60, <www.sita-on-line.it>.

➤ GARE FERROVIAIRE. Stazione centrale, piazza S. Maria Novella **I-B1**. **Horaires des trains**, n° vert ☎ 800. 88.80.88 et 800.10.50.50 (de 7 h à 21 h), 8488.88.088 (24 h/24), <www. trenitalia.com>.

➤ LOCATION DE VÉLOS. **Alinari**, via Guelfa, 85R **I-C1** ☎ 055.28.05.00, <www.alinarirental.com> (derrière la gare centrale ; loue aussi motos et scooters). **Happy Rent**, borgo Ognissanti 153R **I-A2** ☎ 055.49.01.13. **Florence by Bike**, via S. Zanobi, 120-122R **II-C1** ☎ 055.48.89.92, < www. florencebybike.it >.

➤ LOCATION DE VOITURES. **Avis**, borgo Ognissanti, 128R **I-A2** ☎ 055.21.36.29 ; aéroport ☎ 055.31.55.88. **Europcar**, borgo Ognissanti, 53R **I-A2** ☎ 055. 29.04.37 ; aéroport ☎ 055.31.86.09. **Hertz Italiana**, via M. Finiguerra, 17 **I-A2** ☎ 055.23.98.205 ; aéroport ☎ 055.30.73.70. **Italy by Car**, borgo Ognissanti, 134R **I-A2** ☎ 055.28.71.61. **Maggiore/National**, via M. Finiguerra, 31R **I-A2** ☎ 055.21.02.38 ; aéroport ☎ 055.31.12.56. **Program**, borgo Ognissanti, 135R **I-A2** ☎ 055. 28.29.16.

➤ TAXIS. **Gare centrale** ☎ 055. 21.72.71. **Radiotaxi** ☎ 055.47.98, 055.42.42 et 055.43.90 (24 h/24). **Taxis Radio CO. TA. FI** ☎ 055.43.90 (24 h/24).

Consulats

➤ FRANCE. Piazza Ognissanti, 2 **I-A2** ☎ 055.23.02.556, fax 055.23.02.551. Ouv. lun.-ven. 9h-12h.

➤ BELGIQUE. Via de'Servi, 28 **I-C1** ☎ 055.28.20.94, fax 055.29.47.45. Ouv. lun.-ven. 9h-12h.

➤ SUISSE. Piazzale Galileo, 5 (hôtel Park Palace) **II-B3** ☎ 055.22.24.34, fax 055.22.05.17. Ouv. mar.-ven. 16h-17h.

Guides et excursions

➤ GUIDES. **AGT** (Associazione Guide Turistiche), via Ghibellina, 117 **I-D3** ☎ 055.26.45.217. **Centro Guide Turismo** ☎ 055.28.84.48, fax 055. 28.84.76, <centroguide@tiscalinet.it>. **Guide Turistiche Fiorentine**, via Giuseppe Verdi, 10 **I-D2** ☎/fax 055. 42.20.901, <www.guidedflorence. com>.

➤ VISITES ORGANISÉES. Des agences de voyages organisent des visites des villas florentines et des excursions à Pise ou à San Gimignano. **American Express**, via Dante Alighieri, 20-26R **I-C2** ☎ 055.50.981, fax 055.50.98.220. **CAF Viaggi**, via Roma, 4 **I-C2** ☎ 055. 21.06.12, fax 055.23.82.790. **Centralsita Viaggi**, via S. Caterina da Siena, 15 **I-B1** ☎ 055.21.71.54, <www.sita-on-line.it >.

Librairies

Edison, piazza della Repubblica, 5 **I-C2**. Grande librairie internationale. **Feltrinelli International**, via Cavour, 12 **I-C1**. Une chaîne de magasins remarquable. **Librairie française**, piazza Ognissanti, 1R **I-A2**. Ouvrages italiens et français. **Libreria Antiquariata Luigi Gonnelli**, via Ricasoli, 14R **I-C1**. Ouvrages anciens.

Objets trouvés

Via Circondaria, 17b **hors pl. par II-B1** (1 km N-O de la fortezza da Basso) ☎ 055.32.83.943. Ouv. lun.-ven. 9h-12h, mar.-jeu. 9h-12h et 14h30-16h30. Également: gare centrale **I-A1** ☎ 055.23.52.190.

Poste

➤ POSTES PRINCIPALES. **Via Pietrapiana**, 53-55 **I-D2** ; via Pellicceria, 3 **I-B2** ☎ 055.21.14.15; **Galleria degli Uffizi I-C3**, ouv. mar.-dim. 8h15-18h45. F. lun.

Santé

➤ AMBULANCES ☎ 118 ou 055.21.22.22 et 055.21.55.55.

➤ **HÔPITAUX. Arcispedale di S. Maria Nuova**, piazza S. Maria Nuova (derrière la cathédrale) **I-D2** ☎ 055.27.581. **Tourist Medical Centre**, via Lorenzo Il Magnifico, 59 **II-C1** ☎ 055.47.54.11, fax 055.47.49.83, < medserv@tin.it >. Interprètes.

➤ **PHARMACIES OUV. 24 H/24. Farmacia comunale n° 13**, dans la gare centrale **I-A1** ☎ 055.28.94.35 et 055. 21.67.61. **Molteni**, via de'Calzaiuoli, 7R **I-C2** ☎ 055.28.94.90. **All'Insegna del Moro**, piazza S. Giovanni, 20R (près du baptistère) **I-C2** ☎ 055. 21.13.43.

➤ **PHARMACIES OUV. 20H-9 H. Paglicci**, via della Scalla, 61 **I-A1** ☎ 056.21. 56.12. **Di Rifredi**, piazza Dalmazia, 24R **hors pl. II par B1** ☎ 055.42.20.422.

➤ **POSTES DE POLICE.** Borgo Ognissanti, 48 ☎ 055.24.811, ou via Zara, 2 ☎ 055.49.771 (24h/24).

➤ **URGENCE CARDIOLOGIQUE** ☎ 055. 21.44.44.

■ Hébergement

Le logement à Florence est très cher. On ne trouve pratiquement aucune chambre double à moins de 50 €. *Pour réserver avant le départ, voir p. 28.*

➤ **RÉSERVATIONS HÔTELIÈRES. Florence Promhotels**, viale A. Volta, 72 **II-D1** ☎ 055.55.39.41, fax 055.58.71.89, n° vert 800.866.022, < www.promhotels.it >. **Top Quark S.r.l.** (regroupe les Family Hotels, Sun Rays Hotels, Hotel Italiano et hôtels de congrès), viale Fratelli Rosselli, 39R **II-B1** ☎ 055. 33.40.41, 33.34.03 et 33.29.55, < www.familyhotels.com >, < www.congress meetingshotels.it >. **ITA**, dans la gare centrale **I-A1** ☎ 055.28.28.93.

➤ **CHEZ LES PARTICULIERS. AGAP** (Associazione Gestori Alloggi Privati), viale A. Volta, 127/A **II-D1** ☎ 055. 50.51.012, fax 055.50.01.491, < info @agap.it >.

À FLORENCE

▲▲▲▲▲ **Brunelleschi**, piazza S. Elisabetta **I-C2** ☎ 055.27.370, fax 055.21.96.53 n° vert 800.86.00.76, < info@hotelbru nelleschi.it >. *96 ch.* Une tour byzantine (ancienne prison) sur une charmante placette à 2 mn du Duomo. Rénovée et aménagée avec panache. Du vrai luxe mais cher.

▲▲▲▲▲ **Excelsior**, piazza Ognissanti, 3 **I-A2** ☎ 055.27.151, fax 055.21.02.78, < excelsiorflorence@westin.com >. *171 ch.* Le palace classique de Florence, ancienne résidence de Caroline Bonaparte, jouissant d'une belle vue sur l'Arno. Décor somptueux. Restaurant avec terrasse panoramique.

▲▲▲▲▲ **Grand Hotel**, piazza Ognissanti, 1 **I-A2** ☎ 055.27.161, fax 055. 21.74.00, < grandflorence@luxory collection.com >. *107 ch.* Noble palais au bord de l'Arno, signé Brunelleschi, rénové avec raffinement. Excellent restaurant.

▲▲▲▲ **Annalena**, via Romana, 34 **I-A4** ☎ 055.22.24.02, fax 055.22.24.03, < annalena@hotelannalena.it >. *20 ch.* Dans l'Oltrarno, face aux jardins de Bóboli et à deux pas du palais Pitti, une pension vénérable et attachante, aux meubles anciens. Belles chambres, en partie sur jardin.

▲▲▲▲ **Loggiato dei Serviti**, piazza della SS. Annunziata, 3 **I-D1** ☎ 055.28.95.92, fax 055.28.95.95, < loggiato-serviti@ italyhotel.com >. *39 ch.* Face à l'hôpital des Innocents. Calme et charmant. Chambres sobres et raffinées (mobilier ancien), donnant sur jardin ou sur la très belle piazza SS. Annunziata.

▲▲▲▲ **Londra**, via Jacopo da Diacceto, 16/20 **I-A1** ☎ 055.27.390, fax 055. 21.06.82, < info@hotellondra.com >. *165 ch.* Légèrement excentré, mais proche de la gare centrale et de tous les bus. Très bon hôtel calme d'un bon confort ; excellents petits déjeuners.

▲▲▲▲ **Monna Lisa**, borgo Pinti, 27 **I-D2** ☎ 055.24.79.751, fax 055. 24.79.755, < hotel@monnalisa.it >. *30 ch.* Beau palais secret derrière sa grille, sur un jardin ; mobilier raffiné. La partie moderne a moins de charme. Calme.

▲▲▲▲ **Pendini**, via de'Strozzi, 2 **I-B2** ☎ 055.21.11.70, fax 055.28.18.07, < pendini@dada.it >. *42 ch.* Pension joliment décorée et dotée d'un confort suffisant. Très agréable. Terrasse.

▲▲▲▲ **Pitti Palace**, via Barbadori, 2 **I-B3** ☎ 055.23.987.11, fax 055.23.98.867, < pittipalace@vivahotel.com >. *72 ch.* Dans l'Oltrarno, au débouché du ponte Vecchio. Dans un immeuble moderne d'un goût discutable, mais d'un bon confort. Terrasse panoramique sur la ville et les collines.

▲▲▲▲ **Porta Rossa** ♥, via Porta Rossa, 19 **I-C3** ☎ 055.28.75.51, fax 055. 28.21.79, < hotelportarossa.com >. *85 ch.* Le plus vieil hôtel de Florence, dans une maison-tour du XIIIᵉ s., au cœur du quartier aristocratique. Chambres vastes, meublées à l'ancienne. Sanitaires et literie ne sont pas de première fraîcheur. Mais l'ensemble a bien du charme.

▲▲▲▲ **Rivoli**, via della Scala, 33 **I-A1** ☎ 055.28.28.53, fax 055.29.40.41, nº vert 800.82.00.80, < info@hotel rivoli.it >. *69 ch.* Près de S. Maria Novella, dans un couvent du XIVᵉ s. réaménagé; patio et petite piscine. Excellent confort. Petit déjeuner copieux. Un des moins chers de sa catégorie.

▲▲▲▲ **Splendor**, via S. Gallo, 30 **I-C1** ☎ 055.48.34.27, fax 055.46.12.76, < info@hotelsplendor.it >. *30 ch.* Hôtel familial, près de la piazza S. Marco. Palais ancien rénové sans avoir perdu son cachet romantique. Agréable terrasse panoramique.

▲▲▲ **Albergo Chiazza**, borgo Pinti, 5 (avant-dernier ét.) **I-D2** ☎ 055. 24.80.363, fax 055.23.46.888, < hotel. chiazza@tin.it >. *14 ch.* propres, donnant sur cour et jardins en pleine ville. Sans prétention, mais très correct. Bien situé, agréable.

▲▲▲ **Albergo Firenze**, piazza Donati, 4 (via del Corso) **I-C2** ☎ 055.21.42.03 et 26.83.01, fax 055.21.23.70, < firenze. albergo@tiscali.it >. *58 ch.* Dans un vieil immeuble en plein centre, une auberge sans prétention au confort rénové.

▲▲▲ **Aprile**, via della Scala, 6 **I-A1** ☎ 055.21.62.37, fax 055.28.09.47 < info@hotelapril.it >. *29 ch.* À deux pas de la piazza S. Maria Novella. Bien tenu, ameublement sans prétention, dans un vieux palais. Les chambres sur l'arrière ont vue sur l'église. Petit jardin intérieur, salon de thé décoré de belles fresques du XVIIIᵉ s.

▲▲▲ **Bellettini**, via de'Conti, 7 **I-B2** ☎ 055.21.35.61, fax 055.28.35.51, < hotelbellettini@dada.it >. *23 ch.* Pension bien tenue, dans une petite rue calme, à deux pas de S. Lorenzo et du Duomo.

▲▲▲ **Centro**, via de'Ginori, 17 **I-C1** ☎ 055.23.02.901, fax 055.21.27.06, < info@hotelcentro.net >. *16 ch. dont 13 avec douche.* Petit hôtel en étage, dans une vieille demeure, à deux pas de S. Lorenzo et du Duomo. Grandes chambres claires et modernes.

▲▲▲ **Désirée**, via Fiume, 20 **I-B1** ☎ 055.23.82.382, fax 055.29.14.39, < info@desireehotel.com >. *20 ch.* Petit hôtel de voyageurs, près de la gare. Simple, mais bon confort et grandes chambres, dans un immeuble restauré.

▲▲▲ **Maxim**, via dei Medici, 4 (autre entrée: via de'Calzaiuoli, 11, ascenseur) **I-C2** ☎ 055.21.74.74, fax 055. 28.37.29, < hotmaxim@tin.it >. *23 ch. avec s.d.b.* En plein centre, donne en partie sur une rue piétonne; établissement (bien) tenu par un couple franco-italien. Peintures et literie récentes. Si possible, demander une chambre sur la via dei Medici, plus calme.

▲▲▲ **Monica**, via Faenza, 66 **I-B1** ☎ 055.28.38.04, fax 055.28.17.06, < info@hotelmonicafirenze.it >. *15 ch.* Dans le quartier de S. Lorenzo. Petit hôtel bien modernisé (literie, sanitaires, décoration), fort agréable. Terrasse.

▲▲▲ **La Scaletta**, via de'Guicciardini, 13 **I-B3** ☎ 055.28.30.28, fax 055.28.95.62, < info@lascaletta.com >. *15 ch. dont 3 donnent sur le parc.* Entre le ponte Vecchio et le palais Pitti, une pension en étage, bien tenue, sympathique et familiale (on parle le français) dans une vieille demeure. Terrasses délicieuses et fleuries avec vue merveilleuse sur les jardins de Bóboli.

➤ **Auberges de jeunesse. Ostello Archi Rossi**, via Faenza, 94R **I-B1** ☎ 055.29.08.04, fax 055.23.02.601. **Santa Monaca**, Centro di Ospitalità, via S. Monaca, 6 **I-A3** ☎ 055.26.83.38, fax 055.28.01.85, < info@ostello.it >. **Villa Camerata** *(voir « Campings »)*. Dortoirs non mixtes. Plutôt bien tenu.

➤ **Campings. Michelangelo**, viale Michelangelo, 80 **II-D3** ☎ 055.68. 11.977, fax 055.68.93.48, < michelangelo@ecvacanze.it >. Très bien placé en surplomb de Florence. Très recherché en été. Bus n° 13 depuis la gare centrale. **Panoramico**, via Peramonda à Fiesole, 1 **hors pl. par II-D1** ☎ 055.59.90.69, fax 055.59.186, < panoramico@florencecamping. com >. Situé à 5 km de Florence. Agréable, mais bondé en été. Bus n° 7 au départ de la gare centrale ou de S. Marco. **Villa Camerata**, viale Augusto Righi, 2-4 **hors pl. par II-D1** ☎ 055.60.14.51, fax 055.61.03.00, < 0550@libero.it >. Parmi les pins et les cyprès, au N-E de Florence. Bus n° 17 au départ de la gare centrale (env. 30 mn).

Aux environs et à Fiesole

▲▲▲▲▲ **Torre di Bellosguardo**, via Roti Michelozzi, 2. Sur la colline de Bellosguardo, près de la porta Romana ☎ 055.22.98.145, fax 055.22.90.08, < www.torrebellosguardo.com >. *16 ch.* À 5 mn en voiture du centre-ville, une oasis de calme pour happy few. Chambres avec lits à baldaquin sous plafonds XVIIe s. et la plus belle vue qui soit sur Florence et ses environs. Jardin fleuri. Piscine.

▲▲▲▲▲ **Villa San Michele**, via Doccia, 4, Fiesole (par A6) ☎ 055.59.451, fax 055.56.78.250, < reservations@villasanmichele.net >. *29 ch. F. nov.-mars.* Monument historique (la façade serait de Michel-Ange), dans un décor de cyprès (parc de 14 ha !), au-dessus des coupoles de Florence. Les chambres sont une copie réussie du *Songe de sainte Ursule* de Carpaccio. Accueil d'une élégante amabilité, cuisine et vins choisis. Restaurant, piscine. Fait partie de la chaîne Relais et Châteaux. Très cher.

▲▲ **Bencistà**, via Benedetto da Maiano, 4, Fiesole (par A6) ☎/fax 055.59.163. *42 ch. F. nov.-mars.* Noble demeure et beau mobilier. Une vue sublime sur Florence savourée par une clientèle d'habitués. Bon rapport qualité/prix.

▲▲ **Villa Bonelli**, via Francesco Poeti, 1, Fiesole (par A6) ☎ 055.59.513, fax 055.59.89.42, < www.hotelvillabonelli. com >. *20 ch.* Maison chaleureuse et de bon goût. Demi-pension obligatoire d'avr. à oct.: bon restaurant panoramique (vue sur les collines). Accès en voiture peu commode.

■ Restaurants

♦♦♦♦♦ **Enoteca Pinchiorri**, via Ghibellina, 87 **I-D2** ☎ 055.24.27.57 et 055.24.49.83. *F. dim., lun., mer. midi, août et Noël.* Réputé pour être le meilleur restaurant de Florence et l'une des étapes gastronomiques les plus raffinées d'Italie. Ambiance très solennelle. De la cuisine à la fois grande et simple, servie au compte-gouttes dans les salles magnifiquement décorées ou (en été) dans la charmante cour de ce palais florentin. Vins exceptionnels (réserve d'environ 70 000 bouteilles !).

♦♦♦♦ **La Baraonda**, via Ghibellina, 67R **I-D2** ☎ 055.23.41.171. *F. mer. et mi-juil. à mi-août.* Charmante *trattoria* interprétant de façon originale la cuisine traditionnelle toscane.

♦♦♦♦ **Buca Lapi**, via del Trebbio, 1R **I-B2** ☎ 055.21.37.68. *F. dim., lun. midi, août et Noël. Réserver.* Près de S. Maria Novella. Une cave tapissée d'affiches; atmosphère sympathique. Bonne cuisine (sanglier, *polenta*), mais assez cher.

♦♦♦♦ **Cammillo**, borgo S. Jacopo, 57 (dans l'Oltrarno) **I-B3** ☎ 055.21.24.27. *F. mer. Réserver. Trattoria* traditionnelle, connue pour ses tripes à la florentine, arrosées d'un excellent chianti. Assez cher.

♦♦♦♦ **Garga**, via del Moro, 48R **I-B2** ☎ 055.23.98.898. *F. lun. Ouv. le soir. Trattoria* à la mode, décorée de peintures murales assez surchargées. Excellente cuisine florentine, mais l'addition est salée…

♦♦♦ **Sabatini**, via Panzani, 9A **I-B1-2** ☎ 055.28.28.02. *F. lun.* Malgré ses prix, les Florentins aisés restent fidèles à ce restaurant d'une élégance traditionnelle. Grande qualité. Très bonne cave.

♦♦♦ **Il Cavallino**, via delle Farine, 6 **I-C3** ☎ 055.21.58.18. *F. mer. en hiver.* Juste à l'angle de la piazza della Signoria. Malgré sa mise à l'heure touristique, la qualité reste appréciable. Mais c'est surtout pour le décor époustouflant du palazzo Vecchio, de la fontaine de Neptune et de toute la place qu'il faut s'installer le soir à la grande terrasse. Plutôt cher : on paie aussi le cadre.

♦♦♦ **Del Faglioli** ♥, corso Tintori **I-D3** ☎ 055.24.42.85. *F. sam., dim. et août.* Pris d'assaut le soir : réserver. Repas déjà gastronomique à un prix raisonnable. Recommandé.

♦♦♦ **Latini**, via del Palchetti, 6R **I-B2** ☎ 055.21.09.16. *F. lun.* Dans les anciennes écuries du palais Rucellai, une *trattoria* sympathique réputée surtout pour ses viandes grillées. Clientèle d'habitués (hommes politiques et artistes). Bon rapport qualité/prix.

♦♦♦ **Oliviero**, via delle Terme, 51R **I-B3** ☎ 055.28.76.43. *F. dim. et août. Ouv. le soir. Le midi sur rés.* Une bonne cuisine traditionnelle et créative à la fois dans un décor du XIVᵉ s.

♦♦♦ **Sostanza-Troia**, via del Porcellana, 25R **I-A2** ☎ 055.21.26.91. *F. dim.* Les Florentins ne connaissent ce restaurant que sous le nom de « Troia » (la truie). Chaude ambiance et solide cuisine toscane de qualité servie en tablier blanc dans un décor sans âge. Une institution.

♦♦♦ **Vineria Cibreo**, via de'Macci, 122R **II-C2** ☎ 055.23.41.100. *F. dim., lun. et août. Réserver.* Le restaurant Cibreo est bon, mais cher. Sa *vineria*, nettement plus abordable, ne lui cède rien en qualité et en finesse. Cadre chaleureux ; à deux pas du marché S. Ambrogio.

♦♦ **Acqua al 2**, via della Vigna Vecchia, 40R **I-CD3** ☎ 055.28.41.70. *F. le midi.* À deux pas du Bargello. Très sympathique maison ouverte tard le soir, où les plus récalcitrants aux pâtes se régaleront des échantillons proposés *(assagio di primi)*. Recommandé.

♦♦ **Il Ghibellini**, piazza S. Pier Maggiore, 8-10R (près de la piazza G. Salvemini) **I-D2** ☎ 055.24.08.57. *F. mer. et 10 jours en nov. Ouv. le soir 19h-0h30.* Terrasse sur une agréable placette ; grandes salles et sous-sol. Bonne franquette, plutôt sympathique. Bonnes pizzas. Addition sans mauvaise surprise.

♦♦ **La Maremma**, via G. Verdi, 16R **I-D2-3** ☎ 055.24.46.15. *F. mer.* Cuisine soignée et bon vin du Chianti. Service efficace dans une salle toute en longueur. Très bon rapport qualité/prix.

♦♦ **Pennello** (Casa di Dante), via Dante Alighieri, 4R **I-C2** ☎ 055.29.48.48. *F. dim., lun. et 15 jours en août.* Restaurant florentin type où les *antipasti* peuvent constituer un repas à eux seuls. Très sympathique. Seul regret, une lumière vraiment blanche le soir. Bon rapport qualité/prix.

♦♦ **Il Teatro**, via degli Alfani, 47R **I-D1** ☎ 055.24.79.327. *F. midi.* Joli petit restaurant où les professeurs de l'université voisine ont leurs habitudes. Cuisine toscane, légère et bien préparée. Excellent rapport qualité/prix.

♦♦ **Trattoria da Benvenuto**, via della Mosca, 16R (angle via de'Neri) **I-C3** ☎ 055.21.48.33. *F. dim.* Restaurant familial très bien tenu et bonne cuisine traditionnelle (les tripes sont excellentes) à prix raisonnables.

♦♦ **Zaza**, piazza del Mercato Centrale, 26R **I-C1** ☎ 055.21.54.11. Murs garnis de bouteilles, tables collectives : une *trattoria* populaire devenue à la mode et qui le sait. Venir pour dîner le soir dehors, sur la place du marché.

♦ **Acqua Cotta**, via dei Pilastri, 51R **II-C2** ☎ 055.24.29.07. *F. en août et le dim.* Où goûter l'*acqua cotta* (soupe de pain et de verdure, agrémentée d'un œuf) et autres spécialités florentines, préparées dans la cuisine ouverte sur la salle. Bonnes grillades. Bon rapport qualité/prix.

♦ **Del Carmine**, piazza del Carmine, 18R **I-A3** ☎ 055.21.86.01. *F. dim. et en*

L'heure de la sieste au Pizzaiuolo… et dans toute la péninsule.

août. Bien sympathique *trattoria* de l'Oltrarno, dans un coin calme. Petite terrasse et salles agréables. Bon poisson. Bon rapport qualité/prix.

♦ **Mario**, via Rosina, 2R **I-C1** ☎ 055.21.85.50. *Ouv. le midi seulement. F. dim. et en août.* Au coin du marché central. Restaurant typique avec *ribollita*, tripes, poisson (le ven.) et dessert traditionnel de biscuits trempés dans du *vino santo*.

♦ **La Martinicca**, via del Sole, 27R **I-B2** ☎ 055.21.89.28. *F. dim. et en août.* Près de la piazza S. Maria Novella. Le cadre est rustique, l'ambiance décontractée, et la cuisine de qualité.

♦ **Il Pizzaiuolo**, via de'Macci, 113R **II-C2** ☎ 055.24.11.71. *F. dim. et en août. Réserver.* Pour amateurs de bonnes pizzas.

♦ **Dei Quattro Leoni**, via dei Vellutini, 1R **I-B3** ☎ 055.21.85.62. *F. mer. en hiver.* Dans l'Oltrarno, à l'angle de la calme placette Passera ; petite terrasse. Restaurant de quartier, assez populaire, proposant une cuisine traditionnelle. Bon marché.

♦ **San Agostino**, via S. Agostino, 23R **I-A3** ☎ 055.21.02.08. *F. lun. et en août.* Dans l'Oltrarno, à deux pas de l'église del Carmine. Petite terrasse sur le trottoir. *Antipasti* variés excellents (poivrons, tomates, haricots, poisson, etc.). Bonnes pâtes ; bon petit vin rouge (grand choix à l'intérieur).

♦ **Trattoria Accadi**, borgo Pinti, 56R **I-D2**. ☎ 055.24.78.410. *F. dim. et en août.* Petite *trattoria*, simple, agréable et bon marché.

♦ **Il Vegetariano**, via delle Ruote, 30R **II-C1** ☎ 055.47.50.30. *F. lun. soir, sam. midi, dim. midi et j.f.* Restaurant végétarien d'un style rustique sympathique. Simple, accueillant et bon. Bon rapport qualité/prix.

AUX ENVIRONS

♦♦♦♦ **Omero**, via Pian dei Giullari, 11R, à Arcetri, sur les collines de Florence (5 km S par une petite route à hauteur de Passaggiata ai Colli, sur le viale Galileo Galilei **II-C3**, bus n° 38B) ☎ 055.22.00.53. *F. mar.* Les Florentins aiment se retrouver le dimanche en famille dans cette *trattoria* aux airs campagnards, derrière une épicerie au plafond tapissé de jambons. Beau panorama. Très agréable mais assez cher.

■ Cafés

Alimentari Orizi Mariano, via del Parione, 19R **I-B2** ☎ 055.21.40.67. Cette petite épicerie-bar de quartier ne désemplit pas. À juste titre : ses paninis (au speck, à la *bresaola*, au saumon…) sont bon marché et délicieux. Pas de places assises. **Gilli**, piazza della Repubblica, 39 **I-C2** ☎ 055.21.38.96. Très chic. Décor Belle Époque. Cher. **Giubbe Rosse**, piazza della Repubblica, 13-14 **I-C2** ☎ 055. 21.22.80. L'intelligentsia littéraire s'y retrouvait dans les années 1930. Les serveurs ont gardé leurs vestes rouges *(giubbe rosse)* et proposent des plats chauds et des consommations jusqu'à 15 h pour le déjeuner et 23 h le soir. Cher. **La Loggia**, piazzale Michelangelo, 1 **II-C3** ☎ 055.23.42.832. *F. mer.* Superbe vue sur la ville; très prisé des Florentins. **Rivoire**, piazza della Signoria **I-C3** ☎ 055.21.44.12. *F. lun.* Ce célèbre café conserve en hiver son côté « vieux Florence », qu'il perd aux beaux jours quand les touristes envahissent sa terrasse, face au palazzo Vecchio. Fabrique un chocolat fameux.

■ Bars à vin

Les très typiques *enoteche* et *mescite*, installées parfois dans des caves, vous proposent tout un assortiment de *spuntini* – version italienne des tapas: croûtons florentins, fromage, olives, boulettes de viande, etc. – accompagnés de vins frais de la région. Sympathique et souvent bon marché. **Enoteca de Giraldi**, via de'Giraldi, 4R (près du Bargello) **I-C2** ☎ 055.21.65. 18. *F. dim.* Vous trouverez également de l'huile, des sauces, etc. **La Fiaschetteria**, via de'Neri, 17R **I-C3**. **Fratellini**, via dei Cimatori, 38R **I-C2**. **Nuvoli**, piazza dell'Olio, 15R **I-C2**. *F. dim.* **Osteria antica mescita San Niccolò**, via S. Niccolò, 60R **I-D4**. *F. dim.*

■ Glaciers

Vivoli, via Isola delle Stinche, 7R **I-D3**. Une des meilleures adresses de Florence. Très réputé. **Perché Nó?**, via dei Tavolini, 19R **I-C2**. Glaces, sorbets et mousses. Un délice. **Badiani**, viale dei Mille, 20R **II-D1**. *Gelateria* excentrée mais excellente et d'un très bon rapport qualité/prix.

■ Manifestations

➤ **EXPLOSION DU CHAR**. À Pâques *(scoppio del Carro, encadré p. 140).*

➤ **MAGGIO MUSICALE**. De la mi-avr. à la mi-juin. Rens. : < www.maggiofiorentino.com >.

➤ **EXPOSITION INTERNATIONALE DE L'ARTISANAT**. En **avr**. à la fortezza da Basso **II-B1**. Rens. ☎ 055.49.721.

➤ **FESTA DEL GRILLO**. Dim. de l'Ascension, au parc de Cascine **II-A1**. Fête du printemps d'origine païenne: défilés de chars folkloriques, les enfants se promènent avec des grillons enfermés dans de petites cages aux couleurs vives.

➤ **CALCIO**. Deux week-ends en juin et le 24 juin, sur la piazza S. Croce **I-D3**. Ce jeu, peut-être l'ancêtre du football, très brutal, oppose les équipes costumées (27 joueurs) de deux quartiers. Le 24: feu d'artifice tiré à la nuit sur l'Arno. Rens. ☎ 055.26.16.052.

➤ **ESTATE FIESOLANA**. Juin-août. Festival d'été de Fiesole. Rens. ☎ 055. 59.78.403, < www.estatefiesolana.it >.

■ Shopping

➤ **ANTIQUITÉS**. Alessandro Romano, borgo Ognissanti, 31R **I-A2**. Du mobilier aux sculptures du XVIe au XIXe s. **G. Bartolozzi & Figlio**, via Maggio, 18R **I-B3**. Du XVIe au XIXe s. **Botticelli**, via Maggio, 45R **I-B3**. Meubles de haute époque et marbres anciens. **Galleria Luigi Bellini**, lungarno Soderini, 3-5 **I-A2-3**. Pièces gothiques et Renaissance. **Luzzetti Antichita**, borgo S. Jacopo, 28a **I-B3**. Peinture, mobilier et sculpture Renaissance. À noter aussi: la **Biennale des antiquaires** au palais Corsini *(années impaires, de la mi-sept. à la mi-oct.)* ☎ 055.28.22.83 et 055.28.26.35. **Salle des ventes Casa d'Aste Pitti**, via Maggio, 15, 1er ét. **I-B3** ☎ 055.26.45.193. Objets d'art anciens, argenterie, tableaux, meubles, porcelaine. Sept ventes par an (avr.-mai et sept.-oct.).

➤ **CHAUSSURES**. Antica Cuoieria, via del Corso, 48R **I-C2**. *Classico con brio.* **Eusebio**, via del Corso **I-C2**. Parfois des trouvailles, et toujours des prix très

Scoppio del Carro

À la fin du XIe s., un chevalier florentin rapporta de la première croisade quelques fragments du Saint-Sépulcre. Chaque année, le Samedi saint, l'archevêque de Florence utilisait ces morceaux de pierre pour rallumer le feu sacré éteint la veille. De nos jours, la tradition se perpétue durant la messe de Pâques (à 12 h) sur le parvis de la cathédrale où est mené un char géant bourré de pétards et tiré par des bœufs : c'est le *Brindellone*. Un fil d'acier le relie au maître-autel et, au moment du Gloria, une fusée en forme de colombe glisse le long du fil et va mettre le feu aux poudres. Si le vol de la *colombina* se fait sans encombre, c'est le gage d'une année heureuse et d'une bonne récolte. ❖

intéressants. **Ferragamo**, via de'Tornabuoni, 14R **I-B2**. Chaussures de grand luxe, finies à la main. **Fratelli Rossetti**, piazza della Repubblica, 43-45R **I-C2**. Le Church italien. **Raspini**, via de'Martelli, 5-7R **I-C1**. Cuirs et daims raffinés. **Santini**, via de'Calzaiuoli, 95R **I-C2**. Ligne jeune et élégante.

➤ MARCHÉS. **Mercato centrale di S. Lorenzo**, piazza del Mercato Centrale **I-B1**. *T.l.j. sf dim. 7h-14h et 16h-20h.* Le marché florentin par excellence dans les halles du XIXe s. Du fromage à la boucherie et des légumes aux poissons. *T.l.j. sf dim. 9h-19h30*: éventaires de vêtements, de parapluies, de chaussures et de maroquinerie autour de l'église S. Lorenzo. **Mercato delle Cascine II-A1**. *Le mar. 7h-13h.* Le long de l'Arno, des centaines de stands : alimentation, ustensiles de cuisine, vêtements neufs et d'occasion, maroquinerie. **Mercato S. Ambrogio**, piazza Ghiberti **II-C2**. *Tous les matins sf dim.* Le marché le plus économique de la ville. Alimentation, fruits et légumes, fleurs. **Mercato nuovo ou « Mercato della Paglia »**, loggia di Mercato nuovo **I-C3**. *9h-19h sf dim. et lun. en hiver.* L'endroit est charmant, même si les souvenirs à vendre font dans la grosse cavalerie.

➤ MARCHÉS AUX PUCES. **Piazza S. Spirito I-A3**. *2e et 3e dim. du mois.* Sympathique petit marché d'artisans. **Piazza dei Ciompi I-D2**. *Mar.-sam. 9h-13h et 15h-19h30.* Meubles, objets, gravures et bijoux.

➤ MAROQUINERIE. **Cellerini**, via del Sole, 37R **I-B2**. Production artisanale et familiale. Sacs et bagages faits main. **Gherardini**, via della Vigna Nuova, 27R **I-B2**. **Giotti Bottega Veneta**, piazza Ognissanti, 3R **I-A2**. Sacs, bagages, accessoires, vêtements de cuir. Chic et cher. **Gucci**, via de'Tornabuoni, 73R **I-B2**. Sacs, bagages et accessoires haut de gamme. **Madova**, via de'Guicciardini, 1R **I-B3**. Un petit magasin qui ne paie pas de mine, mais une qualité et un choix extraordinaires, notamment en gants. **Taddei**, via S. Margherita, 11 **I-C2**. L'un des derniers artisans à travailler le cuir entièrement à la main. Boîtes à pilules, coffres à bijoux si finement brunis qu'on les croirait en loupe. Prix très raisonnables.

➤ PAPETERIE ARTISANALE. **Oli-Ca**, borgo SS. Apostoli, 27R **I-B3**. Une étonnante collection de boîtes en carton de toutes tailles à prix modiques. **Il Papiro**, piazza del Duomo, 24R **I-C2**. Objets en papier reliure, réalisés à la main selon la technique du «papier cuve». **Il Torchio**, via de'Bardi, 17 **I-C3-4** (dans la partie qui monte, après le quai). Très jolis carnets, cahiers, classeurs, agendas, etc. réalisés sur place, dans l'atelier. **Papeterie écologique la Tartaruga**, borgo degli Albizi, 60R **I-D2**. Belle qualité.

➤ PIERRES DURES. **La Bottega del Mosaico**, via de'Guicciardini, 126R **I-B3**. **Romanelli**, lungarno Acciaiuoli, 74R **I-B3**. ∎

Entre Florence et Sienne, Chianti et Val d'Elsa cheminent de concert à travers une campagne éclatante. Route du vin et route des pèlerins se frôlent, se confondent et se complètent. Du château de Brolio, la « Mecque » du Chianti, à San Gimignano, perle rare du Val d'Elsa, une même passion des traditions de la terre et d'un mode de vie enraciné dans le temps.

Au sens strict, Volterra ne fait pas partie du Val d'Elsa, mais des monts Métallifères. Assez proche de San Gimignano, l'ancienne cité étrusque, restée à l'écart des circuits touristiques, vaut la peine d'être visitée dans le cadre de cet itinéraire.

Programme

Quatre jours sont nécessaires pour une découverte un peu approfondie de la région, au départ de Florence ou de Sienne : un jour pour se faire une idée rapide du superbe massif du Chianti ; un jour pour les trois petites villes les plus intéressantes du Val d'Elsa : Colle Alta, Certaldo et Castelfiorentino ; un jour à San Gimignano ; un jour à Volterra. ❖

Le Chianti**

L e beau massif du Chianti, aujourd'hui comme emmuré entre Florence et Sienne par les autoroutes qui l'encerclent, garde une virginité assez rare. Villages enrichis par le vignoble, fermes éparpillées avec leurs allées de cyprès menant à des maisons roses, champs d'oliviers qui reprennent peu à peu après les terribles gelées des années 1980, rangs de vigne taillés hauts… Le tout dans un beau chahut de collines et de vallons soigneusement peignés ou parsemés de bois hirsutes. Et pourtant, aux 100 000 personnes qui vivent du chianti, vin jeune qui se déguste en fiasque sous la tonnelle ou, plus noble, en bouteille, s'ajoutent des bataillons d'émigrés – aimables rentiers anglais amoureux du soleil, de la terre rousse, des argiles grasses et des Toscans ; colonies allemandes qui quadrillent le pays de leurs agences immobilières. Les Français, eux, ne font que passer. Et c'est tant mieux !

➤ *De Florence à Sienne, le chemin le plus court et le plus rapide (70 km, 1 h env.) emprunte l'autoroute S 2 qui passe sur le versant ouest du massif du Chianti. Préférer la S 222, nettement plus lente (env. 120 km avec les détours), mais beaucoup plus intéressante. Quitter Florence par la voie rapide S 67, le long de la rive dr. de l'Arno qui prend au ponte S. Niccolò, puis prendre la S 222 (vers Sienne) et la suivre jusqu'à Castellina in Chianti (47 km). **Informations pratiques** p. 158.*

Impruneta

➤ *À 18 km S de Florence sur la S 222, prenez à dr.*

Ce gros bourg, très vivant, un peu à l'écart de notre route, vaut le détour (env. 10 km en tout) au moment de sa fête des **Vendanges**, et de la **Foire de la Saint-Luc** (chevaux et mulets), du 15 au 18 octobre. Sa belle église, fondée au XIe s., reconstruite au XVe s. et flanquée d'un campanile roman, mérite une visite. Si vous aimez **Luca della**

LE MASSIF DU CHIANTI ET LE VAL D'ELSA

Robbia (v. 1400-1482), vous vous réjouirez de son tabernacle en terre cuite, dans la chapelle de la Croix (à dr. du chœur), décorée d'un plafond en majolique et des deux statues de *Paul* et *Luc*, dans la chapelle de g. Voyez aussi le charmant petit **cloître** à dr. de l'église. Dehors, les gosses jouent au foot sous un soleil de plomb.

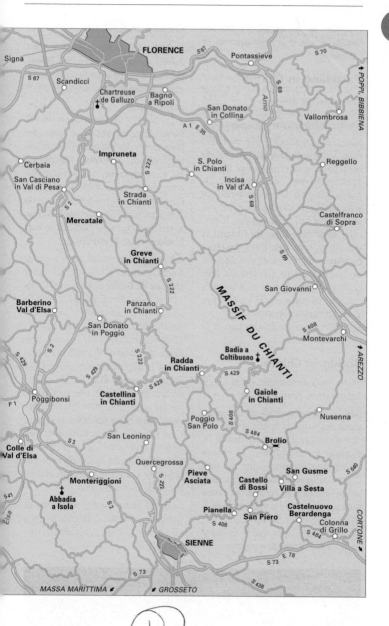

Greve in Chianti*

➤ *28 km S de Florence, sur la S 222. Vente de vin à la Bottega del chianti classico.* **Informations pratiques** *p. 160 ; voir aussi à* **Mercatale** *(7 km N-O), p. 160.*

Voilà, en fond de vallée, un village à ne pas manquer. Ne serait-ce que pour sa place médiévale doucement inclinée et bordée d'arcades surmontées de terrasses fleuries. Une curieuse ambiance, presque montagnarde, qui plaît si fort aux Allemands qu'ils y disposent d'hôtels et d'agences immobilières. Le **marché** bat son plein le samedi matin, et l'on s'aperçoit que Greve ajoute à la réputation de son vin un saucisson sec qui a l'art de le rendre encore plus gouleyant. Ne manquez pas la **fête des Genêts** en juin et la **Foire des vins** en septembre.

Castellina in Chianti

➤ *47 km S de Florence, sur la S 222. Vente de vin à la Bottega del chianti classico.* **Informations pratiques** *p. 158.*

Superbement située à 578 m d'altitude, Castellina joue de son rôle de carrefour, à la croisée des quatre grands chemins du territoire du chianti classico. Le village fortifié et serré autour de son église a gardé son caractère : il fut, au Moyen Âge, le premier siège de la **ligue du Chianti** et vous y verrez quelques **vestiges étrusques**, dont un tombeau du IVe s. av. J.-C. et un puits. Le silence, la fraîcheur et l'ombre en font un refuge très agréable en plein été. D'ici, les **vues** sont superbes sur les monts, les fermes accrochées aux pentes, les bois et la petite vallée de l'Arbia.

Radda in Chianti

➤ *60 km S de Florence, sur la S 429.* **Informations pratiques** *p. 161.*

Radda, qui fut capitale de la région, garde des maisons nobles et conserve des éléments de ses fortifications. Presque à l'abandon voilà encore quelques décennies comme tant d'autres villages ou bourgs de la région, ce joli belvédère vit aujourd'hui autant du tourisme que de la vigne et de l'élevage, notamment du veau. C'est une agréable étape, ainsi que le ravissant hameau de **Volpaia**, tout proche.

Gaiole in Chianti

➤ *70 km S-E de Florence, sur la S 408.* **Informations pratiques** *p. 160.* **Bonnes adresses** *dans les environs, voir Castelnuovo Berardenga et alentour, p. 158.*

Avant de quitter la S 429 pour prendre, à dr., la S 408 qui tournicote jusqu'à Gaiole, faites un petit détour pour aller rêver devant les ruines de l'abbaye vallombrosienne de **Badia a Coltibuono** (XIe s.), enclose dans un domaine viticole (*pour visiter* ☎ *0577.74.94.79*). Gaiole est un mignon petit village d'où l'on peut, par une route sur la colline, se rendre au hameau médiéval de **Barbischio** (à l'est, 15 mn à pied).

À environ 6 km au sud sur la route de Sienne, prenez à g. la S 484. À 4 km, le **château de Brolio** (*ouv. lun.-dim. 9h-12h et 15h-18h ; f. en hiver* ☎ *0577. 73.01. Entrée payante. Accès partiel aux handicapés*), du XIIe s. mais lourdement restauré, est isolé sur une éminence du Chianti. Siennois et Florentins se le disputèrent longtemps. On y visite la **capella di S. Jacopo** (1348) décorée de mosaïques. Une promenade sur les puissantes murailles offre des **vues*** immenses sur toute la région. C'est ici que le baron Bettino Ricasoli créa au milieu du XIXe s. la ligue du Chianti qui donna au vignoble sa réputation. Le château est toujours occupé par un de ses descendants.

La S 484 mène ensuite, au milieu de paysages superbes, à la grande route (S 73) qui, à dr., rejoint Sienne (27 km). ■

Près de Greve in Chianti, « capitale » du chianti classico couvrant 70 000 ha.

Le Val d'Elsa*

Monteriggioni, près de Sienne, un des villages les mieux préservés de Toscane.

Le Val d'Elsa était une route de pèlerinage importante vers Jérusalem, Rome et, bien sûr, Saint-Jacques de Compostelle. D'où les nombreux hospices et les très jolies villes perchées au-dessus de la vallée. L'itinéraire dans le Val d'Elsa à partir de Sienne remonte la vallée sur une cinquantaine de kilomètres jusqu'à Castelfiorentino. Compter une journée.

➤ *Carte p. 142-143.*

♥ Monteriggioni*

➤ *15 km N-O de Sienne par l'autoroute ou par la S 2. **Hébergement** p. 160.*

Perchée sur une colline, une impressionnante couronne de remparts (XIIIᵉ s.) rythmés de fortes tours accroche le regard. Elle enferme un village de vignerons qui plonge sur les pentes garnies de vignes et d'oliviers,

très agréable le soir et tôt le matin quand les cars de touristes sont encore absents. À 3 km à l'ouest, **Abbadia a Isola** s'est développée autour de l'abbaye cistercienne S. Salvatore dont l'église (XIᵉ-XIIᵉ s.) possède, entre autres, un polyptyque de la *Vierge à l'Enfant** de Sano di Pietro (1471).

Colle di Val d'Elsa*

➤ *24 km N-O de Sienne. Visite : 1 h 30.*
ⓘ Office de tourisme, *via Campana, 43 ☎ 0577.92.27.91.*

Entourée de forêts au sol riche en quartz, manganèse et baryum, Colle devint, dès le XIVᵉ s., une petite capitale du **cristal** et du **verre soufflé**. Au XIXᵉ s., les cristalliers de Lorraine développèrent la production. Au début du XXᵉ s., la famille locale des Boschi créa à son tour une entreprise à laquelle succéda la Calp, qui emploie plus de

➤ *suite p. 148*

Les vins du Chianti

*L*a région du Chianti produit du vin depuis l'époque des Étrusques, avec une seule interruption vers le haut Moyen Âge. Dès le XIIIe s., le chianti était connu et apprécié sous son nom actuel, mais le vignoble était nettement plus limité.

Le baron de fer

L'agrandissement sauvage du vignoble du Chianti au XIXe s. provoqua une chute catastrophique de la qualité. Il fallut la poigne du baron Bettino Ricasoli, dont le descendant occupe toujours le château de Brolio, près de Gaiole, pour « inventer » et imposer, dans les années 1850, la recette du chianti que nous connaissons. Les zones de production ne furent fixées par décret qu'en 1932, et il fallut attendre 1967 pour que le ministère de l'Agriculture établisse, un peu sur le modèle de notre « appellation d'origine contrôlée », des critères de qualité, en créant la DOC (dénomination d'origine contrôlée). Ainsi, l'appellation chianti est désormais réservée à sept territoires seulement, dont un seul a droit à l'appellation chianti classico.

Les bouteilles de chianti classico sont aisément reconnaissables au coq noir sur fond d'or de leurs étiquettes. Il s'agit d'un label créé en 1924.

Les territoires du chianti

Six « territoires » entourent celui du chianti classico : Montalbano et Rufina, au nord de l'Arno ; Colli Fiorentini, aux environs proches de Florence ; Colli Pisane, près de Pise ; Colli Senesi, scindé en deux terroirs : l'un autour de Sienne

et l'autre dans la région de Montepulciano (à ne pas confondre avec le vignoble du vino nobile de Montepulciano, qui est un très grand vin italien mais pas un chianti) ; enfin, le territoire de Colli Aretini se trouve dans la région d'Arezzo.

L'appellation chianti classico, elle, est strictement réservée au petit territoire (env. 70 000 ha) que parcourt notre itinéraire *(voir p. 142)* et qui produit un vin titrant 12° minimum. Ce territoire, au sud de Florence, se limite aux terroirs de Greve, Panzano, Castellina, Radda et Gaiole. Le label du chianti classico, reconnaissable au coq noir ornant ses étiquettes, fut créé en 1924. Le classico riserva (réserve) doit vieillir trois ans en fût et se garde bien. C'est un vin de référence, d'une réelle qualité.

De la vigne à la fiasque

Le vignoble toscan, plus développé que par les siècles passés, s'étend aujourd'hui de Pise à Arezzo et de Florence au sud de Sienne. Il produit en moyenne un million d'hectolitres par an.

Les vins rouges de chianti forment 80 % de la production du vignoble. Ils obéissent à la composition suivante : 50 à 80 % de cépage sangiovese (force et bouquet), 10 à 30 % de canaiolo nero (souplesse et moelleux) et 10 à 30 % de malvasia del Chianti, un cépage blanc qui assure le velouté. Leur degré d'alcool ne doit pas être inférieur à 11,5°.

Les blancs ne titrent jamais plus de 12°. Citons le vernaccia di San Gimignano, déjà célèbre au XIVᵉ s., le galestro, le bianco della Lega, fabriqué à l'ancienne, ou les bianchi vergini d'Arezzo, peu alcoolisés et légèrement acides. Blanc ou rosé, le doux vino santo est tiré de raisins séchés pendant des mois et vieilli en fût. Il accompagne les desserts.

Le chianti est un agréable vin de table qui peut se boire dans sa première année, mais pas avant le printemps suivant sa mise en fût. Il se vendait généralement en fiasques (2 l env.), mais la tendance à la bouteille dite bordelaise s'accentue. ∎

700 personnes. À côté de cette exploitation industrielle, une trentaine d'artistes-artisans, dont certains très réputés, possèdent un atelier à Colle même ou dans la région (*Cristallo di Colle di Val d'Elsa*, via del Castello, 33 ☎/fax *0577.92.41.35*, <*www.cristallo.org*>).

➤ **COLLE BASSA**. Si l'on s'intéresse à l'architecture contemporaine, on verra, dans la ville moderne, le siège du **Monte dei Paschi de Sienne***, en béton, brique et verre, construit sur les plans de l'architecte italien Giovanni Michelucci.

➤ **COLLE ALTA***. En voiture, prendre la route de Volterra jusqu'à la porta Nova *(parking)* percée dans l'énorme muraille de brique et encadrée de deux grosses tours avec chemin de ronde. Elle donne accès à la haute ville, calme, étroite et toute en longueur, à cheval sur un éperon. Le **museo S. Pietro** *(via del Secco, 102, près de la porta Nova)* organise des expositions temporaires d'art contemporain de qualité. La rue chemine entre de belles demeures des XVIᵉ et XVIIᵉ s. jusqu'au ♥ **palazzo Campana**, inachevé, marquant l'entrée du quartier du Château, de caractère très médiéval. Escaliers, ruelles voûtées (♥ **via delle Volte**) et maisons-tours (l'architecte florentin Arnolfo de Cambio naquit au 63 de la via Castello) débouchent sur le **Baluardo**, terrasse dominant la ville basse et la vallée.

Près du Duomo, le **Musée archéologique Bandinelli** expose des trouvailles étrusques de la région *(☎ 0577. 92.29.54. Ouv. mai-sept. 10 h-12 h et 16 h 45-18 h 45, sf w.-e. et j.f. 10 h-12 h et 16 h 30-19 h 30; oct.-mai 15 h 45-17 h 45, sf w.-e. et j.f. 10 h-12 h et 15 h 30-18 h 30. F. lun.).* Voir également le **Museo civico e d'Arte sacra** dans le palazzo dei Priori, décoré de sgraffites *(☎ 0577.92.38.88. Mêmes horaires que le Musée archéologique).*

Certaldo*

➤ *42 km N-O de Sienne sur la S 429. Visite: 2 h. **Informations pratiques** p. 160; voir aussi hébergement à **Barberino**, p. 158.*

Dès que l'on arrive à Certaldo, le mieux est de laisser la voiture dans le grand parking du centre de la ville moderne et d'emprunter, juste en face, le funiculaire qui grimpe à la ♥ **ville haute***. Bâtie en briques d'un beau rose fané, et pavée de même, Certaldo, qui domine le Val d'Elsa, est un des sites les plus délicieux de Toscane. La ville conserve le souvenir de Boccace, qui y vécut longtemps et y mourut. En saison, mieux vaut s'y rendre tôt le matin ou tard en soirée pour apprécier tout son charme dans le silence. Le bourg, entouré de murs, se groupe autour de la belle via Boccaccio bordée de maisons-tours et d'églises, qui mène au palazzo Pretorio.

➤ **CASA DEL BOCCACCIO** *(ouv. avr.-sept. t.l.j. 10 h-19 h; oct. lun.-ven. 10 h 30-16 h 30 et sam.-dim. 10 h-19 h; nov.-mars t.l.j. sf mar. 10 h 30-16 h 30. F. Noël. Entrée payante. Billet couplé avec le palazzo Pretorio ☎ 0571. 66.42.08. Non accessible aux handicapés).* En grande partie démolie en janvier 1944 avant d'être reconstruite à l'identique, la demeure où vécut Boccace de 1363 à sa mort, en 1375, resta dans sa famille durant cinq siècles… On visite le rez-de-chaussée et le 1ᵉʳ étage où demeurent quelques souvenirs de l'auteur du *Décaméron* *(encadré ci-contre)*, enterré dans l'église SS. Jacopo e Filippo voisine.

➤ **PALAZZO PRETORIO*** *(ouv. avr.-oct. t.l.j. 10 h-19 h; nov.-mars 10 h 30-16 h 30 et f. lun. F. Noël. Entrée payante. Billet couplé avec la casa del Boccacio. Non accessible aux handicapés).* Orné de blasons, ce vaste château du XVᵉ s. en partie crénelé est imposant. Le Sénat s'y réunissait, le tribunal y siégeait, les vicaires de Florence y vécurent pendant plus d'un siècle. Restauré sobrement, il ouvre à la visite les belles salles réparties autour d'un *cortile* majestueux. Vues splendides sur la vallée.

Castelfiorentino

➤ *51 km N-O de Sienne sur la S 429. Visite: 1 h.*

Si l'on a aimé, dans la chapelle du palais Medici-Riccardi de Florence, les

Boccace,
un conteur toujours actuel

Personnage modeste mais brillant esprit, bon vivant que des amours malheureuses menèrent à la misogynie, Boccace (1313-1375) eut deux maîtres : Dante – qu'il ne connut évidemment pas – et Pétrarque avec qui il noua une vive amitié à Venise et entretint une correspondance fournie.

Et pourtant, il les égale pour la postérité grâce à un ouvrage dans lequel il mit son immense talent de conteur au service d'une rare acuité d'observation de toutes les couches de la société : le *Décaméron*. L'intrigue est simple : dix amis, sept jeunes filles et trois jeunes hommes, se retirent à la campagne pour fuir la peste de 1348 dont Boccace, dans sa préface, dresse un tableau bouleversant. Pour ne pas céder à la morosité, les dix amis décident de se raconter, à tour de rôle, des histoires qu'ils ont vécues, entendues ou imaginées. Boccace regroupe l'ensemble sur dix journées, ce qui nous donne cent « nouvelles » dans lesquelles viendront puiser nombre d'écrivains, dont La Fontaine qui en accommodera plusieurs à sa manière. Boccace lui-même tenait un grand nombre de ces contes de récits de voyageurs ou de textes antiques. L'important et, dirions-nous, le génie sont dans la manière dont il met en scène une époque à travers ses rites amoureux, ses cruautés, ses raffinements et ses mœurs. Il peint un portrait en pied de la jeune Renaissance avec une verve étourdissante, décochant ici des flèches assassines aux gens d'Église, troussant ailleurs de vrais chants poétiques et trouvant toujours le mot juste pour dépeindre caractères et situations. Le *Décaméron* connut immédiatement un succès énorme. Pasolini en donna au cinéma sa propre interprétation. Et chaque lecteur d'aujourd'hui s'en délectera, car l'ouvrage n'a pas pris une ride. ❖

fresques de Benozzo Gozzoli *(p. 104)*, on visitera avec intérêt la Raccolta comunale d'Arte de la mignonne vieille ville de Castelfiorentino.

➤ ♥ **RACCOLTA COMUNALE D'ARTE** *(collection municipale d'Art. Via Tilli, 41. Ouv. mar., jeu. et sam. 16h-19h; dim. et j.f. 10h-12h et 16h-19h. En hiver 15h-18h. Entrée payante* ☎ *0571.68. 63.38. Non accessible aux handicapés).* Apprenti chez l'orfèvre Ghiberti, aide de Fra Angelico, Gozzoli (1420-1497) se spécialisa dans la fresque. Gozzoli n'est pas innovateur, mais un conteur charmant, frais et naïf, quelque peu snobé par la critique. Il peignit à San Gimignano et dans plusieurs couvents ou églises des environs dont les fresques et sinopies ont été mises à l'abri dans ce musée. On y verra les fresques de la *Visitation*** et particulièrement la scène de la *Naissance de Marie*. Le 1er étage reconstitue la **chapelle Madonna del Tosse*** ornée de fresques réalisées en 1484 autour de la Vierge et du Christ.

➤ **ÉGLISE SANTA VERDIANA**. D'autres belles **fresques***, en trompe l'œil cette fois-ci, vous attendent dans cette église baroque (ville basse). Entre 1708 et 1716, plusieurs artistes de qualité y ont illustré la vie de Santa Verdiana, sainte locale qui vécut au XIIe s. et qui fit le pèlerinage jusqu'à Saint-Jacques de Compostelle, en Espagne.

De Castelfiorentino, on peut se rendre à Empoli *(environ 17 km N)* et, de là, rejoindre Vinci *(p. 171)*. ■

Boccace, un conteur toujours actuel

Personnage modeste mais brillant esprit, bon vivant que des amours malheureuses menèrent à la misogynie, Boccace (1313-1375) eut deux maîtres : Dante – qu'il ne connut évidemment pas – et Pétrarque avec qui il noua une vive amitié à Venise et entretint une correspondance fournie.

Et pourtant, il les égale pour la postérité grâce à un ouvrage dans lequel il mit son immense talent de conteur au service d'une rare acuité d'observation de toutes les couches de la société : le *Décaméron*. L'intrigue est simple : dix amis, sept jeunes filles et trois jeunes hommes, se retirent à la campagne pour fuir la peste de 1348 dont Boccace, dans sa préface, dresse un tableau bouleversant. Pour ne pas céder à la morosité, les dix amis décident de se raconter, à tour de rôle, des histoires qu'ils ont vécues, entendues ou imaginées. Boccace regroupe l'ensemble sur dix journées, ce qui nous donne cent « nouvelles » dans lesquelles viendront puiser nombre d'écrivains, dont La Fontaine qui en accommodera plusieurs à sa manière. Boccace lui-même tenait un grand nombre de ces contes de récits de voyageurs ou de textes antiques. L'important et, dirions-nous, le génie sont dans la manière dont il met en scène une époque à travers ses rites amoureux, ses cruautés, ses raffinements et ses mœurs. Il peint un portrait en pied de la jeune Renaissance avec une verve étourdissante, décochant ici des flèches assassines aux gens d'Église, troussant ailleurs de vrais chants poétiques et trouvant toujours le mot juste pour dépeindre caractères et situations. Le *Décaméron* connut immédiatement un succès énorme. Pasolini en donna au cinéma sa propre interprétation. Et chaque lecteur d'aujourd'hui s'en délectera, car l'ouvrage n'a pas pris une ride. ❖

fresques de Benozzo Gozzoli *(p. 104)*, on visitera avec intérêt la Raccolta comunale d'Arte de la mignonne vieille ville de Castelfiorentino.

➤ ♥ **RACCOLTA COMUNALE D'ARTE** *(collection municipale d'Art. Via Tilli, 41. Ouv. mar., jeu. et sam. 16h-19h; dim. et j.f. 10h-12h et 16h-19h. En hiver 15h-18h. Entrée payante ☎ 0571.68. 63.38. Non accessible aux handicapés).* Apprenti chez l'orfèvre Ghiberti, aide de Fra Angelico, Gozzoli (1420-1497) se spécialisa dans la fresque. Gozzoli n'est pas innovateur, mais un conteur charmant, frais et naïf, quelque peu snobé par la critique. Il peignit à San Gimignano et dans plusieurs couvents ou églises des environs dont les fresques et sinopies ont été mises à l'abri dans ce musée. On y verra les fresques de la *Visitation******* et particulièrement la scène de la *Naissance de Marie*. Le 1er étage reconstitue la **chapelle Madonna del Tosse*** ornée de fresques réalisées en 1484 autour de la Vierge et du Christ.

➤ **ÉGLISE SANTA VERDIANA**. D'autres belles **fresques***, en trompe l'œil cette fois-ci, vous attendent dans cette église baroque (ville basse). Entre 1708 et 1716, plusieurs artistes de qualité y ont illustré la vie de Santa Verdiana, sainte locale qui vécut au XIIe s. et qui fit le pèlerinage jusqu'à Saint-Jacques de Compostelle, en Espagne.

De Castelfiorentino, on peut se rendre à Empoli *(environ 17 km N)* et, de là, rejoindre Vinci *(p. 171)*. ■

San Gimignano**

C'est au printemps ou en automne que nous conseillons de venir à San Gimignano et, si possible, d'y passer une nuit : les cars et les badauds repartis, la ville appartient de nouveau à ceux qui tombent sous son charme.

UN DEMI-SIÈCLE D'ÂGE D'OR

Ici, l'âge d'or n'aura duré qu'un demi-siècle, entre 1300 environ et la terrible peste de 1348. Cinq ans plus tard (1353), San Gimignano perdait sa liberté en votant à une voix de majorité sa soumission à Florence. Mais pendant ce demi-siècle, la **commune libre** explose. Comme elle est située au carrefour des grandes routes d'alors, ses bourgeois commerçants font fortune et dressent ces tours qui sont à la fois entrepôts, moyens de défense et signes de richesse.

UN DÉCOR PRÉSERVÉ

Ici encore, Florence imposa très vite sa loi, acculant la cité à la décadence et son élite à l'émigration. Deux **épidémies de peste**, en 1464 et en 1631, eurent raison des derniers sursauts. Si l'Église resta riche et s'offrit le luxe du mécénat artistique, la cité, elle, vécut quatre siècles d'un abandon si total que son rude décor nous est parvenu, certes délabré, mais quasiment sans retouche.

➤ *48 km N-O de Sienne, sur la P47 ; 22 km S-E de Castelfiorentino par la S 429 et la P1.* **En car** ou **en train** : *départ de Sienne et de Florence, avec correspondance à Poggibonsi (13 km O de San Gimignano).* **En voiture** : *en partant de Sienne, à l'autoroute vers Florence,*

préférer la route classique S 2 qui court en parallèle *(voir carte p. 142-143). À Colle di Val d'Elsa, prendre à g. la S 68 en direction de Volterra. À 11 km, la P 47 part à dr. pour San Gimignano. Parkings à l'entrée de la ville ; visite de la cité à pied. Compter une journée.* **Informations pratiques** *p. 161.*

♥ Piazza della Cisterna**

B2 La piazza della Cisterna et celle **du Duomo***, encadrées de palais et de tours, s'enchaînent, dessinant un décor urbain de rêve, surtout le soir quand de petits groupes réunis discutent ici ou là. La piazza della Cisterna, taillée en triangle par les palais, est en forte pente, pavée de briques en arêtes de poisson. Ici, l'histoire pèse. Les tours jumelles des Salvucci semblent toujours surveiller quelque famille rivale, et le labourage de la margelle du puits (1237) témoigne des millions de seaux qui furent hissés pendant huit siècles…

Duomo**

➤ **A2** *Ouv. mars, nov. et déc. 9h30-17h ; avr.-oct. 9h30-19h30 ; sam. 9h30-17h ; dim. et j.f. 13h-17h. F. janv.-fév.* ☎ *0577.94.03.16. Billet groupé avec les autres musées. Non accessible aux handicapés.*

Juchée en haut de ses marches, la collégiale romane (consacrée en 1148) est, à l'intérieur, un véritable catéchisme illustré par des peintres siennois : ♥ **Jugement dernier***, scènes du *Nouveau* et de l'*Ancien Testament** composent un ballet de couleurs, rythmé par les voûtes étoilées et le dessin tigré blanc et noir des arcs latéraux.

➤ ♥ **JUGEMENT DERNIER*** *(revers de la façade ; 1396).* **Taddeo di Bartolo** (1362-1422) s'en donne à cœur joie : débauche de corps nus percés d'épées, de femmes violentées, de malheureux embrochés ou éventrés sous le regard dément d'un Lucifer colossal qui avale un damné, étouffant deux enfants de ses mains. Remarquer la table ronde

À voir

♥ **Piazza della Cisterna**** ; **fresques*** du **Duomo**** ; **Museo civico*** ; **vue**** de la torre Grossa ; **fresques*** de S. Agostino. ❖

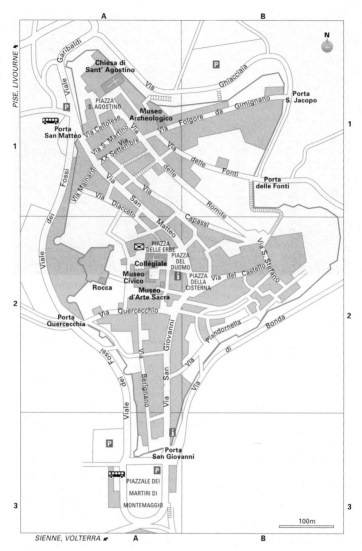

SAN GIMIGNANO

des mets interdits auxquels le moine (à dr.) et le seigneur (à g.), gardés par des diables, ne peuvent pas goûter… À côté du *Jugement*, le *Saint Sébastien*, de Benozzo Gozzoli, aux cheveux parfaitement tressés, est indifférent aux flèches qu'on lui décoche.

➤ **SCÈNES DE L'ANCIEN TESTAMENT*** *(bas-côté g. ; 1367)*. **Bartolo di Fredi** illustre de façon très vivante et colorée des scènes de la Bible. Il en est ainsi du célèbre *Passage de la mer Rouge*, et, au-dessus (à dr.), de *Noé ivre*, parfaitement indécent. Les scènes les plus charmantes se déroulent dans l'exubérance du *Paradis terrestre* (en haut) où l'on voit Dieu créer Adam, puis ♥ **Ève** qui sort de sa côte.

➤ **SCÈNES DU NOUVEAU TESTAMENT** *(bas-côté dr. ; 1330)*. Remarquez la scène terrible de la ***Crucifixion****, attribuée à Barna da Siena, avec la Vierge évanouie et les angelots qui bourdonnent autour du Christ.

Les 13 tours qui restent à San Gimignano laissent imaginer le panorama urbain d'antan, qui en compta plus de 200.

➤ **CHAPELLE SANTA FINA***. **Domenico Ghirlandaio** (1449-1494), qui nous a ravi à Florence, a représenté en 1475 des épisodes de la *Vie de sainte Fina**, une jeune fille de San Gimignano dont on voit la modeste maison dans une petite rue. Paralysée à 10 ans, elle mourut cinq ans plus tard après avoir rendu la vue à un jeune aveugle, guéri le bras inerte de sa nourrice et fait sonner les cloches de la ville par des anges. Le rat sous le banc figure les meutes qui assiégeaient la jeune fille allongée sur une planche de chêne. Le mur de g. montre son enterrement dans le décor de San Gimignano tel que l'a vu Ghirlandaio, avec ses tours, son beffroi et le campanile encore pointu. La chapelle abrite aussi un superbe **autel*** en marbre de Carrare ciselé et rehaussé de frises en or, réalisé par Benedetto vers 1480.

Museo civico*

➤ **A2** *Palazzo del Popolo. Ouv. t.l.j. en été 10 h-19 h ; en hiver 10 h-17 h 30 ☎ 0577.99.03.12. Non accessible aux handicapés.*

➤ **1ᵉʳ ÉTAGE : salle de Dante.** C'est dans cette salle que le poète, alors haut responsable politique à Florence, tenta en 1300 de convaincre les édiles de se joindre à la ligue guelfe pour l'indépendance de la Toscane. *Maestà* de Lippo Memmi (1317), nettement inspirée de celle de son beau-frère, Simone Martini (1315), visible au palazzo Pubblico de Sienne.

➤ **2ᵉ ÉTAGE.** La ♥ *Croix peinte** (v. 1260), avec six épisodes en miniature de la Passion, est de Coppo di Marcovaldo. Encadrant une *Vierge** dans un beau paysage du Pinturicchio, deux tableaux de Filippino Lippi représentant l'Annonciation : *Gabriel*** et la *Vierge***, petits chefs-d'œuvre d'un coloriste raffiné. On verra encore des épisodes touchants de la *Vie de sainte Fina*, par Lorenzo di Niccolò di Marino, et surtout les adorables ♥ **fresques*** de Memmo di Filippuccio, peintes dans la chambre du podestat où l'on assiste au bain des jeunes époux et à leur coucher.

➤ **TORRE GROSSA.** Sur le côté g., à l'extérieur du Duomo, après une belle cour ornée de plusieurs fresques dont une de saint Yves, le Museo civico, ancien palais des podestats, donne accès à la **Torre grossa : vue**** superbe sur les rues, le tissage serré des toits de tuiles, la piazza della Cisterna et la campagne alentour.

Museo d'Arte sacra

➤ **A2** *À g. de la cathédrale. Ouv. lun.-sam. en été 9 h 30-19 h 30 ; en hiver 9 h 30-17 h. Dim. 13 h-17 h. F. 20 janv.-1ᵉʳ mars. Billet groupé avec les autres musées* ☎ *0577.94.03.16. Non accessible aux handicapés.*

Situé sur la jolie piazza dei Pecori, ce musée d'Art sacré occupe les dortoirs de l'ancienne collégiale. Il conserve des sculptures, des ornements sacerdotaux, de l'orfèvrerie et une petite collection étrusque.

Du fond de la place, on monte en quelques minutes aux ruines de la **forteresse** *(rocca)* construite par les Florentins en 1353 et démantelée quelques années plus tard par Cosme Iᵉʳ. On y jouit d'une belle **vue*** sur la cité.

Église Sant'Agostino

➤ **A1** *De la piazza del Duomo, prendre la via S. Matteo. Ouv. nov.-mars 7 h-12 h et 15 h-18 h ; avr.-oct. 7 h-12 h et 15 h-19 h.*

S. Agostino date de 1298. Dans le chœur, retable du ***Couronnement de la Vierge****, de Piero del Pollaiolo (1483) et fresques très vives de Benozzo Gozzoli illustrant la ***Vie de saint Augustin**** (1465-1467), dont la pensée domina la Chrétienté pendant des siècles. Les 16 scènes se lisent de bas en haut, à partir de la g. : saint Augustin, né en Afrique en 354, étudie à l'université de Carthage, part enseigner à Rome puis à Milan où il rencontre saint Ambroise (un écuyer retire ses éperons), se fait baptiser à l'âge de 33 ans, combat l'hérésie et meurt à Hippone en 430. ■

Volterra**

Située en acropole au centre d'une région volcanique, Volterra fut une importante **cité étrusque** dont l'enceinte faisait plus du double de l'actuelle muraille, médiévale. Elle fonda Arezzo et Fiesole, près de Florence, devint romaine au cours du IIIᵉ s. av. J.-C. et s'érigea en commune au XIIᵉ s. avant de tomber sous la domination de Florence au XVᵉ s. L'artisanat de l'**albâtre sculpté**, tradition multimillénaire à Volterra, dégénère aujourd'hui le long des rues en un bazar qui serre le cœur… Malgré un tourisme envahissant à la belle saison, la petite cité garde du charme.

➤ *29 km S-O de San Gimignano par la P 47 et la S 68 ; 51 km N-O de Sienne par la S 2 et la S 68.* **En car** *: départ de Pise, Sienne et San Gimignano. Parking à l'entrée de la ville. Compter une journée.* **Plan** *p. 154.* **Informations pratiques** *p. 162.*

Piazza dei Priori**

A1 Cette place, vrai carrefour de la ville, est dominée par le palais des Prieurs, le plus ancien du genre en Toscane (1208-1254), décoré de nombreux écussons et coiffé d'une haute tour crénelée. En face se dresse le palazzo Pretorio (XIIIᵉ s.), avec une galerie à trois grandes arcades, intégrant la tour des Podestats. À côté, le palais épiscopal est l'ancien grenier municipal.

À voir

Piazza dei Priori** ; ***Déposition de Croix****** de Rosso Fiorentino (Pinacothèque) ; **Musée étrusque Guarnacci**** ; les **Balze***. ❖

Duomo*

➤ **A1** *Ouv. en été 8h-12h30 et 15h-18h, sf ven. 16h-18h; en hiver 8h-12h30 et 15h-17h, sf ven. 16h-17h. Accessible aux handicapés.*

Derrière le palais des Prieurs, ce Duomo roman, orné d'un portail en marbre, fut consacré en 1120, agrandi au XIIIe s. et restauré dans les années 1950. À l'intérieur, de forts piliers de pierre marbrée rose soutiennent les arcades peintes de grandes bandes noir et blanc sous un **plafond*** à caissons or et bleu.

Dans la 2e chapelle du **transept dr.**, la ♥ *Déposition de Croix** en bois (or, bleu et rouge), du XIIIe s., est une œuvre très originale bien restaurée. Dans le chœur, deux *Anges** flanquent le maître-autel orné d'un élégant ciborium, le tout étant de Mino da Fiesole. Le **transept g.** accueille une *Vierge à l'Enfant* en bois polychrome, de Francesco di Valdambrino. Dans le **bas-côté g.**, *Annonciation* de Mariotto Albertinelli (1497) d'un dessin assez moderne. Également, série de peintures sur saint Paul: sa conversion (Zampieri), *Paul recevant les lettres* (Rosselli, 1627) et le *Martyre de saint Paul* (Francesco Curradi): l'ensemble, restauré, est très lumineux. À l'extrémité du **bas-côté g.**, dans la **chapelle de la Vierge**, est accroché (à dr.) un admirable *Ecce Homo** en bois du XVIe s.

Museo d'Arte sacra

➤ **A2** *À g. du Duomo, via Roma, 1. Ouv. t.l.j. en été 9h-13h et 15h-18h; en hiver 9h-13h. Billet groupé avec les autres musées ☎ 0588.86.290. Accessible aux handicapés.*

Le musée d'Art sacré présente, dans ses trois petites salles, de beaux fragments d'architecture du Duomo, un buste de *Saint Lin* d'Andrea della Robbia et un autre en argent de *Saint Octavien*, par Antonio del Pollaiolo. Notez aussi de très belles **statues*** en bois sur le thème de l'Annonciation (XIVe s.) et un **ciboire*** en albâtre.

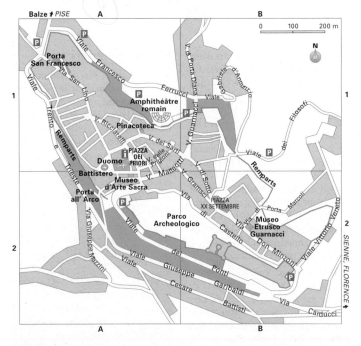

Palais des Prieurs, à Volterra. La chaude pierre des murs encadre des baies jumelles surmontées d'arcs dits de «décharge» supportant les poussées verticales de la façade.

La **via Roma** traverse la partie médiévale la plus évocatrice de la cité à hauteur du **Quadrivio dei Buonparenti*** qui regroupe plusieurs tours et maisons-tours.

Pinacothèque*

➤ **A1** *Palazzo Solaini. Via dei Sarti, 1. Ouv. t.l.j. mi-mars-oct. 9h-19h; le reste de l'année 9h-14h. Billet groupé avec les autres musées ☎ 0588.87.580. Accessible aux handicapés.*

Ce musée fort agréable présente des œuvres de qualité de l'école siennoise et surtout un grand chef-d'œuvre qui, à lui seul, justifierait le déplacement à Volterra : la ♥ *Déposition de Croix**** peinte en 1521 par Rosso Fiorentino *(encadré p. 156)* et superbement restaurée en 1994.

Après ce grandiose opéra pictural dont chaque détail, chaque note est admirable de fermeté, les autres œuvres du musée paraissent d'aimables cantilènes. Voyez pourtant la très gracieuse *Vierge de l'Annonciation** de Luca Signorelli (v. 1450-1523), l'impressionnant *Christ triomphant* de Ghirlandaio, sur un fond de ♥ **paysage** poétique, et plusieurs tableaux de la *Vierge à l'Enfant en majesté* de Taddeo di Bartolo (1362-1422), chef de l'école siennoise de la fin du XIVe s. et du début du XVe s. Également, belle *Pietà*, peinte sur bois, de Francesco Neri di Volterra. Enfin, la *Vierge au long cou* et la très délicate ♥ *Adoration de l'Enfant Jésus*, malheureusement détériorée, sont deux œuvres anonymes du XVe s.

La *Déposition de Croix* de Rosso Fiorentino

La Déposition de Croix, *par Rosso Fiorentino. Pinacothèque de Volterra.*

Installé dans une salle sombre et simplement éclairé par des spots, cet immense tableau (3 m sur 2 m), conçu pour un dessus d'autel, frappe immédiatement par le feu d'artifice de sa palette, sa très savante composition acrobatique et la puissance du dessin. Ses rouges d'incendie, bruns, jaune pâle, ocre ou bleu verdâtre détachent les personnages du bleu dégradé du ciel et donnent à ce ballet aérien où les couleurs s'entrechoquent une présence fascinante.

Thème rabâché s'il en est, cette *Déposition* devient la tragédie de la mort en direct. Son irruption brutale fige les vivants dans le désarroi, l'effroi ou la douleur, comme si le Christ, qui vire déjà au vert putréfié, venait d'expirer là, sous leurs yeux. Une fois de plus, Rosso Fiorentino crée de toutes pièces un univers d'une audace somptueuse sans aucun rapport avec les leçons de réalisme de la première Renaissance florentine. Les drapés sont solides, les muscles tendus à l'extrême, les portraits poignants : il n'y a là aucun soupçon de cette mièvrerie dans laquelle sombrera plus tard le maniérisme. Il est encore ici, dans sa « première manière », gonflé d'une sève qui marque une étape capitale dans l'évolution de la peinture italienne, étape à redécouvrir d'urgence. ❖

Musée étrusque Guarnacci**

➤ **B2** *Via Don Minzoni, 15. Mêmes horaires que la pinacothèque. Billet groupé avec les autres musées* ☎ *0588. 86.347. Accessible aux handicapés.*

Ce riche musée offre l'occasion de découvrir l'art étrusque (xe-1er s. av. J.-C.) à travers sa céramique, ses bronzes et surtout ses urnes cinéraires en tuf ou en albâtre (plus de 600), souvent magnifiquement sculptées. Les objets sont présentés par ordre chronologique (salles I à III du r.-d.-c. et tout le 2e ét.). La **collection Guarnacci**, elle, occupe le 1er étage et les salles IV à IX du rez-de-chaussée. Mario Guarnacci, érudit volterran du XVIIIe s., offrit sa collection « au public » en 1761.

Nous indiquons la visite dans le sens chronologique établi par la direction du musée.

À voir

Urnes nobiliaires sculptées** et **frises en albâtre**** (2e ét., salles **XXX** et **XXXI**) ; ♥ **Ombre du soir**** (1er ét., salle **XXII**) . ❖

➤ **REZ-DE-CHAUSSÉE (salles I à III)** : xe-ve s. av. J.-C. Voilà déjà 3 000 ans, les morts étant incinérés, les restes de la combustion étaient recueillis dans des vases en terre cuite surmontés d'un couvercle en forme d'écuelle. Ces vases étaient ensuite placés avec des objets usuels (rasoirs ou armes pour les hommes, nécessaire de toilette pour les femmes) dans une petite construction en pierre fermée d'un bloc cylindrique ou hémisphérique. On voit plusieurs exemples de ces sépultures ainsi que différents bijoux et petits bronzes votifs. Remarquez une belle **stèle funéraire** de guerrier d'Avile Tite (salle **II**) et une **tête en marbre*** (salle **III**).

➤ **2e ÉTAGE** : IVe-Ier s. av. J.-C. Cette période, sous influence hellénistique, connut un grand essor économique et culturel. Le rituel de l'incinération ne change pas, mais les urnes cinéraires prennent la forme de petits sarcophages. Au couvercle à double pente se substitue progressivement le couvercle sculpté d'un personnage à demi allongé comme dans les banquets de l'époque. Des ateliers plus ou moins réputés se spécialisèrent dans ce travail. Les familles choisissaient des modèles courants, moins chers, déjà fort beaux (salles **XXVII** et **XXVIII**) ou des pièces uniques, conçues pour un défunt et ses proches, généralement d'origine noble, d'où ces **urnes nobiliaires sculptées**** (salles **XXX** et **XXXI**). On verra dans ces salles des **frises en albâtre**** d'une extraordinaire vivacité. Certains personnages ont les yeux peints, et l'on décèle des fragments de couleurs des vêtements. À partir de la salle **XXXII**, bronzes, dont des miroirs, des **porteurs d'eau*** et de la très fine **vaisselle*** à vernis noir et cratères à figures rouges.

➤ **1er ÉTAGE : collection Guarnacci**. Cette collection n'est pas présentée par ordre chronologique, mais par thèmes définis par les conservateurs du XIXe s. : cycles héroïque, thébain, troyen, etc. qui retracent des hauts faits légendaires de l'Antiquité. On y trouve des scènes splendides, notamment dans les **cycles héroïque*** (salle **XIV**) et **thébain*** (salle **XVI**). Remarquez, dans la salle **XX**, le **couvercle en terre cuite dit des époux*** et surtout (salle **XXII**) le bronze filiforme dit ♥ **Ombre du soir****, qui dut frapper Giacometti…

➤ **SALLES IV à IX (r.-d.-c.) : suite de la collection Guarnacci**. Nombreuses scènes d'adieux funèbres et surtout (salle **VIII**) le couvercle de l'haruspice (devin) **Aule Lecu*** qui tient à la main un foie ovin dont l'étude lui permet de faire des présages.

Parc archéologique

AB2 À deux pas du centre, la ♥ **via di Castello**, bordée de vergers et de potagers, garde un caractère très campagnard. Elle longe le parc archéologique jalonné de quelques vestiges (citerne romaine, vasque…). La forteresse construite par les Médicis, transformée en prison, occupe toute la pointe.

Les Balze*

➤ **Hors pl. par A1** *Franchir la porta S. Francesco : le site des Balze est à 1 km au N-O, près du terrain de camping.*

Il s'agit de falaises sablonneuses qui s'effritent et parfois s'éboulent, laissant place à un chaos impressionnant. Plusieurs nécropoles étrusques, églises et monastères ont ainsi été emportés. De l'autre côté du précipice, le **monastère de la Badia**, littéralement au bord du gouffre, fut abandonné dans la hâte par les religieux en 1861. Périodiquement, quelques travaux sont entrepris, sans conviction puisque les bâtiments qui se ruinent sont inaccessibles.

À la porta all'Arco **A2**, les soubassements cyclopéens des **murailles étrusques** sont bien visibles. ■

Sur la route du Chianti.

La région est chère, et les chambres d'hôtels sont à réserver longtemps à l'avance. Il est aussi prudent de réserver une table dans les restaurants campagnards, très recherchés.

➤ **Carte** *p. 142-143.*

■ Barberino

➤ *Env. 15 km E de Certaldo.* **Visite** *p. 148.*

Maison d'hôtes

▲▲ **La Chiara di Prumiano**, Prumanio, 50021 Barberino Val d'Elsa ☎ 055.80.75.727, fax 055.80.75.678, < info@prumiano.it >. *F. déc.-mars. 11 ch. Réserver.* À l'entrée de Barberino, petite route à dr. vers San Donato, *via Cortine* (env. 6 km), où un chemin mène à La Chiara. L'autoroute Florence-Sienne est tout près, et pourtant on se croirait au fin fond de la campagne. Très beau domaine agricole et délicieuse grande demeure (XVIIᵉ s.). Chambres campagnardes à prix très raisonnables. Demi-pension possible. Très agréable.

■ Castellina in Chianti

➤ *Visite p. 144.*

Hôtels

▲▲▲ **Belvedere di San Leonino**, à 9 km de Castellina sur la route de Sienne (S 222) ☎ 0577.74.08.87, fax 0577.74.09.24, < info@hotelsanleonino.com >. *28 ch. F. déc.- mars.* Chambres grandes et confortables, piscine. Dîner pour la clientèle seulement. Tout proche, bon petit restaurant de village, **Osteria Fonterutoli**, à Fonterutoli.

▲▲▲ **Salivolpi**, via Fiorentina, 89, à 1 km N-O du village, sur la petite route de San Donato ☎ 0577.74.04.84, fax 0577.74.09.98, < info@hotelsalivolpi.com >. *Réserver.* Une vingtaine de chambres confortables et bien meublées dans une belle ferme restaurée et un bâtiment annexe. Campagne admirable (vignes du cru gallo nero). Les prix sont intéressants pour le charme, le cadre… et la région. Pas de restaurant.

Restaurant

♦♦♦ **Antica trattoria la Torre**, piazza del Comune, 15 (face à l'église) ☎ 0577.74.02.36. *F. ven. et 1ʳᵉ quinzaine de sept. Réserver en saison.* Décor rustique déjà cossu, mais sans prétention. Restaurant réputé dans la région pour sa cuisine de tradition et l'excellence de son veau. Sympathiques vins du Chianti. Prix moyens.

■ Castelnuovo Berardenga et alentour

➤ *Env. 25 km S de Gaiole in Chianti (visite p. 144); 20 km E de Sienne par la S 73.*

Les adresses indiquées ci-dessous sont facilement accessibles tout au long de l'itinéraire du massif du Chianti.

Hébergement

À CASTELLO DI BOSSI

➤ *12 km N-O de Castelnuovo (5 km N par S 484 et à g. vers Pianella; petite route à dr. au bout de 6 km; panneaux).*

Où déguster et acheter ?

Quelques grandes familles florentines possèdent d'importants vignobles : ainsi les Frescobaldi s'affirment « vignerons depuis sept siècles » et les Antinori ont refait leur fortune dans le vin. Leurs ventes sont centralisées dans leur palais de Florence *(piazza Antinori, 3 I-B2)* où ils ont créé également un restaurant réputé, la Cantinetta Antinori. Sur place, les vignerons reçoivent volontiers, sauf à la période des vendanges (sept. ou oct. selon les années). Les **Foires des vins** d'**Impruneta** et de **Greve** (en sept.) sont de bonnes occasions pour déguster... Pour tous les chianti, allez à l'**Enoteca del gallo nero**, à Greve, qui dispose de toutes les appellations chianti. Pour le chianti classico seul, adressez-vous aux **Bottega del chianti classico** de Greve et de Castellina, ainsi qu'à l'**Enoteca del chianti classico**, à Panzano. ❖

▲▲▲ **Fattoria di Bossi** ♥ ☎ 0577.35.93.30, fax 0577.35.90.48, < info@castellodi bossi.it >. *Pas de location à la nuit.* Site et hébergement d'une qualité exceptionnelle. *23 ch. et appart.* (cuisine) répartis entre plusieurs bâtiments agricoles rénovés d'une façon parfaite, situés dans un magnifique domaine de 50 ha, dont 30 d'oliviers et 20 de vignes (piscine). Tout est confortable (mais ni TV ni téléphone), beau et simple. Idéal pour un week-end, une semaine ou plus, à des prix réellement intéressants.

Restaurants

À PIANELLA

➤ *Env. 12 km E de Castelnuovo.*

♦♦ **Osteria I 10 Assassini**, à San Piero, 2 km E de Pianella ☎ 0577.36.20.16. *F. lun.* Bon petit restaurant, où les propriétaires préparent des plats toscans à prix très abordables. Également, bonnes pizzas.

À PIEVE ASCIATA

➤ *Env. 10 km N de Pianella.*

♦♦ **La Trappola** ♥, via Ischia ☎ 0577. 35.69.68. Ce très mignon restaurant dans un joli site n'est ouvert que le soir. Mais pour une somme minime – rare dans la région – vous ferez un vrai repas de gourmet dans une ambiance très sympathique.

À SAN GUSME

➤ *5 km N de Castelnuovo par S 484 et à dr.*

♦♦ **La Porta del Chianti**, piazza Castelli, 10-12 ☎ 0577.35.80.10. Sur la place du village, qui est charmant. Assez beau décor d'une salle à l'ancienne. Prix raisonnables et qualité honnête.

À VILLA A SESTA

➤ *6 km N de Castelnuovo par S 484.*

♦♦♦♦♦ **La Bottega del « 30 »** ♥, via S. Caterina, 2 ☎/fax 0577.35.92.26. *F. mar. et mer. Ouv. le soir, et seulement à midi le dim. et les j.f. Réserver. Pas de carte de paiement.* « 30 », comme 30 couverts... Un joli patio, d'où l'on voit une merveilleuse campagne. Ce restaurant, tenu par une Française et son mari italien, est un des plus fins de la région. Menu unique : raviolis farcis, pigeon farci, magret de canard au fenouil ou truffes blanches et noires... Produits faits maison ou très sélectionnés. Excellent chianti.

♦♦ **Caffè Camelia** ☎ 0577.35.90.99. *Réserver le soir.* Très sympathique petite *enoteca* où l'on peut déguster à prix doux d'excellentes *bruschette* à la tomate, des salades et des plats simples régionaux. Bon chianti. Recommandé.

■ Certaldo

➤ *Visite p. 148.*

❶ **Office de tourisme**, via Cavour, 32 ☎ 0571.65.67.21, fax 0571.66.42.08. *Ouv. de Pâques à déc. t.l.j. 9h-12h30 et 15h30-19h; le reste de l'année lun.-sam. 9h30-12h30.*

Hôtel-restaurant

▲▲▲ **Albergo del Vicario.** Dans la ville haute, dans un ancien monastère à 50 m du palais ☎ 0571.66.86.76, fax 0571.66.82.28. *15 ch.* Très beau cadre et superbe **vue****, chambres sympathiques mais assez petites. ♦♦ **Restaurant** de qualité à prix raisonnables.

Restaurant

♦♦ **Charlie Brown**, via Guida Rossa, 13 ☎ 0571.66.45.34. *F. 10 j. en août; le dim. en juin et juil.; le mar. d'août à juin. Réserver.* Bon menu à prix raisonnables. Recommandé.

Manifestation

➤ **MERACANTIA. Fin juil.** Festival de marionnettes dans les rues.

■ Gaiole in Chianti

➤ *Visite p. 144.*

❶ **Office de tourisme**, via A. Casablanca, 32 ☎/fax 0577.74.94.11. *Ouv. de Pâques à oct. t.l.j. 9h-12h30 et 15h30-19h. F. dim.*

Hôtel

▲▲▲▲ **San Sano**, strada Chiantigiana, 29, au lieu-dit San Sano (9,5 km S-O de Gaiole) ☎ 0577.74.61.30, fax 0577. 74.61.56, < info@sansanohotel.it >. *Ouv. 15 mars-15 déc. 15 ch.* réparties dans de vieilles maisons restaurées au cœur d'un petit village; beaucoup de charme et une très belle vue. Excellent confort. Restaurant le soir, pour la clientèle.

■ Greve in Chianti

➤ *Visite p. 143.*

Hôtel

▲▲▲ **Albergo del Chianti**, piazza G. Matteoti, 86 ☎/fax 055.85.37.63, < info@albergodelchianti.it >. *F. déc.* Hôtel simple, de bon standing, dans un recoin de la jolie place du bourg. Petite piscine dans le jardin. Les repas sont servis dans la grande pièce de l'entrée, au milieu des bouteilles.

Restaurant

♦♦♦♦ **Il Vescovino**, via Ciampolo da Panzano, 9, Panzano in Chianti, à 6 km au S ☎/fax 055.85.24.64. *F. mar. Réserver.* Superbe demeure prolongée par une grande terrasse ombragée donnant sur un paysage de rêve. Viande et poisson délicieux, tout comme les desserts et les vins. De la classe sans être guindé.

■ Mercatale

➤ *7 km N-O de Greve in Chianti.*

Hôtel

▲ **Paradise**, piazza Vittorio Veneto, 28 ☎/fax 055.82.13.27. *7 ch.* Petit hôtel simple, confortable et très propre sur la place du village. Bon marché. À l'écart des sites les plus touristiques, il peut dépanner dans une région où il est difficile de se loger en saison.

■ Monteriggioni

➤ *Visite p. 145.*

Hôtels

▲▲▲▲ **Hôtel Monteriggioni**, via I Maggio, 4 ☎ 0577.30.50.09, fax 0577. 30.50.11, < info@hotelmonteriggioni. net >. *12 ch. F. mi-janv.-fév. Réserver.* Belle et grande demeure, chic et de bon goût, agrémentée d'un jardin et d'une petite piscine. Confort parfait. Cadre exceptionnel. Pas de restaurant, mais **Il Piccolo Castello** est à côté (cuisine honorable) et **Il Pozzo** (☎ 0577.30.41.27, *f. lun.*), à quelques dizaines de mètres, est recommandé. Ce village de vignerons, entouré de remparts qui plongent sur le vignoble, est ravissant; un défaut : les touristes... Mais les soirées sont très calmes. Également : herboristerie.

▲▲ **Siena Residenza Hotel**, via del Pozzo, 3, à San Martino ☎/fax 0577. 31.80.23, < www.hotelsiena.it >. Cette résidence récente, assez banale d'aspect mais confortable, propose à quelques minutes seulement en voiture de Sienne des studios avec cuisine au prix d'une chambre d'hôtel abordable.

■ Radda in Chianti

➤ *Visite p. 144.*

❶ **Office de tourisme**, piazza Ferrucci, 1 ☎ 0577.73.84.94, fax 0577.73. 93.84,< proradda@chiantinet.it >. *Ouv. t.l.j. mars-oct. 10h-13h et 15h30-18h30.*

Hôtels

▲▲▲ **Vignale**, via Pianigiani, 8 ☎ 0577.73.83.00, fax 0577.73.85.92, < vignale@vignale.it >. *37 ch. Ouv. mi-mars-nov.* Très bien placé dans le village. Restaurant, piscine, œnothèque.

▲▲▲ **Villa Miranda**, lieu-dit La Villa, via Villa di Sotto, 10. ☎ 0577.73.80.21, fax 0577.73.86.68. *F. mi-janv.-fév.* Sur la route S 429, en contrebas du village. Plusieurs générations de femmes veillent presque maternellement sur les hôtes de cette incroyable maison désordonnée qui sent le renfermé. Certains clients fuient, d'autres adorent. Les chambres vont du bon confort à la soupente. La cuisine du ♦♦ **restaurant** est d'une bonne cavalerie, servie gentiment. Un établissement hors norme dans une campagne ravissante. L'addition ménage bonnes ou moins bonnes surprises. Très prisé des Allemands.

Restaurants

♦♦♦ **Il Poggio da Giannetto**, à Poggio San Polo, à 4 km au S de Radda, mais sur la commune de Gaiole ☎ 0577. 74.61.76. *F. lun. et janv.-mi-mars. Réserver.* Dans un joli hameau en cul-de-sac, beau panorama sur la campagne. Mais M. Catinari « germanise » un peu trop ses plats.

♦♦ **Le Vigne**, à l'écart de Radda, au lieu-dit Podere Le Vigne ☎ 0577. 73.86.40. *Ouv. mars-nov. F. le mar. en nov.* Une vieille maison au milieu des vignes dans un coin superbe et une bonne cuisine régionale à prix honnêtes. Très agréable.

♦ **La Bottega de Carla**, trattoria dans le splendide bourg de Volpaia ☎0577. 73.80.01. *F. mar.*

♦ **Da Michele**, viale XI Febbraio, 4 ☎ 0577.73.84.91. *F. lun.* Une agréable terrasse et un large choix de pizzas épatantes arrosées de chianti bien frais. Bon marché.

■ San Gimignano

➤ *Plan p. 151. Visite p. 150.*

❶ **Office de tourisme**, piazza del Duomo, 1 **A2** ☎ 0577.94.00.08, fax 0577.94.09.03, < www.sangimignano. com >. *Ouv. mars-oct. 9h-19h; nov.-fév. 9h30-12h30 et 15h-18h30. F. dim.*

Hébergement

➤ **R**ÉSERVATIONS HÔTELIÈRES ET CHAMBRES CHEZ L'HABITANT. **Coop Hotels Promotion**, via S. Giovanni, 125 **A2** ☎ 0577.94.08.09, fax 0577. 94.01.13, < hotsangi@tin.it >. *Ouv. mars-oct. 9h30-19h. F. dim. Nov.-fév. 9h30-12h30 et 15h-18h30.*

▲▲▲ **La Cisterna**, piazza della Cisterna, 24 **B2** ☎ 0577.94.03.28, fax 0577. 94.20.80, < lacisterna@iol.it >. *49 ch. F. janv.-fév. Réserver.* Ce palais du XIVᵉ s. a du charme. Certaines chambres donnent sur la campagne, d'autres sur la merveilleuse piazza della Cisterna. Bon restaurant *(Le Terrazze, voir ci-après).*

▲▲ **Leon Bianco**, piazza della Cisterna, 13 **B2** ☎ 0577.94.12.94, fax 0577.94. 21.23, < leonbianco@iol.it >. *25 ch. F. mi-nov.-mi-déc. et mi-janv.-mi-fév. Réserver.* Très bon hôtel, mais sans manières, dont les chambres fraîches, même en été, plongent sur la piazza della Cisterna. Un peu moins cher que La Cisterna, qui lui fait face. Bon rapport qualité/prix.

▲▲ **Villa Belvedere**, via Dante Alighieri, 14 **hors pl. par A1** ☎ 0577.94.05.39, fax 0577.94.03.27, < hotel.villabelve dere@tin.it >. *12 ch. Réserver.* Jolie villa aux chambres confortables, dans un jardin planté de cyprès. Petite piscine. Bon rapport qualité/prix.

➤ **Auberge de jeunesse. Foresteria Monastero di san Girolamo**, via Folgore, 32 **B2** ☎/fax 0577.94.05.73. *F. nov.-mi-déc. et janv.*

➤ **Camping. Il Boschetto di Piemma**, à Santa Lucia (à 2 km S-E, sur la route de Colle di Val d'Elsa) ☎ 0577. 94.03.52. *Ouv. avr.-mi-oct.*

Restaurants

◆◆◆ **Le Terrazze** (dans l'hôtel Cisterna), piazza della Cisterna, 24 **B2** ☎ 0577. 94.03.28. *F. mar., mer. midi et en fév. Réserver.* Superbe salle médiévale aux poutres basses, prolongée par une grande terrasse face aux collines. Agréable cuisine dans un cadre de rêve.

◆◆ **La Stella**, via S. Matteo, 77 **A1** ☎/fax 0577.94.04.44. *F. mer., mi-nov.-mi-déc. et mi-janv.-mi-fév.* Au milieu du bourg, une salle voûtée en longueur, surtout fréquentée par les Italiens. Le filet de bœuf est fondant, le dessert confectionné à base de recettes toscanes, et le vin de table en carafe fort moelleux. Un bon rapport qualité/prix.

Manifestations

➤ **Carnaval.** En **fév.**, 4e dim. précédant le Mardi gras.

➤ **Festival international d'opéra.** En **juil.**

■ Volterra

➤ **Plan** *p. 154.* **Visite** *p. 153.*

ⓘ **Office de tourisme**, piazza dei Priori, 120 **A1** ☎/fax 0588.872.57, < www.vol terratur.it >. *Ouv. t.l.j. mars-oct. 9h-13h et 14h-19h; nov.-fév. 10h-13h et 14h-18h. F. 1er janv. et Noël.*

Hébergement

▲▲▲ **San Lino**, via S. Lino, 26 **A1** ☎ 0588.85.250, fax 0588.80.620, < info@hotelsanlino.com >. *44 ch.*

F. nov. Parking, jardin, piscine, TV dans les chambres : jamais les religieux de cet ancien couvent n'auraient imaginé pareil confort. Plutôt agréable. Prix moyens. Restaurant, non réservé à la clientèle.

▲▲ **Etruria**, via Matteotti, 32 **A1-2** ☎/fax 0588.873.77, < hoteletruria @libero.it >. *F. nov. 22 ch. Réserver.* À ne pas confondre avec le restaurant du même nom. Un sobre confort dans cet édifice ancien situé en plein centre. Petit jardin (parking). Prix intéressants.

▲▲ **Villa Nencini**, borgo S. Stefano, 55 **hors pl. par A1** ☎ 0588.86.386, fax 0588.80.601, < info@villanencini.it >. *34 ch. Réserver.* Vieille demeure tranquille, à l'écart de la cité, dans un petit parc, piscine. Confortable et agréable. Bon rapport qualité/prix.

➤ **Auberge de jeunesse. Ostello della Gioventù**, via Don Minzoni, 3 **B2** ☎/fax 0588.855.77. Moderne et bien tenue. Bonne situation face à la forteresse.

➤ **Camping. Camping le Balze**, via di Mandringa **hors pl. par A1** ☎/fax 0588.878.80. *F. nov.-fév.* Situé 1 km N-O de Volterra, par la porta S. Francesco. Bien situé. Les Balze *(p. 157)*, collines sablonneuses friables, forment un des décors les plus spectaculaires de la région. Piscine, tennis et bungalows à louer.

Restaurants

◆◆ **Etruria**, piazza dei Priori, 8 **A1** ☎/fax 0588.86.064. *F. mer. en hiver.* Sur une des places médiévales les mieux conservées d'Italie, restaurant honorable, spécialisé dans le gibier. Prix modérés.

◆◆ **Il Poggio**, via Porta all'Arco, 7 **A2** ☎/fax 0588.85.257. *F. mar.* Bon restaurant. Lapin et lièvre à l'honneur. Prix moyens.

◆◆ **Il Pozzo degli Etruschi**, via delle Prigioni, 28 **A1** ☎ 0588.80.608. *F. ven. et en janv.* Près de la piazza dei Priori. Petite terrasse charmante. Cuisine honorable et pas trop chère. ■

P istoia apparaît comme l'une des cités les plus surprenantes de Toscane. Le visiteur y erre encore dans un désert grandiose momifié lors d'un Moyen Âge conquérant, avant d'être englouti dans les années 1300 par le boa Florence… Le silence minéral des saisons mortes plane sur la somptueuse piazza del Duomo dont les derniers souffles de vie tiennent des coups de sang : deux marchés vestimentaires hebdomadaires et les fêtes de l'été, festival de blues et joute de l'Ours. Et pourtant, Pistoia (85 000 hab.) se trouve au cœur d'une région florissante : l'industrielle Prato, à mi-chemin sur la route de Florence ; Quarrata, petite capitale du meuble en bois ; Empoli ou Santa Croce sull'Arno, centre important de la peausserie. Et surtout l'arboriculture, célèbre dans toute l'Italie. Mais tout se passe comme si la « vieille ville » aux façades bicolores caractéristiques n'était plus qu'une relique, celle d'un glorieux passé communal qui fit fortune dans le drap et la métallurgie, connue depuis les Romains. On vient la vénérer le dimanche et y faire son marché dans l'adorable quartier de la piazza della Sala.

Programme

Les curiosités de Pistoia étant regroupées dans un mouchoir de poche, **une demi-journée** pourrait suffire à découvrir l'essentiel de la ville, sauf si l'on est intéressé par les excellents musées consacrés à deux artistes contemporains, l'architecte Giovanni Michelucci et le peintre sculpteur Marino Marini. La visite de Montecatini et Pescia, à laquelle on peut adjoindre Collodi *(p. 189)* sur la route de Lucques, mérite une bonne après-midi, tout comme l'excursion jusqu'à Vinci. ❖

Pistoia★★

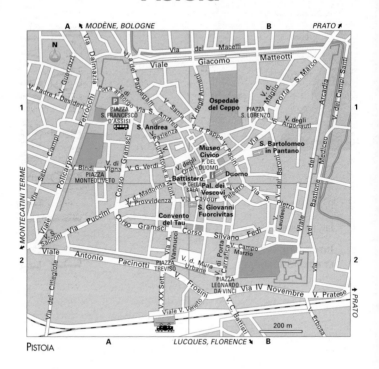

PISTOIA

'une des premières d'Italie, la cité de Pistoia adopta dès le tout début du XII⁰ s. le système politique des consuls élus, très démocratique pour l'époque. Très vite, elle connut une forte croissance économique et contrôlait un territoire nettement plus vaste que son actuelle province. C'est de cette période – du XI⁰ s. au début du XIII⁰ s. – que date l'essentiel du décor monumental que nous connaissons.

Devenue l'objet de la convoitise de Lucques et de Florence qui entraient dans leur âge d'or, elle subit d'abord le joug du tyran de Lucques, Castruccio Castracani. Las, au moment où elle retrouvait ses forces et espérait récupérer son indépendance, la peste de 1348 puis celle de 1400 décimèrent ses élites et une grande partie de sa population. Florence en profita dès 1401, et Pistoia perdit définitivement sa liberté. Son histoire se confondit alors avec celle des Médicis, puis des Lor-

raine qui leur succédèrent. Aux XIX⁰ et XX⁰ s., Pistoia et sa région s'industrialisèrent (usines automobiles, industrie du meuble notamment).

▶ *40 km N-O de Florence; 40 km N-E de Lucques; 60 km N-E de Pise.* **Informations pratiques** *p. 173.*

À voir

La **piazza del Duomo**★★★ avec le **duomo S. Zeno**★★, le **baptistère**★★ et les palais qui la ferment, ♥ l'**église S. Andrea**★ à la délicate façade qui abrite une admirable **chaire**★★ de Giovanni Pisano, l'ospedale del Ceppo et sa **frise**★★ en terre cuite émaillée et, pour l'ambiance, le ♥ **marché** quotidien de la piazza della Sala. ❖

Le cœur historique***

Nombril géographique de Pistoia, la théâtrale **piazza del Duomo***** s'organise autour de l'élégant duomo San Zeno, résidence à l'origine du chef de la cité, et du baptistère qui lui fait face. Tout autour, les nobles palais du XIVᵉ s. ont gardé leur austérité. Certains ont retrouvé leur fonction initiale, comme le **palazzo del Podestà**, siège de la justice, qui conserve dans la cour *(entrée libre)* les bancs de pierre des juges et des accusés. Les **mercredis et samedis matin**, la place est occupée par un grand **marché** tenant du bazar. Au mois de juillet, elle est le cadre de deux importantes manifestations : le festival **Pistoia Blues** (début juil.) et la **joute de l'Ours** (giostra dell'Orso) le 25 juillet. Compter 2 h, avec la visite du duomo S. Zeno, du Museo civico et du baptistère.

Duomo San Zeno**

➤ **B1** *Chapelle S. Jacopo* ☎ *0573. 25.095. Ouv. 10 h-12 h 30 et 15 h 30-17 h 30 ; dim. et j.f. 8 h-9 h 30, 11 h-11 h 30 et 16 h-17 h 30. Accessible aux handicapés.*

Avec ses trois étages à colonnettes légères qui sont une spécialité de Pise, l'incrustation de bandes de marbres bicolores propre à la tradition florentine et son porche élancé édifié au XIVᵉ s. dans cette même tradition, cette cathédrale romane, du XIIᵉ s. pour l'essentiel, est une des synthèses les plus harmonieuses de Toscane. Sa façade est toutefois un peu à l'étroit entre la muraille du palazzo dei Vescovi et le puissant campanile (XIIIᵉ et XIVᵉ s. ; 67 m de haut), qui juxtapose plusieurs styles. En 1505, Andrea della Robbia décora de terres cuites émaillées la voûte du portique et le tympan du portail central avec notamment une belle *Vierge à l'Enfant et anges**.

Les deux statues qui trônent au sommet de la façade marquent l'évolution des dévotions : à g., *Saint Zenon*, premier saint patron de Pistoia, à dr., *Saint Jacques*, revêtu d'une toge rouge à l'occasion de la giostra dell'Orso

(encadré p. 173) – qui se déroule le jour de sa fête. La ville acquit des reliques du saint en 1143 et devint une étape importante sur la route de Compostelle, comme le prouve, à l'intérieur, le célèbre **autel de saint Jacques***** en argent *(1ʳᵉ chapelle, bas-côté dr. Entrée payante)*. Jacques tenant son bâton de pèlerin règne sous un Christ en gloire. La plupart des 15 panneaux inférieurs (de face) mettent en scène le Christ ; ceux du côté dr. sont consacrés à l'Ancien Testament et ceux de g. à une superbe illustration de la *Vie de saint Jacques**. L'ensemble, réalisé sur plusieurs générations par les meilleurs orfèvres toscans à partir de 1287, totalise 628 personnages martelés dans des feuilles d'argent ou coulés selon le procédé de la cire perdue.

À g. du chœur, baroque, voir aussi le grand tableau (vers 1480) de Verrocchio achevé par son élève Lorenzo di Credi, *Vierge en majesté entre deux saints** (à g. Jean-Baptiste, à dr. saint Donat).

Antico palazzo dei Vescovi

➤ **B1** *Ouv. mar., jeu. et ven. 10 h-13 h et 15 h-17 h. Entrée payante. Visite guidée (1 h) obligatoire (en italien). Accès partiel aux handicapés.*

Cet ancien palais épiscopal (XIᵉ-XIVᵉ s.) transformé ensuite en prison abrite aujourd'hui une partie de la Cassa di Risparmio et le **museo della Cattedrale**, riche en orfèvrerie (**reliquaire de S. Jacopo***, par Lorenzo Ghiberti). L'admirable décor, d'une restauration parfaite, fait l'essentiel du charme de cette visite.

Museo civico*

➤ **B1** *Palazzo del Comune, piazza del Duomo. Ouv. 10 h-18 h ; dim. et j.f. 9 h-12 h 30. F. lun. Entrée payante* ☎ *0573. 37.12.96. Visite : env. 40 mn. Accessible aux handicapés.*

Le musée est aménagé sur trois niveaux du superbe **palazzo del Comune***, palais communal – aujourd'hui encore siège de la mairie de Pistoia –, bel édifice gothique qui fut rattaché par une

Le lumineux baptistère gothique à huit côtés de Pistoia, conçu par Andrea Pisano.

arche à la cathédrale au XVIIᵉ s. À l'entrée, un monumental ♥ **cheval en bronze** cabré. On reconnaît immédiatement la «patte» de Marino Marini, enfant de Pistoia. Un autre contemporain illustre dans son domaine, l'architecture, occupe à lui seul un étage du musée: Giovanni Michelucci.

➤ **1ᵉʳ ÉTAGE.** Outre la *Sacra Conversazione* de Lorenzo di Credi, l'intérêt se porte surtout sur les tableaux d'autel de grand format d'artistes de Pistoia des années 1460-1540, dont le meilleur représentant fut Germino Gerini.

➤ **2ᵉ ÉTAGE.** Presque entièrement consacrée à **Giovanni Michelucci** – architecte de réputation internationale né à Pistoia (1891-1990) –, cette exposition permanente de ses croquis, plans, dessins et écrits est passionnante. On y découvre un véritable humaniste passionné d'urbanisme dont quelques œuvres sont faciles à découvrir à Florence (gare centrale et restauration du quartier S. Croce), à Pise (chapelle de l'aéroport) et à Pistoia même (extension de la Cassa di Risparmio – palazzo dei Vescovi – ou,

aux environs, S. Maria e Tecla, à La Vergine, à 4 km O). On verra aussi une maquette de la très belle église de ♥ **Lungarone**, dans le nord de l'Italie.

➤ **3ᵉ ÉTAGE.** Belle vaste salle au plafond peint, abritant des stalles du XVIᵉ s. et des tableaux des XIVᵉ au XVIIIᵉ s., dont un triptyque de la *Vierge en majesté* du Maître de Francfort.

Battistero** (baptistère)

➤ **B1** *Ouv. 9h-12h30 et 15h-18h; dim. et j.f. 9h-12h30. F. lun. Accessible aux handicapés.*

Élevé par Cellino di Nese au milieu du XIVᵉ s., cet éblouissant bijou gothique à huit côtés, strié de marbres blanc et vert, fut dessiné par Andrea Pisano. À l'intérieur, la parure en brique nue confère aux superbes volumes une douceur rosée qui contraste avec la dureté de la lumière extérieure. Au centre, beaux **fonts baptismaux** en marbre de Lanfranco di Como (1226) retrouvés lors de travaux exécutés en 1965. En ressortant, remarquez la petite chaire destinée aux prêches en plein air.

Le ♥ marché de la piazza della Sala

B1-2 L'animation se réfugie chaque matin dans la **via Stracceria** et sur la chaleureuse petite piazza della Sala, juste derrière le baptistère, où trône le **pozzo del Leone**, le puits du Lion. Ce marché quotidien aux fruits et légumes a retrouvé, depuis sa restauration à l'identique, sa saveur médiévale. Ses auvents de tuile et ses étals en pierre font un pied de nez à la pompe architecturale qui se déploie à quelques pas de là. Un petit quartier convivial au décor très rare en Italie.

Via degli Orafi

B1 Partant de la piazza del Duomo, cette artère très commerçante constitue depuis les Romains la colonne vertébrale de Pistoia. Elle a beaucoup évolué avec le temps, notamment au début du XXe s. où, sous l'influence d'un riche marchand, Antonio Lavarini, l'Art nouveau y fit une percée. Au n° 52, l'étonnante **galleria Vittore Emanuele** demeure le plus intéressant témoignage de cette période, avec ses verrières, ses balcons forgés et son sol traditionnel en terrasolit (sol moucheté).

Autour du centre historique*

Les églises et musées que nous indiquons sont accessibles à partir du centre de Pistoia dans un rayon de 10 mn à pied.

♥ Église Sant'Andrea*

➤ **A1** *Via Sant'Andrea. Ouv. 8 h-12 h 30 et 15 h 30-18 h.*

Le fronton inachevé de cette église du XIIe s. confère à sa façade ornée de fausses arcades une sobre distinction (restaurée en 1995). Remarquer, au-dessus du portail central (linteau), la frise en marbre du *Voyage des Rois mages** (Gruamonte, 1166). À l'intérieur, l'étroite et haute voûte centrale a la légèreté d'un envol. Entre 1298 et 1301, Giovanni Pisano a sculpté dans le marbre une **chaire*** que d'aucuns considèrent comme son chef-d'œuvre. D'une intensité dramatique étourdissante – notamment dans le *Massacre des Innocents* et la *Crucifixion* –, ses cinq panneaux illustrent des scènes de la vie du Christ et le Jugement dernier. Voir aussi, du même artiste, un émouvant *Crucifix** en bois (petite nef de dr.).

Ospedale del Ceppo

B1 D'après la légende de 1200, la Vierge chargea un couple très pieux de trouver un tronc d'arbre creux dans lequel on déposait les offrandes, qui aurait la particularité de fleurir en hiver. C'est à cet endroit que serait créé un hospice de charité. Celui-ci (du XIIIe s.) se vit adjoindre un portique en 1514, orné d'une longue **frise*** de terre cuite émaillée commandée à Giovanni della Robbia et à son ex-apprenti, Benedetto Buglioni.

On reconnaît les sept «œuvres de charité» dans les sept panneaux qui la composent: *Vêtir les pauvres* (sur le côté), *Accueillir les pèlerins, Soigner les malades, Visiter les prisonniers, Ensevelir les morts, Distribuer la nourriture à ceux qui ont faim, Donner de l'eau à ceux qui ont soif.*

Cet ensemble est l'un des derniers témoignages de cette technique mise au point par Luca della Robbia *(encadré p. 168)*. Entre chaque panneau, de gracieuses figures féminines incarnent les Vertus: Prudence, Foi, Charité, Espérance, Justice.

Église San Bartolomeo in Pantano*

➤ **B1** *Piazza San Bartolomeo, 11. Ouv. 8 h 30-12 h et 16 h-18 h ☎ 0573.24.297.*

Cet édifice de 1159, souvent remanié par la suite, mérite l'attention pour son assez curieuse façade (le *Christ ressuscité* et *Thomas* au-dessus du portail central) et son bel aménagement intérieur: fresque d'un *Christ en majesté* dans l'abside; très belle **chaire** de Guido da Como et chapiteaux ornés de monstres.

Les faïences des Della Robbia

Frise en terre cuite émaillée de Giovanni della Robbia et Benedetto Buglioni à l'ospedale del Ceppo de Pistoia. De g. à dr.: soin aux malades, visite aux prisonniers, ensevelissement des morts, repas pour ceux qui ont faim...

Rien ne laissait deviner que le remarquable sculpteur de marbre qu'était Luca della Robbia (v. 1400-1482) abandonnerait aiguilles et marteaux pour se spécialiser à 40 ans passés dans le modelage d'une terre cuite inaltérable. Rien ne laissait non plus deviner le succès populaire et immédiat de ses compositions sereines de madones bleues et blanches. Et rien, enfin, ne laissait penser que cet art deviendrait le « secret de fabrique » d'une véritable dynastie qui, à travers son neveu Andrea et ses descendants Giovanni et Girolamo, a fait briller le nom des Della Robbia pendant plus d'un siècle en Italie, puis en Europe *(voir p. 308).*

Le procédé de la glaçure à base d'un mélange d'oxyde de plomb et de silice pure dissous dans l'eau était déjà connu. Mais Luca et Andrea le portèrent à un degré de perfection inégalé, assurant une imperméabilité totale après une cuisson elle-même très soigneusement dosée. Ils travaillèrent avec passion les coloris, ajoutant de l'étain pour obtenir un blanc onctueux et du cobalt pour le bleu. Puis le cuivre, l'antimoine, le manganèse enrichirent la palette de jaunes, bruns et verts.

Personne avant eux n'avait élevé la terre cuite au rang de grandes compositions rivalisant avec la sculpture, tels, à Florence, les célèbres bébés emmaillotés de l'hôpital des Innocents ou les médaillons de la chapelle des Pazzi ; ou encore, à Pistoia, la splendide *Visitation* de S. Giovanni Fuorcivitas et la frise de l'ospedale del Ceppo. Si Luca, le patriarche, fut le plus grand, Andrea et ses fils firent de leur atelier un véritable laboratoire où s'inventaient les séries qui ornent toujours à profusion châteaux, églises et places publiques. ❖

San Giovanni Fuorcivitas*

➤ **B2** *Via Cavour. Ouv. 8 h-12 h et 17 h-18 h 30* ☎ *0573.24.784.*

À deux pas, la longue façade (en réalité le flanc nord) en marbre zébré de cette église inachevée, dont la construction s'étala du XIIᵉ au XIVᵉ s., borde la via Cavour. L'église possède une **chaire*** en marbre (1270) très finement ciselée par Fra Guglielmo et une **Visitation*** en terre cuite blanche vernissée de Luca della Robbia. À l'extérieur, au-dessus du petit portail central, remarquez la **Cène*** bien rythmée, sculptée par Gruamonte en 1162 ; Jésus est au centre ; devant la table, un petit Judas difforme.

Fondation Marino Marini** (Centre Fondazione)

➤ **AB2** *Convento del Tau. Corso Silvano Fedi, 30. Ouv. 10h-18h, j.f. 9h30-12h30. F. dim. Bibliothèque ouv. mar.-ven. 9h-13h. Entrée payante le matin* ☎ *0573.30.285. Visite: 30 mn au minimum. Accessible aux handicapés.*

La fondation Marino Marini est établie dans l'ancien couvent des hospitaliers de saint Antoine, Convento del Tau. Il tire son nom de la lettre T (le tau grec) que les moines portaient sur leur tunique, sa forme évoquant une béquille symbolique de cet ordre de bienfaisance.

Sculpteur, graveur et peintre, **Marino Marini** (Pistoia 1901-1980) a enseigné son art, côtoyé les grands créateurs du XXe s. (de Stravinsky à Mies van der Rohe ou Chagall) et réalisé une œuvre aussi riche qu'originale, essentiellement centrée sur le cheval et son cavalier: cheval de course ou de cirque, cavalier saltimbanque, danseur ou acrobate. Dans le secret de petites salles en labyrinthe reliées par des escaliers mystérieux, la fondation conserve des centaines d'eaux-fortes, pointes-sèches, gravures et **peintures** qui ne sont pas moins puissantes dans la concision extrême d'un trait fluide que sa sculpture exposée à Florence *(voir p. 114)*. Importante photothèque et vidéothèque à la disposition du public.

Cappella del Tau

➤ **AB2** *Corso Silvano Fedi, 70. Ouv. 9h-14h. F. dim.* ☎ *0573.32.204. Non accessible aux handicapés.*

Pistoia mélange la tradition pisane des fines colonnettes et les bandes de marbre coloré cher à Florence (détail de l'église San Giovanni Fuorcivitas).

L'église conventuelle, du XIVe s., aujourd'hui désaffectée, possède de charmantes **fresques** d'artistes locaux des XIVe et XVe s. inspirés de l'école florentine des frères Orcagna. Elles illustrent des épisodes de l'Ancien et du Nouveau Testament. En entrant: *Vie de saint Antoine Abate*, dont l'ordre se spécialisa dans les onguents et remèdes très populaires à base de graisse de cochon. Le mur du fond représente le paradis, les voûtes relatent des scènes de la Genèse. ■

Les environs de Pistoia

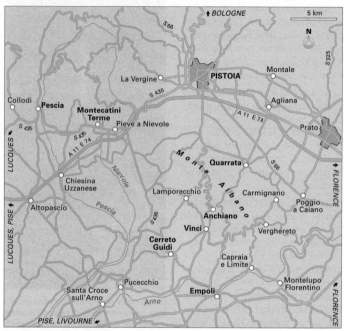

LES ENVIRONS DE PISTOIA

Les étapes à Montecatini et à Pescia, dans la vallée de la Nievole (Val di Nievole), auxquelles on peut aussi raccrocher Collodi, à 5 km de Pescia, peuvent parfaitement s'intégrer dans le trajet automobile Pistoia-Lucques – ou vice-versa – par la S 435. On peut aussi concevoir leur visite comme une excursion à part entière avec retour sur Pistoia par l'autoroute A11 (env. 40 km). L'itinéraire un peu insolite que nous vous proposons vers Vinci (25 km) permet de découvrir la Toscane peu fréquentée du mont Albano avant de rejoindre à Empoli (36 km) l'autoroute qui relie Livourne et Pise à Florence et Sienne.

Val di Nievole

À l'ouest de Pistoia, dans la vallée de la Nievole, aux multiples sources thermales, l'élégante et mondaine station de Montecatini, très prisée au début du XXe s., est, aujourd'hui encore, à la hauteur de sa réputation. À quelques kilomètres de là, une halte s'impose au grand marché floral de Pescia. Compter une demi-journée.

Montecatini

> *15 km O de Pistoia par la S 435.*

Le **quartier thermal*** de Montecatini s'étend sur les collines boisées qui surplombent la petite cité. Connu depuis des siècles pour ses vertus digestives et hépatiques, il ne s'équipa vraiment qu'au début du XXe s. d'établissements somptueux mariant le Modern Style et de fastueuses galeries-promenoirs à colonnes. Un décor rare très bien intégré à une nature maîtrisée.

Pescia

> *25 km O de Pistoia et 10 km O de Montecatini par la S 435.*

Les environs proches annoncent la couleur: pépinières, asperges, champs de fleurs et spécialement d'œillets.

Pescia est un des grands centres d'Europe de la culture florale. L'immense ♥ **marché** aux fleurs se tient tous les samedis matin sur la vaste piazza Grande (rive g. de la Pescia). À voir absolument, surtout au printemps et au début de l'été.

La cité, toute jaune, divisée en deux parties par la rivière Pescia, est mignonne : jolies places et belles églises, notamment **S. Francesco** qui possède un tableau de Bonaventura Berlinghieri (1235) représentant des scènes de la *Vie de saint François d'Assise**.

De Pescia, on peut aussi rejoindre Collodi, à 5 km *(p. 189)*.

Le pays de Vinci

La route s'élève peu à peu dans la forêt et pénètre dans un monde silencieux et vert de villages accrochés au loin aux pentes des collines, de jardins en terrasses, de fermes isolées au fond d'un vallon. Le chemin virevolte, grimpe, descend et finit par tomber en lacet ménageant des vues superbes sur le vignoble de Vinci qui produit un bon vin parfumé. Compter une demi-journée.

Quarrata

➤ *13 km S de Pistoia ; au bout de 7 km sur la route d'Empoli, bifurquer à g.*

Si l'on s'intéresse aux cités, petites ou moyennes, spécialisées dans un métier, une des caractéristiques de l'Italie centrale, on peut faire un crochet jusqu'à ce bourg dont le mobilier représente 80 % de l'économie locale *(voir p. 54)*.

Anchiano

➤ *22 km S de Pistoia sur la route d'Empoli. 3 km avant d'arriver à Vinci, la route passe près du lieu-dit Anchiano (route de Faltognano).*

C'est dans ce hameau que **Léonard de Vinci** (1452-1519), fils naturel d'un homme de loi florentin, vécut une partie de son enfance. Les magnifiques vergers d'oliviers et les terrasses culti-

vées des collines dessinent un petit coin de campagne de rêve où l'on imagine le chemin terreux et blanc sur lequel gambadait l'enfant.

Ce ♥ **site** qui n'a guère dû changer est plus évocateur que la **casa di Leonardo** *(ouv. t.l.j. 9h30-19h, mars-nov. f. à 18h ; entrée gratuite. Accès partiel aux handicapés)*, ferme très remaniée, décorée de quelques dessins, qui serait la maison natale présumée de l'artiste.

Vinci*

➤ *25 km S de Pistoia. **Informations pratiques** p. 174.*

Le bourg très coquet (14 000 hab.) auquel Léonard de Vinci emprunta son nom consacre à l'artiste plusieurs lieux de mémoire.

➤ **MUSEO LEONARDIANO*** *(Castello dei Conti Guidi. Ouv. t.l.j. en été 9h30-*

Le bourg de Vinci près duquel naquit Léonard. Un musée lui est consacré.

19 h, mars-fév. 9 h 30-18 h. Entrée payante. Visites guidées possibles sur rendez-vous ☎ 0571.56.055. Accès partiel aux handicapés). Ici, comme au Clos-Lucé, en Touraine, où Vinci termina sa vie, mais en nombre bien plus important, les **maquettes** de ses inventions ont été réalisées à partir de ses dessins et schémas. On sait que son esprit était encyclopédique, mais la palette de ses intuitions et de ses connaissances laisse tout de même pantois. Il imagina le canon à vapeur (l'eau passant sur des charbons ardents se transforme en vapeur dont la force concentrée propulse le projectile), le char blindé, la mitrailleuse en éventail, le principe de l'hygromètre (de la cire est posée sur l'un des plateaux d'une balance et de la ouate sur l'autre, qui s'alourdit en absorbant l'humidité de l'air ; un fléau se déplace sur une plaque graduée indiquant le degré d'humidité…). L'inclinomètre sera repris en aviation ; le bateau à aube apparaîtra deux siècles plus tard. Rappelons qu'une belle brochette de savants et d'explorateurs furent les contemporains de Vinci, à commencer par Copernic, Michel-Ange, Luther, Raphaël ; en 1492, Colomb découvrait le Nouveau Monde, et, six ans plus tard, Vasco de Gama, la route des Indes. Quelle époque !

➤ **Museo ideale Leonardo da Vinci** *(via Montalbano, 2. Ouv. t.l.j. 10h-13h et 15 h-19 h. Entrée payante ☎ 0571. 56.296).* Plus qu'un musée, un centre d'études sur l'actualité de Leonardo depuis la Renaissance et un certain nombre d'œuvres anciennes ou contemporaines qu'il a inspirées.

Cerreto Guidi

➤ *Env. 5 km S-O de Vinci.*

Au prix d'un léger détour, visitez la très spectaculaire **villa Medicea** et son Museo storico della Caccia e del Territorio *(visite 9h-19h sf 2e et 3e lun. du mois. Entrée payante ☎ 0571.55.707. Accès partiel aux handicapés),* perchée en haut de ce beau village. Construite par Buontalenti pour le compte de Cosme Ier, en 1560, elle domine un très beau paysage de collines. On y accède par les *ponti,* imposantes rampes qu'empruntaient les carrosses.

Empoli

➤ *36 km S de Pistoia.*

Fief traditionnel de la verrerie, Empoli est aujourd'hui une importante cité industrielle, qui se taille peu à peu une place de choix dans l'habillement, surtout en cuir. Il est vrai que **Santa Croce sull'Arno**, autre petite cité concentrée uniquement sur la peausserie, n'est qu'à une quinzaine de kilomètres à l'ouest. Sur le plan touristique, Empoli, qui garde peu de signes de son passé, est assez ingrate malgré sa jolie **piazza Farinata degli Uberti**, cœur de la vieille ville, à proximité de laquelle se trouve un intéressant musée d'art.

➤ **Museo della Collegiata di Sant'Andrea** *(ouv. 9h-12h et 16h-19h. Nocturnes en juil. les mar. et jeu. 21 h-23 h 30. F. lun. Entrée payante. Accès partiel aux handicapés).* Il abrite notamment une fresque de Masolino di Panicale représentant une Pietà, des terres cuites polychromes d'Andrea della Robbia et des tableaux de Filippo Lippi. ■

Montecatini Terme, ville thermale.

➤ **Carte** *p. 170.*

■ Pistoia

➤ **Plan** *et visite p. 164.*

ℹ **Office de tourisme**, piazza del Duomo, dans le palazzo dei Vescovi **B1** ☎ 0573.21.622, fax 0573.34.327 < aptpistoia@tiscalinet.it >. *Ouv. lun.-sam. 9h-13h et 15h-18 h.*

➤ **MARCHÉS : marché alimentaire** tous les matins sur la piazza della Sala et dans la via Stracceria **B1-2**.

Hôtels

▲▲ **Leon Bianco**, via Panciatichi, 2 **B2** ☎ 0573.26.675, fax 0573.26.704, < mariaric@tin.it >. *27 ch.* En plein centre (entre la via Cavour et la piazza Garibaldi). Hôtel sans vraie personnalité mais d'un confort suffisant (s.d.b., TV), à prix abordable.

▲▲ **Patria**, via F. Crispi, 6-8 **B2** ☎ 0573.25.187, fax 0573.36.81.68, < info@patriahotel.it >. *28 ch.* En plein centre. Hôtel moyen de bon confort (s.d.b., TV), mais chambres un peu indigentes.

Restaurants

♦♦ **San Jacopo**, via F. Crispi, 15 (face à l'hôtel Patria) **B2** ☎ 0573.27.786, fax 0573.50.74.28. *F. lun. et mar. midi.*

La giostra dell'Orso

Cette « joute de l'Ours » qui, depuis le XIIIe s., embrase la piazza del Duomo de Pistoia le jour de la Saint-Jacques, met en lice 12 cavaliers qui, lancés au galop, doivent frapper de leur lance les mannequins de deux ours.

Elle oppose les quatre quartiers de Pistoia représentés, chacun, par une compagnie de trois cavaliers. Un cortège en costume précède la joute, qui rassemble chaque compagnie sous l'emblème de son quartier : lion, cerf, dragon, griffon. Le quartier vainqueur est celui dont les cavaliers auront touché le plus grand nombre de fois la cible. Le symbole de l'ours apparut au XIVe s. pour donner une identité à Pistoia face à Florence – représentée par le lion – qui l'aidait à vaincre le siège du gibelin Giovanni Visconti. ❖

L'ambiance de la piazza della Sala à Pistoia, où se tient chaque matin depuis le Moyen Âge un marché fort animé.

Cadre agréable dans une jolie pièce voûtée de briques. Bonne cuisine régionale; excellentes pâtes fraîches.

♦ **La Bottegaia**, via del Lastrone, 4 **B1** ☎ 0573.36.56.02. *F. dim. midi et lun.* Petit restaurant-bar à vin d'habitués dans le quartier du marché médiéval. Ambiance chaleureuse; les tables sont assez serrées. Bon marché.

♦ **Da ale Pizzeria**, via Anastasia, 2 **B2** ☎ 0573.24.108. À deux pas de la piazza della Sala. Une salle toute blanche dans une vieille maison prise d'assaut le soir. Les pizzas sont épatantes.

Manifestations

➤ **Festival Pistoia Blues** : **mi-juil**. Dans la ville et sur plusieurs scènes à l'extérieur.

➤ **Giostra dell'Orso** : le **25 juil**. *(encadré p. 173)*.

Adresses utiles

➤ **Gare ferroviaire et routière**. Piazza Dante Alighieri **A2** ☎ 0573. 89.20.21. Liaisons fréquentes au départ de Florence. Pistoia est sur la ligne de Lucques.

➤ **Poste centrale**. Via Cavour **B2** ☎ 0573.21.034.

■ Vinci

➤ *Visite p. 171.*

ⓘ **Office de tourisme**, via della Torre, 11 ☎ 0571.56.80.12, fax 0571.56.79.30, < terredelrinascimento@comune.vinci. fi.it >. *Ouv. t.l.j. 10 h-19 h (en hiver 10 h-15 h, j.f. 10 h-18 h).*

➤ **Marché** : le mer.

Hébergement

▲▲▲ **Alexandra**, via dei Martiri, 82 ☎ 0571.56.224, fax 0571.56.79.72. *37 ch.* d'un bon standing, un peu cher.

▲▲ **Agriturismo La Gioconda**, via S. Lucia, 4, à Anchiano (3 km N de Vinci; au-delà de la maison natale de Léonard de Vinci) ☎ 0571.90.90.02, fax 0571.90.90.43, < agriturismo.lagio conda@virgilio.it >. *6 ch. ou appart. F. en hiver.* Hébergement d'un rapport qualité/prix imbattable compte tenu du charme du lieu. Petite piscine.

➤ **Camping**. San Giusto. Località Montalbano, via Limitese. À 10 km O de Vinci, en direction de Verghereto (panneaux) ☎ 055.87.12.304, fax 055. 87.11.856, < info@campingsangiusto. it>. *Ouv. mars-oct.* Très agréable, dans la fraîcheur du mont Albano (400 m d'alt.) et sous le couvert des arbres.

Restaurant

♦♦♦ **La Limonia** (dans l'hôtel Alexandra), via dei Martiri, 82 ☎ 0571. 56.80.10. La cuisine et le cadre sont agréables, mais les prix pratiqués sont assez élevés. ■

LUCQU
ET LES ALPES APU

eu de cités donnent d'emblée un tel sentiment de familiarité que Lucques (85 000 hab.). Une nuit à l'hôtel ou en *pensione* suffit à s'y sentir comme chez soi. Les gens vont et viennent placidement. Un temps serein s'égrène, frappant ses coups à quelque carillon.

Ce qu'il faut d'abord et surtout, en arrivant ici, c'est se laisser surprendre par le faste d'une des plus belles cités de Toscane, sinon d'Italie. Se promener sans but précis, s'imprégner du charme devenu provincial, des donjons, des rudes demeures d'un vert délavé, des palais aux briques patinées, des églises marbrées semées à tous vents. Un décor héroïque planté du temps où Lucques vivait en bottes et en armures, luttant contre Pise et Florence pour préserver son trésor. Les collines alentour cachent de sublimes villas d'été, anciens domaines agricoles où l'on produisait une huile réputée, édifiées sur les modèles florentins par de riches négociants. Plus au nord, c'est la Garfagnana, région montagnarde couverte de châtaigniers de la vallée du Serchio. Et plus haut encore les réserves naturelles des Apennins, les petites stations de ski. Et puis, nous descendrons vers le golfe de Gênes et les fabuleuses carrières de Carrare, bien trop méconnues, avant de terminer par la longue plaine côtière de la Versilia qui aligne ses lidos jusqu'à Viareggio aux palaces Art déco.

Programme

Une journée est un grand minimum pour visiter Lucques. **Deux jours** permettent déjà de s'imprégner de l'atmosphère. L'idéal est de panacher quelques promenades aux environs (villas lucquoises) et la visite, à petits pas, de Lucques. Dans ce dernier cas, compter **trois jours**. Le centre se visite à pied. ❖

Lucques***

L uk (« marécage ») devient une colonie romaine en 180 av. J.-C. du nom de Luca, puis Lucca. Mais c'est à partir du XIIe s. que, érigée en commune libre, elle connaît un essor économique important : située sur la grande voie commerciale **Francigena** et à quelques kilomètres de Pise par laquelle transi- tent ses échanges maritimes, elle s'enrichit rapidement grâce à la fabrication et au **commerce de la soie** en Europe et en Orient. Dès le début du XIIIe s., celui-ci constitue sa principale richesse. Comme toutes les autres cités, Lucques n'échappera pas au conflit permanent qui oppose l'Église de Rome – pouvoir alors très temporel – et l'Empire germanique qui, traditionnellement, affirme sa domination en Italie. Habilement, elle se rangera sous la bannière impériale triomphante.

L'ÂGE D'OR

Pise étant devenue une puissance maritime de premier plan, les rapports s'enveniment entre les deux villes également florissantes, mais aussi concurrentes. Au point qu'en 1314 Lucques tombe sous la domination de sa rivale. Pas pour longtemps d'ailleurs, car, six ans plus tard, elle sera libérée par **Castruccio Castracani**, un personnage par la suite controversé qui, sur la lancée de ses conquêtes, devient duc à la fois de Lucques, de Pise, de Luni et de Volterra… Lucques est alors au sommet de sa prospérité et bâtit les édifices romans qui font aujourd'hui notre admiration. En 1342 elle repasse sous la domination de Pise à laquelle **Charles IV de Bohème** mettra fin en 1369, fixant à Lucques sa nouvelle autonomie administrative. Entre-temps, Lucques s'est affaiblie, nombre de ses meilleurs artisans étant partis chercher fortune ailleurs. **Paolo Guinigi**, marchand de son état, prend le pouvoir en 1400 ; il le garde trente ans, le temps de redresser une économie devenue chancelante.

CONTRE VENTS ET MARÉES

Arrivent les guerres d'Italie où la cité s'efforce à la neutralité (elle perd pourtant le fief de la Garfagnana) avant de nouer, en 1522, une alliance avec **Charles Quint**. Lucques vit alors une période pénible : conjuration de la famille Poggi, révolte des va-nu-pieds (1531-1532), crise religieuse (qui se termine en 1556) et tentative avortée (mort en 1549 de Francesco Burlamacchi) de créer une confédération pour résister aux Médicis. Elle parviendra toutefois à conserver une certaine indépendance et s'entoure de murailles (XVIe-XVIIe s.), symbole d'une liberté reconnue par l'Espagne et l'Empire germanique.

LA FIN DE L'INDÉPENDANCE

1799 : la république de Lucques est conquise par la France et devient la principauté d'**Élisa Baciocchi**, sœur de Bonaparte. Puis la ville passe sous domination autrichienne avant que le Congrès de Vienne (1815) ne l'attribue à **Marie-Louise de Bourbon**. En 1847, Lucques est intégrée au grand-duché de Toscane. L'unification italienne est en marche.

▶ *75 km O de Florence ; 25 km N de Pise. Plan p. 178. Informations pratiques p. 200.*

Le quartier de la cathédrale*

Le Duomo, son musée et SS. Giovanni e Reparata tiennent dans un mouchoir de poche autour de la piazza S. Martino, salon monumental de plein air qui, de place en place, s'élargit à la vaste piazza Napoleone et se déhanche jusqu'à la piazza dei Bernardini.

La **via del Battistero**, fief des antiquaires, est chic et fort animée, surtout le 3e week-end de chaque mois, une grande brocante envahissant tout le quartier. Compter 2 h pour cette promenade.

Duomo San Martino**

➤ **C3** *Piazza Antelminelli, 5. Ouv. t.l.j. en été 9h30-19h; en hiver 9h30-17h* ☎ *0583.95.70.68. Accessible aux handicapés.*

➤ **Extérieur.** Dédiée à saint Martin, cette cathédrale fut consacrée en 1070 par le pape Alexandre II, ancien évêque de Pistoia. Toutefois, l'élégante **façade** romane composée d'un porche où jouent l'ombre et la lumière, surmonté par trois galeries en marbre blanc et serpentine très finement décorées, ne fut commencée par Guidetto da Como que 134 ans plus tard (1204-1233). Elle est à Lucques la première expression du style dit **roman pisan**. Sous le porche, les sculptures des deux portails latéraux retiennent l'attention. À dr., *Regulus*, un saint lucquois, *rencontrant les Ariens* et, au tympan, sa *Décapitation**, d'une rare densité. Le portail g. est plus chargé; le linteau montre l'*Annonciation*, la *Nativité* et l'*Adoration des Rois mages*; au tympan, poignante **Déposition de Croix**, par Nicola Pisano. De part et d'autre du portail central se déroulent des scènes de la *Vie de saint Martin*: le saint célèbre la messe, exorcise un possédé, ressuscite un mort, est consacré évêque… Faites le tour du Duomo pour admirer l'**abside** entourée d'arcades et surmontée d'une loggia.

➤ **Intérieur.** Les trois nefs ont été remaniées dans le style gothique au XIVe s. On retrouve la figure de saint Martin, juste au revers de la façade, dans la célèbre scène du **Partage du manteau** avec un pauvre, saisissant d'humilité. C'est à l'occasion de la consécration de la cathédrale (1070) qu'y fut placé (milieu de la nef g.) l'illustre **Volto Santo**** (Sainte Face) mentionné par Dante dans *L'Enfer*.

Cette grande et sèche sculpture en noyer (2,50 m) représente le Christ vivant crucifié, revêtu d'une tunique. Selon la légende, elle aurait été exécutée de mémoire par Nicodème (notable pharisien du Ier s. qui, devenu son disciple, connut bien Jésus) après la Mise au tombeau, reproduisant exactement

À voir

La cathédrale ou **duomo S. Martino****, ♥ **San Michele in Foro****, S. Frediano****, le tour des remparts****. ❖

les traits du Christ, et serait miraculeusement venue d'Orient au VIIIe s. jusqu'au port de Luni (au nord de Viareggio), dans un bateau sans équipage. En fait, datant de la seconde moitié du XIe s., elle est peut-être la réplique d'une œuvre plus ancienne. Quoi qu'il en soit, elle influença nombre d'artistes italiens et surtout allemands qui muèrent le Volto Santo en Santa Kümmernis vénérée outre-Rhin. Chaque **13 sept.** au soir, le Volto Santo précieusement paré est porté en procession à travers la ville illuminée de lanternes.

Voir également (3e autel, à dr.), la très animée **Cène** du Tintoret (1590-1591); la nappe blanche autour de laquelle sont assemblés Jésus et les apôtres, vêtus à la mode du XVe s., crée un profond effet de perspective.

Dans la **sacristie** *(ouv. lun.-ven. 9h30-17h45; sam. 9h30-18h45; dim. 9h-9h50, 11h30-11h50 et 13h-17h45. Entrée payante. Accessible aux handicapés)*, magnifique **tombeau en marbre d'Ilaria del Carreto*** (décédée en 1405), seconde épouse de Paolo Guinigi qui dirigeait alors Lucques; il fut exécuté par le jeune Jacopo della Quercia (1374-1438). Remarquez aussi le retable d'autel de la *Vierge à l'Enfant*, de Ghirlandaio.

Museo della Cattedrale

➤ **C3** *Piazza Antelminelli, 5. Ouv. en été t.l.j. 10h-18h; en hiver 10h-14h sf sam. et dim. 10h-17h. F. 1er janv. et Noël. Entrée payante* ☎ *0583.49.05.30. Accessible aux handicapés.*

Cet ancien palais de l'archevêché (XIVe s.) expose les différents ornements de la fête du Volto Santo. Parmi les œuvres les plus remarquables, un

➤ *suite p. 180*

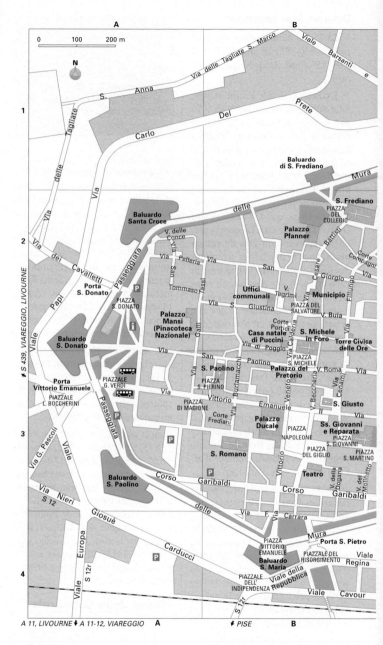

LUCQUES

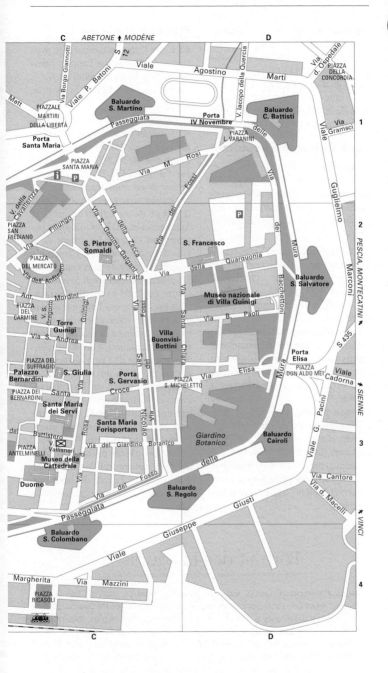

diptyque en ivoire* du VIᵉ s. en provenance de Byzance, la *Croce di Pisani**,
chef-d'œuvre d'orfèvrerie (Vincenzo
di Michele, 1411) représentant le
Christ au milieu des anges, de la Vierge
et des saints, et plusieurs statues provenant de la cathédrale, dont celle d'un
Apôtre*, de Jacopo della Quercia.

Santi Giovanni e Reparata*

➤ **B3** *Piazza S. Giovanni. Ouv. en été
10h-18h; en hiver 10h-15h et j.f. 10h-
18h ☎ 0583.49.05.30. Entrée payante
(prendre le billet permettant la visite
des fouilles). Non accessible aux handicapés.*

Visite très intéressante. Vingt ans de
fouilles ont permis de reconstituer – et
de montrer au visiteur – l'histoire de
cette première cathédrale (Vᵉ s.) élevée
sur des bâtiments romains qui datent
du Iᵉʳ s. av. J.-C. au IIᵉ s. de notre ère.
Le plancher suspendu ménage des
«regards» permettant de remonter le
temps jusqu'aux fondations et de
visionner l'empilement de l'histoire
architecturale de Lucques. La façade
romane, refaite au XVIIᵉ s., n'a conservé
que son **portail** d'origine (1187).
L'église, flanquée d'un campanile également roman, en brique, servit de
baptistère jusqu'au début du XIXᵉ s. Le
transept g. mène à un vaste **baptistère**
coiffé d'une voûte pyramidale où sont
conservés les fonts baptismaux paléo-
chrétiens.

Piazza Napoleone

B3 Cette vaste place ombragée mais
trop vide, bordée par l'ancien palais
ducal, fut dessinée au début du XIXᵉ s.
sous le «règne» d'Élisa, la sœur de
Bonaparte.

➤ **PALAZZO DUCALE*** *(ou palazzo Pubblico; entrées piazza Napoleone, piazza
Romano et via Vittorio Emanuele II.
Rés. ☎ 0583.41.74.54/57).* Après vingt
ans d'abandon, l'an 2000 a vu la réou-
verture de cet immense palais qui fut
en chantier presque permanent depuis
le début de sa construction par
Ammannati en 1577 jusqu'à son achè-
vement en 1845 par l'architecte de la
ville, Lorenzo Nottolini. L'ensemble
s'organise autour de deux cours, l'une
Renaissance, **cortile degli Svizzeri**, et
l'autre du XVIIIᵉ s., **cortile Carrara**.
C'est par celle-ci que l'on emprunte le
long **escalier** voûté en marbre blanc
(1820) qui mène à la sala dei Came-
rieri (domestiques), orné d'une che-
minée inspirée de l'Égypte ancienne.
À g., la sala di Ganimede, au plafond
voûté peint, ouvre sur les appartements de la duchesse; à dr. un grand
hall donne sur la **loggia d'Ammannati** (1577) offrant une vue plongeante sur les deux cours. Puis se succèdent les **pièces princières**, très
décorées, notamment de fresques du
début du XIXᵉ s. Le reste des bâtiments
est occupé par l'administration de la
province.

Portrait des Lucquois...

Dans *Provincia di Lucca*, Cesare Garboli dresse ce portrait des Lucquois : «Les Lucquois sont aussi profondément pieux et introvertis que
les Arétins [habitants d'Arezzo] et les Florentins sont impies, blasphémateurs, piquants et railleurs, et que les Pisans sont des langues de
vipères.» Mais que vaut cette piété profonde, se demande plus loin
l'auteur. En effet, «l'histoire est passée dans les palais de la noblesse
lucquoise à petits pas feutrés, suffoqués par des murailles de parcimo-
nie et de méfiance. Presque tous les péchés de l'homme, les vices les
plus noirs, l'argent, l'avarice, la fraude, la luxure [...] habitent le
cœur des Lucquois. [...] À Lucques, on connaît la corruption plus profondément que dans n'importe quel endroit de la terre.» ❖

Détail de la façade de l'église San Michele in Foro, dont le décor étourdissant est typiquement pisan.

➤ **Teatro Comunale**. Dominant la piazza del Giglio qui prolonge au sud-ouest la piazza Napoleone, il est le dernier vestige des nombreux théâtres que comptait Lucques au XIXe s. C'est d'ailleurs à cette époque qu'il connut son âge d'or en se hissant aux rangs de la Scala de Milan et du S. Carlo de Naples. Paganini y dirigea en 1831 la première de *Guillaume Tell*, de Rossini. Aujourd'hui, le théâtre s'est spécialisé dans le répertoire de l'enfant de la ville : **Giacomo Puccini** *(encadré p. 182)*.

♥ De San Michele in Foro à la piazza del Mercato*

Les principaux centres d'intérêt de Lucques se répartissent de part et d'autre de l'axe que constituent la via Cenami et la via Fillungo, la plus fréquentée de la ville : piazza et église S. Michele, maison natale de Puccini, via S. Andrea et la torre Guinigi. C'est au cours de cette promenade d'une petite journée que l'on sentira le mieux battre le cœur de Lucques.

♥ San Michele in Foro**

➤ **B2-3** *Piazza San Michele. Ouv. lun.-sam. 8 h-12 h et 15 h-18 h* ☎ *0583.48. 459. Accessible aux handicapés.*

Cette curieuse église des XIe-XIIIe s., flanquée d'un campanile dont la base est romane et la terminaison gothique, est bâtie sur l'emplacement de l'ancien forum romain, d'où son nom « in foro ». La profusion, la délicatesse et la variété du décor roman de sa **façade** bleu gris égayée de colonnes rosées frappent immédiatement. Elle est sans doute l'œuvre de Guidetto da Como. Avec son fronton aussi précieux qu'un coffre à bijoux, avec son grand saint Michel, elle a un aspect plus élancé que le Duomo, du même architecte. Sans doute prévoyait-on de rehausser la nef ; ce projet avorté donne un effet de

Puccini, l'artiste bohème

De père en fils depuis plusieurs générations, les Puccini étaient nommés organistes et maîtres de chapelle de la cathédrale de Lucques.

Bien que sa voie fût déjà toute tracée, le jeune Giacomo (1858-1924), à l'âge de 13 ans, part à pied pour Pise assister à une représentation d'*Aïda*, de Verdi, et revient bouleversé. Il gagne sa vie en jouant dans les cabarets, les fêtes de villages, et même dans les églises bien que la musique religieuse l'ennuie. Il ne rêve que d'une chose : entrer au conservatoire Reale de Milan. Il persuade un parent de l'aider et obtient une bourse du roi, au grand dam de la ville de Lucques qui perd son organiste... À Milan, le jeune étudiant découvre sa vocation pour l'opéra. Pas l'opéra des classiques, mais un opéra pour le petit peuple qu'il aime fréquenter dans les cafés ou à la campagne, un opéra vibrant, populaire, dont les airs seront fredonnés dans la rue. Ricordi, le plus grand éditeur de Milan, devine son talent et édite *Villi* qui connaît un certain succès et surtout *Manon Lescaut* qui fait immédiatement un triomphe. Puccini a 35 ans ; il devient célèbre et déjà presque riche. Bon vivant, il fréquente aussi bien les tavernes que l'aristocratie, mais déteste la ville et s'installe près de Viareggio *(p. 197)*. Les succès s'enchaînent rapidement : *La Bohème* en 1896, puis *La Tosca* en 1900, *Madame Butterfly* en 1904, *La Fille du Far West* en 1910. Sa réputation franchit l'Atlantique. Fêté partout malgré la cruauté de nombreux critiques qui l'accusent de composer une musique de paillettes vide de sens, il voyage et se laisse quelque peu aller. À 64 ans il tombe gravement malade et meurt deux ans plus tard sans avoir pu achever *Turandot*. ❖

---

légèreté encore accentué par l'escalier vertigineux qui l'escalade par derrière. Nous voici donc en face d'un pur produit de l'art pisan qui influença bien davantage le décor de Lucques et des environs que la simplicité à l'antique et la polychromie de Florence, qui se veut la référence toscane par excellence.

Remarquer à l'angle une *Vierge à l'Enfant*** de Matteo Civitali, un des meilleurs artistes de Lucques, sculptée après l'épidémie de peste des années 1476 à 1480. À l'intérieur, excellent tableau de Filippino Lippi : *Sainte Hélène, saint Jérôme, saint Sébastien et saint Roch*** (extrémité de la nef dr.). Les vestiges d'une église du VIIIᵉ s. sont visibles dans le chœur.

À partir du Moyen Âge, un grand marché de la soie se tenait sur la piazza S. Michele. Les **palais** qui l'entourent aujourd'hui sont presque tous occupés par des banques. Remarquer, au coin, le **palazzo del Pretorio**, une œuvre de Matteo Civitali et de son fils Nicolao (fin du XVᵉ s.), allégé par un beau portique.

Casa natale di Puccini

➤ **B2** *Corte S. Lorenzo, 9. Ouv. mi-mars-mai et oct.-déc. 10h-13h et 15h-18h; juin-sept. 10h-18h. F. lun., 1ᵉʳ janv. et Noël. Entrée payante ☎ 0583.58.40.28. Non accessible aux handicapés.*

Depuis 1994, la **statue de Puccini** (une œuvre de Vito Tongiani) a pris place sur la petite piazza S. Lorenzo : très décontracté, assis jambes croisées, une cigarette à la main, c'est un bel homme, encore jeune, un brin dandy avec ses guêtres, sa pochette et son nœud papillon.

Grimpant au 2ᵉ étage, à l'appartement où il vécut enfant, on y trouve un mobilier et des objets venus d'autres lieux (notamment son piano-forte Steinway et des partitions originales), l'atmosphère modeste de la vie familiale étant effacée. Nombreux tableaux, autographes, lettres et derniers écrits avant sa mort.

Pinacoteca nazionale* et palazzo Mansi*

➤ **A2** *Via Galli Tassi, 43. Ouv. 9h-19h; dim. et j.f. 9h-13, h30. F. lun., 1er mai, 1er janv. et Noël. Entrée payante* ☎ *0583. 55.570. Accessible aux handicapés.*

Abritée dans le palais Mansi, du XVIIe s., la pinacothèque est constituée d'une collection variée de **tableaux italiens et flamands**. Les œuvres exposées, de Véronèse, Tintoret, Bassano, Giordano, Andrea del Sarto, Pontormo, Bronzino, Sodoma, Beccafumi, sont de très bonne facture, sans que l'on puisse cependant parler de chefs-d'œuvre.

Les appartements du palais, dont les escaliers droits aboutissent à des paliers à colonnes, ont conservé décor et mobilier des XVIIe et XVIIIe s., notamment la salle des Miroirs, l'époustouflante **chambre des Époux** avec son grand lit à baldaquin, tout comme la salle de bal et sa loge d'orchestre ornée de si bons trompe-l'œil qu'on s'y laisserait prendre.

Torre Guinigi*

➤ **C2** *Via S. Andrea, 14. Ouv. t.l.j. nov.-fév. 9h-17h30; mars-sept. 9h-19h30; oct. 10h-18h. Entrée payante* ☎ *0583. 31.646. Non accessible aux handicapés.*

Dans la rue S. Andrea, une des plus suggestives de la Lucques médiévale avec ses murs de brique et ses palais, la tour Guinigi est l'une des dernières d'Italie toujours garnie, au sommet, de son traditionnel bouquet de chênes verts. 230 marches mènent à un spectaculaire **panorama*** urbain.

Après quoi, promenez-vous alentour dans des rues hors du temps où s'alignent plusieurs des plus belles demeures moyenâgeuses: **via Guinigi**, encadrée des palais du même nom, **piazza**

del Suffragio **C3** où se tiennent de bonnes expositions d'art contemporain dans la petite église désaffectée de S. Giulia, **via S. Gregorio** et **piazza del Carmine C2**.

Via Fillungo

BC2 Assez sombre et très commerciale, cette étroite rue bordée de palais draine toute l'animation et offre des échappées lumineuses sur des demeures saumon, des ruelles couleur crème, des cours peuplées de magasins, des jardinets plantés de palmiers ou de bananiers. C'est ici, évidemment, que la ville se retrouve en fin de soirée pour la *passeggiata* quotidienne.

Chemin faisant, on peut grimper dans la **torre civica delle Ore** (*ouv. mars-sept. 9h-19h; oct.-fév. 10h-17h. Entrée payante. Non accessible aux handicapés*) d'où la vue sur la ville est superbe. Des 250 tours qui balisaient Lucques dans les années 1300, c'est l'une des dernières encore debout. Elle possède une horloge de 1752 dont on peut admirer l'agencement des rouages.

Jadis, un bouquet de chênes verts flottait en haut des tours. La tour Guinigi est l'une des dernières à conserver ce petit jardin suspendu entre terre et ciel.

On peut aussi prendre l'apéritif au **Di Simo Caffè**, sans doute plus luxueux que lorsque Puccini le fréquentait. La via Fillungo, où naquit le musicien Luigi Boccherini, permet d'accéder à trois petites merveilles de Lucques: la piazza del Mercato, l'église S. Frediano et le palais Pfanner. C'est dans ce secteur que se multiplient les **palais Renaissance**: palazzo Bocella et son portail décoré de fers forgés, palazzo Trenta et palazzo Bocella Sani, aux fenêtres circulaires.

♥ Piazza del Mercato (ou dell'Anfiteatro)*

C2 Prenant dans la via Fillungo, un porche profond débouche sur une place ovale très claire, entièrement fermée de maisons sobres et populaires: la piazza del Mercato (architecte: Lorenzo Nottolini) épouse la forme de l'amphithéâtre romain qui la précéda. Tombé en ruine à l'époque des invasions barbares, il fournit une bonne part des pierres qui allaient être réemployées au Moyen Âge dans la construction des églises de Lucques et fut couvert d'habitations. C'est seulement au XIXe s. que celles-ci furent détruites pour permettre la création de la place actuelle.

C'est hors de la saison touristique qu'il faut venir s'attendrir ici devant les pigeons qui s'envolent dans des froissements de soutanes. Rien d'apprêté. Le linge sèche en toute simplicité au-dessus des boutiques. Le soleil fait le tour de la place, éclairant à mesure les façades arrondies. Quelques chaises dehors, quelques cafés, des gens qui bavardent et les gosses qui tapent dans un ballon. Le superbe et vaste **marché aux fleurs** de S. Zita, la sainte patronne de Lucques (27 avr.), s'y tient tous les ans durant plusieurs jours.

Église San Frediano**

➤ **B2** *Piazza San Frediano. Ouv. 8h30-12h et 15h-17h, dim et j.f. 10h30-17h* ☎ *0583.49.36.27.*

L'église (milieu du XIIe s.) déploie une façade toute simple en marbre clair provenant de l'amphithéâtre romain, rehaussée d'une **mosaïque*** du XIIIe s. de style plutôt byzantin attribuée à l'atelier de Berlinghiero Berlinghieri. Elle représente une *Ascension*, le Christ, porté par deux anges, trônant au-dessus des 12 apôtres assez agités. La grande nef de l'intérieur, soutenue par 12 colonnes antiques, est d'un pur roman toscan.

Les maisons arrondies de la piazza del Mercato, dite aussi dell'Anfiteatro, épousent les contours de l'ancien amphithéâtre romain. Hors saison, c'est aujourd'hui l'une des places les plus agréables de Lucques.

Rangées de statues, rosiers en arceaux, citronniers en pots, bassin et pluie du jet d'eau composent le décor enchanteur du jardin du palazzo Pfanner.

À dr. en entrant, magnifiques **fonts baptismaux**** du XIIe s., ornés de sculptures représentant sept scènes de la vie de Moïse, dont une *Traversée de la mer Rouge* très stylisée. Dans la chapelle S. Agostino (la 3e en revenant par le bas-côté g.), une fresque naïve raconte la légende du Volto Santo (Sainte Face) exposé au Duomo.

Palazzo Pfanner*

➤ **B2** *Via degli Asili, 33. Ouv. mars-minov. 10h-18h. nov.-fév. sur rés. F. lun. Entrée payante ☎ 0583.92.33.085. Non accessible aux handicapés.*

Le superbe escalier théâtral du XVIIe s. mène à un salon décoré de fresques en trompe l'œil et peuplé de mannequins aux costumes célèbres réalisés pour les opéras de Puccini. Mais c'est surtout le ♥ **jardin,** à l'ombre du campanile de S. Frediano, qui mérite la visite. Quelques tables et sièges parsèment la pelouse pour le repos des visiteurs.

Du palazzo Pfanner on peut explorer le quartier autour de la **via S. Giorgio,** à l'ambiance provinciale très charmante avec ses placettes, ses belles demeures et ses commerces.

♥ L'est de la ville et le tour des remparts*

Ce quartier calme et aéré donne accès aux remparts, véritable boulevard piéton qui ménage de belles vues sur la campagne et la vieille ville de Lucques. Compter environ 2h.

Museo nazionale di Villa Guinigi

➤ **D2** *Via della Quarquonia. Ouv. mar.-sam. 9h-19h, dim et j.f. 9h-13h. F. lun. Entrée payante ☎/fax 0583.49.60.33. Accessible aux handicapés.*

Cette élégante résidence en brique du XVe s. fut celle de Paolo Guinigi, qui régna sur Lucques de 1400 à 1430. Elle abrite aujourd'hui des collections archéologiques, des sculptures et des peintures. Anecdote : de passage dans les années 1910, l'écrivain français Suarès visite Paolo, le descendant des Guinigi. Après avoir glorifié l'histoire de sa famille et gémi sur la décadence de l'époque, ce dernier fit à son hôte l'honneur de ses collections de peintures de grands maîtres, demandant tout de go à Suarès : « Ne connaîtriez-vous pas un Américain à qui je puisse céder tout cela ?... » Après les pièces archéologiques du rez-de-chaussée, « tout cela » est exposé au 1er étage, dont un *Portrait d'Alexandre de Médicis* du Pontormo, des tableaux d'autel de Fra Bartolomeo, une belle *Dormition de la Vierge* de Vecchietta et des crucifix peints. Également: **panneaux marquetés*** des stalles de la cathédrale représentant des vues de Lucques (1529).

Villa Buonvisi-Bottini*

➤ **C2** *Via Elisa. Entrée payante. Propriété de la ville. Rés.* ☎ *0583.49.14.49.*

C'est dans ce secteur occupé par des potagers que Buontalenti et Vincenzo Civitali édifièrent en 1566, pour le compte de l'entrepreneur Bernardino Buonvisi, cette très élégante villa Renaissance qui inspira nombre de demeures des environs. Devenue la propriété d'Élisa Baciocchi, sœur de Bonaparte, elle échut finalement à la famille Bottini. Les différents acquéreurs respectèrent les fresques allégoriques du rez-de-chaussée réalisées par Salimbeni qui décora plusieurs églises et palais à Sienne.

Porta Santa Gervasio et alentour

C3 À l'angle du jardin de la villa, la longue et «pittoresque» **via dei Fossi** est toujours bordée du fossé empli d'eau qui entourait jadis la ville, avant d'être intégré à la muraille médiévale. Le carrefour via Elisa-via dei Fossi et via S. Nicolao où trône la belle **porte médiévale** à donjons **S. Gervasio** suggère le caractère du quartier voilà huit siècles. De l'autre côté de la porte S. Gervasio, l'église **S. Maria Forispor-**

tam, qui se trouvait « au-delà de la porte» de l'enceinte romaine avant la construction des remparts médiévaux, présente une façade en marbre (inachevée), de style pisan, avec galeries et arcatures aveugles décorées de losanges.

♥ Jardin botanique

➤ **D3** *Via del Giardino Botanico, 14. Ouv. avr. 10h-13h et 15h-17h30, mai-juin 10h-13h et 15h-19h, juil.-août 10h-13h30 et 14h30-19h, sept. 10h-13h et 15h-18h, oct. 10h-13h et 15h-17h, nov.-mars 9h30-12h30 sur rés. Entrée payante. Accès partiel aux handicapés.*

Contre les remparts, un reposant petit coin exotique près duquel on accède à la promenade des remparts.

Le tour des remparts**

➤ **CD3** *Passeggiata delle Mura. Accès par le bastion S. Regolo, près du jardin botanique.*

Les remparts en brique édifiés aux XVIe et XVIIe s. pour se défendre des ambitions des Médicis ont été transformés au XIXe s. par Marie-Louise de Bourbon en une superbe promenade piétonne plantée de deux rangées de platanes. Dotés de 11 bastions *(baluardi)* et percés de six portes, ils font le tour de la ville en **4 km**, ménageant de très belles vues urbaines et sur la campagne. Ces remparts succédaient à deux autres enceintes nettement plus petites, l'une de l'époque romaine (av. J.-C.) dont les seuls vestiges sont visibles via della Rosa (au chevet du Duomo), l'autre du Moyen Âge dont il reste la porte S. Gervasio (via Elisa). Les remparts actuels ont protégé Lucques de crues catastrophiques du Serchio. ∎

Les villas lucquoises*

Terrasse rococo de la villa Torrigiani. Au fond, un trompe-l'œil poétique…

À partir du XVe s. et surtout aux XVIe et XVIIe s., les familles lucquoises les plus éminentes firent bâtir à la campagne des résidences somptueuses, plus ou moins inspirées de la villa de Poggio a Caiano que s'était fait construire Laurent de Médicis sur les collines de Florence ou de celle des Buonvisi, à Lucques.

Fresques et trompe-l'œil sont les décors des grandes fêtes qui s'y déroulent. Quant aux jardins aux allées jalonnées de cyprès, d'ifs, de citronniers, de buis et de statues, ils prolongent la demeure qui se mire dans les bassins. Le terrain étant souvent en pente, une véritable architecture du paysage se développe autour d'escaliers dont les paliers desservent des terrasses-vergers exotiques, des fontaines et des cascades, dont le giardino Garzoni de Collodi demeure un des exemples les plus achevés.

➤ *Carte p. 188-189.*

Villa Reale di Marlia*

➤ *8 km N de Lucques par la S 12 vers Abetone. À Fraga (6 km), route pour Marlia (fléchée). Visite guidée du parc mars-sept. 10h-12h et 15h-18h. F. lun. Entrée payante* ☎ *0583.30.108.*

Élisa Bonaparte, qui habita cette villa du XVIe s., la fit remanier au XIXe s. tout comme le parc du XVIIe s. Le résultat est étonnant: les différents jardins et le théâtre de verdure sont des petites merveilles de délicatesse.

Villa Grabau (ancienne villa Cittadella)

➤ *Via di Matraia, 269, San Pancrazio. À 11 km env. N de Lucques; route d'Abetone sur 6 km env. puis à dr. en direction de Matraia. Ouv. de Pâques à oct. 10h-13h et 15h-19h; de nov. à Pâques 10h-13h et 14h 30-17h 30. F. lun. et mar. matin. Entrée payante* ☎/*fax 0583.40.60.98.*

Cette sobre demeure néoclassique de la fin du XVIe s., au pied des collines, est occupée par la même famille, originaire de Hambourg, depuis le XIXe s. Elle est entourée d'un parc de 9 ha composé d'un jardin à l'italienne orné d'agrumes disposés dans des terres cuites, d'un parc à l'anglaise et d'un théâtre de verdure, ainsi que d'une serre à citronniers. La villa, bien entretenue (en partie habitée), abrite de charmantes fresques en trompe l'œil.

Villa Oliva-Buonvisi*

➤ *San Pancrazio (à quelques centaines de mètres au N de la villa Grabau; près de l'église S. Pancrazio). Visite du parc uniquement, ouv. mi-mars-mi-nov. 9 h 30-12 h 30 et 15 h-19 h 30. Entrée payante.*

Bien que la demeure ne se visite pas, le haut **portique** Renaissance (façade nord; Matteo Civitali), couvrant deux étages et reposant sur des colonnes monolithiques, mérite l'attention tant il est élégant; ce parti pris était très rare dans les villas. Au sud, le parc s'étend sur trois niveaux avec nombre de bassins, de fontaines, de cascades et de statues, animalières ou non, en terre cuite. On verra aussi des serres à citronniers en pots et à plantes d'ornement. Ajoutons les allées de cèdres ou de cyprès, les rocailles et la beauté naturelle du site: une charmante escapade dans le temps.

Villa Torrigiani*

➤ *Camigliano (lieu-dit Capannori). 10 km N-E de Lucques. Quitter Lucques en prenant la S 435 en direction de Pescia; à Zone, suivre la direction Segromigno in Monte. Ouv. mars-mi-nov. 10 h-12 h 30 et 15 h-19 h. F. mar. Entrée payante ☎/fax 0583.92.80.41.*

Cette amusante villa avec sa façade classique (XVIIe s.) au nord et rococo au sud mérite la visite. Propriété des familles Santini (Nicolao fut ambassadeur de la république de Lucques à la cour de Louis XIV) et Torrigiani depuis quatre siècles, elle a conservé son beau mobilier, ses lits à baldaquin, dont l'un est recouvert d'un bouquet

voir carte p. 196

LES ALPES APUANES ET LA VERSILIA

de camélias en soie, et ses trompe-l'œil de Pietro Scorzini ouvrant sur un lac. Les baies du grand salon – bien réelles, elles – donnent sur les montagnes au nord et le parc au sud, dont les pelouses étaient brodées de fleurs… Le Nôtre aurait dessiné le jardin de Flore garni de magnifiques pétunias, ainsi que ses jets d'eau.

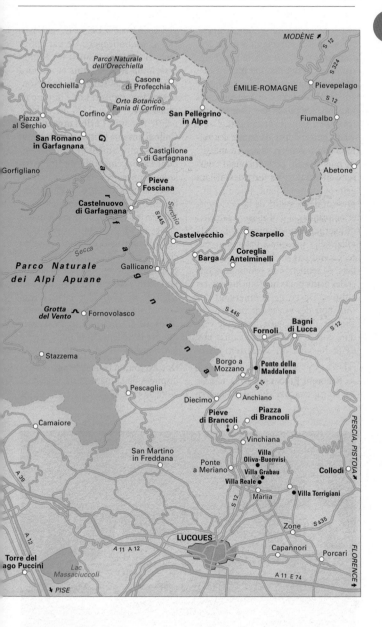

Collodi

➤ *17 km N-E de Lucques par la S 435.*

Ce bourg médiéval qui dévale littéralement la colline est devenu célèbre depuis que Carlo Lorenzini, l'auteur de *Pinocchio* (voir p. 190), le prit pour pseudonyme. Un parc est d'ailleurs consacré à la marionnette. Autre titre de gloire : l'admirable jardin de la famille Garzoni, dessiné à flanc de colline à partir de 1652, mais qui ne fut achevé qu'au début du XIXe s.

➤ ♥ **GIARDINO GARZONI**** (*ouv. en été de 9 h à 1 h avant le coucher du soleil, en hiver 9 h-12 h et 14 h-17 h ☎/fax 0572.42.95.90. Salon de thé, quelques plats et vente d'objets. Entrée payante.*

Non accessible aux handicapés). Aujourd'hui entretenu à moindres frais, ce parc n'en suggère pas moins son faste passé, lorsque les cascades dégringolaient la pente des bassins de rocaille jusqu'aux extraordinaires escaliers aux balustrades de terre cuite rouge, où se nichent des statues. Ne vous contentez pas d'admirer les palmiers, citronniers, orangers, massifs de buis et haies de lauriers qui tapissent en espalier les terrasses. Il faut grimper tout en haut, jusqu'à l'impressionnante statue de la *Renommée* et emprunter, à g., l'allée de camélias qui serpente jusqu'aux abords de la villa, hélas presque à l'abandon. On redescend par un labyrinthe d'escaliers, de sentiers sous bambous géants et des petits ponts qui franchissent des abîmes. De-ci, de-là émergent des sous-bois des visages de marbre. On aboutit au délicieux théâtre de verdure, fort dégradé et, tout en bas, aux deux bassins où s'ébattent deux cygnes, notre point de départ.

➤ **PARCO DI PINOCCHIO** *(ouv. t.l.j. de 8 h 30 au coucher du soleil. Entrée payante ☎/fax 0572.42.93.42. Accès partiel aux handicapés).* Ce parc pour enfants qui amuse aussi les adultes disséminé sous les pins et au bord d'un torrent de sculptures de personnages et de monstres de l'histoire de Pinocchio. C'est en 1878 que le journaliste florentin **Carlo Lorenzini**, dit **Collodi**, inventa l'histoire de ce pantin de bois impertinent et désobéissant dont l'allongement du nez trahissait les mensonges. Ses aventures surréalistes et souvent violentes passionnèrent les enfants italiens lecteurs du *Giornale per i bambini*, et la marionnette devint rapidement un héros mondial de la littérature enfantine, puis du cinéma : plusieurs versions cinématographiques lui sont consacrées dont la plus célèbre est celle que présenta Walt Disney en 1940. En 1972, Luigi Comencini adapta à l'écran les aventures du célèbre pantin au travers duquel il fit l'apologie de la liberté individuelle.

Une exposition consacrée aux œuvres inspirées de la marionnette achève la visite du parc. ■

Le jardin Garzoni, à Collodi, est le plus spectaculaire des environs de Lucques.

Garfagnana*,
Alpes apuanes et Versilia

Le ponte della Maddalena est aussi appelé le pont du Diable, la tradition voulant que l'architecte ait demandé son aide au diable qui la lui accorda au prix de l'âme du premier passant. Malins, les habitants envoyèrent un chien...

Cet itinéraire de trois jours (environ 150 km sans les détours, *voir encadré p. 192*) traverse des paysages très variés et, la plupart du temps, méconnus des voyageurs – sinon des Italiens. Il débute par la découverte d'une région naturelle préservée, au nord de Lucques : la Garfagnana. Le Serchio y a creusé une vallée profonde surplombée de savoureux bourgs médiévaux dont plusieurs méritent la visite. Barga et Castelnuovo sont de bonnes étapes. Entre Serchio et mer Tyrrhénienne s'élève la barrière des Alpes apuanes dont les marbres immaculés ont fait la prospérité de Carrare, que nous invitons fortement à visiter, ses carrières offrant des points de vue éblouissants. Enfin, la longue plaine côtière de la Versilia s'étire en une suite ininterrompue de lidos depuis Marina di Carrara jusqu'à Viareggio, dont les palaces Liberty rappellent l'heure de gloire.

➤ *Carte p. 188-189.*

La Garfagnana*

➤ *Quitter Lucques par la S 12 (direction Abetone, Modena).*

Piazza di Brancoli

➤ *10 km de Lucques : peu après le lieu-dit Vinchiana, prendre (à dr.) une jolie petite route en lacet vers Piazza di Brancoli.*

Une belle église romane, la **pieve di Brancoli** * se dresse à l'écart du village ; à l'intérieur, chaire finement sculptée, cuve baptismale et une statue de saint Georges à la façon des Della Robbia.

♥ Ponte della Maddalena*

➤ *20 km de Lucques.*

Peu après **Borgo a Mozzano**, le **ponte della Maddalena** (XIVe s.) est un superbe ouvrage en pierre claire, aujourd'hui piéton, dont la grande arche décentrée forme un dos d'âne très tendu au-dessus de l'eau. On l'appelle aussi **ponte del Diavolo**, la légende voulant que le diable ait contribué à sa construction.

Programme

➤ **JOUR 1 : LES COLLINES DE LA GARFAGNANA (55 km** sans les détours), au nord de Lucques, tout ébouriffées de châtaigniers et trouées de clairières où paissent les moutons. On remonte le Serchio jusqu'à Castelnuovo di Garfagnana. Les amateurs de randonnées pourront prolonger, au nord, jusqu'au parc naturel très sauvage de l'**Orecchiella** ; une journée supplémentaire au moins sera alors nécessaire.

➤ **JOUR 2 : LE PARC NATUREL DES ALPES APUANES (52 km)**. À **Castelnuovo**, cap à l'ouest tôt le matin par une route secondaire qui traverse les paysages montagnards des Alpes apuanes avant de dégringoler en lacets sublimes sur la mer Tyrrhénienne au bleu lumineux. Dans l'après-midi, on abordera les montagnes aux carrières de marbre étincelantes de blancheur sous le soleil de l'ouest (certaines se visitent le dim.). Étape à **Carrare**, fort joli carrefour d'une région exceptionnelle, d'où l'on peut facilement rejoindre Lucques ou Pise en 1 h d'autoroute.

➤ **JOUR 3 : LA VERSILIA**. Les nostalgiques de la Belle Époque poursuivront ce périple jusqu'à **Viareggio** au faste suranné, où se déroule chaque année un carnaval haut en couleur. ❖

Bagni di Lucca

➤ *23 km de Lucques sur la S 12.* ❶ *APT* ☎ *0583.80.57.45.* **Marché :** *mer. et sam.*

Au niveau de **Fornoli** et de son **ponte delle Catene** (pont aux Chaînes) du XIXe s., la S 12 continue vers **Bagni di Lucca** (à 4 km), une station thermale qui connut son heure de gloire au XIXe s. lorsque les têtes couronnées et l'aristocratie fréquentaient ses sources sulfureuses et... son casino, l'un des premiers d'Europe. Elle a conservé un certain charme.

Notre itinéraire, lui (S 445), remonte toujours la vallée sauvage du Serchio en direction de Castelnuovo, au cœur de la Garfagnana.

Coreglia Antelminelli

➤ *À 30 km de Lucques (S 445), prendre la route à dr. vers Coreglia Antelminelli, à env. 7 km de l'embranchement.*

➤ **MUSEO DELLA STATUINA** (*via del Mangano, 17, palazzo Vanni. Ouv. t.l.j. 9h-13h. F. dim. et j.f. Entrée payante* ☎ *0583.78.082. Accès partiel aux handicapés*). Le modelage en plâtre de santons, de bustes ou de masques est une vieille tradition de la région qui, jadis, exportait en Europe ses figurines. Le musée expose plusieurs de ces fraîches créations artisanales, nettement plus intéressantes que les plâtres ampoulés et les moulages classiques qui parsèment les salles. C'est en tout cas l'occasion d'une très belle promenade montagnarde qui permet, si l'on pousse le détour jusqu'à **Scarpello**, de rejoindre Barga (*à env. 12 km de Coreglia Antelminelli par une route asphaltée*).

Grotta del Vento*

➤ *À 38 km de Lucques (S 445), embranchement pour Gallicano. La grotte se trouve à 9 km O de Gallicano, à Vergemoli. Ouv. 9h-19h. F. Noël. Visite guidée. Entrée payante* ☎ *0583.72. 20.24. Non accessible aux handicapés.*

Au niveau de **Gallicano**, l'on peut faire une incursion dans le **parc naturel des Alpes apuanes** en quittant la S 445 pour traverser le Serchio et suivre la direction de Fornovolasco jusqu'à la **grotta del Vento*** dans un site splendide. Cet immense labyrinthe souterrain à 10,7 °C toute l'année, est traversé par une rivière parfois en crue l'hiver. Ici, pas de petit train ; c'est à pied que l'on parcourt, au choix, un des trois itinéraires guidés d'une durée de 1 à 3 h au milieu de concrétions spectaculaires et d'étangs immobiles.

Si l'on ne choisit pas de faire ce détour, on prendra la route qui s'embranche à dr. sur la S 445, env. 3 km avant Gallicano, pour grimper au milieu des vignes et des vergers jusqu'à l'étape fort agréable de Barga.

♥ Barga*

➤ *42 km de Lucques.* **Informations pratiques** *p. 199.*

Cette impressionnante petite cité médiévale accueille en juillet un **festival d'opéra** apprécié. Les ruelles biscornues dominées par le puissant Duomo roman dévalent jusqu'au pied des remparts. Important centre viticole et séricole au Moyen Âge, Barga tenta plusieurs fois d'échapper à la convoitise de Lucques en se plaçant sous la protection directe de Florence. Ses palais témoignent de cette florissante époque médicéenne, de même que la très belle **scène de vendanges** qui orne le portail du **duomo S. Cristofano***.

Du parvis, merveilleux panorama des toits de la ville haute et des Alpes apuanes. À l'intérieur, exceptionnelle **chaire*** en marbre sculpté, réalisée vers 1250 par Guido Bigarelli, l'une des plus belles de Toscane. Voir aussi, dans l'abside, une très grande statue de *Saint Christophe* en bois polychrome (XIIe s.). Au XIXe s., l'effondrement économique poussa de nombreux habitants de Barga à l'émigration.

Castelvecchio

➤ *46 km de Lucques.*

➤ **MAISON DE GIOVANNI PASCOLI** *(ouv. avr.-sept. 10h30-13h et 15h00-18h45 ; oct.-mars 9h30-13h et 14h-17h15. F. lun. et mar. matin et 25 déc. Entrée payante* ☎ *0583.76.61.47).* Les célèbres *Canti* (chants) *di Castelvecchio* de ce poète (1855-1912) sont connus de tout écolier italien. Même pour un étranger, la visite de sa maison parfaitement conservée en l'état est très touchante.

Barga, petite cité étalée en terrasses au-dessus de la vallée du Serchio.

Castelnuovo di Garfagnana et alentour

➤ *52 km de Lucques (avec les détours).* **Informations pratiques** *p. 199.*

C'est ici que notre itinéraire bifurque vers l'ouest en direction de Massa (env. 40 km) et de Carrare (env. 50 km). Mais auparavant, prenez le temps de visiter cette petite capitale colorée (6 000 hab.) de la Garfagnana qui est aussi un bon point de départ et d'information pour une exploration plus poussée de la région et du parc naturel de l'Orecchiella au nord.

Castelnuovo a deux sujets d'orgueil. Sa **forteresse** (XIIIe s.) à mâchicoulis et tourelles de garde, qui trône toujours à l'entrée de la vieille ville, fut le siège du pouvoir du poète **Ludovico Ariosto** (l'Arioste), nommé gouverneur de la Garfagnana de 1522 à 1525 par la famille d'Este. Auréolé du succès de son long poème *Orlando furioso (Le Roland furieux)*, il parvint à purger la région des brigands qui semaient la terreur et à ranimer une économie locale moribonde. Autre sujet d'orgueil, la **cathédrale** (1500) et son très beau ♥ **retable en faïence** d'Andrea della Robbia.

➤ **Pieve Fosciana** *(3 km N, sur la S 324)*: fin nov., on peut assister au **broyage des châtaignes** entre des meules de grès dans un moulin du XVIIe s. tenu depuis quatre générations par la famille Regoli *(mulino di Ercolano Regoli, au lieu-dit Molino Sotto* ☎ *0583.66.60.95).*

➤ **Orto botanico Pania di Corfino** *(villa Collemandina; env. 15 km N de Castelnuovo. Ouv. t.l.j. en juil.-août et le dim. en mai, juin et sept.* ☎ *0583. 65.169).* Cette réserve botanique située à 1 370 m d'altitude dans le parc naturel de l'Orecchiella est vouée à la protection de l'intégralité de la flore de la Garfagnana apennine que l'on découvre sur des sentiers balisés thématiques (flore des bois, flore des prairies, flore des marais…).

➤ **Parco naturale dell'Orecchiella** *(env. 20 km N de Castelnuovo; centre de visiteurs à Orecchiella. Ouv. sam. et dim. juin-sept.; t.l.j. juil.-mi-sept.; dim. nov.-avr.* ☎ *0583.61.90.02 et 61.90.98).* Entre 1 300 et 2 000 m d'altitude, il est sillonné de chemins balisés d'où l'on voit souvent des cabris. On y pratique également le ski en hiver *(voir p. 200).*

➤ **San Pellegrino in Alpe** *(env. 15 km N-E de Castelnuovo).* Voir surtout le **Museo etnografico provinciale «Don Luigi Pellegrini»** *(via del Voltone, 15. Ouv. avr.-mai 9 h 30-12 h et 14 h-17 h, juin-sept. 9 h 30-13 h et 14 h 30-19 h, oct.-mars 9 h-13 h. F. lun. Entrée payante* ☎/*fax 0583.64.90.72)* où sont reconstitués le filage et le travail du chanvre, du lin et de la laine ainsi que des ateliers de vannerie, de forgeron, de cordonnier, de meunier…

➤ **San Romano in Garfagnana** *(env. 10 km N-O de Castelnuovo)* possède une impressionnante ♥ **fortezza delle Verucole***, véritable petite muraille de Chine à cheval sur une crête vertigineuse *(❶ APT, via Roma, 9* ☎ *0583. 61.31.81/82).*

Carrare:
la montagne de marbre*

De Castelnuovo, la route vers Massa, à l'ouest, serpente dans les Alpes apuanes entre 800 et 1 100 m d'altitude parallèlement au torrent Turrite Secca. À partir du mont Altissimo (1 589 m) les lacets de la descente offrent des vues magnifiques sur la Versilia et le golfe de Gênes. Cet itinéraire d'une quarantaine de kilomètres, forcément lent, aboutit à Massa.

Massa

➤ *42 km S-O de Castelnuovo; 8 km S de Carrare; 25 km N-O de Viareggio; 45 km N-O de Lucques.*

Sans s'attarder en ville, il serait dommage de ne pas aller voir la **rocca Malaspina*** *(ouv. en hiver sam. 9 h 30-12 h 30, dim. 15 h-18 h 30; mi-juin-mi-sept. mar.-dim. 9 h 30-12 h, mar.-ven. 16 h-19 h 30, sam. et dim. 16 h-23 h 30. F. lun. Entrée payante* ☎ *0585. 44.774. Non accessible aux handicapés)* de la famille des Malaspina qui domina la région pendant des siècles. La partie Renaissance de cet énorme complexe, incrustée de marbre, est reliée à la partie médiévale par une loggia de grande allure et due au meilleur architecte de Lucques, Nicolao Civitali. Le chemin de ronde domine la ville et la mer, cependant qu'à l'intérieur s'enchaînent de belles salles décorées de grotesques et de trompe-l'œil très frais.

♥ Carrare*

➤ *8 km N de Massa. Laisser la voiture dans le centre au parking de la via d'Azeglio (près de la piazza Matteotti). Informations pratiques p. 199.*

La petite ville, très agréable, marie bien l'ancien et le moderne. Elle s'organise autour de deux axes presque perpendiculaires: la **via Cavour** et la **via Roma** fort élégante qui, en pente douce, mène au vieux quartier serré autour du Duomo. De partout, la montagne, proche à toucher du doigt, offre des flancs dépiautés de leur toi-

Les carrières de marbre : dans ce décor que ne renierait pas Hollywood, les scrappers ont la dimension de jouets.

son d'arbres, aussi étincelants que des pistes de ski : ce sont les carrières de marbre des trois grands bassins d'exploitation de Fantiscritti, de Colonnata et de Torano. Depuis 1955 la commune de Carrare se retrouve, de fait, « gérante » de la plupart des 190 carrières de marbre qui la surplombent. C'est elle qui en confie pour un temps déterminé la concession à des sociétés privées et à des coopératives de carriers selon des règlements stricts en matière de sécurité, d'environnement, de financement et d'exploitation.

➤ **AUTOUR DE LA CATHÉDRALE.** On quitte la via Roma après un petit square rafraîchi par une fontaine moderne, où la pression de l'eau suspend une grosse boule de marbre jaune, pour s'engager (à dr.) dans un lacis de ruelles colorées bordées de palais et de vieilles demeures où se nichent des statuettes. Tout ce quartier enserre de près le beau **Duomo*** des XIᵉ-XVᵉ s. *(ouv. t.l.j. 7h-12h et 15h30-19h, dim.et j.f. 15h30-18h ☎ 0585. 71.942. Accessible aux handicapés),* en marbre évidemment, doté sur la façade d'une loggia encadrant une magnifique rosace. À l'intérieur – très dépouillé – les 10 marches de la chaire

sont taillées dans un seul bloc de marbre. Lorsqu'il venait choisir ses matériaux, **Michel-Ange** logeait dans la maison située à l'angle de la place, au chevet de la cathédrale *(via Finelli).* Aujourd'hui encore, plus de 70 sculpteurs sont établis à Carrare ou aux environs proches, et plusieurs ateliers subsistent en ville. Carrare accueille d'ailleurs chaque année en juillet une **manifestation** *(simposio)* de sculpteurs qui se rassemblent dans un immense atelier en plein air.

➤ **MUSEO DEL MARMO**** *(viale XX Settembre ; à la sortie de la ville, en direction de Marina di Carrara, à côté du stade desservi par les bus CAT. Ouv. mai-juin et sept. 10h-18h ; oct.-avr. 9h-17h ; juil.-août 10h-20h. Entrée payante ☎ 0585.84.57.46. Visite : 1h. Accessible aux handicapés).* Divisé en six sections, ce musée très bien agencé aborde tous les aspects du marbre de Carrare, depuis sa composition géologique à l'histoire de son exploitation en passant par la statuaire. Intéressantes **maquettes** : l'une met en évidence la situation de la cité au confluent des trois grands bassins marmorifères, une autre reconstitue le célèbre port de Luni de l'époque romaine, par lequel transitaient les blocs de marbre. Toutes les **techniques d'extraction** sont passées en revue jusqu'au système du fil hélicoïdal (en fait, torsadé) qui révolutionna au début du XXᵉ s. la coupe des blocs et au fil de diamant qui, depuis 1978, permet de tailler le marbre dans tous les sens. On admirera aussi de près les **copies et moulages** des hautes statues peu visibles de la façade du Duomo ainsi que de nombreuses trouvailles dans les grottes romaines, ou postérieures.

Les ♥ carrières de marbre**

➤ *Suivant les panneaux « Cave di Marmo », au N-E de Carrare, gagner Colonnata, puis redescendre jusqu'aux ponti di Vara (viaduc de l'ancien chemin de fer et pont carrossable) pour gagner Fantiscritti où se trouve un musée du Marbre en plein air et revenir à Carrare par Torano. Compter une demi-journée, plutôt dans l'après-midi pour profiter de l'éclairage des carrières (exposées à l'ouest) et le dim. de préférence afin d'éviter de croiser des camions.*

Voici un petit circuit (40 km env.) d'un intérêt exceptionnel à travers les carrières des trois bassins qui convergent vers Carrare : Colonnata, Fantiscritti et Torano. Il offre une occasion unique de s'initier à la parure que s'est donnée l'Italie : le marbre, dont une grande partie provient de cette région. Chemin grimpant, les vues sont absolument saisissantes. La montagne tout entière est une sculpture cyclopéenne développant des gradins géants, des fosses abyssales, des monuments cubiques, des amphithéâtres immenses, des châteaux imaginaires et des portes d'accès à des cathédrales souterraines aussi secrètes que celles des grottes de Petra. Une noria de camions de 30 tonnes dévale en permanence les pistes de poudre blanche. Elles empruntent souvent l'ancienne voie de l'extraordinaire chemin de fer commencé en 1876 qui, à travers viaducs et à-pics vertigineux, descendait jusqu'à la côte. Depuis deux mille ans, les marbriers taillent, façonnent et fouaillent cette montagne dont on a extrait davantage de marbre au cours des cinquante dernières années que lors de tous les siècles précédents.

➤ **VERS COLONNATA** *(8 km E)*. Quand on grimpe vers Colonnata, une halte à la **cava la Piana** permet d'assister, d'une passerelle, à la montée en ascenseur des blocs arrachés au fond du puits. Un peu plus loin, la **cava Artana** évoque une forteresse fantôme. Tout près, les Romains exploitaient déjà **Fossocava**, immense amphithéâtre naturel de 200 m de long devenu site archéologique. À Colonnata, village d'altitude tassé au pied des crêtes, un important monument à la gloire des carriers fut « parachuté » par des grues en 1982 sur une placette minuscule : un exploit. De là-haut, la **vue** sur les carrières et la mer est imprenable.

➤ **FANTISCRITTI** *(6 km E)*. Le bassin de Fantiscritti est peut-être le plus spectaculaire. Il faut voir les hallucinants halls souterrains découpés dans la **cava galleria Ravaccione** pour se rendre compte du gigantisme des carrières modernes. L'obélisque érigé au Forum de Rome en 1929 fut tiré d'un monolithe de 300 tonnes extrait dans le secteur et tiré par 36 paires de bœufs jusqu'à Marina di Carrara où il fut embarqué sur un radeau spécial. Un ancien carrier, original et passionné, Walter Danesi a créé en plein air le ♥ **museo di Fantiscritti** *(ouv. avr.-nov. 9h-19h. Entrée gratuite ☎ 0585.70.981 et 77.92.94. Accessible aux handicapés)*, passionnant bric-à-brac qui met en scène les différentes techniques d'exploitation qui n'ont pratiquement pas varié jusqu'à l'invention du fil torsadé hélicoïdal au début du XXᵉ s. À la belle saison, la grande esplanade du même nom devient le théâtre grandiose de concerts et de spectacles.

Le marbre : quel avenir ?

Les chiffres de production varient selon que l'on considère uniquement les blocs de marbre extraits de la montagne (entre 500 000 et 700 000 tonnes par an) ou ce que l'on appelle les « détritus » (deux millions de tonnes par an). Il s'agit de granulats de carbonate de calcium pur et de poudre d'un diamètre de l'ordre du micron, utilisés dans la fabrication du papier, l'industrie chimique et pharmaceutique et, bien sûr, la constitution de matériaux inertes pour le bâtiment.

Carrare – dont les réserves sont estimées à 60 milliards de m³ – exploite les trois quarts du marbre italien, un gros tiers du total étant réservé à la consommation nationale. Tout Italien bien né ne peut concevoir son hall d'entrée, sa terrasse ou sa salle de bains sans une débauche de marbre... En 2000, 65 % de la production était exportée, le plus gros client – quoique en baisse – étant les États-Unis (27 %) suivis de l'Union européenne (23 %), des Émirats arabes unis (16 %) et de l'Extrême-Orient (15 %) – surtout Hong-Kong. Si le chiffre d'affaires de l'export s'est multiplié par six entre 1981 et 1996, et si les prévisions de production demeurent optimistes, la rentabilité générale du secteur est en baisse, au point de parler de crise, dont les conséquences se répercutent sur l'activité portuaire et le peuplement de la province. La structure industrielle n'explique pas tout ; les cours faiblissent, surtout vers l'Extrême-Orient, et risquent un effondrement d'une durée indéterminée depuis les attentats du 11 septembre 2001 aux États-Unis. ❖

▶ **TORANO**. Revenant vers Carrare par le bassin de Torano, on longe la **cava del Polvaccio** zébrée de haut en bas de pistes invraisemblables en balcons suspendus. Michel-Ange y vint souvent choisir ses blocs diaphanes. La descente se déroule dans un paysage lunaire d'où fut extrait le marbre du palais royal de Madrid et celui de la Grande Arche de la Défense, à Paris...

Viareggio et la Versilia

Viareggio est la capitale de la riviera della Versilia, cette longue plaine côtière qui étire au pied des Alpes apuanes ses immenses plages de sable fin en une suite ininterrompue de lidos jusqu'à Marina di Carrara.

Quant à Puccini, dont la demeure au bord du lac Massaciuccoli a conservé intacte son atmosphère fin de siècle, il semble, de son regard de bronze, contempler avec une certaine perplexité l'agitation des vacanciers d'aujourd'hui depuis la terrasse du café Margherita à Viareggio...

▶ *25 km S de Massa ; 20 km O de Lucques ; 23 km N-O de Pise.* **Carte p. 188-189. Informations pratiques p. 202.**

Viareggio

Cette station balnéaire subit aujourd'hui les assauts du tourisme populaire, tandis qu'au début du XXe s. son climat très doux et son caractère encore sauvage lui attirèrent les faveurs de la bourgeoisie intellectuelle européenne : Rilke, Thomas Mann, Gabriele D'Annunzio furent des habitués de Viareggio qui, sous le béton et les palmiers, dissimule ses derniers vestiges Liberty autour du **Gran Caffè Margherita**, coiffé de lanternons en tuiles vernissées : le charmant **chalet Martini** en bois, le pavillon des magasins Duilio 48, l'ancien **théâtre Eden**. Viareggio est encore réputée pour ses deux immenses pinèdes.

La plage à l'italienne

Au long du littoral italien, les longues plages monotones se transforment en été en salons meublés de parasols ou de cabines impeccablement alignées devant d'autres files de baraques foraines, de stands gourmands, de cafés ou de restaurants, elles-mêmes situées en avant d'un boulevard de front de mer pétaradant. La mer, ici, visible seulement des premiers rangs, comme au spectacle, n'est qu'un fond de décor uniforme devant lequel se joue la comédie des vacances.

Car la plage est d'abord un lieu de parade, de rencontre, de potins. Les enfants occupés à creuser le sable s'évadent subrepticement pour aller clapoter dans l'eau. Les mères de famille poussent alors de grands cris rituels, interpellent les hommes à demi rôtis et s'en vont en courant vers le grand large sous l'œil compréhensif des voisins.

Chaque « rue » de sable a son ambiance, ses repères, ses habitudes et ses musiques. Certains débarquent en cortège dès le matin avec force paniers de pique-nique, coussins gonflables, seaux, pelles, pliants, nattes, serviettes, radio et moult crèmes. D'autres, en pantalon-chemise, viennent rejoindre des amis à l'heure de l'apéritif. Des bambins passent d'un parasol à une tente, terrorisant les adultes avec des pistolets à eau ou des pailles pour chatouiller les dormeurs.

L'humeur devient plus sportive et récréative en fin d'après-midi, les concours de boules, parties de cartes ou matchs de volley-ball vidant un peu ces villages sous toile où les adolescents, enfin seuls, peuvent flirter librement. ❖

Museo Villa Puccini

➤ *5 km S de Viareggio ; 25 km O de Lucques. Villa Puccini, Torre del Lago Puccini, piazzale Belvedere, sur le lac Massaciuccoli (rive ouest). Ouv. en été 10h-12h30 et 15h-18h ; en hiver 10h-12h30 et 14h30-17h30. F. lun. Entrée payante ☎ 0584.34.14.45, <www.giaco mopuccini.it>. Accès partiel aux handicapés.*

Le « paradis » de Giacomo fut construit en 1891, juste au bord du lac Massaciuccoli. Il y repose avec sa femme dans un mausolée. Avec son mobilier d'époque et ses murs crème surchargés de tableaux, de cadres, de photos et de portraits de famille, cette demeure conserve son ambiance fin XIXe s. On voit son atelier : le piano droit Förster où Puccini composait la nuit, un chapeau sur la tête. Juste à côté, face à la fenêtre, la table sur laquelle il jetait ses partitions. En été, non loin de là, un théâtre de verdure au bord du lac accueille des **opéras de Puccini**. Puccini dut quitter cette demeure dans les années 1920 (en raison d'une usine de tourbe créée dans le voisinage) et fit construire une autre maison dans la pinède de Viareggio, où il composa *Turandot*. ■

Castelnuovo di Garfagnana.

Carte *p. 188-189.*

■ Barga

➤ *Visite p. 193.*

ⓘ **Office de tourisme** (APT), via di Mezzo, 47 ☎ 800.02.84.97, < www.comune.barga.lu.it >.

➤ **Marché** : le sam.

Hôtel-restaurant

▲▲▲ **Pergola**, via S. Antonio, 1 ☎ 0583.71.12.39, fax 0583.71.04.33, < hotel@hotellapergola.com >. *23 ch.* confortables. L'entrée du ♦♦ **restaurant** se trouve via del Giardino (*f. ven. et 15 nov.-15 fév.*). Bons plats régionaux, typiques de la Garfagnana (civet de biche ou de sanglier à la purée de châtaignes).

Manifestations

➤ **Festival d'opéra, en juil.**, au teatro delle Accademia dei Differenti, piazza Angelio, 8 ☎ 0583.72.42.05.

➤ **Barga Jazz** en **août** ☎ 0583.72.47.70, < www.comune.barga.lu.it >.

■ Carrare/ Marina di Carrara

➤ *Visite p. 194.*

ⓘ **Offices de tourisme** (APT). **À Marina di Carrara** : piazza Menconi, 6 ☎ 0585.63.25.19. *Ouv. lun.-sam. 9h-12h30 et 16h-18h, dim. 9h-12h30.* **À Marina di Massa** : viale Vespucci, 24 ☎ 0585.24.00.63. *Ouv. lun.-sam. 9h-13h et 15h-19h, dim. 9h30-12h30 et 15h-18h30.*

➤ **Marché** : le lun.

Hôtel

▲▲▲ **Carrara**, via Petacchi, 21, Marina di Carrara ☎ 0585.85.76.16, fax 0585.50.344, < hotelcarrara@tremmei.com >. *32 ch.* Un des bons rapports qualité/prix de la ville. ♦♦ **Restaurant** réservé à la clientèle.

Restaurant

♦♦♦♦ **Ninan**, via Lorenzo Bartolini, 3, Carrare ☎/fax 0585.74.741. *F. dim. Réserver.* Attention, petite salle, et spécialités de poissons et fruits de mer très justement réputées.

Transports

➤ **Gare ferroviaire.** Hors centreville, à 1,5 km du musée du Marbre ☎ 0585.85.81.24 (*ouv. 6h30-20h*). Trains à destination de Pise, de Grosseto (Maremme) et de Florence.

➤ **Gare routière.** Autobus **Lazzi**, viale XX Settembre, à Marina di Carrara (proche du Club Nautico).

■ Castelnuovo di Garfagnana

➤ *Visite p. 193.*

ⓘ **Informations touristiques**, via Cavalieri Vittorio Veneto ☎ 0583.64.10.07. *Ouv. en hiver lun.-sam. 8h30-12h et 15h30-18h30; en été lun.-sam. 9h-13h et 15h30-19h, dim. 9h-13h.*

➤ **Marché** : le jeu.

Hôtels-restaurants

▲▲▲ **Carlino**, via Garibaldi, 15 ☎ 0583.64.42.70, fax 0583.62.616. Au cœur du bourg, un hôtel déjà chic de

32 ch. dont 23 avec s.d.b. Jardin et piscine. ♦♦♦ **Restaurant** agréable avec buffet de hors-d'œuvre.

▲▲▲ **La Lanterna** (1,5 km E du bourg, au lieu-dit Monache-Piano Pieve) ☎/fax 0583.62.272, < info@hotella lanterna.com >. *22 ch.* Une maison très modernisée avec un agréable jardin. Chambres confortables donnant sur la campagne. Très bon rapport qualité/ prix. Le ♦♦ **restaurant** *(f. mar. sf en juil.-août et 3 semaines en janv.)* propose une table composée de mets rustiques à un prix très raisonnable.

➤ **GÎTES D'ÉTAPE** en montagne. Rens.: **Garfagnana Vacanze** *(voir ci-après).*

Ski

L'hiver, on fait du ski dans la Garfagnana, les Alpes apuanes, le parc naturel de l'Orecchiella. Pour tous rens. sur les excursions et activités sportives proposées dans la région, s'adresser à **Garfagnana Vacanze**, Ufficio Parco Apuane, piazza delle Erbe, 1 ☎ 0583. 64.42.42 et 0583.65.169, < garfa gnana@ tin.it >. *Ouv. t.l.j. sf j.f. 9h-13h et 15h30-17h30 ou 19h30.*

Transports

Castelnuovo est desservie par le **train** (☎ 0583.62.364) et par les **bus CLAP** (piazza della Repubblica ☎ 0583.62.039).

■ Lucques

➤ **Plan** *p. 178-179.* **Visite** *p. 176.*

ℹ **Office de tourisme** (APT), vecchia porta S. Donato, piazzale Verdi **A3** (à l'entrée ouest de la ville par la S 439) ☎ 0583.41.96.89; piazza S. Maria, 35 **C1** ☎ 0583.91.99.31, < www.luccaturismo. it >. *Ouv. t.l.j. 9h-19h.* Rens. et documents sur Lucques et sa province (villas lucquoises, Garfagnana, Versilia).

➤ **MARCHÉS**: mer., sam. et dim. matin, **marché alimentaire** sur la via dei Bacchettoni **D1-2** le long des remparts; le 3e w.-e. de chaque mois, **marché aux antiquités** autour de la via du Battistero et de la piazza S. Martino **BC3**; 27 avr. et jours suivants: **marché aux fleurs** de la piazza del Mercato à S. Frediano **BC2**.

Hébergement

▲▲▲▲▲ **Villa la Principessa**, via Nuova per Pisa, 1616, Massa Pisana (hors les murs, à 3 km S de Lucques par la S 12r vers Pise) **hors pl. par B4** ☎ 0583.37.00.37, fax 0583.37.91.36, < info@hotelprincipessa.com >. *40 ch. et 7 suites.* La résidence actuelle, dans un très beau parc au pied des collines, fut édifiée à l'emplacement du palais habité par le fameux tyran de Lucques, Castruccio Castracani en qui Machiavel voyait le prince idéal... Cette résidence très chère, très chic et très agréable, peut mériter un coup de folie. Air cond., piscine, restaurant.

▲▲▲▲ **Universo**, piazza del Giglio, 1 **B3** ☎ 0583.49.36.78, fax 0583.95.48.54, < info@universolucca.com >. *72 ch. avec s.d.b.* Hôtel à l'ancienne (1853) qui ne manque pas de charme, mais cher pour sa qualité et ses services. Utile pour dépanner.

▲▲▲ **Albergo La Luna**, via Fillungo, corte Compagni, 12 (impasse près de la piazza del Mercato) **B2** ☎ 0583. 49.36.34/35, fax 0583.49.00.21, < info@hotellaluna.com >. *F. mi-janv.-mi-fév.* Petit hôtel bien rénové d'une trentaine de chambres en plein cœur de la Lucques historique.

▲▲▲ **Albergo San Martino**, via della Dogana, 9 **B3** ☎ 0583.46.91.81, fax 0583.99.19.40, < albergosanmartino@ albergosanmartino.it >. *6 ch. et 2 suites.* Petit hôtel aménagé dans une vieille maison, très agréable. Prix raisonnables pour la qualité et l'ambiance familiale.

▲▲▲ **Piccolo Hotel Puccini**, via di Poggio, 9 **B2** ☎ 0583.55.421, fax 0583. 53.487, < info@hotelpuccini.com >. *14 ch. avec s.d.b.* À deux pas de S. Michele in Foro, un bon petit hôtel aux chambres soignées. Un des meilleurs rapports qualité/prix dans le centre.

▲▲ **Albergo Diana**, via del Molinetto, 11 **B3** ☎ 0583.49.22.02, fax 0583. 46.77.95, < info@albergodiana.com >. *15 ch.* Parking proche: près du Duomo. Petit hôtel agréable à prix doux dans la partie ancienne, la dépendance très modernisée étant nettement plus chère.

➤ **CHAMBRES D'HÔTES. ▲▲ Da Elisa alle Sette Arti**, via Elisa, 25 **D3** ☎ 0583. 49.45.39, fax 0583.47.16.09, < info@ daelisa.com >. Simple, double et triple chambres dans une maison adorable. Plutôt bon marché. Petit déjeuner en sus. Grand parking proche.

➤ **LOCATIONS MEUBLÉES. Alfa Studio**, via Elisa, 51 **D3** ☎ 0583.49.08.38, fax 0583.48.140, < rental@alfastudio. com >. Propose un catalogue d'une centaine de maisons, villas, appartements en location durant la belle saison dans la région de Lucques.

Restaurants

◆◆◆◆ **Giglio**, piazza del Giglio **B3** ☎ 0583.49.40.58. *Ouv. t.l.j. août-janv. F. 1ʳᵉ quinzaine de fév. et le mer. soir et le mer.* Dans un ancien palais près de la piazza Napoleone, des salles très bourgeoises décorées de fresques, et une ambiance assez mondaine. Mets parfois ampoulés, mais dans l'ensemble bien cuisinés. Honorable vin maison.

◆◆ **Agli Orti di via Elisa**, via Elisa, 17 **D3** ☎ 0583.49.12.41. *F. mer. Trattoria* et pizzeria sympathique dans un des coins charmants de la ville. Bon rapport qualité/prix.

◆◆ **Da Francesco**, corte Portici, 13 **B2** ☎ 0583.41.80.49. *F. lun.* Deux petites salles aux murs de brique. Ambiance plutôt familiale, avec une terrasse sur la petite place. Prix modérés pour une cuisine correcte.

◆◆ **Da Giulo in Pelleria**, via delle Conce, 47 (contre les remparts) **A2** ☎ 0583.55.948. *F. dim. et lun. Réserver le soir*, le restaurant – pourtant excentré – étant régulièrement bondé. Ambiance décontractée; murs bardés de photos, et bonne cuisine régionale (agneau ou cabri de la Garfagnana), à un prix raisonnable. Une bonne adresse.

◆◆ **Trattoria l'Artise**, via Cenami, 13 **B3** ☎ 0583.49.65.13. *F. lun.* Dans un décor des années 1930, une petite maison spécialisée dans le poisson. Premier menu bon marché.

◆◆ **Vineria**, via dell'Anfiteatro, 12 **C2** ☎ 0583.49.61.24 (au coin de la via del Portico, juste derrière la piazza del Mercato). *F. mer.* Cet établissement récent propose une bonne formule buffet à (presque) toute heure, la jolie salle donnant sur un agréable jardin.

◆ **Trattoria Da Leo** ♥, via Tegrimi, 1 **B2** ☎ 0583.49.22.36. *F. dim. Pas de cartes de paiement.* Dans le centre, près de la piazza del Salvatore. Établissement simple et sympathique avec sa coquette terrasse ombragée sur la via degli Asili. Excellent rapport qualité/ prix. Recommandé.

Café-boîte de nuit

Bagno Amore ☎ 0583.31.29.14. *F. lun. et mar.* À l'angle de la via S. Tommaso et de la via Pelleria **A2**. L'endroit à la mode, mais en fait très simple et sympathique où l'on s'agglutine autour du comptoir plein de sandwiches et d'amuse-gueule en regardant les matchs de foot à la télévision ou en bavardant plus fort que son voisin… Tout au fond, un curieux salon bourgeois, presque précieux et nettement plus calme.

Manifestations

➤ **EXPOSITION ANNUELLE DE CAMÉLIAS ANCIENS**: en **mars**, à **Pieve di Compito** (env. 15 km S-E de Lucques, sur les pentes du monte Pisano, route à dr. à partir de la S 439). Les camélias de la région sont célèbres; on y trouve les essences les plus anciennes et les hybrides les plus originaux. Rens.: **Nike Servizi**, corte Frediani, 1 **B3** ☎ 0583.55.505, < nike@cln.it > ou **Ufficio Cultura** ☎ 0583.42.84.32.

➤ **ESTATE MUSICALE**: le festival de musique de Lucques se déroule **de juil. à sept.**, accordant une large place à Puccini, l'enfant du pays.

➤ **PALIO DI SAN PAOLINO**: le **12 juil.** Tournoi de tir à l'arbalète.

➤ **PROCESSION DU VOLTO SANTO**: le **13 sept.** au soir, à travers la ville illuminée de lanternes.

Adresses utiles

➤ **GARE FERROVIAIRE**. Piazza Ricasoli **C4** (hors les murs) ☎ 0583.46.70.13. Trains pour Florence, Pise, Pistoia, Viareggio, Castelnuovo.

Viareggio l'impertinente

Occasion d'un défoulement joyeux et coloré, le **carnaval de Viareggio** est connu hors des frontières de la Toscane. C'est un défilé de chars, le long de la mer, peuplés de pantins et de caricatures géantes en papier mâché aussi bien de notables que de gens d'Église ou d'hommes politiques. Cette fête impertinente déclenche régulièrement des polémiques, les personnages tournés en dérision n'appréciant pas toujours la caricature… (5 dim. de suite en fév. et début mars). ❖

➤ **GARE ROUTIÈRE.** Piazzale G. Verdi **A3** (près de l'office de tourisme); autobus **LAZZI** ☎ 0583.58.48.76: bus pour Bagni di Lucca, Viareggio, Pistoia, Pise, Florence. Autobus **CLAP** ☎ 0583.58.78.97: bus pour les environs (Viareggio, Garfagnana, Barga, Castelnuovo, Collodi, Pescia).

➤ **LOCATION DE VÉLOS.** Cicli Bizzari, piazza S. Maria, 32 **C1** ☎ 0583.49.60.31. Le prix est dégressif dès qu'on loue plus d'une journée.

➤ **LOCATION DE VOITURES. Agenzia Tam Tour**, via Vittorio Veneto, 14 **B3** ☎ 0583.49.11.41.

➤ **PARKINGS.** De nombreuses places le long des remparts près de la porta Vittorio Emanuele II **A4** et autour de la piazza S. Maria **C1**. Les parkings hors les murs sont intéressants si l'on n'utilise pas sa voiture pendant plusieurs jours ☎ 0583.49.22.55, 0583.58.32.64.

➤ **POSTE CENTRALE.** Via Vallisneri, 2 **C3**.

■ Viareggio

➤ *Visite* p. 197.

ℹ **Office de tourisme**, APT Versilia, viale Carducci, 10 (sur le front de mer) ☎ 0584.96.22.33, fax 0584.47.336, < viareggio@versilia.turismo.toscana.it >. *Ouv. lun.-sam. 9h-14h et 15h-18h, dim. 10h-12h.*

➤ **MARCHÉ**: le jeu.

Hôtels

▲▲▲▲ **Plaza de Russie**, piazza d'Azeglio, 1 ☎ 0584.44.449, fax 0584.44.031, < www.plazaderussie.com >. *52 ch.* Établissement de luxe, fin XIXᵉ s., à prix encore abordables. Belle terrasse avec vue. Restaurant.

▲▲▲▲ **Villa Tina**, via Aurelio Saffi ☎/fax 0584.44.450. *14 ch. F. oct.-janv.* Chambres demeurées dans le style Liberty de l'hôtel. Assez charmant. Restaurant.

Transports

Viareggio est desservie par le **train** (FS Viareggio ☎ 0584.44.350), par le réseau national des **bus CLAP** (☎ 0584.30.996) et le réseau régional **Lazzi** (☎ 0584.46.233/234).

Loisirs

➤ **LOCATION DE VÉLOS. Lega Ciclismo Versilia**, c/o ARCI, via Pucci, 34 ☎ 0584.46.385.

➤ **NAUTISME/VOILE. Club Nautica Versilia**, piazza Artiglio ☎ 0584.31.444.

Manifestations

➤ **CARNAVAL DE VIAREGGIO**: en fév. et **début mars**, durant 4 dim. consécutifs (*encadré ci-dessus*).

➤ **FESTIVAL PUCCINIANO**: mi-juil.-fin **août** ☎ 0584.35.93.22. Il a lieu dans le théâtre de verdure près du lac Massaciuccoli. ■

PISE ET SES ENVIRONS

omme immobile dans le temps, Pise est restée fidèle à ses limites du XIIIe s. Par la qualité intrinsèque de ses monuments et la magnificence de l'ensemble, le campo dei Miracoli est unique en Italie. Mais que l'on consente à le quitter pour musarder de part et d'autre de l'Arno, on découvre une ville de grande allure et très vivante à toute heure du jour. Université, marchés, artisans, rues commerçantes : Pise, qui compte aujourd'hui près de 100 000 habitants, est une ruche chaleureuse où il fait bon bourdonner en flânant.

Les environs immédiats se bornent au bord de mer et à ses pinèdes ombreuses ainsi qu'au délicieux monte Pisano, refuge de fraîcheur en été. Mais il y a aussi, un peu plus loin, Livourne, port hyper actif, et, déjà, des territoires volcaniques qui annoncent les monts Métallifères et la Maremme.

Majestueuse légèreté de la façade du Duomo, vue depuis la Tour penchée.

Pise***

Ville étrusque, puis colonie romaine, Pise devint une république indépendante en 888. En 1085, elle a ses premiers consuls – premier exemple connu – et sera bientôt imitée par les autres cités importantes d'Italie. C'est entre le XIe et le XIIIe s. que cette importante place commerciale connaît son véritable âge d'or, devenant une puissance maritime incontournable en Méditerranée. Tout commence à la fin du Xe s., lorsqu'elle arme des flottes pour réduire la piraterie sarrasine en Méditerranée.

En 972, le littoral ligure – en gros, de notre Provence à La Spezia –, occupé par les Arabes, retrouve sa liberté. Pise ouvre alors des routes commerciales vers l'Afrique du Nord. Dès le début du XIe s., elle chasse les «Sarrasins» de Sardaigne et détruit leur flotte basée à Palerme (1063), s'installe en Corse en 1092 et conquiert les Baléares en 1114, raflant à chaque fois d'énormes butins. Sur sa lancée, elle s'engage dans la **première croisade** (1096-1099), créant des comptoirs commerciaux en Orient (Constantinople) jusqu'à Jaffa.

Pendant ces deux siècles, Pise tint la dragée haute à ses rivales Gênes, Lucques et Florence. Élevée à l'**archevêché**, elle maîtrise le littoral de Ligurie à Latium. Sa flotte, constituée de plus de 300 navires, sillonne en permanence la Méditerranée, bourrée, vers l'Orient, de laine, de cuir, de bois, d'armes et de fer; d'épices, de soieries, de coton de l'Orient vers l'Europe.

LE DÉCLIN

C'est la **querelle des Investitures** entre l'empereur d'Allemagne et la papauté *(encadré p. 44)* qui causera la perte de Pise. Elle devait son indépendance à l'empereur; elle se rangea donc logiquement et loyalement dans le camp gibelin. Lucques, Gênes et Florence, elles, prenant le parti du pape, se retrouvaient guelfes. Las, Frédéric II décéda en 1250 et son fils, Manfred, fut tué en 1266 lors d'une bataille décisive entre Sienne et Florence. Privée de ses arrières et attaquée sur mer par Gênes, Pise chancelle. Elle est anéantie à **la Meloria** en **1284**. Sa flotte est détruite, l'empêchant de défendre ses comptoirs commerciaux

---

Programme

➤ **UNE JOURNÉE** : c'est le strict minimum. Deux jours ne seront pas de trop si l'on ne veut pas se cantonner au campo dei Miracoli et au museo S. Matteo. La visite de la ville se fait essentiellement à pied.

➤ **BILLET GROUPÉ** : plutôt que de payer une entrée pour chaque monument, on a intérêt à acheter un **billet groupant les visites**, à savoir le **Duomo**, le **baptistère** et le **camposanto** (cimetière). On peut aussi y joindre les deux musées qui bordent la place : **museo delle Sinopie** et **museo dell'Opera del Duomo**. Mais calculez bien vos horaires : ces billets ne sont valables que pour le jour-même. Attention, en raison des travaux de réfection dont le campanile (Tour penchée) vient d'être l'objet, son prix d'entrée est très élevé, et les visites ne se font qu'au compte-gouttes.

➤ **CONSEIL** : la densité de la foule gâche le site dans la journée. Nous ne saurions trop recommander de venir **très tôt** en toute saison, soit bien avant 8 h, heure d'ouverture des monuments, à l'exception du Duomo. Dans sa solitude, le campo dei Miracoli offre en effet un des plus beaux « spectacles » monumentaux qui soient. ❖

aussitôt dépecés. Pise ne s'en relèvera pas. Gibeline, elle passa aux Visconti de Milan (1393) puis fut vendue à Florence en 1406.

➤ *77 km O de Florence; 22 km S de Lucques; 20 km N de Livourne.* **Plan** *p. 206.* **Informations pratiques** *p. 222.*

♥ Campo dei Miracoli et piazza del Duomo***

Malgré la notoriété du champ des Miracles (campo dei Miracoli) de Pise avec sa Tour penchée, le choc de la réalité dépasse l'imagination. L'harmonie, l'élégance, la sérénité de cet ensemble totalement insolite n'ont pas d'équivalent en Italie, ni même dans le monde. C'est dans la solitude du petit matin ou d'une nuit lunaire qu'il faut venir. On est alors saisi par la force et la grâce presque irréelles de cette vaste «prairie» parsemée de monuments de marbre. Une demi-journée pour visiter l'ensemble est un minimum.

UNE SCÉNOGRAPHIE GRANDIOSE

Du temps du gouvernement des cités par les évêques, la trilogie «duomo, baptistère et campanile» formait le pivot, le noyau autour duquel gravitait l'espace urbain. C'est exactement le contraire que décida Pise, rapidement enrichie après ses victoires maritimes sur les Sarrasins. La ville s'étant déjà développée au bord de l'Arno, on décida de consacrer les butins à un ensemble religieux d'une ampleur inédite, implanté à l'écart de la cité, sur des vestiges romains.

Tout laisse à penser que l'architecte **Buscheto** et ses émules «pensèrent» à partir de l'emplacement du Duomo les détails de la mise en scène est-ouest de la gigantesque esplanade ceinturée d'une muraille de marbre. Opération de très longue haleine, qui s'étira sur deux siècles. D'où ces subtiles alliances de volupté gothique et d'un roman parfumé d'Orient, et aussi l'extraordinaire unité de l'ensemble rythmé de hautes arcades aveugles surmontées de galeries d'une admirable finesse.

À voir

Le ♥ **campo dei Miracoli***, la **chaire***** de Nicola Pisano (baptistère), la **chaire**** **de Giovanni Pisano** (Duomo), la fresque du ♥ *Triomphe de la mort***** (Camposanto), la sculpture pisane au **museo nazionale S. Matteo***. ❖

La **cathédrale** (Duomo) fut entreprise immédiatement après la conquête de la Sicile, en 1063; mais il fallut quatre-vingt-neuf ans pour que **Diotisalvi** commençât le **baptistère** (1153), terminé par **Nicola Pisano**, et encore vingt-deux ans pour que le grand sculpteur Bonanno, de Pise, relayé ensuite par Giovanni di Simone, ancrât le **campanile** (1173). Un siècle s'écoula encore avant l'édification de l'étonnant **camposanto** (1278). Il était temps: quelques années plus tard, Pise perdait sa flotte à la Meloria (1284), face à Gênes, et tombait dans les oubliettes de l'histoire. Elle trouva encore la force d'achever le campo dei Miracoli et de confier à Giovanni Pisano l'étourdissante chaire du Duomo. Mais elle ne parvint pas, avant son absorption par Florence en 1406, à édifier le grandiose centre communal civil dont elle rêvait.

Duomo***

➤ **A1** *Ouv. t.l.j. avr.-sept. 10h-19h30; mars et oct. 10h-18h30; nov.-fév. 10h-13h et 15h-16h30. F. le matin les j.f. Entrée payante ☎ 050.56.05.47. Accessible aux handicapés.*

La course au record n'est pas d'aujourd'hui. Au temps de leur puissance respective, Pise, Sienne et Florence voulurent chacune édifier la plus grande cathédrale de la Chrétienté. Si le projet siennois avorta *(encadré p. 255)*, les deux autres furent menés à bien. L'ampleur du Duomo de Pise, commencé en 1063 par **Buscheto** et agrandi puis achevé, pour l'essentiel, au XIIe s. par

➤ *suite p. 208*

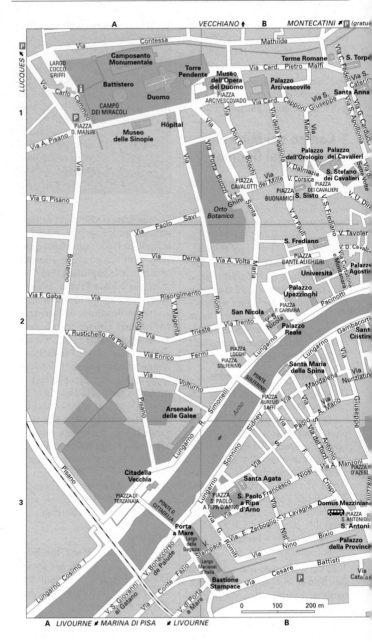

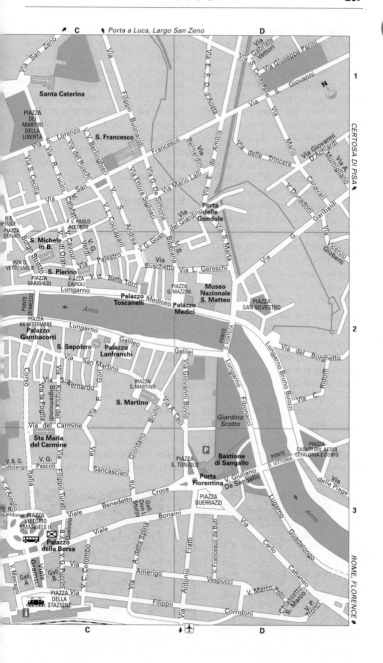

Santa Caterina

PIAZZA DEI MARTIRI DELLA LIBERTA

S. Francesco

Via San Zeno

Via E. F. D. d'Aosta

Via Gabriele Vettori

Via Giuseppe Parini

Via S. Cenisoni

S. Giovanni

Via Filippo Buonarroti

Via V. Bellinghieri

Via S. Lorenzo

Via del Ruschi

Via S. Cecilia

Via S. Eufini

Francesco

Via Mario Lalli

Via de Amicis

Via Bernardini

Via delle Trincere

Via Maro

Via Giovanni D'Achiardi

Via A. Montigliano

CERTOSA DI PISA ↘

1

Porta delle Gondole

Via del Giardino

Via G. Giusti

Via Biblana

Via S. Maria

V. Donadoni

Garibaldi

Vicenzo Gioberti

S. Michele in B.

P.S. FELICE
PIAZZA DONATI

Borgo Stretto

Via Cavour

Via d'Orati

Via G.

Via Palestro

Via San Andrea

Via Coccapani

PZA D. VETTOVAGLIE

S. Pierino

PIAZZA GARIBALDI

PIAZZA CAIROLI

V. d. Belle Torri

Via Buschetto

Via L. Gereschi

PIAZZA G. MAZZINI

Museo Nazionale S. Matteo

PIAZZA SAN SILVESTRO

Lungarno

Arno

Palazzo Toscanelli

Mediceo

Palazzo Medici

PONTE D. FORTEZA

Lungarno

Via del Borghetto

2

PONTE DI MEZZO

PIAZZA XX SETTEMBRE

Palazzo Gambacorti

Lungarno

Galileo

Galilei

Lungarno Bruno Buozzi

Via C. Ridolfi

S. Sepolcro

Palazzo Lanfranchi

Via San Martino

Via Gori

Via S. Bernardo

PIAZZA S. MARTINO

S. Martino

Via Giordano Bruno

Via A. Ceci

Via Giovanni Bovio

Fibonacci

Giardino Scotto

Via la Foglia

Via Kinzica dei Sigismondi

Corso

Via del Carmine

Sta Maria del Carmine

V.B.G. Cottolengo

V.G. Pascoli

Via Italia

Via Filippo Turati

Sancasciani

Croce

P

PIAZZA G. TONIOLO

Bastione di Sangallo

Porta Fiorentina

V. Giuliano Da Sangallo

PONTE D. VITTORIA

Arno

PIAZZA CADUTI DIV. ACQUI CEFALONIA E CORFU

Via delle Piage

3

V.R. Zandonai

PIAZZA VITTORIO EMANUELE II

Palazzo della Borsa

Viale Benedetto

Viale

Via A. della Spina

Bonaini

Don L. Sturzo

Gall.

PIAZZA GUERRAZZI

Via V. Francesco da Buti

Via Carlo

Lungarno Guadalongo

ROME, FLORENCE ↘

V. d'Arezio

V. Gramsci

Gall. A

V. Mascagni

Viale

V.G. Puccini

V.C. Colombo

Gall. B.

PIAZZA Via DELLA STAZIONE

Via Amerigo

Filippo

Antonio

Fratti

Vespucci

Corridoni

V. Marco Polo

Chiassetto S. Marco

V.P. Tronci

Cattaneo

i

C

↓ ✈   D

Rainaldo – il fut définitivement terminé au XIVᵉ s. –, avait plus d'un siècle d'avance sur celui de Florence. Adoptant le plan d'une croix de 100 m sur 69 m, coiffé d'une coupole octogonale, il présente « le rythme des basiliques antiques avec des dimensions et une magnificence dont l'architecture n'avait pas montré d'exemple depuis la fin de l'âge classique » (Toesca). La « trouvaille », si l'on peut dire, fut de scander la lourde puissance de l'architecture lombarde par de sveltes arcades en saillie décorées de motifs géométriques à l'orientale et d'évider la partie supérieure, dont les reliefs colorés allègent et élancent le monument de façon spectaculaire. Ce « répertoire » sera repris avec des variantes dans les autres monuments du champ des Miracles, d'où l'unité de l'ensemble.

L'intérieur est divisé en cinq nefs rythmées de bandes polychromes et de tribunes réservées aux femmes. Mais le regard est toujours ramené à la nef centrale, où il rebondit de la théâtrale croisée du transept à la **mosaïque** resplendissante de l'abside (fin XIIIᵉ-début XIVᵉ s.) à laquelle collabora Cimabue dans ses dernières années.

La célèbre **chaire**∗∗ polygonale, qui occupa huit années (1303-1311) de la vie de **Giovanni Pisano**, trône dans cet espace impressionnant. Cette œuvre, dans l'esprit de celle réalisée par son père dans le baptistère, raconte en six panneaux fourmillant de vie les étapes légendaires de la vie du Christ, depuis l'Annonciation à sa Crucifixion ouvrant sur le Jugement dernier. Dans le bronze du ♥ **portail**∗ qui fait face au campanile, **Bonanno** coulait déjà, un siècle plus tôt, 20 épisodes de la vie du Christ. Un chef-d'œuvre d'une sobriété et d'une liberté merveilleuses.

Baptistère∗∗∗

➤ **A1** *Ouv. t.l.j. avr.-sept. 8 h-19 h ; mars et oct. 9 h-16 h 30 ; nov.-fév. 9 h-16 h 30. F. 1ᵉʳ janv. et Noël. Entrée payante ☎ 050.56.05.47. Accessible aux handicapés.*

Le contraste est frappant entre la base du baptistère, d'une élégance simple accordée à celle du Duomo, et sa galerie circulaire à motifs gothiques exubérants qui lui confère une préciosité fleurie. Longtemps interrompus, les travaux entamés en 1153 par **Diotisalvi** reprirent avec **Nicola Pisano** en 1260, soit un siècle plus tard, son fils **Giovanni** le relayant en 1285.

Le volume intérieur se déploie en une nef circulaire sur laquelle repose une tribune. Ce magnifique espace amplifié par la haute voûte pyramidale n'est

Détail du baptistère de Pise : trois aspects de la richesse du décor de marbre...

meublé que d'un autel, peut-être dû à Guglielmo, de fonts baptismaux (Guido Bigarelli de Côme, 1246), dont les rosaces font écho à celles de l'autel, et de la **chaire***** **de Nicola Pisano** (qui fut aidé par son fils Giovanni et par Arnolfo di Cambio, le grand architecte florentin), son chef-d'œuvre, terminé en 1260. Dotée de six côtés, elle repose sur sept colonnettes dont trois sont portées par des lions (les gardiens de la Foi). Cette chaire rompait avec la tradition romane, tant par l'autonomie de sa forme polygonale permettant de la placer n'importe où et donc de l'admirer sous ses différentes faces, que par les effets de profondeur et de perspective de la sculpture des panneaux. Il ne s'agit plus d'individus en relief sur un fond neutre, mais d'une foule et d'un décor grouillants dont les différents plans se superposent.

Étudiant les sarcophages anciens, Nicola et Giovanni avaient été frappés par l'expressivité des traits et des attitudes des personnages qui correspondait à leur propre recherche pour susciter la vie dans sa variété. Il est très intéressant de comparer la chaire réalisée pour le Duomo par Guglielmo en 1162 *(voir p. 212)* avec cette chaire de Nicola Pisano (1260) et celle que son fils Giovanni réalisa cinquante ans plus tard, dans le Duomo. Dans la **tribune**, à l'étage, sont exposées les **eaux-fortes** des fresques du camposanto, réalisées au XIXᵉ s. par Carlo Lasinio et son fils Gianpaolo.

Tour penchée*** (Torre pendente)

➤ **A1** *Ouv. t.l.j. avr.-sept. 8 h 30-20 h 30 ; mars et oct. 8 h 30-19 h 30 ; nov.-fév. 9 h 30-17 h. Visite par groupes de 40 pers. toutes les 40 mn. Entrée payante (15 €)* ☎ *050.56.05.47.*

Le fait qu'une tour soit droite n'étonne personne. Mais qu'elle penche, et son image incongrue fait le tour du monde. Surtout quand elle est d'une élégance aussi déliée et singulière que le **campanile** de Pise, cylindre creux formé de deux murs concentriques, parés de marbre, d'une

L'inclinaison de la Tour penchée est stabilisée pour plusieurs siècles.

épaisseur de 4 m à la base et de 2,70 m seulement au sommet. Les études les plus récentes indiquent que **Bonanno** (ou Gherardo) entreprit les fondations sur 3 m de profondeur en août 1173. Les travaux furent menés si rondement que cinq ans plus tard, le troisième niveau était achevé. Or, entre ces deux dates – 1173 et 1178 – le sous-sol de la partie sud s'était affaissé d'environ 17 cm, entraînant une inclinaison de l'ouvrage qui, semble-t-il, se stabilisa rapidement. Si bien que, après un siècle d'observation, **Giovanni di Simone**, architecte réputé pour son astuce et son habileté, crut pouvoir reprendre la construction en compensant progressivement la gîte par des colonnes légèrement plus hautes au sud qu'au nord. On le vérifie à l'œil nu. Et pourtant, parvenu à la septième corniche en 1278, une nette augmentation du dévers apparut. Les malheurs de Pise (notamment la défaite catastrophique de la Meloria en 1284, où périt Simone) et son absorption par Florence bloquèrent de nouveau toute initiative. En 1360, enfin, supprimant au moins un étage prévu à l'origine, **Tommaso Pisano** fut chargé de concevoir la tour des cloches, un campanile n'étant après tout qu'un clocher… Il rétablit un pavement parallèle au sol, 50 m plus bas, relevant le niveau sud d'environ 45 cm. L'édicule des cloches a quatre marches d'accès au nord et six au sud. La solution n'était pas mauvaise puisque la tour joua très peu jusqu'en 1838, date à laquelle on décida de la redresser en intervenant dans le sous-sol. Au lieu de quoi, on la déséquilibra davantage, son inclinaison ayant augmenté de 35 cm, ce qui obligea à l'interdire au public en 1990.

C'est cet écart de 35 cm que l'on est parvenu à annuler fin 2001, ramenant le surplomb à 4,15 m, soit à peu de chose près celui d'il y a trois siècles. Outre le contrepoids de 600 tonnes de plomb qui a stabilisé la tour depuis 1994, c'est la soixantaine de carottages obliques sous le côté nord du monument qui a permis ce redressement spectaculaire. Il s'agissait en effet d'enlever suffisamment de gravats pour diminuer la déformation d'un sous-sol fragile écrasé par la construction de 14 453 tonnes qui exerçait une pression de 50,7 tonnes/m^2, et d'ancrer des câbles dans la roche solide à 50 m de profondeur. C'est à ce prix qu'aujourd'hui des groupes restreints de visiteurs peuvent de nouveau escalader les 294 marches qui mènent au sommet…

Camposanto monumentale**

➤ **A1** *Côté nord du Campo.* ☎*050.56.05.47. Ouv. t.l.j. avr.-sept. 8 h-19 h 30 ; mars et oct. 9 h-18 h 30 ; nov.-fév. 10 h-16 h 30. F. 1ᵉʳ janv. et Noël. Entrée payante. Accessible aux handicapés.*

La décision de créer une sorte de panthéon des hommes célèbres près du baptistère fut sans doute prise dès le début du XIIIe s. La tradition veut en effet que l'archevêque Ubald de Lenfrand ait fait venir dès 1202 plusieurs bateaux chargés de terre « sainte » provenant du Golgotha.

L'épopée du marbre

Voilà 190 millions d'années, Carrare était sous la mer qui déposa des sédiments calcaires peu à peu transformés en marbre (cristaux de carbonate de calcium microscopiques). Dans l'Antiquité, cette roche dure fut très appréciée – des Romains surtout – pour son grain d'une blancheur incomparable et si fin qu'il était facile à polir. Ce sont les Pisans qui, à partir du XIIe s., reprirent l'exploitation intensive de filons plus ou moins abandonnés depuis la désintégration de l'Empire romain. Le marbre brut était acheminé vers Pise dans des chariots tirés par plusieurs paires de bœufs, puis transbordé en mer sur de grosses barques ventrues, elles-mêmes relayées par les *scafi*, sortes de radeaux à fond plat capables de remonter les cours d'eau intérieurs.

L'un des tout premiers, Nicola Pisano, auteur de la célèbre chaire du baptistère de Pise et précurseur de la fabuleuse lignée de sculpteurs toscans, vint reconnaître les lieux et sélectionner les meilleures pièces. Nombreux furent ceux qui, à sa suite, firent le voyage dans ces monts perdus, et notamment Michel-Ange. Puis la mode retomba avec la vogue du baroque, avide de marbres très colorés. Pas pour très longtemps, d'ailleurs, l'exploitation intensive ayant repris au XIXe s., suscitant la création d'un chemin de fer acrobatique reliant les carrières aux scieries et aux ports d'embarquement, qui fonctionna à peine cinquante ans… *(Voir aussi encadré p. 197.)* ❖

Fragment du Triomphe de la mort, *fresque du XIVᵉ s. du camposanto de Pise.*

Le cimetière, lui, ne fut entrepris qu'en 1278 sur un projet de Giovanni di Simone. L'ensemble, fermé par quatre murs en marbre, est impressionnant. Avec ses grandes baies gothiques ajoutées au XVᵉ s., on se croirait dans un cloître gigantesque pavé de plus de 600 pierres tombales et meublé d'une centaine de sarcophages antiques jadis dispersés sur le site du Campo, preuve de l'existence dans l'Antiquité d'une nécropole étrusco-romaine. La galerie était ornée de **fresques** dont la plupart ont été détruites lors du bombardement de 1944 qui fit fondre le plomb de la toiture sur les murs. Par bonheur, on parvint à décoller de nombreuses sinopies, ces dessins préparatoires, ou ébauches, réalisées sous le mortier de la fresque elle-même, regroupées dans le museo delle Sinopie, de l'autre côté de la place *(voir ci-après).*

Toutefois, trois fresques monumentales furent sauvées et réinstallées sur place. Ce sont trois chefs-d'œuvre attribués à un artiste peu connu mais que vantait Boccace, **Buonamico Buffalmacco** qui peignit à Arezzo et ici même entre 1315 et 1345 : le ♥ *Triomphe de la mort****, le *Jugement dernier*** et l'*Enfer***. Le *Triomphe* évoque avec panache une fable cruelle : la Mort déteste les symboles de la vie que sont le Pouvoir et la Jeunesse insouciante, alors qu'elle ignore les pauvres qui pourtant l'implorent. Elle se promène au milieu des danseurs et met en présence de cavaliers trois cadavres de rois symbolisant les trois étapes de la mort (du corps gonflé à l'état de squelette, en passant par la décomposition), au-dessus desquels un ermite tend cet écriteau : « Ce que nous sommes, vous le serez. »

Naturellement, les cavaliers ne sont pas anonymes : l'homme au faucon est le tyran de Lucques, Castruccio Castracani ; le barbu le roi Louis IV de Bavière et celui qui se bouche le nez Uguccione della Faggiola, seigneur de Pise. Une pincée d'humour dédramatise la scène : la compassion et même l'incrédulité manifeste des chevaux…

Le *Jugement* et l'*Enfer*, tous deux fort animés, sont conformes à la trivialité sadique du genre : on ne s'intéresse guère aux bons, sagement alignés, mais aux méchants expédiés vers un Diable gargantuesque qui les dévore, cependant que serpents et autres méchantes bêtes piquent, griffent, dépiautent, enfourchent, empalent ou étouffent les autres.

Museo delle Sinopie*

➤ **A1** *Côté sud de la piazza del Duomo. Ouv. t.l.j. avr.-sept. 8h-19h30 ; mars et oct. 9h-18h30 ; nov.-fév. 10h-16h30. F. 1er janv. et Noël. Entrée payante ☎ 050. 56.05.47. Accessible aux handicapés.*

Toutes les sinopies que l'on a pu détacher du camposanto après son bombardement de 1944 sont exposées dans une salle de cet ancien hôpital divisée en plusieurs niveaux sur poutrelles métalliques. Si l'on a encore en mémoire les fresques du *Triomphe de la mort* et du *Jugement dernier* du camposanto, on sera très intéressé par leurs sinopies (au 1er niveau) qui marquent des différences sensibles avec l'œuvre achevée. Ces « brouillons » étaient souvent d'un trait plus libre, plus « lâché » que l'œuvre définitive, d'où leur qualité plastique. On le constate dans la grande *Crucifixion* de Francesco di Traino (au fond), dans la puissance de trait des voiles du *Miracle de saint Rainier*, patron de Pise (1er niveau), l'*Incrédulité de Thomas*, de Buffalmacco (2e niveau) ou les *Scènes de l'Ancien et du Nouveau Testament* de Gozzoli (r.-d.-c.).

Museo dell'Opera del Duomo*

➤ **B1** *Piazza Arcivescovado, 8. Ouv. avr.-sept. 8h-19h30 ; mars et oct. 9h-18h30 ; nov.-fév. 10h-16h30. F. 1er janv. et Noël. Entrée payante ☎ 050.56.05.47. Accessible aux handicapés.*

Cet ancien couvent abrite des œuvres d'art provenant des monuments du campo dei Miracoli, et particulièrement du Duomo et du baptistère, plusieurs d'entre elles étant remplacées *in situ* par des copies.

REZ-DE-CHAUSSÉE

➤ **CLOÎTRE**. Les 9 **bustes*** (fort abîmés) sculptés par Nicola et Giovianni Pisano, qui ornaient l'étage gothique de la façade extérieure du baptistère.

➤ **SALLES 1 À 4** (XIIe s.). **Maquettes*** en bois du Duomo et du baptistère. On voit ensuite la première ♥ **chaire*** réalisée pour la cathédrale par Guglielmo (1162), remplacée plus tard par celle de Giovanni Pisano, toujours en place. Il s'agit d'une copie particulièrement intéressante, car elle est le seul témoignage complet de l'œuvre de Guglielmo – qui travailla au Duomo comme architecte et sculpteur –, dont des éléments furent remontés en Sardaigne, dans le Duomo de Cagliari. Grand ♥ *Crucifix* **peint*** d'origine bourguignonne et *Griffon* islamique en bronze destiné au Duomo.

➤ **SALLES 5 ET 6** (XIIIe-XIVe s.). Elles sont essentiellement consacrées à **Giovanni Pisano** (v. 1250-v. 1314). Ensemble réalisé en 1312, à la gloire de l'empereur Henri VII de Luxembourg, dont la venue en Italie fut célébrée comme un triomphe. Également : *Madonna del Colloquio*.

➤ **SALLE 8** (XIVe s.). Élève de Giovanni Pisano, le Siennois **Tino di Camaino** réalisa pour le Duomo de Pise le tombeau de ce même Henri VII, mort subitement en Italie en 1313. L'*Annonciation* est particulièrement remarquable.

➤ **SALLES 11 ET 12** : trésor du Duomo. Parmi de très belles pièces : **coffret en ivoire** du XIe s. et reliquaires, ainsi que deux merveilles de Giovanni Pisano : sa *Madonna eburnea*** très cambrée et la *Crucifixion d'Elci*.

PREMIER ÉTAGE

Il est moins riche et moins clairement organisé. Après la peinture et la sculpture du XVIe au XIXe s., on admirera (salle **15**) la marqueterie des **stalles*** du Duomo dont plusieurs représentent les quais de Pise au XVe s. Suivent dans les autres salles de superbes antiphonaires du Moyen Âge, des vêtements ecclésiastiques et une section archéologique égyptienne et étrusque.

Le palazzo dei Cavalieri, à Pise, abrite aujourd'hui l'École normale supérieure.

Du Campo à l'Arno*

La rive droite de l'Arno, dont une partie remonte à l'époque médiévale, s'organise autour de la piazza dei Cavalieri au cœur du quartier universitaire et du borgo Stretto, très animé le soir à l'heure de la promenade vespérale *(passeggiata)*.

Du campo dei Miracoli, on gagnera la piazza dei Cavalieri par la via S. Maria, bordée de belles demeures, et la via dei Mille (à g.). Une agréable promenade d'une heure ou deux.

Piazza dei Cavalieri et alentour

B1 L'atmosphère de cette belle place de taille humaine et du quartier environnant est fort sympathique, l'université étant à deux pas. Chaque matin, les centaines de vélos des étudiants de l'École normale supérieure (institution à peu près équivalente à son homonyme française) forment une guirlande colorée assez pittoresque au pied de l'imposant palazzo dei Cavalieri.

➤ **PALAZZO DEI CAVALIERI***. *Piazza dei Cavalieri, 8.* Au Moyen Âge, Pise rêvait d'un centre communal prestigieux. Mais, ayant perdu son indépendance en 1406, c'est Florence qui le réalisa, à sa manière. Cosme Ier de Médicis confia à son architecte préféré, **Vasari**, la mission de transformer l'ancien siège du pouvoir pisan en un palais de grand apparat réservé aux dignitaires d'un ordre nouveau, chargés de veiller à la sécurité du littoral toscan : les chevaliers (Cavalieri) de Saint-Étienne dont le grand maître n'était autre que le grand-duc Médicis lui-même. Vasari réalisa cet harmonieux palais à la façade incurvée précieusement parée de sgraffites (dessin sur mur à l'enduit gratté), de médaillons et de blasons. Dans la foulée, il construisit à côté du palais le sanctuaire baroque de l'ordre, **S. Stefano dei Cavalieri** *(ouv.*

➤ *suite p. 216*

La peinture à fresque

De tout temps, les hommes ont peint sur les murs. À son tour, la riche Toscane put payer des équipes qui recouvrirent églises et palais de peinture a fresco, c'est-à-dire exécutée sur un mortier frais, d'où le nom de fresque. Cette technique de travail, difficile et très particulière, transforma les monuments en livres d'histoires pieuses ou héroïques.

La peinture et son double

C'est la terrible inondation de Florence qui, en 1966, sensibilisa l'opinion à la technique de la fresque. Il fallut, en effet, détacher des centaines de peintures murales pour les restaurer et les replacer en lieu sec. Cette opération délicate fit apparaître, sous la peinture, des esquisses d'un trait si libre qu'elles sont parfois préférées à l'œuvre achevée – qui est toujours une commande et doit donc satisfaire aux conventions. L'esquisse, qui n'est pas destinée à être vue, laisse plus facilement s'exprimer le talent naturel de l'artiste. Esquisse et fresque achevée se confrontent parfois, comme au cénacle de S. Apollonia *(p. 98)* et au musée de S. Croce *(p. 96)*, à Florence. Un autre exemple très parlant se trouve dans la petite église ronde qui surplombe l'abbaye de S. Galgano *(p. 231)*, où la Vierge apeurée de l'*Annonciation* a disparu de la fresque.

Ambrogio Lorenzetti, fragment de la fresque du *Bon Gouvernement*. Museo civico, Sienne.

La technique a fresco

Le mur est d'abord recouvert d'une première couche d'enduit assez grossier, l'*arriccio*, sur laquelle on dessine aussitôt, au charbon de bois, puis au pigment rouge, le motif de la peinture finale. Le pigment s'intègre au mortier frais et, une fois celui-ci sec, devient indélébile. C'est ce que l'on appelle la sinopie ou sinope.

Ce travail achevé, on passe une seconde couche de mortier, fait de sable fin et de chaux, l'*intonaco*, qui a, cette fois, un aspect très lisse. Le peintre ne doit couvrir que la partie de son œuvre qu'il a le temps d'exécuter en une journée. En effet, cette technique nécessite que le mortier reste frais. Sous cette seconde couche, l'esquisse apparaît par transparence, guidant l'artiste pour l'application de ses couleurs. Cette intelligente méthode avait un grand avantage: la couleur, pénétrant dans la texture du matériau frais, devenait extrêmement résistante. Elle avait aussi deux inconvénients. L'artiste ne pouvait voir immédiatement l'effet des teintes, car elles étaient ternies par l'enduit frais et n'apparaissaient dans tout leur éclat qu'après séchage. Par ailleurs, elle n'admettait aucun repentir. D'où la nécessité d'avoir affaire à des peintres possédant parfaitement leur métier.

Giotto, fresque représentant le *Banquet d'Hérode*. Église Santa Croce, Florence.

Voilà peut-être pourquoi, au XVIIᵉ s., la technique de peinture *a fresco*, très délicate d'exécution, fut peu à peu abandonnée au profit de la peinture *a secco,* réalisée sur mur sec. D'exécution plus facile, cette dernière est aussi plus fragile.

Le déplacement d'une fresque

On sait maintenant parfaitement détacher une fresque d'un mur, ce qui ne paraît pas évident, vu l'étroite liaison entre le mur et la peinture. En voici le procédé: on enduit de colle animale la surface peinte, et l'on place dessus deux couches de tissus (coton et toile). Lorsque le tout est bien sec, on arrache progressivement l'ensemble. La seconde couche d'enduit se sépare de la première, sur laquelle apparaît l'esquisse. Une forte toile est alors

Sous une fresque de l'*Annonciation* peinte par Lorenzetti dans l'église de Montesiepi, qui surplombe l'abbaye de S. Galgano, la sinopie fait découvrir une Vierge accablée, non reprise dans l'œuvre finale.

encollée au dos de l'*intonaco*, et l'on retire lentement les deux couches de tissus qui recouvrent la face peinte. Dès lors, on peut placer la fresque sur un nouveau support, pour la restaurer ou l'exposer. ■

Petit lexique

Arriccio: première couche d'enduit rugueuse sur laquelle l'esquisse *(sinopie)* est dessinée et le second enduit posé.

Intonaco: seconde couche d'enduit, qui doit s'accrocher parfaitement à l'*arriccio*, grâce à la rugosité de ce dernier.

Sinope ou *sinopie*: esquisse dessinée sur l'*arriccio*, avec de la terre rouge de la ville de Sinope en Asie Mineure, d'où son nom.

Stacco: procédé de détachement d'une fresque d'un mur. ❖

Une ville jeune

Pise est une des premières villes universitaires d'Italie. Son université fut fondée en 1343 par le pape Clément VI qui souhaitait y voir enseigner le droit. Les débuts furent difficiles en raison de guerres incessantes et des rivalités avec Florence qui voyait d'un mauvais œil se constituer un pôle intellectuel dans une région qu'elle dominait déjà en grande partie. Pourtant, c'est Laurent le Magnifique qui fusionna en 1472 les universités de Pise et de Florence, y trouvant finalement une complémentarité intéressante. L'enseignement, centré sur les études humanistes et scientifiques, acquit immédiatement une grande notoriété, au point que Galilée et les médecins Malpighi et Borelli y enseignèrent.

C'est ainsi que Pise, alors dans une période de déclin politique et économique, affirma une vocation universitaire reconnue par tous. Sous le gouvernement des grands-ducs, le champ des études s'élargit à l'égyptologie, l'agronomie, etc. La création de l'École normale supérieure, en 1846, n'a fait que confirmer un rôle acquis depuis longtemps – et toujours d'actualité. ❖

---

hiver: *lun.-sam. 11 h-16 h 30 et dim. 11 h 30-17 h 30; été: 10 h-19 h. Entrée payante*), dont le plafond à caissons, les proues de navires et la forêt d'étendards tiennent davantage du théâtre que du sanctuaire.

➤ **PALAZZO DELL'OROLOGIO**. De l'autre côté se tenaient deux tours médiévales dont l'une, ornée de colonnettes, servait de prison ordinaire et l'autre à l'élevage des aigles (blason de Pise) ; Vasari les engloba dans un bâtiment orné d'un carillon, d'où son nom de palais de l'Horloge. C'est dans la tour des Aigles qu'**Ugolino**, chef de la marine pisane lors de la tragique défaite de la Meloria en 1284, et accusé de haute trahison par les gibelins – il s'était allié aux Visconti et aux guelfes – fut emmuré vivant avec ses quatre fils et petits-fils, tous destinés à mourir de faim. Dante raconte dans *L'Enfer* cette terrible histoire.

➤ **VIA DELLE SETTE VOLTE**. N'hésitez pas à vous promener alentour dans un rayon de 500 m, en empruntant, par exemple, cette belle ruelle voûtée surplombée de maisons, qui débouche sur la via S. Lorenzo et ses petites boutiques, dans un savoureux décor médié-

val balisé des campaniles en briques de belles églises comme **S. Caterina C1**, **S. Francesco C1** ou S. Zeno **hors pl. par C1**.

➤ **VERS L'ARNO**. Au sud, on gagne l'Arno soit par le **borgo Stretto C2**, noir de monde en soirée, à l'heure de la *passeggiata*, soit en flânant par le quartier étudiant de la longue **piazza Dante Alighieri B2** et le dédale de petites rues autour du **marché de la piazza delle Vettovaglie C2**, très vivant et coloré. On se retrouve infailliblement aux abords du **ponte di Mezzo C2**, qui offre un superbe point de vue sur l'ample courbe de l'Arno, d'un jaune épais, encadré de palais et d'églises. Au niveau du ponte di Mezzo, deux possibilités: un détour à l'ouest par le lungarno Pacinotti **B2** vous conduira jusqu'au palazzo Reale, tandis que, si vous suivez le lungarno Mediceo **C2**, vous parviendrez au très bel ensemble du museo nazionale S. Matteo.

Palazzo Reale

➤ **B2** *Lungarno Pacinotti, 46. Ouv. lun.-ven. 9 h-14 h 30, sam. 9 h-13 h 30. F. dim. et j.f. Entrée payante. Accessible aux handicapés.*

Restauré, il abrite entre autres les armures des XVe et XVIe s. utilisées pour la fête pisane par excellence qu'est le gioco del Ponte *(encadré p. 223)*.

Museo nazionale San Matteo*

➤ **D2** *Piazza S. Matteo in Soarta, lungarno Mediceo. Ouv. 8h30-19h; dim. et j.f. 8h30-13h. F. lun., 1er janv., 1er mai et 25 déc. Entrée payante ☎ 050. 54.18.65 et 050.97.11.395. Accessible aux handicapés.*

Ancien couvent bénédictin (XVe s.) très bien restauré, ce musée offre au 1er étage un panorama intéressant de la peinture pisane du XIIe s. avec ses **crucifix peints***, jusqu'au XIVe s., où l'on découvre Francesco di Traino et ses élèves, dont Francesco Neri da Volterra et Cecco di Pietro. Toutefois, les œuvres maîtresses du musée sont d'origine florentine ou siennoise, comme le polyptyque de la *Vierge à l'Enfant** de Simone Martini (v. 1320) ou ce *Saint Paul** de Masaccio, d'une présence extraordinaire. Et cela, sans citer Fra Angelico, Benozzo Gozzoli ou Domenico Ghirlandaio…

En revanche, à l'exception du magnifique *San Lussorio** de Donatello, c'est Pise qui fait la loi en matière de **sculpture**, largement représentée par Nicola Pisano et son fils Giovanni, Tino di Camaiano *(Nativité)*, Andrea et Nino Pisano *(Vierge allaitant)* ou les sculptures en bois d'Agostino di Giovanni et de Francesco di Valdambrino. Ce festival de sculpture proprement pisane se poursuit au rez-de-chaussée, dans le cloître, par une superbe **collection du Moyen Âge*** provenant de plusieurs églises et deux œuvres de Luppo di Francesco dont les Vierges offrent de si gracieux déhanchements. Mentionnons, toujours au rez-de-chaussée, une rarissime collection de **céramiques islamiques médiévales*** ; il s'agit de plats à motifs géométriques si décoratifs qu'ils furent souvent incrustés dans les murs des églises (par exemple à S. Zeno de Pise ou à S. Piero a Grado). On verra aussi les œuvres pisanes qui s'en inspirèrent.

Rive gauche de l'Arno

Le ponte di Mezzo franchi, le **corso Italia C2-3**, très commercial et animé, mène à la **piazza Vittorio Emanuele II**, vaste carrefour moderne aménagé dans l'ancienne enceinte, qui dessert les gares de chemin de fer et de bus ainsi que, par de larges avenues, le ponte della Cittadella **A3** et le ponte della Vittoria **D3**. Le corso Italia sépare les deux quartiers historiques de la rive gauche : à l'ouest, le quartier S. Antonio ; à l'est celui de S. Martino.

Quartier Sant'Antonio

Le **lungarno Gambacorti B2** porte le nom du palais gothico-pisan qui héberge la mairie depuis 1681, juste au débouché du ponte di Mezzo. À quelques pas, Catherine de Sienne aurait reçu les stigmates, en 1375, dans l'église **S. Cristina**. Un peu plus loin, la chapelle **S. Maria della Spina*** abrita, au XIVe s., une épine de la couronne du Christ ; elle était alors située à l'embouchure de l'Arno et régulièrement inondée. Démontée au XIXe s., elle fut rebâtie ici, à l'identique, avec ses fins pinacles et ses clochetons échevelés ; illuminée le soir, elle se transforme en une guirlande de lumière féerique (☎ *050.21.441. Ouv. oct.-mars mar.-dim. 10h-14h; avr., mai et sept. mar.-ven. 10h-13h30 et 14h30-17h, sam. et dim. 19h; juin-août mar.-ven. 11h-13h30 et 14h30-18h, sam. et dim. 11h-20h).*

Suivant toujours le quai après le ponte Solferino, on passe devant l'ancien monastère des Bénédictins puis, obliquant à g., on parvient à l'église **S. Paolo a Ripa d'Arno*** **B3**, la plus ancienne de Pise, dont la façade suggère une maquette de la cathédrale ; derrière le chevet, délicieuse **chapelle** à huit côtés. Rejoignant la piazza Vittorio Emanuele II, on tombera, juste derrière S. Antonio, sur une grande peinture murale réalisée en 1989 par l'Américain Keith Haring *(via Zandonai* **BC3**). Baptisée ♥ *Tuttomondo*, elle met en scène une foule amusante de personnages assez farceurs, stylisés dans toutes les attitudes.

Le cours tranquille de l'Arno, au bord duquel il fait bon musarder.

Quartier San Martino, ou Chinzica

La ♥ **via S. Martino*** **C2** agrège l'essentiel de l'esprit et des monuments de cet ancien quartier de commerçants turcs et arabes. À deux pas des quais et au pied des maisons-tours et des palais rénovés ou décatis qui se serrent sur 500 m, les parasols et toiles tendues du marché témoignent toujours de la truculence populaire qui règne ici depuis des siècles. Au n° 7 de la rue, la statuette d'un fragment de sarcophage représenterait la jeune héroïne **Chinzica de Sismondi** qui, selon la légende, sauva Pise des Sarrasins en 1004. Les Pisans désignent ce quartier sous son prénom.

Un tout petit détour mène à la jolie petite église octogonale **S. Sepolcro C2** où repose Marie Mancini dont s'était follement épris le jeune Louis XIV. Chemin faisant, on n'hésitera pas à se perdre dans les sombres venelles médiévales qui coupent la via S. Martino : une promenade qui est un régal. ■

Les environs de Pise

Au sud de Pise, l'ancien delta de l'Arno étale en bord de mer ses vastes pinèdes protégées jusqu'à Livourne. À l'est, les flancs du monte Pisano abritent modestes villages et petites églises romanes, contrastant avec l'opulence baroque de la chartreuse de Pise.

Le littoral

San Piero a Grado★★

➤ *5 km S-O de Pise. Ouv. t.l.j. 8h-19h.*

Aux portes de Pise sur la route de Marina di Pisa, l'église, jadis battue par les flots marins, se découpe comme un rêve dans une solitude étrange. D'après le Nouveau Testament, Pierre, l'ami de Jésus, venant d'Antioche, débarqua ici en l'an 42 – à l'époque, c'est en cet endroit que l'Arno se jetait dans la mer – et fit construire une chapelle. Les fouilles sous l'église actuelle confirment en tout cas l'existence d'une église dès le IV⁰ s. – et même peut-être avant – puis d'une autre vers le VII⁰ s. La construction de la sobre basilique que nous voyons fut probablement entreprise au X⁰ s., soit bien avant la cathédrale du campo dei Miracoli. L'intérieur, où sont réemployées des colonnes romaines, possède un intéressant cycle de **fresques** des années 1300 relatant la *Vie de saint Pierre* avec, en dessous, des bustes peints des premiers papes et, au-dessus, les murailles de la cité céleste où se perchent des anges.

Marina di Pisa

➤ *11 km S-O de Pise. **Camping** p. 222.*

Créée vers 1850 à l'embouchure de l'Arno où les anguilles foisonnent au printemps, Marina di Pisa fut fréquentée par les peintres, les poètes et les écrivains comme D'Annunzio (villas Art nouveau). Malgré de belles

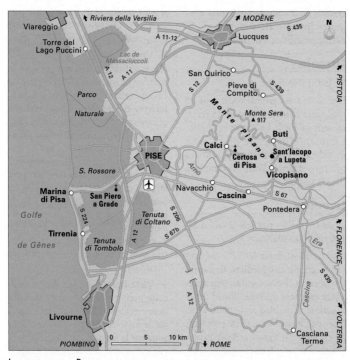

LES ENVIRONS DE PISE

Un aspect de la Nouvelle Venise de Livourne, en grande partie reconstruite après la Seconde Guerre mondiale.

pinèdes toutes proches, la station a perdu beaucoup de son charme. Les vestiges de la **tour de la Meloria** évoquent le mauvais souvenir de la défaite pisane face à sa rivale, Gênes.

Tirrenia

➤ *16 km S-O de Pise.*

Une route très agréable court sous les pins entre Marina di Pisa et Tirrenia, au sud (5 km). La plage est belle, l'ambiance balnéaire plus calme qu'ailleurs, et la **pinède**, aujourd'hui protégée, superbe. Plusieurs campings dans la verdure.

Livourne

➤ *24 km de Pise par la S 12 ou l'A 11.*
Informations pratiques p. 222.

Petit port fortifié au XIIe s., la cité doit son ascension aux **Médicis**. Ils l'achetèrent en 1421 aux Génois, peu après s'être emparés de Pise, dont l'accès maritime s'ensablait lentement. D'où l'idée de Cosme Ier, un siècle plus tard, de creuser un **canal** reliant Pise à Livourne pour y transférer le siège de l'arsenal et du commerce naval dont avait besoin la Toscane. Il entreprit d'importants travaux continués par son fils, François Ier, et relayés par Ferdinand Ier de Médicis qui dota la ville d'un statut particulier, proche du port franc, accordant à Livourne une liberté totale de commerce, de séjour et de culte. Le succès fut foudroyant. Livourne fit feu de tout bois, depuis le commerce des esclaves africains que rappelle l'étrange monument *I Quattro Mori* représentant des Maures enchaînés *(piazza Micheli, face à la fortezza Vecchia)* à l'accueil d'importantes communautés juives – toujours présentes – élargissant considérablement la gamme de produits et de destinations maritimes.

Port très actif (162 000 hab.) en grande partie détruit par les bombardements de la Seconde Guerre mondiale, Livourne joue un rôle économique important mais n'offre plus d'attrait touristique de premier ordre. Et pourtant, un vrai charme se dégage de son quartier Venezia Nuova entièrement conçu au XVIIe s., ainsi que de l'ensemble balnéaire du viale Italia, créé au XIXe s. On peut y consacrer une demi-journée.

➤ **VENEZIA NUOVA***. Pour faciliter le transport des marchandises vers le port, un quartier sur pilotis enserré de canaux reliant notamment les deux forteresses fut créé par des Vénitiens qui conçurent à partir des années 1700 des immeubles-entrepôts fort ingénieux pour simplifier les manœuvres de chargement et de déchargement : c'est la **Nouvelle Venise** (Venezia Nuova), en partie reconstruite après les bombardements anglo-américains de la Seconde Guerre mondiale, mais toujours intéressante à parcourir à pied. Le ♥ **marché** (fruits, légumes, poisson), très haut en couleur, mérite un arrêt *(scali Saffi ; le matin).*

➤ **VIALE ITALIA***. Au sud de l'arsenal, cette longue avenue bordée de plusieurs résidences Belle Époque s'étend sur le front de mer sur plus de 2 km. Situé sur la **terrazza Mascagni** d'où la vue est superbe au coucher du soleil, l'**Aquario** *(f. pour travaux en 2004,* *piazzale Mascagni, 1 ☎ 0586.80.55.04. Accessible aux handicapés)* présente une belle collection des espèces marines locales.

➤ **Museo civico Giovanni Fattori*** *(à 200 m à l'intérieur; via S. Jacopo in Acquaviva, 65. Ouv. sept.-juin 10 h-13 h et 16 h-19 h ; juil.-août 10 h-13 h et 17 h-23 h. F. lun., 1er janv., 1er mai, 15 août et Noël. Entrée payante ☎ 0586.80.80.01. Accessible aux handicapés).* La villa du XIXe s. qui abrite le musée vaut à elle seule la visite pour son extravagant **décor intérieur**. Des expositions temporaires sont présentées ainsi que des toiles de **Giovanni Fattori** (1825-1908), excellent peintre livournais qui fut un des chefs de file des *macchiaioli* ou tachistes, proches des impressionnistes. Plusieurs de ses œuvres sont également exposées à la galerie d'Art moderne du palais Pitti, à Florence *(p. 123).*

Notons que Livourne a donné naissance à un autre peintre célèbre : Amedeo Modigliani (1884-1920).

Dans les terres

Certosa di Pisa* et monte Pisano

➤ *15 km E de Pise par la S 67 et à g. à Navacchio.*

Ces collines, bien rafraîchissantes en été, ont les pieds dans les vignobles et les vergers d'oliviers. Le village de **Calci**, groupé autour d'une charmante église, en offre un excellent exemple.

➤ **Certosa di Pisa*** *(bus n° 160 de la CPT au départ de Pise. Ouv. mar.-sam. 8 h 30-18 h 30 ; dim. et fêtes 8 h 30-12 h 30. F. lun., 1er janv., 1er mai et Noël. Visite guidée. Entrée payante ☎ 050. 93.84.30).* La chartreuse de Pise s'élève à 1 km de Calci *(panneaux)* au bout d'une petite route bordée d'oliviers. Il ne reste rien du premier couvent chartreux entrepris en 1366. L'ordre étant devenu riche (avec l'aide du grand-duc de Toscane) et s'étant nettement embourgeoisé, les travaux des XVIIe et XVIIIe s. en firent un véritable palais lambrissé de marbres et décoré de

fresques, fort apprécié, d'ailleurs, au XIXe s. par les grands de ce monde, que la présence d'une dernière poignée de moines ne gênait nullement. L'ensemble, il est vrai, a belle allure avec son grand et son petit cloître, ses 12 chapelles et ses stucs.

➤ **Musée d'Histoire naturelle de Pise** *(ouv. 15 juin-15 sept. mar.-ven. 10 h-19 h, w.-e. et fêtes 16 h-24 h ; 16 sept.-14 juin mar.-sam. 9 h-17 h, dim. et fêtes 10 h-18 h. F. lun., 1er et 10-17 janv., 1er-10 juin et Noël. Entrée payante ☎ 050.93.70.92).* Il est aménagé dans une aile indépendante, le dernier étage étant réservé à une impressionnante **collection de cétacés** qui semblent s'ébattre dans le parc du couvent.

➤ **Monte Pisano**. De Calci, une merveilleuse petite route de montagne mène au point culminant (monte Sera, 917 m ; **panorama***) et sillonne la crête jusqu'à **Buti**, parmi les pins, les genêts et les bruyères. Au-delà, sur la route émaillée de jolies petites églises de campagne (S. Iacopo a Lupeta), on redescend sur **Vicopisano**, charmant village médiéval au pied du monte Pisano.

Cascina

➤ *17 km S-E de Pise par la S 67.*

Si le centre-ville est plutôt mignon avec sa piazza Matteoti à arcades (belle église **S. Maria**, du XIIe s., aux remarquables chapitaux), le principal intérêt de Cascina tient avant tout à son exposition permanente d'**ateliers d'artisans** *(via Tosco Romagnola, 238, ouv. t.l.j. 9 h-12 h 30 et 15 h-19 h 30. F. en août et 1er janv., 1er mai, 15 août et Noël. Entrée gratuite)* où les Italiens viennent choisir leur mobilier, du classique au moderne. Rien d'extraordinaire, mais une image intéressante de ces petites cités spécialisées dans un domaine dont nous parlons ailleurs *(voir p. 54).* Une grande Foire du meuble a lieu en septembre. Également, **Instituto statale d'Arte**, école d'art fondée au XIXe s. qui dispose toujours d'une section « bois » importante. ◼

➤ **Carte** p. 219.

■ Livourne

➤ *Visite p. 220.*

ⓘ **Informations touristiques,** piazza Cavour, 6. Derrière le Duomo, juste après le fosso Reale (canal) ☎ 0586. 89.81.11, fax 0586.89.61.73, < info@ livorno.turismo.toscana.it >. *Ouv. lun.-sam. 8 h 30-13 h et 15 h-17 h.*

Hôtel

▲▲▲ **Citta,** via de Franco, 32 ☎ 0586. 88.34.95, fax 0586.89.01.96, < hotel citta@hotelcitta.it.> *20 ch.* Cet hôtel d'un bon confort moyen est intéressant surtout par sa situation au cœur du quartier Venezia Nuova, à deux pas du marché central.

Restaurants

Spécialités de la mer, dont le *cacciucco,* soupe de poisson et de crustacés, et la *carbonara di mare,* pâtes avec fruits de mer et crème.

♦♦ **L'Ancora,** Scali delle Ancore, 10 ☎ 0586.88.14.01. *F. mar. Réserver.* Belle salle voûtée au bord d'un canal du quartier Venezia Nuova. Une très bonne table à prix honnêtes.

♦♦ **Aragosta,** piazza Arsenale, 6 ☎ 0586.89.53.95. *F. mar. et 15 j. en oct.* Bons poissons servis sur l'agréable terrasse-jardin donnant sur la mer et le port.

Manifestation

Palio Marinaro, le 1er dim. d'août.

■ Pise

➤ **Plan** p. 206. *Visite p. 204.*

ⓘ **Office de tourisme** (APT), piazza del Duomo, 2 **A1** ☎ 050.56.04.64, fax 050.92.97.64. *Ouv. 9 h-17 h (10 h 30-16 h 30 le dim.).* Piazza della Stazione (gare) **C3** ☎ 050.42.291, fax 050. 83.10.626. *Ouv. 8 h-20 h; dim. 9 h 30-15 h 30.* À l'aéroport Galileo Galilei. *Ouv. t.l.j. 10 h 30-16 h 30 et 18 h-22 h* ☎ 050.50.37.00.

➤ **Marché:** mer. et sam. matin sur la rive gauche de l'Arno.

Hébergement

➤ **Réservations hôtelières** (Centro Prenotaziani Servici Turistici). Rens. ☎ 050.83.02.53, < pisa.turismo@travel europe.it >.

▲▲▲ **Royal Victoria** ♥, lungarno Pacinotti, 12 **B2** ☎ 050.94.01.11, fax 050.94.01.80, < www.royalvictoria.it >. Digne hôtel du XIXe s., merveilleusement situé au cœur de la ville et au bord de l'Arno. L'ampleur et le charme de la réception et des salons de chaque étage font oublier l'aspect assez quelconque des chambres et des literies parfois bien vieilles. Certaines chambres n'ont pas de s.d.b. privée. C'est l'occasion de dormir à deux ou trois dans un ancien palace pour une soixantaine d'euros.

▲▲ **Albergo Serena,** via D. Cavalca, 45 **B2** ☎/fax 050.58.08.09, < serena.pisa@ csinfo.it >. Au cœur du vieux Pise (rive dr.) dans une maison vénérable, *13 ch.* assez spacieuses et agréables dont la plupart ont les toilettes sur le palier. D'où des prix intéressants.

▲▲ **Amalfitana,** via Roma, 44 **B2** ☎/fax 050.29.000. *21 ch.* Hôtel confortable, modernisé avec goût. Central et calme: à quelques minutes à pied du Campo et du centre-ville. Recommandé. Bon rapport qualité/prix malgré un petit déjeuner indigent.

▲▲ **Helvetia,** via Don G. Boschi, 31 (rive dr., à deux pas du Campo) **B1** ☎ 050.55.30.84. *F. janv.* Ce petit hôtel propose *22 ch.* très propres, dont 13 avec s.d.b. Bon rapport qualité/prix.

➤ **Auberge de jeunesse. Ostello della Gioventu,** via Pietrasantina, 15, Madonna dell'Acqua (lieu-dit San Giuliano Terme) ☎/fax 050.89.06.22. *30 ch.* À 10 km N de Pise; bus n° 3 (vers Viareggio; fréquent).

➤ **Campings à Marina di Pisa. Internazionale,** via Litoranea, 7, Marina di Pisa ☎ 050.36.553, fax 050.03.52.11. *Ouv. mai-sept.* Dans la pinède, avec la plage de l'autre côté de la route. **San Michael,** via Bigattiera, 24, Marina di Pisa (à l'entrée de Tirrenia) ☎ 050. 33.103, fax 050.35.211. *Ouv. juin-15 sept.* Sous les pins.

Le gioco del Ponte

Le jeu du Pont est l'héritier d'une joute cavalière qui se déroulait au Moyen Âge à Pise, sur la piazza dei Cavalieri, et qui fut déplacée sur le ponte Vecchio (actuel ponte di Mezzo) en 1568. Deux clans opposaient les deux rives de l'Arno. Le but était de conquérir par la force le territoire adverse. Devant la violence et l'âpreté de l'affrontement, le jeu fut supprimé en 1785.

Il ne réapparut qu'en 1935 sous la forme d'un défilé, le long de l'Arno, en costumes militaires de la Renaissance. Le combat proprement dit consiste à pousser dans le camp ennemi un char de sept tonnes placé au milieu du pont.

Il se déroule en six manches, chaque camp disposant de six équipes représentatives des différents quartiers. ❖

Restaurants

♦♦♦ Il Nuraghe, via Mazzini, 58 (rive g.) **B3** ☎ 050.44.368. *F. lun.* Une très bonne maison au décor un peu sombre. Mais tout change quand l'assiette arrive : salade de poulpes, *gnocchi*, agneau à la sarde… Pour pas très cher, un vrai repas gastronomique.

♦♦♦ La Schiaccianoci, via A. Vespucci, 104 (rive g., près de la gare) **CD3** ☎ 050.21.024. *F. dim., sf de juin à sept. Réserver,* car la salle n'est pas grande, et les amateurs nombreux, ce petit restaurant au décor banal mais assez familial s'étant spécialisé dans les fruits de mer et le poisson, le tout très bien préparé et servi généreusement. Bon rapport qualité/prix.

♦♦ Osteria dei Cavalieri, via S. Frediano, 16 (rive dr.) **B1-2** ☎ 050.58.08.58. *F. dim. et sam. midi. Réserver.* Deux petites salles blanches aux voûtes élégantes décorées de photos et dessins de qualité. Trois excellents menus, l'un plutôt végétarien, le 2e plutôt produits du terroir et le 3e plutôt marin. Très bon rapport qualité/prix.

Manifestations

➤ **Regata di San Ranieri** : le **17 juin**, régates sur l'Arno et défilés de bateaux décorés pour célébrer l'anniversaire de saint Rainier (San Ranieri), patron de Pise. Le soir, illumination des quais et des palais qui les bordent au moyen de 70 000 petites lampes à huile, quelques centaines flottant même sur l'Arno.

➤ **Gioco del Ponte** : dernier dim. de juin *(encadré ci-dessus).*

Adresses utiles

➤ **Aéroport**. Galileo Galilei, à 2 km au S **hors pl. par D3** ☎ 050.50.07.07, < www.pisa-airport.com >.

➤ **Gare ferroviaire**. Stazione FS **C3**. Rens. ☎ 848.88.80.88.

➤ **Gares routières**. Terminal des **bus CPT** (bus de Pise) : piazza S. Antonio, 1 **B3** ☎ 050.50.55.11 ou n° vert 800. 012.773, pour Marina di Pisa et Livourne (avec correspondance pour Volterra, San Miniato). Terminal des **bus Lazzi** : piazza San Antonio, 1 **B3** ☎ 050.46.288. Informations affichées à l'extérieur. Desservent Livourne et Lucques (avec correspondance pour Pistoia, Florence, Prato).

➤ **Location de voitures**. **Avis**, aéroport ☎ 050.42.028. **Hertz Italiana**, aéroport ☎ 050.49.187. **Maggiore/ Budget**, aéroport ☎ 050.42.574.

➤ **Police** *(questura)*. Via Mario Lalli, 3 **CD1** ☎ 050.58.35.11. *24 h/24.*

➤ **Poste centrale**. Piazza Vittorio Emanuele II **C3**.

➤ **Secours routier** ☎ 116 ; assistance ACI ☎ 050.54.01.54.

➤ **Taxi**. Radio taxi ☎ 050.54.16.00. ■

LA MAREMME

I solée par bonheur du tourisme de masse, la Maremme a deux visages : la frange côtière, qui s'étire de la presqu'île de Piombino (face à l'île d'Elbe) aux maquis du lac Burano (au sud de la presqu'île d'Argentario), et l'intérieur, qui comprend la chaîne des monts Métallifères (colline Metallifere) jusqu'aux abords de Sienne et s'enfonce plus au sud jusqu'aux confins de la Toscane et du Latium près du lac de Bolsène et du mont Amiata, superbe montagne sauvage qui domine la Toscane de ses 1 738 m. Plat et marécageux, le bord de mer est le domaine des pins parasols (d'origine romaine), des chênes verts et des buissons salés, d'où l'on tire un miel amer. À l'intérieur, un paysage chaotique de collines de tuf fait alterner le maquis, la vigne et l'olivier, tandis que, plus haut, poussent le châtaignier, le hêtre et les conifères.

UNE CAMARGUE ITALIENNE

Pendant longtemps, autour de Massa Marittima, ou de Grosseto, les hommes étaient vachers *(butteri)*. Ils habitaient sur les hauteurs, mais vivaient à cheval dans les **marécages** de l'Ombrone, de la Bruna et autres cours d'eau, poussant les troupeaux avec leur *ucino*, cette longue perche de noisetier terminée par un bois de daim leur permettant d'effectuer toute une série de manœuvres sans mettre le pied à terre. Ils chassaient aussi le sanglier, le chevreuil et même le buffle. Des souvenirs

La Maremme « humide » est sillonnée de petits cours d'eau bordés de vastes prairies où paissent chevaux et bovins. La mer est au bout du chemin…

pas si lointains racontés dans les familles par les grands-parents et qui, dans la netteté clinique des paysages d'aujourd'hui, peuvent faire rêver. Mais les marais étaient infestés de moustiques; la terre était une éponge. On attrapait toutes les maladies, et l'on mourait jeune. Le **parc naturel de la Maremme**, en bord de mer, entre Marina di Alberese et Talamone, montre bien ce qu'était ce monde d'hier. Qu'on se rassure : son climat est assaini…

L'ÂGE D'OR

Et pourtant, voilà plus de vingt siècles, les **Étrusques** avaient réalisé des travaux gigantesques et transformé la région en grenier à blé et aux agrumes parsemé d'étangs poissonneux. Exemple, Vetulonia qui commerçait avec l'Orient; la plaine bien drainée communiquait avec la mer par un canal que remontaient les bateaux. Mais la vraie richesse de la région était enfouie dans le sous-sol des **monts Métallifères**, cette ample chaîne en avant des Apennins qui culmine aux cornate di Gerfalco, à 1 060 m. Ces monts qui balisent le paysage formaient le territoire de villes fédérées étrusques, puis romaines, comme Populonia, Volterra, Roselle ou Vetulonia qui surgirent grâce à l'abondance du cuivre, de l'argent, du plomb, du zinc, et aussi du lignite.

Vaille que vaille, le **réseau des canaux** fut entretenu jusqu'au XIIIe s. La plaine, en partie maintenue hors de l'eau, contribua au développement d'une économie relativement autonome à base de métallurgie et d'agriculture qui permit l'essor de plusieurs gros bourgs ou cités dont celui de **Massa Marittima** fut le plus remarquable.

LE DÉCLIN

Triste à dire : la perte progressive de l'autonomie de la région sous la domination siennoise mena au désastre, le drainage n'étant plus entretenu. Au XVe s. déjà, la **malaria** avait décimé tous

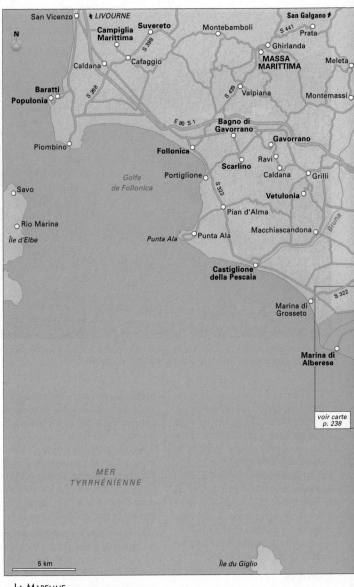

voir carte
p. 238

LA MAREMME

les bourgs de plaine et s'attaquait aux villes perchées. Territoire maudit, la Maremme insalubre du littoral et celle desséchée jusqu'à l'os de l'intérieur devinrent une terre d'exclusion. Car, remontant les collines chaotiques vers Saturnia et Pitigliano, on comprend l'autre aspect du pays, sa rudesse liée à un **manque d'eau** chronique, celle-ci ne faisant que passer sans irriguer. La seule qui resurgit en abondance vient des entrailles de la terre ; elle est chaude et sulfureuse, tout juste bonne à soigner les voies respiratoires, et à laisser prospérer des vignobles qui donnent un vin de terroir âpre et coloré, bien attachant. Ici, les fastes de la Toscane du Nord sont restés à la porte.

San Galgano · SIENNE · SIENNE · MONTEPULCIANO, CHIUSI
S 73 · S 2 · S 146 · Pienza
Montalcino · San Quirico d'Orcia
Roccastrada · S 2 · La Scala
S 223
S 73 · Seggiano · S 223
Paganico · **Castel del Piano** · *Monte Amiata* ▲ 1738
E 78
Cinigiano · **Arcidosso** · **Abbadia San Salvatore** · S 2
Braccagni · S 223 · Piancastagnaio
Ombrone · **Santa Fiora** · S 323
● Roselle
Istia d'Ombrone · Baccinello · Triana
GROSSETO · S 322 · Petricci
S 333
Usi
Scansano · Capanne · **Sorano**
S 322 · San Martino sul Fiora
E 80 S 1 · **Saturnia** · **Sovana**
Alberese · **Pereta** · S 322 · **Terme di Saturnia** · **Pitigliano**
Parc naturel de la Maremme · Montemerano · S 74 · ORVIETO
Magliano in Toscana · Manciano
Fonteblanda · S 323
Talamone · S 74 · Marsiliana
E 80 S 1 · LATIUM
Albinia
Lagune d'Orbetello
Porto Santo Stefano · Capalbio
S 440 · Orbetello · Musignano
Monte Argentario · *Lac de Burano* · E 80 S 1 · S 312
Port Ercole · ↗ ROME

LA RENAISSANCE

Ce n'est que bien plus tard, par la volonté de la **maison des Lorraine**, au XVIIIe s., et l'acharnement de quelques familles puissantes à reprendre l'irrigation et à repeupler la région, par les efforts de bonification du XIXe s. et surtout – il faut le reconnaître – par les grands travaux entrepris sous Musso-lini (la «guerre du blé») et poursuivis dans les années 1960-1980, que la Maremme a retrouvé un visage civilisé.

Aujourd'hui, les anciens marécages infestés de malaria ont fait place à une **Floride méditerranéenne** où les collines s'inscrivent dans un fertile quadrillage de cultures maraîchères, de vergers, de céréales et de vignes.

♥ Massa Marittima**

Situé sur les derniers contreforts des monts Métallifères, ce bourg médiéval, très scénique, surplombe des quartiers industriels et une campagne tirée au cordeau. Vivant surtout de l'exploitation minière (cuivre, plomb, argent), elle s'enrichit assez pour devenir commune libre en 1225 et entamer immédiatement la construction en travertin de cette ville haute, dont le décor, aujourd'hui encore, demeure une perle rare. Devenue la cité la plus importante de la Maremme, Massa Marittima comptait 10 000 habitants en 1300. Mais elle ne put résister à Sienne qui, au sommet de sa puissance, cherchait vers le sud-ouest un débouché maritime. Elle tomba sous sa domination en 1365, subissant dès lors ses aléas politiques, auxquels s'ajoutèrent les épidémies de peste et de malaria dues à l'abandon des systèmes de drainage et d'irrigation. 90 % de la population fut décimée en un siècle : dans les années 1500 il ne restait plus que 500 personnes à Massa Marittima. Aujourd'hui, la ville compte près de 9 000 habitants.

➤ *130 km S-O de Florence ; 60 km S-O de Sienne ; 50 km N-O de Grosseto.*
Informations pratiques *p. 245.*

La Città Vecchia**

Partie la plus ancienne de Massa Marittima, elle s'articule autour de la piazza Garibaldi et du Duomo. Compter 1 h 30 de visite à pied.

♥ Piazza Garibaldi**

Cette place inclinée est une merveille de fantaisie et de proportions avec ses palais disposés en entonnoir et son Duomo décentré flanqué d'un campanile enfoncé comme un coin. Les ruelles, tortueuses à souhait, mi-citadines, mi-campagnardes avec leurs jardinets suspendus, s'égrènent au long des pentes et convergent sur l'ample parvis du Duomo disposé comme une scène géante. D'ailleurs, ce décor fabuleux accueille en été concerts et pièces de théâtre.

Duomo*

Point d'orgue de la piazza Garibaldi, ce bel édifice roman en travertin poli (1228-1304), doté d'une élégante **coupole** octogonale et d'un **campanile** élancé, trône au sommet d'un très scénique escalier de pierre. Les arcatures aveugles de la façade et de la coupole dénotent l'influence pisane. Le linteau

---

Programme

➤ **EN QUATRE JOURS**. Telle que nous la présentons, la Maremme demande un grand minimum de quatre jours, répartis comme suit : un jour à Massa Marittima et ses environs ; un jour à travers les monts Métallifères et leurs sites étrusques (surtout Vetulonia et Roselle), visite rapide de la vieille ville de Grosseto incluse ; un jour dans le parc naturel de la Maremme ; un jour de parcours et de visite de la côte vers les bourgs des environs de Pitigliano.

➤ **EN DEUX JOURS**. Si l'on manque de temps, mieux vaut aller à l'essentiel pour se faire une idée de la variété de la région. À savoir : passer au moins quelques heures à Massa Marittima, vraiment spectaculaire ; faire une incursion dans le merveilleux parc de la Maremme et découvrir les bourgs insolites de Sovana et de Pitigliano. Deux journées bien remplies peuvent y suffire. ❖

du portail central de la façade évoque la vie de saint Cerbone, patron de la ville auquel est dédié le Duomo. À l'intérieur : beaux **fonts baptismaux** sculptés dans le travertin par Giroldo da Como vers 1267. Derrière l'autel, Goro di Gregoria cisela en 1324 le **sarcophage*** de saint Cerbone ; le relief montre le saint qui, épargné par les ours auxquels les Goths l'avaient livré, se présente devant le pape entouré d'oies, symboles de l'innocence. Dans la **cappella della Madonna** (nef g.), *Vierge* peinte sur bois par un anonyme siennois sans doute proche de Duccio ; au verso, grande *Crucifixion* et fragments de scènes de la *Passion*.

Museo archeologico et pinacoteca

➤ *Palazzo del Podestà, piazza Garibaldi. Ouv. avr.-oct. 10 h-12 h 30 et 15 h 30-19 h ; nov.-mars 10 h-12 h 30 et 15 h 30-17 h. F. lun. Entrée payante* ☎ *0566.90.22.89. Non accessible aux handicapés.*

Ce palais (1230), dont la façade est constellée des emblèmes des podestats groupés autour des armoiries de Massa Marittima et de Sienne, est l'ancien siège – fort austère – du pouvoir.

La collection archéologique est dominée par la très pure **stèle de Vado all'Arancio***, l'une des pièces les plus anciennes de Toscane. Dans la pinacothèque, splendide **retable**** d'Ambrogio Lorenzetti représentant la *Vierge à l'Enfant* avec les prophètes et les patriarches et surtout, assises sur le devant du tableau, la présence de la Foi (en blanc), de l'Espérance (en vert) et de la Charité (de face). Peinte vers 1335, cette œuvre fut retrouvée par hasard en 1866, dans le grenier d'un couvent de la ville.

Pallazina della Zecca

De l'autre côté de la piazza Garibaldi, ce palais où l'on battait monnaie sous la commune libre accueille aujourd'hui le **centre d'information sur la route du vin «Monteregio»** créée en 1998 pour valoriser les excellents crus régionaux. Il s'agit plutôt d'un circuit

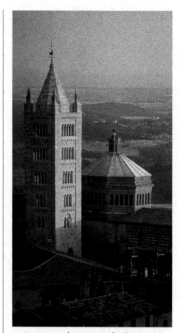

Le Duomo et le campanile de Massa Marittima dominent une Maremme aujourd'hui très fertile.

dont plusieurs tronçons recoupent les itinéraires décrits dans ce chapitre. Un document sous forme de carte recense les exploitations et les gîtes agricoles souvent extrêmement agréables.

Fonti dell'Abbondanza*

À deux pas en contrebas de la piazza Garibaldi, dans la **via Ximenes**, cette belle fontaine, dont l'eau claire emprunte un labyrinthe de canalisations construites au Moyen Âge (1225), alimenta la ville pendant des siècles. Une **fresque** médiévale, très poétique avec ses jeunes femmes sous un grand arbre, vient d'être restaurée.

La Città Nuova*

Cette promenade très charmante (escaliers, ruelles en pente, décor médiéval) se fait à pied et demande entre 1 h et 2 h, visites comprises. La piazza Matteoti constitue le noyau de cette ville nouvelle, édifiée au XIIIe s. ! Le départ se fait depuis la piazza Garibaldi.

Torre del Candeliere

> *Piazza Matteotti. Accès payant aux remparts par la tour.*

On emprunte la via Moncini qui mène, par un escalier, à la tour du Chandelier (XIIIᵉ s.) reliée aux remparts par un arc très spectaculaire que l'on peut emprunter. Cette tour, qui n'a gardé que le tiers de sa hauteur originelle, est le seul vestige de la forteresse médiévale, rasée par les Siennois.

Museo di Storia e d'Arte delle miniere

> *Piazza Matteotti. Ouv. t.l.j. avr.-sept. 10 h 30-11 h 30 et 17 h 30-19 h. F. lun. Entrée payante ☎ 0566.90.22.89. Non accessible aux handicapés.*

Ce musée d'Histoire et d'Art de la mine occupe quatre salles bien rénovées dans le **palazzo del Armi**, bel exemple d'architecture civile du XVᵉ s. On y explique parfaitement au moyen de cartes, plans, maquettes, photos et matériels divers l'exploitation des minerais dans une dizaine de localités de la région – surtout l'argent et le cuivre, mais aussi le fer, le zinc et le plomb – de l'Antiquité à nos jours. Belle collection de minerais.

Museo della Miniera

> *Via Corridoni. Visite guidée (env. 40 mn) avr.-sept. à 10 h 15, 11 h 15, 12 h 15, 15 h 30, 16 h 15, 17 h et 17 h 45; oct.-mars, mêmes horaires le matin et seulement 15 h 30 et 16 h 15 l'après-midi. F. lun. Entrée payante ☎ 0566.90.22.89. Non accessible aux handicapés.*

Près de la piazza Matteotti, il s'agit d'une mine désaffectée dont le parcours (env. 700 m de galeries souterraines) présente les différentes techniques d'extraction du minerai (fer, cuivre) au cours de l'histoire.

Église Sant'Agostino

À l'angle du museo di Storia e d'Arte delle miniere, le corso Diaz conduit à la piazza XXIV Maggio bordée par le très bel **ensemble*** que constituent l'église S. Agostino (début du XIVᵉ s.),

son cloître (roman) et son campanile (XVIIᵉ s.). Noter, à l'intérieur de l'église, le voûtement de bois et les vitraux de l'abside gothique.

Église San Francesco

On revient vers la piazza Garibaldi par la via S. Francesco qui franchit le rempart du XIVᵉ s. Un petit détour s'impose vers l'église du même nom, fondée, dit-on, en 1220, par saint François lui-même ; seule l'abside conserve le style roman très simple d'origine. Beaux vitraux modernes évoquant les vies de saint François, saint Cerbone et saint Bernardin, natif d'ici, qui prêcha à Sienne.

Aux environs de Massa Marittima

Les monts Métallifères regorgent de routes spectaculaires comme la S 439 entre Massa Marittima et Volterra (66 km N), ou la S 73 vers Sienne, où s'égrènent des villages superbement perchés. Selon que vous poursuivrez votre chemin vers Volterra, Grosseto ou Sienne, vous aurez le choix entre plusieurs itinéraires: aller au nord vers Volterra en franchissant le col de Aia dei Diavoli à 875 m d'altitude; ou bien prendre la direction de Sienne en faisant au passage un arrêt à l'abbaye de S. Galgano – peu après l'abbaye, une variante consiste à rejoindre Grosseto en prenant la S 73 vers le sud en passant par Roccastrada, à califourchon sur un éperon rocheux. Nous proposons également au départ de Massa Marittima un itinéraire peu fréquenté d'environ 40 km vers la côte et les sites étrusques, qui permet de rejoindre à Follonica l'itinéraire de Massa Marittima à Grosseto à travers les monts Métallifères décrit plus loin *(p. 232)*.

Vers la côte

> *Prendre la route de Montebamboli à l'O pour rejoindre la route S 398, vers Piombino. Compter une demi-journée.*

On traversera des bourgs de belle prestance comme **Suvereto** (20 km) et son palazzo Comunale du XIIIᵉ s. et, au prix d'un léger détour, **Campiglia Marittima** (28 km) dont les belles maisons escaladent la colline. Le cimetière et son église romane occupent d'anciens gisements de cuivre exploités par les Étrusques ; fait intéressant, les fouilles ont mis au jour à proximité immédiate les fours utilisés à partir du VIIIᵉ s. av. J.-C. pour réduire le métal (site de Val Fucinaia, visible seulement derrière une sorte de grillage). Il faut traverser la via Aurelia et l'autoroute S 1/E 80 pour gagner **Populonia**, en bord de mer, ancien port étrusque qui dut sa fortune à l'exploitation pendant des siècles av. J.-C. des importants gisements de fer de l'île d'Elbe. Ce fut d'ailleurs le plus grand centre sidérurgique du monde antique. Le minerai était ensuite expédié sur Rome. À quelques kilomètres, ne manquez pas la nécropole de **S. Cerboni**, près de Baratti *(ouv. toute la journée)* : tumuli et tombes à caissons étrusques des VIIᵉ-Vᵉ s. av. J.-C. De Populonia on peut gagner Piombino (industrielle) et rejoindre Follonica *(suite de l'itinéraire p. 232)*.

Abbaye de San Galgano*

➤ *37 km N-E par la S 441. Compter 40 mn de trajet et autant de visite. S. Galgano se trouve à env. 40 km de Sienne. En semaine, plusieurs bus/j. de la gare de Sienne jusqu'à Palazzetto (village le plus proche, à 1,5 km) et pour le retour.*

Au cœur d'une épaisse forêt, les ruines de l'**abbaye cistercienne de S. Galgano*** (1224-1228) où l'herbe pousse à ciel ouvert, entre les hauts murs, sont spectaculaires. Première église gothique de Toscane, elle aurait, selon certains historiens de l'art, inspiré la construction de la cathédrale de Sienne. À côté, la

Le chevet à ciel ouvert de l'abbaye de San Galgano.

salle capitulaire et le réfectoire comportent des traces de fresques. Sur la colline dominant l'abbaye, la curieuse **église** ronde de **Montesiepi** (XIIᵉ s.), faite de bandes horizontales en brique et travertin, abrite des fresques d'Ambrogio Lorenzetti sous lesquelles on a découvert, à l'occasion de leur dépose pour restauration, les dessins primitifs (sinopiei), d'un trait libre et vivant. Ainsi de la sinopie de ♥ *l'Annonciation** où l'attitude accablée de la Vierge apprenant qu'elle enfantera le Sauveur rappelle beaucoup celle de Pontormo dans l'église S. Felicità de Florence *(p. 116)*.

Depuis S. Galgano, possibilité de rejoindre Grosseto en empruntant la S 73 *via* le joli village perché de Roccastrada. ∎

De Massa Marittima à Grosseto*

Le circuit que nous empruntons pour gagner Grosseto, au sud, prend le chemin peu couru d'anciens centres miniers et recoupe en plusieurs endroits la route du vin dite Monteregio (panneaux). Les paysages sont variés, et le cadre moyenâgeux des villages est en général bien conservé. Au total une petite centaine de kilomètres ; compter une bonne journée avec les visites.

➤ *Carte p. 226.*

Follonica

➤ *20 km S-O de Massa Marittima, par la S 439.*

Ancien port d'exportation de la production métallifère de la région, Follonica devint dans les années 1950 une importante station balnéaire à la mode italienne, assez gâchée, il faut le dire, par de grands immeubles sans âme. Seul le **marché du vendredi** demeure haut en couleur. Au sud, belle côte sauvage accessible aux marcheurs. Une superbe statue d'*Apollon*, aujourd'hui au Louvre, fut retrouvée au XIXᵉ s. dans le golfe de Follonica.

Scarlino

➤ *11 km E de Follonica, en partie (5 km) par la belle route de pinèdes en bord de mer.*

Située en belvédère sur un rocher, Scarlino a gardé son décor du Moyen Âge et offre un exemple intéressant de continuité d'occupation depuis le XIIᵉ s. av. J.-C. Le village joua un rôle défensif de premier plan comme l'atteste la forteresse du Xᵉ s. qui le surplombe. De là-haut, **vue*** admirable sur l'ancien marais, aujourd'hui parfaitement drainé, et sur le golfe de Follonica dont une partie, protégée par d'épais maquis, encastre entre les rochers des criques demeurées sauvages.

Bordé de pins maritimes, le littoral de la Maremme garde souvent des rivages encore intacts, accessibles aux bons marcheurs.

Gavorrano

➤ *9 km N-E de Scarlino.*

Au cœur de monts où le thermalisme (Bagno di Gavorrano, au nord) et la mine (Ravi, au sud) étaient traditionnels, ce gros bourg qui commande un vaste panorama faisait office de chef-lieu. Château, maisons-tours et remparts lui confèrent toujours un caractère médiéval séduisant. L'ancien centre minier, fort important, mais aujourd'hui inactif, conserve de nombreuses infrastructures en bon état qui devraient s'intégrer à un « parc minier » en projet.

Vetulonia

➤ *Env. 11 km S de Gavorrano par des petites routes dans les collines via Ravi, repliée en forme d'escargot, Caldana, village perché spectaculaire, et Grilli.*

Le village actuel – remontant aux XIIe-XIIIe s. – s'est bâti sur l'acropole de la cité étrusque, une des plus importantes, avec Volterra, de la confédération des 12 cités. Vetulonia était aussi un port actif, relié à la mer par un canal.

Outre ce bourg perché charmant, dont les derniers pans de la muraille étrusque sont intégrés aux tours médiévales, il est intéressant de visiter, en bas du village, les vestiges de la **nécropole étrusque*** *(ouv. en été 8h-19h30, en hiver 9h-16h30; entrée gratuite; informations à l'❶ de Grosseto).* Dans un beau site, le couloir souterrain du **tumulo della Pietrara** (v. 640 av. J.-C.) mène à une chambre de 20 m² coiffée d'une coupole de 11 m de hauteur; il s'agit, en vérité, d'un empilement semi-sphérique où chaque pierre repose sur l'axe de gravité de celle du dessous. Une tombe plus ancienne, soutenue par une énorme colonne, est creusée sous cette chambre. À 5mn à pied, en contrebas, le **tumulo del Diavolino** (tombe du diable) lui est contemporain.

♥ Roselle*

➤ *15 km E de Vetulonia par une petite route qui coupe la route S 1. Ouv. avr.-juin 9h-18h30; juil.-sept. 9h-20h; oct.-mars. 9h-17h30. Entrée payante. Compter une bonne heure.*

Site très agréable – et stratégique – au sommet d'une colline dont les bosquets de pins surplombent l'ancien golfe de l'Ombrone. Roselle fut fondée au VIe s. av. J.-C et lutta, trois siècles plus tard, contre Rome qui la soumit en 294 av. J.-C., les habitants ne devenant citoyens qu'en 89 av. J.-C. Ce sont donc les vestiges de deux villes entremêlées que nous visitons: celle des Étrusques orientée selon deux grands axes découpant l'espace, dont celui des quartiers d'habitation et sa formidable **muraille*** d'enceinte, et celle d'Auguste dont les points forts sont l'amphithéâtre et l'impluvium, véritable révolution technique de l'habitat.

La cité fut habitée au Moyen Âge, mais pillée par les Hongrois et les Sarrasins, puis abandonnée pour cause de malaria; il n'en reste rien. On gagne Grosseto par la S 223 *(10 km S).* ∎

Le miracle étrusque

*S*i *les Étrusques (Tusci), ont donné leur nom à la Toscane, leur domaine déborde largement cette province, l'ancienne Étrurie occupant un territoire – celui des 12 cités de la confédération étrusque – s'étendant, du nord au sud, de Fiesole à Tarquinia et, d'est en ouest, de Pérouse à la mer Tyrrhénienne.*

Aux sources de la fortune

L'origine de ce peuple, apparu au VIIIe s. av. J.-C. sur la péninsule italique, reste énigmatique. Hérodote (Ve s. av. J.-C.) le dit venu d'Asie Mineure ; le chroniqueur Denys d'Halicarnasse (Ier s. av. J.-C.), d'Europe centrale. La troisième thèse suggère l'existence d'un peuple autochtone, antérieur à l'arrivée des Indo-Européens en Italie. Les musées, nécropoles et sites visités dans ce guide nous en disent déjà long sur cette société régie par la religion de dynasties royales qui emprunteront des divinités à leurs alliés carthaginois. Enrichie de migrants venus du Proche-Orient, elle hérita tout naturellement de la culture villanovienne, assez guerrière, du nom du site principal identifié près de Bologne. Très vite (VIIIe-VIIe s. av. J.-C.), les Étrusques développent la vigne et l'olivier et font preuve d'un flair très sûr pour détecter les sols riches en métaux (monts Métallifères, île d'Elbe). Ces vignerons-métallurgistes-arboriculteurs démontrent enfin leurs capacités agricoles en drainant les terres fertiles, mais spongieuses, de la Maremme toscane.

Chimère
découverte en 1554 à Arezzo. Elle figure parmi les chefs-d'œuvre étrusques du Ve s. av. J.-C. Musée archéologique, Florence.

Le secret de l'écriture

Le miracle étrusque est là, dans ces « polytechniques » qu'ils maîtriseront avec brio, cinq siècles durant ; dans leurs talents d'urbanistes protégeant leurs cités derrière des murailles alors infranchissables, comme celles de Roselle ; et dans leur génie commercial enfin, qui les amènera à l'écriture. Comme en Orient, celle-ci est née du besoin de recenser les produits (huile, vin, poteries, métallurgie, orfèvrerie) et de communiquer à distance avec clients et fournisseurs. Côtoyant les Grecs de Cumes (près de Naples), ils adapteront tout simplement leur alphabet (grec calcidien) pour traduire leur propre langue. Les « savants » la comprennent, mais la difficulté vient de ce que nous ne décryptons qu'un vocabulaire usuel et des inscriptions funéraires où abondent les noms propres, peu de textes importants nous étant parvenus.

Sarcophage de Larthia Seianti, IIe s. av. J.-C., trouvé dans la région de Chiusi. Musée archéologique, Florence.

Des élites à la classe moyenne

Les rites funéraires, toujours riches d'enseignements sur la société des vivants, ont varié, de la crémation (héritée des « Villanoviens ») dont témoignent les urnes, souvent très

LA TERRE DES ÉTRUSQUES

travaillées, à l'inhumation dans ces nécropoles qui ressemblent à des villes avec leurs rues et leurs tombes, véritables maisons des morts où s'empilent des trésors. Si rois et notables avaient droit aux édifices prestigieux, les petits tumuli qui se devinent par milliers indiquent l'émergence progressive d'une classe d'artisans, d'agriculteurs et de commerçants ayant droit aux mêmes funérailles. Outre ses admirables fresques uniques en leur genre, Tarquinia, foyer d'échanges commerciaux et culturels avec la Méditerranée orientale et pivot de la domination sur Rome, offre une démonstration probante de cette révolution capitale.

La décadence annoncée

Si le VIᵉ s. av. J.-C. est le siècle d'or étrusque, le premier danger vient du sud, en 474 av. J.-C. Exaspérés par les incessantes incursions étrusques, les Grecs de Cumes s'allient à leur « cousins » de Syracuse (Sicile) pour leur couper les routes maritimes vers l'Orient. En 453 av. J.-C., Syracuse enlève l'île d'Elbe, dont le fer avait tellement enrichi l'Étrurie. Après un siècle de lent appauvrissement, c'est du nord que souffle la tempête. Les Gaulois, en pleine expansion, envahissent l'Italie du Nord et foncent sur Rome, balayant au passage les cités étrusques. Épopée sans lendemain, mais qui affaiblit encore l'Étrurie dans la guerre du sel – le pétrole d'alors – livrée aux Romains. Arezzo tombe en 302 av. J.-C. Défaite fatale qui ronge l'Étrurie de l'intérieur. En 264 av. J.-C., Rome fait passer sous son joug une société étrusque exsangue. Rien de mystérieux, donc, à cette disparition. Mais la civilisation étrusque survivra, les Romains étant passés maîtres dans l'assimilation de la technique, de l'art et du panthéon de leurs victimes. ∎

Grosseto

Capitale de la Maremme, cette importante ville moderne de 73 000 habitants, bâtie dans la plaine, a beaucoup profité de la bonification des terres. Très abîmée par les bombardements de la Seconde Guerre mondiale, elle est aujourd'hui sans grand attrait, à l'exception de quelques centres d'intérêt dans la vieille ville construite après l'abandon de Roselle et toujours ceinte de ses **remparts** Renaissance en étoile, aménagés en promenade. Jusqu'en 1897, époque de grands travaux d'assèchement des marécages, Grosseto était désertée durant les chaleurs de l'été, l'administration migrant vers le bourg de Scansano en altitude.

▶ *70 km S-O de Sienne; 135 km S-E de Livourne.* **Informations pratiques** *p. 244.*

Duomo San Lorenzo

B1 À l'origine, l'édifice date de la fin du XIIIe, début du XIVe s. L'intérieur vaut mieux que la façade, entièrement refaite «à l'identique» au XIXe s., c'est-à-dire très sèchement.

Museo archeologico e d'Arte della Maremma*

▶ **B1** *Piazza Baccarini, 3 (donne sur la grande piazza dell'Independenza). Ouv. mars-avr. 9h-13h et 16h-18h; mai-oct. 10h-13h et 17h-20h; nov.-fév. mar.-ven. 9h-13h, sam. et dim. 9h-13h et 16h-18h. F. lun., 1er janv., 1er mai et Noël. Entrée payante ☎ 0564. 48.87.50. Accès partiel aux handicapés.*

Très bien rénové et rouvert en 1999, ce musée est centré sur la culture étrusque de la Maremme, de la sculpture à la céramique et à la métallurgie (objets usuels, armes et bijoux). Il recèle de belles collections provenant de Vetulonia (XIIIe-Xe s. av. J.-C.), de Talamone (VIIe-VIe s. av. J.-C.), aujourd'hui petit port séduisant, de Sovana et de Pitigliano, village et bourg de l'intérieur, toujours habités *(p. 242).* Mais l'essentiel (salles 2 à 12) provient de **Roselle**, notamment les statues de la famille de l'empereur Claude; une maquette reconstitue les thermes et le forum de l'époque romaine. Un étage est consacré à l'art sacré (salles 24 à 34) – belle *Madonna delle Ciliege**

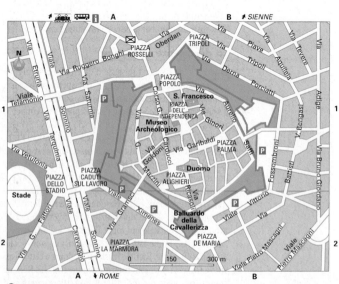

GROSSETO : LA VIEILLE VILLE

Le château de Castiglione della Pescaia, perché au-dessus de la petite cité médiévale dans une position imprenable.

(Madone aux cerises), du Siennois Sassetta – et à l'archéologie médiévale de Grosseto (salles 35 à 40).

Église San Francesco

➤ **B1** *À deux pas du musée, sur la piazza dell'Independenza.*

Cette église en brique de la fin du XIIIe s. abrite, suspendu au-dessus de l'autel, un très beau *Christ** en bois, peint vers 1280 par le grand Duccio di Buoninsegna encore jeune et influencé par son aîné Cimabue *(voir p. 308 et 309)*.

Aux environs : Castiglione della Pescaia*

➤ *23 km O, à l'embouchure de la Bruna. **Hébergement** p. 244.*

Si Castiglione est à fuir en été en raison des vacanciers en surnombre, la **haute ville médiévale**, ceinte d'énormes remparts, est adorable et dégage des vues étendues sur les plages et les vastes pinèdes qui les bordent. Reconnaissons que, si cette station-village est (trop) à la mode, le tourisme n'a pas gâché la qualité exceptionnelle de son site. De l'autre côté du pont qui surplombe le port de plaisance s'étend, en bord de mer, un quartier calme agrémenté de villas, de restaurants et de quelques petits hôtels. Longue et belle promenade piétonne sur la plage. On peut revenir à Grosseto par **Marina di Grosseto**, sans charme particulier, à l'exception de la très belle **route dans la pinède** qui la relie à Castiglione. ■

♥ Alberese
et le parc de la Maremme**

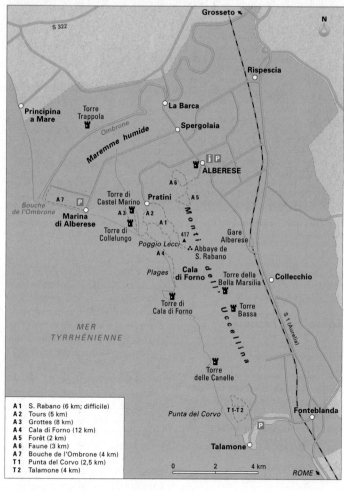

Grosseto

S 322

N

Rispescia

Principina
a Mare

Torre
Trappola

La Barca

Ombrone

Spergolaia

Maremme humide

i P

ALBERESE

A 6

Bouche
de l'Ombrone

A 7   P

Torre di
Castel Marino

Pratini

A 5

**Marina
di Alberese**

A 3   A 2

A 1

Torre di
Collelungo

Poggio Lecci

417

Gare
Alberese

Abbaye de
S. Rabano

A 4

Plages

**Cala
di Forno**

Torre della
Bella Marsilia

Collecchio

Torre di
Cala di Forno

Torre
Bassa

MER
TYRRHÉNIENNE

Monti dell' Uccellina

S 1 (Aurelia)

Torre
delle Canelle

Punta del Corvo

T 1-T 2

Fonteblanda

P

A 1	S. Rabano (6 km; difficile)
A 2	Tours (5 km)
A 3	Grottes (8 km)
A 4	Cala di Forno (12 km)
A 5	Forêt (2 km)
A 6	Faune (3 km)
A 7	Bouche de l'Ombrone (4 km)
T 1	Punta del Corvo (2,5 km)
T 2	Talamone (4 km)

Talamone

0   2   4 km

ROME

LE PARC DE LA MAREMME

Marais, dunes, pinèdes et monti dell'Uccellina – collines culminant à 407 m – occupent les 4 000 ha du parc et composent un paysage très varié, chahuté, rocailleux, recouvert d'un maquis touffu. Des tours de défense sont posées en sentinelles sur les hauteurs d'où la vue est superbe : une toison verte doucement vallonnée au bord d'une mer lapis-lazuli. Les ruines de l'abbaye bénédictine de S. Rabano et de son haut clocher où s'accroche le lierre se trouvent au cœur de cet ensemble dans un site enchanteur. Le parc de la Maremme n'est pas seulement un territoire sauvage où la faune – héron cendré, porc-épic, sanglier daim, belette, petit cheval, etc. – et les variétés si odorantes de la flore médi-

Parc de la Maremme : bon à savoir

➤ **Durée et conditions de visite** : compter au minimum une journée pour la visite du parc, deux jours étant une bonne mesure. Sites très variés et superbes. Entrée payante.

➤ **Accès** : le parc couvre environ 4 000 ha et dispose de trois accès, dont deux secondaires parce qu'ils sont cantonnés à des zones particulières du parc : **Marina di Alberese** (itinéraire A7 vers les bouches de l'Ombrone) et **Talamone** (itinéraires T1/T2 à travers bois et maquis ; très belles vues sur la côte). L'**accès essentiel,** vers le cœur du parc (itinéraires A1 à A4), se fait uniquement par le village d'**Alberese** où l'on doit laisser sa voiture et prendre un car dont le terminus se situe à **Pratini**.

➤ **Jours de fermeture** : le 1er mai (l'après-midi) et le 25 déc. Essayez d'éviter de visiter le parc durant les vacances de Pâques et le 25 avr., périodes de grande affluence, car vous risqueriez de ne pas être admis à l'entrée du parc qui autorise un nombre limité de visiteurs par jour.

➤ **Meilleure période** : automne, hiver, printemps. Beaucoup de monde en été, surtout en juil.-août ; trois des itinéraires les plus intéressants ne sont pas accessibles autour de la mi-août par souci de protection de la flore : A1 (vers l'abbaye de S. Rabano), A3 (canal Scoglietto-Collelungo et grottes) et A4 (à travers le maquis vers Cala di Forno ; superbes points de vue, dunes et plages).

➤ **Écologie** : il est interdit de fumer sur les sentiers et de laisser une quelconque trace de son passage (pas même un mégot sur la plage). Les visiteurs ne doivent pas non plus s'écarter des sentiers balisés. Élémentaire… ❖

Troupeau de vaches de la Maremme, aux cornes en forme de lyre, en route vers sa pâture sous la houlette d'un buttero.

terranéenne (thym, asphodèle, romarin, genêt, ajonc, bruyère...) sont protégées. La vie des hommes s'y déroule comme autrefois. Les derniers *butteri*, équivalents des gardians de Camargue, y conduisent toujours leurs troupeaux de bœufs et de vaches, bonnes laitières aux cornes effilées. Et c'est aussi par ici que se perpétuent les rodéos au cours desquels *buttero* et animal rivalisent d'adresse pour passer – ou éviter – le licou tendu au bout de l'*ucino*, la longue perche de noisetier des *butteri*.

On raconte que Buffalo Bill, alerté par l'adresse de ces cow-boys italiens, les provoqua en leur proposant un concours... où il se ridiculisa... Évocation très complète d'un monde effacé par le progrès, ce parc naturel unique en son genre mérite amplement qu'on le découvre.

➤ *Accès à Alberese, village plat comme une main, à 15 km S de Grosseto. **En voiture**: de Pise, Lucques ou Livourne, par la S 1/E 80 partiellement autoroutière (via Aurelia); de Sienne: par la S 223 (assez lente). **Par le train**: gare (☎ 0566.400.43, achat des billets 6 h 30-20 h) à Alberese même, pour les trains régionaux en provenance de ou vers Grosseto (env. 4/j.). **En bus**: services quotidiens (sf dim. en hiver) de la compagnie RAMA au départ de Grosseto ☎ 0564.25.215. **Attention**: Alberese ne compte aucun hôtel, l'hébergement se faisant uniquement chez l'habitant, en agricultura à l'extérieur du parc. Ici, ces agriculturi sont tout simplement l'équivalent d'un Bed and Breakfast; il y en a des dizaines (panneaux) le long des routes alentour. Face au centre de visite d'Alberese: **bar** où l'on peut commander sandwiches et pizzas, et faire des provisions d'eau. **Informations pratiques**: encadré p. 245.*

Les accès du parc

➤ **ALBERESE**: départ chaque heure en car pour Pratini à partir de 7 h ou 9 h (selon saison) jusqu'à 15 h; retour jusqu'à 19 h. Découverte du cœur du parc par les itinéraires **A1, A2, A3, A4**. Au départ d'Alberese, deux itinéraires en forêt sont facilement accessibles à pied: **A5** et **A6**. Tous ces itinéraires peuvent être combinés; compter pour chacun entre 3 h et 6 h de marche.

➤ **MARINA DI ALBERESE** (*env. 10 km S-O d'Alberese*), seul point accessible en voiture à l'intérieur du parc (depuis Spergolaia). La charmante ♥ **route** qui y mène court sous les pins et donne une bonne idée de la Maremme humide avec ses grandes prairies plates coupées de roubines (drains) où paissent vaches et chevaux, ses aires de marquage des troupeaux, ses daims et chevreuils qui traversent la route. Las, quand on arrive en bord de mer, la forêt se transforme en un immense parking (papiers gras, etc.). Mieux vaut donc venir le soir, assez tard ou hors saison pleine, pour effectuer à pied l'itinéraire **A7**, alors très bucolique, le long de la plage et de l'embouchure de l'Ombrone (payant en été).

➤ **TALAMONE*** (*env. 16 km S d'Alberese*), coquette – et très chic – petite ville dans un site marin exquis. Sur les hauteurs, des villas aux **vues**** imprenables se sont approprié une des parties les plus spectaculaires de la côte. Avec Populonia, Talamone fut un des deux ports naturels étrusques sur la mer Tyrrhénienne. Avant d'arriver à Talamone, un chemin mène à un parking (800 m) à partir duquel on peut effectuer à pied les circuits **T1** et **T2** du parc naturel de la Maremme (*env. 6,5 km; très belles **vues*** sur le maquis et la côte. Billets d'entrée sur place*). ■

De Grosseto à Pitigliano

Cet itinéraire d'une centaine de kilomètres n'empruntant que des petites routes de l'intérieur peut se réaliser dans la journée, avec étape à Pitigliano. Il présente un visage très différent de celui de la Maremme maritime, avec ses bourgs systématiquement perchés, sa rocaille, ses vignobles, ses collines de tuf et ses forêts de châtaigniers. Occasion de découvrir une Toscane peu connue, demeurée authentique – chaque bistrot de village sert des recettes de grand-mères – et souvent très spectaculaire (cités de Sovana et surtout de Pitigliano). Un petit voyage hors du temps dans une région très attachante.

➤ *Carte p. 226-227.*

Scansano

➤ *30 km S-E de Grosseto par la S 322.*

L'exemple type du bourg perché de l'intérieur, comme enkysté dans son Moyen Âge. Son altitude (500 m) lui permit d'héberger nombre de notables de la plaine victimes du paludisme.

Aux environs, **Pereta** *(6 km S par S 323)*, village pentu dominé par une tour impressionnante, demeure un des derniers fiefs des bottiers de *butteri*.

Saturnia

➤ *33 km E de Scansano par la S 322.* **Informations pratiques** *p. 246.*

Saturnia a bien changé. Les cafés du vieux et plaisant village tournent à plein régime. Naguère encore, à quelques kilomètres de là, aux idylliques **cascate del Gorello***, on venait dans la solitude de la nuit et du petit matin se détendre dans les baignoires naturelles à ciel ouvert que l'eau (37 °C) creuse depuis des millénaires dans le tuf. Sauf en plein hiver, l'endroit est aujourd'hui bondé en permanence. Déjà, les Romains aimaient venir s'y faire masser le corps par le courant à la forte odeur de soufre.

À 5 km au nord (route pour Usi), en pleine campagne, **nécropole étrusque del Puntone** (VIIe s. av. J.-C.) comprenant une dizaine de tombes à chambres.

Fantômes étrusques

Entre Saturnia et Sovana, une petite route à l'écart de tout sinue dans un paysage rugueux, typique des puissantes collines escarpées de l'intérieur de la Maremme, au pied desquelles roulent de maigres cours d'eau. Entre 1,5 km environ et 800 m avant d'arriver à Sovana se cache une étonnante **nécropole étrusque** du IIIe s. av. J.-C. retournée à l'état sauvage. Des lianes sans fin pendent des falaises et festonnent les tombes sculptées creusées dans le tuf. Quelques panneaux rouillés indiquent l'entrée des sépultures ou des sentiers en canyons qui y conduisent. Le site est d'autant plus étrange que sa lumière est tamisée par une épaisse végétation, et que la terre humide a les senteurs fortes d'un compost. C'est presque au hasard que l'on découvre des monuments oubliés (jadis fouillés) évoquant quelque temple grec orné de bas-reliefs et de piliers cannelés comme la **tomba Ildebranda**. Au bout d'un sentier, voici la **grotta Pola**, dont les terrasses et les cavités sont encore plus vastes. Et soudain surgit de la forêt comme un fantôme une tête émouvante et crispée sculptée au fronton de la **tomba del Tifone**. Plus loin, en descendant un sentier, le monstre ailé Scylla enlace deux compagnons d'Ulysse au fronton de la **tomba della Sirena**. Un émouvant pèlerinage dans le temps. ❖

♥ Sovana*

➤ *26 km E de Saturnia par une petite route, via Capanne et S. Martino sul Fiora.* **Restaurant p. 246.**

Sovana est un village perché qui vit naître en 1020 Hildebrand, le futur pape Grégoire VII. Une très mignonne rue pavée de briques roses encadrée de demeures du XIIIe s. de belle allure débouche sur la délicieuse ♥ **piazza del Pretorio**, au sol également rose, meublée de deux églises, dont l'une, toute simple, est un peu de guingois. Celle de g. – **S. Maria** (XIIe s.) –, dont une chapelle est ornée de fresques d'inspiration byzantine, possède un étonnant baldaquin de pierre au-dessus de l'autel. Juste en face, le modeste **Musée étrusque** occupe un beau palais médiéval.

♥ Pitigliano**

➤ *Env. 9 km S de Sovana.* **Informations pratiques p. 246.**

L'arrivée sur Pitigliano laisse pantois. La route qui tournicote à plaisir sous d'épais châtaigniers débouche soudain au grand jour sur une falaise en étrave creusée comme un gruyère de souterrains et de grottes remontant aux Étrusques. Et tout là-haut, à 200 m ou plus, au ras d'un à-pic vertical, une ville improbable sculptée en plein ciel dans le tuf, enracinée dans le plateau cerné d'abîmes. La Toscane regorge de sites surprenants, mais aucun ne donne une pareille impression de ver-

tige. Si l'on approche de nuit, le spectacle devient carrément féerique, les vieilles lanternes de la petite cité flottant dans l'espace comme des lucioles. Une route escalade péniblement cette forteresse naturelle, passe sous une porte moyenâgeuse et s'infiltre, démultipliée en d'innombrables ruelles couvertes ou non, au pavé sonore, entre maisons, palais, églises et placettes-belvédères. À l'heure de la *passeggiata*, les quelques milliers d'habitants sont dans la rue, marchant bras dessus bras dessous ou papotant aux terrasses des cafés en dégustant le plaisant vin blanc un peu rocailleux récolté dans les environs.

Comme les autres cités de la Toscane du Sud – Sovana, Sorano... – Pitigliano fut longtemps le **fief des Aldobrandeschi**, dont un ancêtre, le moine Hildebrand, devint au XIe s. un pape fameux, sous le nom de Grégoire VII, pour sa lutte contre les prétentions italiennes de l'empereur germanique Henri IV. Puis la ville et ses environs passèrent à partir de 1293 dans le giron de la famille romaine **Orsini** qui y fit bâtir une première citadelle transformée plus tard (XVIe s.) par Sangallo le Jeune en une citadelle-palais Renaissance qui existe toujours (*voir le Musée diocésain ci-après*).

Particularité : à la fin du XVIe s., la famille Orsini favorisa l'installation d'une importante **communauté juive** (plus de 5 000 personnes), d'où le surnom de Petite Jérusalem donné à Piti-

La châtaigne et la Sainte Trinité

La tradition veut que les premières graines des châtaigniers qui tapissent les monts de la Maremme intérieure furent apportées d'Orient. Ces géants touffus peuvent atteindre 30 m de haut et vivre plus de mille ans. Dans ces régions reculées où la terre arable était – et demeure – rare, le châtaignier faisait figure d'arbre miraculeux, la châtaigne sous ses diverses formes ayant longtemps constitué une des bases principales de l'alimentation. De là à une sorte de déification, il n'y avait qu'un pas : une même écorce enfermant toujours trois fruits, le châtaignier devint le symbole du mystère de la Sainte Trinité... ❖

À califourchon sur une falaise de tuf creusée de grottes, Pitigliano figure parmi les sites les plus insolites de Toscane.

gliano (la synagogue, via Zucarelli, centre de l'ancien ghetto, et le four à pain azyme se visitent). Cette communauté disparut presque complètement à partir de l'occupation française de 1799, qui suscita l'antisémitisme.

➤ **Museo diocesano di Arte sacra** *(dans le palais Orsini. Ouv. en été 10h-13h et 15h-19h; en hiver 10h-12h30 et 15h-18h. F. lun. Entrée payante* ☎ *0564.61.44.19. Non accessible aux handicapés).* Indépendamment de la qualité de plusieurs retables, ce musée mérite une petite visite, ne serait-ce que pour la beauté de ses salles aux **plafonds peints**.

➤ **Museo civico archeologico** *(face au palais. Ouv. en été 9h-13h et 16h-19h; en hiver 15h-18h. F. lun. Entrée payante* ☎ *0564.61.44.19. Non accessible aux handicapés).* Récent, ce petit musée permet d'assister au travail de restauration d'objets étrusques provenant des nécropoles environnantes.

➤ **Aux environs : Sorano*** *(10 km N-E),* bourg médiéval aux rues étroites et sombres est perché lui aussi de façon spectaculaire sur une falaise de tuf dominant les profondes gorges du Lente. Les maisons à plusieurs niveaux s'accrochent les unes aux autres pour ne pas dévaler la pente. L'ancienne **forteresse des Orsini** (XVIe s.) trône tout en haut avec son donjon carré fiché dans le ciel comme un drapeau.

De Pitigliano, on peut regagner le littoral par la S 74 (50 km) et faire le tour de la **presqu'île d'Argentario**, très touristique, par sa **route panoramique*** fort spectaculaire.

L'on peut aussi poursuivre sa route sur Sienne, à 110 km au nord de Pitigliano, par la S 323 qui passe au pied du **mont Amiata**, presque aussi majestueux que le Fuji Yama. Un superbe itinéraire – assez lent – dans la Toscane des montagnes avec ses bourgs qui font le dos rond, comme **Santa Fiora**, **Arcidosso** et son énorme donjon, ou **Castel del Piano**. On rejoint la S 2 (via Cassia) vers Sienne à San Quirico d'Orcia *(p. 274).* ■

La Maremme, pratique

Détail du Duomo de Sovana.

➤ **Carte** *p. 226.*

■ Grosseto

➤ **Plan** *et visite p. 236.*

❶ **Office de tourisme**, viale Monte Rosa, 206 **hors pl. par A1** ☎ 0564. 46.26.11, fax 0564.45.46.06, < www. grosseto.turismo.toscana.it >. *Ouv. lun.-ven. 9 h-13 h et 15 h-18 h 30, sam. 9 h-12 h 30.* **Tourisme vert: Terra Nostra**, via Tolmino, 18 **hors pl. par A1** ☎ 0564.43.89.11, fax 0564.43.899, < m.ditta@coldiretti.it >. Demander l'annuaire «Ospitalità in Maremma», qui recense tous les hôtels, chambres d'hôtes, gîtes ruraux et campings de la province.

➤ **Marché**: le jeu.

Hôtels

▲▲▲ **Granduca**, via Senese, 170 (près de l'hôpital) **hors pl. par A1** ☎ 0564. 45.38.33, fax 0564.45.38.43, < info@ hotelgranduca.com >. *54 ch.* Très bon hôtel d'affaires. Prix de fin de semaine vraiment intéressants.

À Castiglione della Pescaia

➤ *23 km O.*

▲▲▲ **La Perla**, via dell'Arenile, 3 ☎/fax 0564.93.80.23. *13 ch. Ouv. de Pâques à fin sept. Réserver.* Chambres bien tenues dans une grande maison des années 1950, à 20 m de la plage, très agréable. Repas pour les clients. Très bon rapport qualité/prix.

▲▲▲ **Piccolo Hotel**, via Montecristo, 7 ☎/fax 0564.93.70.81. *24 ch. Ouv. à Pâques et 15 mai-30 sept.* Bon hôtel tout confort, tout près, mais nettement plus cher que La Perla.

Campings

À Marina di Grosseto

➤ *11 km O.*

Il Sole, dans la pinède ☎/fax 0564. 343.44, < campingilsole@libero.it >. *F. mi-sept.-déc.* **Eden**, juste à côté, viale Montecristo ☎/fax 0564.354.65. Agréable. **Cielo Verde**, localisé à Principina a Mare ☎ 0564.32.16.11, fax 0564.30.178, < info@cieloverde.it >. *Ouv. 10 mai-15 sept.* En général, ces campings sont à 1 500 m de la mer.

Transports

➤ **Gare ferroviaire.** Piazza G. Marconi **hors pl. par A1**. *Billetterie ouv. 6 h 30-20 h 40. Rens. au guichet n° 4, ouv. 8 h-12 h et 15 h-18 h* ☎ 0564. 89.20.21. Sur une des grandes voies ferroviaires vers Rome, Grosseto est desservie par une douzaine de trains par jour en provenance de (ou vers) Sienne, Florence, Pise.

➤ **Gare routière**. Compagnie **RAMA**, piazza G. Marconi **hors pl. par A1** ☎ 0564.25.215. *Ouv. 8 h 30-18 h 30*. Horaires affichés. La compagnie dessert Sienne (env. 2 h de trajet) et Florence ; également le littoral et Orbetello avec arrêt à Albinia (35 km S) et correspondances de bus pour Pitigliano et Sovana.

■ Massa Marittima

➤ *Visite p. 228*.

ℹ **Office de tourisme**, via Tadini, 3 ☎ 0566.90.27.56, fax 0566.94.00.95, < info@altamaremmaturismo.it >. *Ouv. lun.-sam. 9 h 30-12 h 30 et 15 h 30-18 h 30, en été dim. 10 h-13 h*. Horaires des musées : < www.coopcollinemetallifere.it >.

➤ **Marché** : le mer. matin.

Hôtels

▲▲▲ **Il Sole**, via della Libertà, 43 ☎ 0566.90.19.71, fax 0566.90.19.59, < hotelilsole@tin.it >. *51 ch. F. mi-janv.-mi-fév.* Pas de restaurant. Bien situé, en plein centre de la ville haute. Bien et calme. Literie un peu vieille. Pas particulièrement bon marché.

▲▲ **Duca del Mare**, piazza Dante Alighieri, 1/2 ☎ 0566.90.39.50, fax 0566.90.19.05, < info@ducadelmare.it >. *30 ch. F. janv. et 1ʳᵉ quinzaine de fév.*

Restaurant pour la clientèle. Une grande maison un peu à l'écart de la ville, avec vue sur la plaine et un jardin agréable ; petite piscine. Prix très raisonnables.

Restaurants

◆◆◆◆◆ **Da Bracali**, via di Perolla, 2. À **Ghirlanda**, à 2 km N-E par la S 439 ☎ 0566.90.23.18. *F. lun. et mar. Réserver*. Très bon ; très réputé. Les amateurs de gastronomie ne seront pas déçus, tous les produits étant soigneusement sélectionnés. On goûtera du *cinghiale brasato* (sanglier braisé), de l'agneau, du pigeon au miel d'acacia… Excellents vins de la Maremme.

◆◆ **Osteria del Tronca**, vicolo Porte (à deux pas de l'hôtel Sole, en contrebas) ☎ 0566.90.19.91. Très sympathique avec ses demi-étages voûtés de briques. Spécialité de *crostini*. Également tripes *alla Maremmena* ; bon vin *della casa*. Recommandé.

À Prata

➤ *12 km N-E par la S 439 puis la S 441*.

◆◆ **La Schiusa**, via Basilicata, 29-31 ☎ 0566.91.40.12. *F. en fév. et le mer., sf de juin à fin sept.* Un restaurant bien convivial où l'on sert de bonnes spécialités du coin à un prix très étudié. Recommandé.

Parc de la Maremme

Carte *et visite p. 238*.

ℹ **INFORMATIONS. Centre de visite** : Alberese (GR) ☎ 0564.40.70.98, fax 0564.40.72.78. Kiosque sur la place du village (informations, réservations éventuelles pour excursions guidées et achat des billets de bus). *Ouv. t.l.j. 22 mars-30 sept. 8 h-15 h 30*. Le reste de l'année, s'informer par téléphone au centre de visite lui-même, à l'office de tourisme de Grosseto ☎ 0564.41.43.03 ou à la cooperativa Albatro.

EXCURSIONS. La **cooperativa Albatro** propose diverses activités. Entre autres, balades à cheval de 2 h, 3 h ou plus (compter entre 25 et 60 €) ; circuits canoë sur l'Ombrone et la zone humide (3 h ou plus ; entre 15 et 25 € env.) ; location de vélos… Rens. : via Aurelia Antica, 46, Grosseto ☎ 0564.41.89.10, fax 0564.41.01.21, < albatro@netgreen.it >.

MANIFESTATION. La Merca : le **1ᵉʳ mai**, le marquage des troupeaux se déroule à Alberese. Pour l'occasion, des démonstrations de rodéos sont organisées ainsi qu'une grande fête champêtre.

Manifestations

➤ **BALESTRO DEL GIRIFALCO**: 4ᵉ dim. de mai et 2ᵉ dim. d'août le soir. Cortège musical (tambours, trompettes, etc.) en costumes du Moyen Âge accompagnant des arbalétriers qui décochent leurs flèches sur la silhouette en bois d'un faucon gerfaut, dont il existait jadis de nombreux «élevages». Durant les pauses, d'adroits lanceurs d'étendards régalent la foule.

➤ **LIRICA IN PIAZZA**: début août (en général: 4 jours, 1ᵉʳ w.-e. du mois): concerts classiques de haute qualité sur la piazza Garibaldi. Rens. ☎ 0566. 90.22.89/27.56.

Transports

➤ **GARE FERROVIAIRE** à Ghirlanda (Follonica) ☎ 0566.90.20.16.

➤ **GARE ROUTIÈRE**. Terminus des bus à l'autre extrémité de la ville, via Martiri di Niccioleta, prenant à la piazza XXIV Maggio.

➤ **PARKING**. Piazzale Mazzini, juste à l'entrée de la ville haute.

■ Pitigliano

➤ *Visite p. 242.*

❶ Informations touristiques, piazza Garibaldi, 51 ☎/fax 0564.61.71.11, < collidimaremma@tin.it >. *Ouv. mar.-sam. 9 h 30-13 h et 14 h 30-18 h, lun. 15 h 30-19 h.*

➤ **MARCHÉ**: le mer.

Hôtel

▲▲ **Albergo Guastini**, piazza F. Petruccioli, 16E3 ☎ 0564.61.60.65, fax 0564. 61.66.52, < htlguastini@katamail. com>. *27 ch.* Tout le monde connaît,

c'est le seul hôtel en ville. Pas extraordinaire, sauf pour la vue. Mais passer une soirée entière à Pitigliano est un tel régal…

Restaurant

◆◆◆ **Il Tufo Allegro**, vicolo della Costituzione, 2 ☎ 0564.61.61.92. *F. de mi-janv. à mi-fév. et les mar. et mer. midi d'oct. à mars. Places limitées; réserver.* Maison sans chichi mais justement réputée pour ses spécialités locales. On mange dans une cave creusée dans le tuf. Bon rapport qualité/prix.

■ Saturnia

➤ *Visite p. 241.*

❶ Informations touristiques, via degli Aldobrandeschi ☎ 0564.60.12.80, < www.laltramaremma.it >, < saturnia @laltramaremma.it >. *Ouv. 10 h 30-13 h et 15 h-19 h. F. dim.*

Hôtel

▲▲▲ **Villa Clodia**, via Italia, 43 ☎ 0564.60.12.12, fax 0564.60.13.05, < villaclodia@laltramaremma.it >. *10 ch. F. 10-20 déc.* Pas de restaurant. Chambres coquettes; petite piscine et jardin. Charmant petit hôtel, très bien tenu, dont le rapport qualité/prix est de loin le meilleur de Saturnia.

■ Sovana

➤ *Visite p. 242.*

Restaurant

◆◆ **Scilla**, via Rodolfo Siviero, 1/3 (près du Duomo) ☎ 0564.61.65.31. *F. fév. et le mar.* Excellente table bon marché et décontractée dans un cadre très charmant. Recommandé. ■

SIENNE ET SES ENVIRONS

Aucune ville italienne n'a concentré autant de chefs-d'œuvre dans un espace si mesuré. Avant Florence, Sienne a créé les premières banques internationales et couvert l'Europe de ses entrepôts de textile. Elle ratissait l'argent de la Chrétienté pour le compte des papes. Bref, avant sa lente décadence, elle fut riche, puissante et crainte. De Montalcino à Pienza et à Chiusi, elle a marqué de son empreinte chaque village, chaque bourg, chaque cité qui se sont battus sous ses couleurs, ou ont résisté à son pouvoir. Qui le dirait, aujourd'hui, tant derrière son masque monumental fabuleux ses habitudes sont devenues provinciales malgré le tourisme envahissant du dernier demi-siècle ?

Il existe une « terre siennoise », chaque visiteur attentif la rencontre. Des Crete froissées comme du papier crèche aux belvédères qui couronnent les collines, c'est une Toscane siennoise, tantôt austère, tantôt drapée dans une campagne enchantée, qui surgit.

▶ *Plan* p. 249. *Carte* p. 270. *Informations pratiques* p. 279.

La piazza del Campo✩✩✩
et alentour

À la jonction des trois collines de Sienne, le Campo actuel et la place du Marché ne formaient jadis qu'un seul espace de terre battue, raviné par les pluies. C'est aux XIIIe et XIVe s. qu'il prit sa forme en éventail déployé autour du demi-cercle tapissé de palais vieux rose. Les neuf rayons de marbre blanc qui rythment le sol en brique rappellent le gouvernement collectif des neuf riches marchands du Moyen Âge. C'est ici que, depuis quatre cents ans, se déroule deux fois par an le célèbre Palio *(voir p. 268)*.

➤ *Avec toutes les visites, comptez 3 h.*

Palazzo Pubblico

B2 Bâti entre 1297 et 1310, le siège de l'autorité communale fut flanqué en 1338 de la haute tour en brique de la **Mangia** *(à g. dans la cour du palais; ouv. aux mêmes heures que le Museo civico. Entrée payante. Pas d'ascenseur…)*, visible de partout avec son panache en pierre blanche. Au sommet, **vue**✩✩ splendide sur les collines et la ville balisée par le dôme blanc de la cathédrale, les clochers et les remparts.

Museo civico✩✩✩

➤ **B2** *À dr. dans la cour du palazzo Pubblico. Ouv. juil.-août 10 h-23 h; mars-oct. 10 h-19 h; nov.-fév. 10 h-18 h 30; dim. 10 h-18 h 30. F. 1er janv. et 25 déc. Entrée payante ☎ 0577.29.22.63,*

La Mangia (88 m) domine le Campo de Sienne, une place unique au monde.

< www.comune.siena.it/museocivico >. Visite: 1 h 30. Accessible aux handicapés.

À g. sur le 1er palier, les peintures de la **salle du Risorgimento** racontent l'épopée de l'unification italienne dans les années 1860. Victor-Emmanuel II, Cavour et Garibaldi en sont les héros.

À dr. sur le 1er palier:

➤ **Salle Balia. Spinello Aretino** consacre, en 1407, les murs de cette salle au pape Alexandre III (1159-

---

Programme

Deux jours peuvent suffire à se faire une idée de l'ambiance siennoise et de ses principaux chefs-d'œuvre: le Campo et le Museo civico qui le borde; la cathédrale (pavement) et l'ancien hôpital S. Maria della Scalla qui englobe plusieurs musées dont le nouveau et remarquable Museo archeologico; la pinacothèque. **Trois jours** permettront de sillonner les différents quartiers signalés dans ce chapitre et **quatre jours**, de découvrir une Sienne moins connue et délicieuse vers la basilique S. Maria dei Servi. ❖

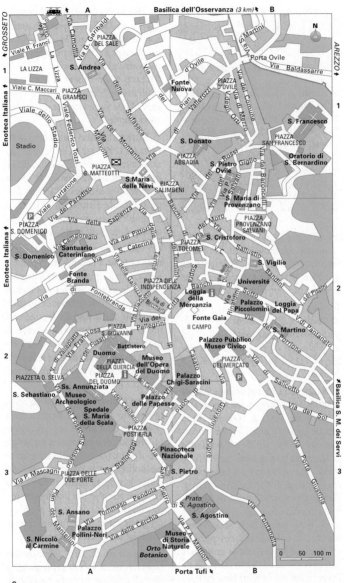

SIENNE

1181). Siennois d'origine, il lutta contre l'empereur germanique Frédéric Ier Barberousse qui voulait conquérir toute l'Italie. Vainqueur à Milan mais défait à Legnano en 1176, Frédéric dut renoncer à ses prétentions (remarquer, sur le mur de g., en bas, Barberousse aux pieds du pape en signe de soumission). La *Bataille de Punta Salvatore** montre la victoire de la flotte vénitienne sur celle de l'empereur.

▶ **SALLE DU CONSISTOIRE : BECCAFUMI.** Les **fresques*** du plafond peintes par Domenico Beccafumi (1486-1551) ont la fraîcheur et la délicatesse d'aquarelles. Réalisées entre 1529 et 1535, elles illustrent des scènes de la Rome républicaine. Au centre, la Justice est

À voir

Le Museo civico présente les premières grandes fresques « laïques » de Toscane : ***Guidoriccio*** ***, par Simone Martini (salle de la Mappemonde) et ***Le Bon et le Mauvais Gouvernement*** ***, par Ambrogio Lorenzetti (salle de la Paix). Ne manquez pas non plus la ***Maestà*** *** de Simone Martini. ❖

encadrée par l'Amour de la patrie et la Concorde. Au milieu, à dr., un stupéfiant trompe-l'œil donne l'impression que Marcus Manilius va tomber parmi nous. Le baroque n'est pas loin.

➤ **CHAPELLE**. Ce sont surtout les 22 **stalles** qui retiennent l'attention : leurs **dossiers marquetés*** illustrent le Credo. Ce superbe travail fut réalisé de 1415 à 1418 par Domenico di Niccolò.

➤ **SALLE DE LA MAPPEMONDE : SIMONE MARTINI**. Le *Guidoriccio da Fogliano* *** (1328, *photo p. 41*) de Simone Martini occupe un mur entier. C'est un condottiere du XIVᵉ s., un de ces militaires indépendants, seigneurs ou chefs de bande, qui recrutaient des mercenaires en fonction des contrats obtenus. Chargé de mâter la révolte de Montemassi contre Sienne, Guidoriccio mène cette tâche à bien. Seul, monumental et splendidement paré, il avance sur les tranchées ennemies hérissées de lances. Cette solitude de l'aventurier sur le fond bleu nuit du ciel est renforcée par la lumière froide d'un monde irréel et inquiétant où l'adversaire n'apparaît pas.

Juste au-dessous, les restaurateurs ont découvert en 1980 les fragments d'une autre fresque représentant deux beaux ♥ **personnages** près d'un village entouré d'une palissade de bois. Il pourrait s'agir d'Arcidosso, petite cité de la région de Chiusi (*60 km au S-E de Sienne*), révoltée contre Sienne.

La *Maestà* ***, de Simone Martini, fut réalisée en 1315, soit quelques années après celle du Duccio (*Museo dell'Opera del Duomo, p. 259*). On voit le chemin parcouru : le dessin s'assouplit, les figurants s'humanisent et le dais, aux couleurs de Sienne, donne le sentiment d'une visite terrestre de la Vierge à son peuple.

➤ **SALLE DE LA PAIX : AMBROGIO LORENZETTI** (v. 1290-1348). Ces fresques passionnantes et très originales du *Bon et du Mauvais Gouvernement* *** (*photos p. 38 et 251*), réalisées à l'apogée de la puissance de Sienne, en 1338-1340, administrent en trois volets une leçon politique qui garde tout son poids.

Un volet théorique, d'abord, sur le **mur opposé à la fenêtre**, dépeint le Bon Gouvernement unissant le pouvoir et le peuple autour des mêmes vertus. Les volets pratiques, ensuite, montrent, sur le **mur de dr.**, que cette union engendre bonheur, sérénité et prospérité, en ville comme à la campagne et, sur le **mur de g.**, que la désunion mène à la tyrannie, aux destructions et à la misère.

Le *Bon Gouvernement* met en scène le Pouvoir (à dr.) qui tient sa force essentielle de la Justice (à g. ; la Sagesse lui présente une balance) et du Peuple (en dessous), leur solidarité étant symbolisée par la corde qui les relie. Noter le rôle éminent de la ♥ **Paix** (*Pax*) représentée par une femme resplendissante qui, les pieds posés sur un globe terrestre, tient un rameau d'olivier : un superbe raccourci.

Sur le mur de dr., les ♥ *Effets du Bon Gouvernement* présentent la partie la plus chatoyante du cycle. La ville est superbe, propre, animée : on y commerce, bavarde, travaille. Même sérénité dans la campagne où chacun s'active. Morale de l'histoire : le Bon Gouvernement apporte paix et prospérité. Quant au Mauvais (la fresque, très abîmée, se trouve sur le mur de g.), ses effets sont terrifiants. La Tyrannie, cornue, aux crocs de vampire, s'entoure de tous les vices : dans les airs, l'Orgueil, l'Avarice et la Vanité ; à g., la Fraude, la

Une leçon de tolérance

Détail de la fresque du Bon Gouvernement. Museo civico, Sienne. *Allégorie du Pouvoir (au centre) entouré de Prudence (à g.) et de Magnanimité (à dr.).*

Le seul fait vraiment curieux de l'allégorie du Bon Gouvernement est sa glorification d'un régime populaire réunissant 24 bourgeois et seigneurs, régime aboli près d'un siècle avant qu'Ambrogio Lorenzetti n'entreprenne sa fresque. Au moment où il peint, c'est la riche bourgeoisie qui tient depuis cinquante ans les rênes de Sienne, en l'espèce le gouvernement des Neuf. On imagine qu'elle aurait pu souhaiter baser cette démonstration de bon gouvernement sur sa propre expérience. Il n'en est rien. Cette remarquable tolérance laisse supposer que les Neuf se considéraient comme les héritiers de cette leçon de démocratie… ❖

Trahison – un dragon masqué par une tête d'agneau –, la Cruauté, et, à dr., la Division et la Guerre. Un escalier donne accès à une terrasse couverte où la ♥ **vue** sur la campagne a beaucoup de charme.

Loggia della Mercanzia

▶ **B2** *Loggia des Marchands. À l'entrée du Campo, en haut des marches.*

Cette loggia est l'ancien tribunal de commerce. Elle est le point de rencontre des principales artères tortueuses de la cité qui chevauchent les trois collines : via Banchi di Sopra (délicieux café chez **Nannini**), prolongée en via di Città (au sud, *p. 254*) et via Banchi di Sotto (à l'est).

Via Banchi di Sotto

B2 Au n° 52, le **palazzo Piccolomini** fut édifié en 1469 dans le style de la Renaissance florentine, par Pie II Piccolomini. Presque en face (à g.), l'**université** est très réputée. 150 m plus loin (à dr.), se trouve la **loggia del Papa** (1462). Les loggias servaient de tribunes pour les fêtes populaires ou seigneuriales, de lieu de réunion et de festins familiaux.

Via Banchi di Sopra

B2 C'est le site préféré des Siennois pour leur promenade vespérale quotidienne. À 100 m de la loggia des Marchands, très plaisante **piazza Tolomei***. Un passage étroit mène à un

Sainte Catherine de Sienne

Catherine de Sienne, par Andrea Vanni.
San Domenico, Sienne.

Née à la veille de l'épidémie de peste, Catherine (1347-1380) grandit dans l'atmosphère funèbre d'une ville décimée. Son père était un modeste bourgeois teinturier, et sa mère très affairée par une nombreuse marmaille. Très pieux tous les deux, ils ne prirent pas vraiment garde aux premières visions de l'enfant (dès l'âge de 6 ans elle s'enfuit pour vivre en ermite), puisqu'ils songèrent à la marier. Le seul portrait, dit authentique, de Catherine figure à l'église S. Domenico, mais les chroniqueurs, mauvaises langues, affirment qu'elle était assez laide, marquée de surcroît par la vérole. Quoi qu'il en soit, elle refusa le mariage et prit le voile chez les dominicaines à l'âge de 15 ans. Très vite, elle inonde le pape, Grégoire XI, alors en Avignon, de missives le suppliant de revenir à Rome, ce qu'il fit d'ailleurs en 1377, mais essentiellement, semble-t-il, pour des raisons politiques. Autoritaire et douce à la fois, cette grande mystique dont la vie est traversée d'extases qui, dira-t-elle, lui ont tout appris, se consacre aux tâches les plus humbles et à la réconciliation de ses concitoyens sur lesquels elle exerce une grande influence. Menant une vie ascétique (elle dort sur une planche seulement une demi-heure tous les deux jours et se nourrit de quelques légumes et de fruits), elle meurt à Rome, à 33 ans, laissant un ouvrage de méditation devenu un classique, *De la doctrine divine.*

Catherine de Sienne fut canonisée en 1461, et Pie XII la proclama patronne de l'Italie en 1939. Sa fête est célébrée le 1er mai. ❖

ravissant petit **cloître** roman qui abrite en été des expositions d'art. À côté, l'**église S. Cristoforo** conserve un très poétique ♥ *Saint Georges combattant le dragon**. Il est attribué à Sano di Pietro ou au Maître de l'Osservanza.

Plus loin (200 m), le superbe palais gothique (façade de 1871) de la **piazza Salimbeni AB1** est aujourd'hui le siège de la plus ancienne banque d'Italie,

fondée en 1472: le Monte dei Paschi *(on peut entrer; la visite de la très belle collection d'œuvres d'art se fait sur demande ☎ 0577.28.31.54).*

♥ Via della Galluzza

A2 Venant du Campo, on prend la via delle Terme jusqu'à la piazza dell'Indipendenza où se dressent une loggia du XIXe s. et le palais crénelé Ballati. Là,

Les premiers banquiers d'Italie

Privée d'eau, Sienne ne put développer, comme Florence, une industrie drapière ou agricole. Elle se tourna donc vers ce que l'on appelle aujourd'hui le service, en l'occurrence la banque.

Très bien placée sur la route de la France à Rome (la Francigena), la ville battit monnaie dès 1186, les premières banques étant créées quelques années plus tard par les Piccolomini, les Buonsignori, les Tolomei ou les Salimbeni. Elles convoyaient au Saint-Siège, à Rome, les sommes collectées dans la Chrétienté.

Paradoxalement, plusieurs ne survivront pas à la fameuse victoire de Sienne sur Florence, à Montaperti (1260). En effet, étant gibeline, Sienne était alliée à l'empereur germanique, alors que Florence, qui était guelfe, l'était au pape... qui lui confia aussitôt la mission retirée aux Siennois... Fort avisée, la famille Salimbeni, qui travaillait avec les deux camps, tira son épingle du jeu en se lançant dans la lettre de change, puis dans le prêt (que l'Église, par souci de moralité, interdisait de rémunérer par des intérêts) et enfin, dans le prêt sur gage. Lorsqu'en 1472 la commune de Sienne fonde le mont-de-piété, les Salimbeni sont encore là... ❖

tournez à g. dans la via di Diaceceto, puis à dr. dans la courte via della Galluzza. Fort en pente, caractéristique de Sienne, elle est bordée de demeures médiévales épaulées d'arcs en brique qui enjambent la rue. Elle se prolonge par la Costa di S. Antonio, où se trouve la maison de sainte Catherine.

Maison de sainte Catherine

➤ **A2** *Santuario Cateriniano. Costa di S. Antonio. Ouv. t.l.j. 9 h-12 h 30 et 15 h-18 h. Entrée gratuite ☎ 0577. 28.08.01. Accessible aux handicapés.*

La maison où est née **Catherine Benicasa** en 1347 *(encadré ci-contre)* et où elle vécut quinze ans a été hélas transformée dès sa canonisation en 1461 par Pie II. La boutique de teinturier du père de Catherine (en bas, généralement fermée), la chambre de Catherine, la cuisine (en haut) et le jardin ont été transformés en oratoires sirupeux. Dans l'ex-cuisine, 14 tableaux racontent la vie de la sainte; un autre (au-dessus de l'autel) la représente recevant les stigmates à Pise, en 1375. L'Église elle-même met fortement en doute ce miracle.

Église San Domenico*

➤ **A2** *Piazza San Domenico, 1. Ouv. dim.-ven. 9 h-18 h, sam. 9 h-13 h et 15 h-18 h. Entrée gratuite ☎ 0577.28. 68.48. Accessible aux handicapés.*

Accrochée sur un massif rocheux dominant le vallon de la Fonte Branda et ménageant de belles échappées sur la cathédrale et le centre-ville, S. Domenico évoque davantage un château fort gothique qu'une église. Elle fut bâtie en plusieurs étapes, de 1225 à 1465, entièrement en brique, sur une vaste crypte à trois nefs. L'intérieur, immense, lumineux et agrémenté de vitraux modernes, garde le souvenir de sainte Catherine: c'est à dr. de l'entrée, dans la **capella delle Volte**, qu'elle prit l'habit à l'âge de 15 ans. Au-dessus de l'autel, Andrea Vanni, son ami, y a peint son seul portrait tenu pour fidèle *(photo page ci-contre)*. Il l'aurait réalisé ici même, pendant une extase de la sainte, survenue près du pilier.

➤ Côté droit de la nef. Juste après un *Crucifix* en bois du XIVe s. et une *Pietà* en terre cuite du XVIe s., la **capella di S. Caterina** (1488) est décorée, à dr., de deux fresques de Sodoma : *Évanouissement de sainte Catherine* et *Extase de la sainte* ; à g., Sodoma représente l'exécution de Niccolò Tuldo, à laquelle Catherine assista. Le dernier autel est décoré d'une ***Adoration des bergers**** (restaurée), de Giorgio Martini et d'une jolie prédelle de Fungai sur sainte Catherine. Dans la 1re chapelle à dr. du chœur, la *Vierge à l'Enfant* est de Matteo di Giovanni.

➤ **CRYPTE ET CLOÎTRE**. La vaste crypte à trois nefs, qui constitue une église en soi avec ses hauts piliers, renferme une croix peinte de Sano di Pietro. À dr. de l'église, le cloître (XVe s.), bien restauré, marie la pierre et la brique.

Via di Città

AB2-3 Le **palazzo Chigi-Saracini** (n° 89) est flanqué d'une tour, du haut de laquelle Ciretto Ceccolini suivit la bataille de Montaperti contre Florence, et annonça la victoire de Sienne. Les Chigi-Saracini fondèrent à Sienne, au XVe s., une des banques les plus puissantes d'Europe, qui installa des succursales en France, en Flandre, en Angleterre et même à Constantinople et en Égypte.

Le dernier descendant de la famille créa, en 1932, la très renommée **académie musicale Chigiana**, qui continue d'organiser, en été, des concerts ainsi que des sessions de perfectionnement dirigés par les meilleurs musiciens.

En face (au n° 126) s'élève le beau **palazzo delle Papesse** entièrement restauré et devenu en 1998 le **centro Arte contemporanea** *(ouv. 12h-19h. F. lun. Entrée payante ☎ 0577.22.071. Accessible aux handicapés)*. Il accueille des expositions annuelles de qualité très inégale. ■

Le quartier de la cathédrale***

L a cathédrale et son musée, le baptistère, l'hôpital della Scala, le tout nouveau Musée archéologique et la pinacothèque : voici, dans un périmètre minuscule, des sommets d'art. La promenade parmi ces chefs-d'œuvre est une des plus passionnantes de Sienne.

Perchés au plus haut de la ville sur un terrain escarpé, la cathédrale et son campanile surgissent soudain de leur parement tigré noir et blanc. La **via dei Pellegrini A2** passe sous une succession de voûtes et d'arches avant de déboucher sur ♥ **l'escalier** de la piazza S. Giovanni qui escalade le promontoire. En contournant le chevet du Duomo par la dr., vous pouvez faire une incursion dans la **via di Diacceto**, offrant une vue magnifique sur l'église rouge de S. Domenico. C'est l'occasion de flâner dans un lacis de ruelles à la saveur médiévale.

➤ *Du Campo, prendre la via di Città, puis tourner à dr. sur la via dei Pellegrini pour gagner la cathédrale. Avec les temps de visite, compter au total une grande journée, à décomposer en deux demi-journées sur 2 jours.*

Cathédrale*** (Duomo)

➤ **A2** *Piazza del Duomo. Ouv. mi-mars-oct. 7h30-19h30 ; nov.-mi-mars 7h30-17h ; dim. et j.f. après 14h30. Entrée payante ☎ 0577.28.30.48. Visite : 1h. Accessible aux handicapés.*

Si le gros œuvre du Duomo fut achevé vers le milieu du XIIIe s., la réalisation de la façade traîna en longueur, d'où son aspect quelque peu pâtissier…

La cathédrale de Sienne : un projet cyclopéen

La cathédrale de Sienne, prévue pour être la plus vaste de la Chrétienté.

La cathédrale que nous voyons, déjà fort monumentale, est lilliputienne par rapport au gigantesque projet dont elle devait former le transept. En la contournant par la dr., on imagine assez bien les dimensions cyclopéennes de l'ensemble s'il avait été réalisé. La nef principale aurait occupé l'espace à ciel ouvert encadré de murs en brique et fermé, au fond, par l'immense façade inachevée recouverte de marbre (on peut cheminer dessus à partir du musée de la Cathédrale). Ce programme orgueilleux, l'un des plus vastes de la Chrétienté, décidé par une cité qui, pour être encore parmi les plus puissantes d'Occident, ne mesurait plus ses limites, fut stoppé net par l'instabilité du terrain et surtout par l'épouvantable épidémie de peste de 1348 qui décima en quelques mois près de 80 % de la population. Reste ce décor fou, extraordinairement théâtral avec ses colonnes inutiles et ses fenêtres gothiques ouvertes sur le vide. ❖

Giovanni Pisano (v. 1250-v. 1314) réalisa la belle partie basse entre 1284 et 1299, mais la mosaïque date du XIXe s., et la porte centrale en bronze du XXe s. Les statues de Pisano, remplacées par des copies, sont regroupées dans le museo dell'Opera del Duomo (p. 258).

LE PAVEMENT***

Les 3 000 m² du sol de l'église sont entièrement recouverts de 37 panneaux en sgraffites ou marqueterie de marbre. Réalisés sur plusieurs siècles,

mais pour l'essentiel entre 1360 et 1550, ils sont l'œuvre d'une cohorte d'artistes célèbres ou anonymes.

Cet extraordinaire travail décoratif, unique en son genre, obéit à un programme précis qui, de l'entrée de l'église à la croisée du transept et du chœur, introduit progressivement à l'univers religieux de l'Ancien Testament et de la Révélation, les sibylles des nefs latérales étant les messagères du monde chrétien à venir.

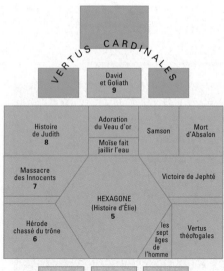

VERTUS CARDINALES

David et Goliath **9**

Histoire de Judith **8**

Adoration du Veau d'or

Moïse fait jaillir l'eau

Samson

Mort d'Absalon

Massacre des Innocents **7**

Victoire de Jephté

HEXAGONE (Histoire d'Élie) **5**

Hérode chassé du trône **6**

les sept âges de l'homme

Vertus théologales

Sibylle

Roue de la Fortune

Sibylle

Sibylle samienne

Colline de la Sagesse **4**

Sibylle érythréenne

Sibylle phrygienne

Aigle impérial **3**

Sibylle cumaine

Sibylle hellespontique

Louve siennoise **2**

Sibylle cimmérienne

Sibylle libyenne

Hermès Trismégiste **1**

Sibylle

Histoire de la Bible

Des mythes antiques à l'annonce du monde chrétien

PAVEMENT DE LA CATHÉDRALE DE SIENNE

En grande partie recouvert d'un parquet pour le protéger, ce pavement n'est visible dans sa (presque) totalité qu'en août et sept. Certains panneaux sont découverts par roulement, d'autres – parmi les plus beaux – sont en général visibles plusieurs mois par an et particulièrement durant la saison touristique. C'est sur ces derniers

*(numérotés de **1** à **9** sur le plan ci-contre)* que nous insisterons. Le *Massacre des Innocents*★★ **7** est visible en permanence. Nous recommandons l'achat de l'excellente étude de Bruno Santi, *Le Pavement de la cathédrale de Sienne* (éd. Scala, disponible sur place), qui reproduit la majeure partie du pavement.

▶ **PAVEMENT DE LA GRANDE NEF ET DES BAS-CÔTÉS.** *Hermès Trismégiste* **1** est un savant égyptien contemporain de Moïse. Ici, il remet à l'Orient et à l'Occident un livre expliquant les mystères du monde. *La Louve siennoise* **2** nourrit les jumeaux Sénus et Aschius, fils de Rémus, qui, selon la légende, sont les fondateurs de la ville. Sienne s'affirme ainsi héritière de la Rome antique.

Puis vient un *Aigle impérial* **3**, emblème médiéval du pouvoir. La *Colline de la Sagesse*★★ **4** fut réalisée d'après un dessin du Pinturicchio (1505). La Fortune (au sens « hasard du destin »), dont un pied repose sur un globe et l'autre sur un bateau, dépose à terre des personnages en route vers la Sagesse (au centre, en haut). Le chemin est ardu, mais il mène à la sérénité si l'on se dépouille des biens superflus, tel Cratès, qui jette des bijoux à la mer.

Dans les bas-côtés, les **sibylles** du monde entier annoncent le message chrétien. On trouve successivement, à dr., la sibylle cimmérienne (Asie mineure), la sibylle cumaine (Italie du Sud), la sibylle érythréenne (Afrique). À g., la **sibylle libyenne**★, la sibylle

À voir

Pavement*** : **David et Goliath****, par Domenico di Niccolò ; **Massacre des Innocents**** ; la **chaire***** ; les **fresques**** de la libreria. ❖

hellespontique (Dardanelles), la sibylle phrygienne (Asie Mineure) et la **sibylle samienne*** (mer Égée).

➤ **PAVEMENT DU CHŒUR**. L'hexagone **5** du chœur est la partie la plus souvent recouverte. Ses 13 panneaux représentent des scènes de la *Vie d'Élie***, conçues dans les années 1520 par Domenico Beccafumi, un des maîtres du maniérisme italien (plusieurs de ces dessins figurent à la pinacothèque, *p. 263*).

Hérode chassé du trône* (1485) **6** : raconté par l'historien juif Flavius Josèphe, l'épisode se déroule dans une ville (en haut, à g.) qui évoque davantage la Sienne contemporaine que Jérusalem. Dans le *Massacre des Innocents*** **7** qui date de 1482, la manœuvre est dirigée par Hérode (à g., sur son trône). L'horreur est renforcée par la mine satisfaite des notables et, plus encore, par le voyeurisme des spectateurs amusés qui assistent à la scène de leurs balcons. L'*Histoire de Judith*** **8**, de 1473, est tout aussi violente. La scène se passe à Béthulie, ville assiégée par les troupes assyriennes de Nabuchodonosor, dirigées par le général Holopherne. Épuisée par le siège, la ville est prête à se rendre, lorsqu'en désespoir de cause une jeune veuve décide de jouer de sa séduction auprès du général. Elle y parvient si bien qu'elle est invitée dans sa tente (à dr.) et en profite pour lui trancher la tête lorsqu'il s'écroule ivre à la fin du repas. On retrouve ensuite Judith (au centre, en haut) cheminant vers la ♥ ville avec sa servante qui porte la tête d'Holopherne, cependant que des portes de Béthulie (à g.) surgit la contre-attaque

victorieuse des Juifs contre les Assyriens. Le dernier tableau évoque *David et Goliath*** **9**, dans un bel ensemble de 1423, dû à Domenico di Niccolò. David (à g.) lance la pierre qui tuera ♥ Goliath (à dr.). Au centre, David devenu roi est entouré de musiciens.

LA CHAIRE***

Cette chaire octogonale, soutenue par 10 colonnes de porphyre et de marbre vert, fut sculptée entre 1265 et 1268 par **Nicola Pisano**, son fils **Giovanni** et des aides. Les sept panneaux racontent magnifiquement l'*Histoire du Christ* : sa naissance ; la venue des Rois mages ; la présentation de Jésus au Temple ; la fuite en Égypte ; le Massacre des Innocents ; la Crucifixion et le Jugement dernier avec les bons d'un côté, bien ordonnés, et les méchants de l'autre, en pagaille.

♥ LIBRERIA PICCOLOMINI**

➤ **A2** *Entrée dans la cathédrale. Ouv. t.l.j. mi-mars-oct. 9 h-19 h ; le reste de l'année 10 h-13 h et 14 h 30-17 h. F. 1ᵉʳ janv. et Noël. Entrée payante* ☎ *0577.28.30.48.*

Derrière une splendide **porte Renaissance***, le Pinturicchio et son atelier (1505-1507) content avec talent la carrière fulgurante du Siennois Enea Silvio Piccolomini (1405-1464). Repenti de ses frasques à l'âge de 40 ans, cet homme cultivé est bien vite nommé évêque de Trieste puis de Sienne. Il devient cardinal et enfin pape, sous le nom de Pie II. Cette histoire est un régal pour l'œil avec ses arrière-plans de campagne, de mer, de châteaux fabuleux et de cavalcades, ses oies et canards qui passent dans le ciel, ses nuages potelés et les ors des palais.

Sous les fresques, de superbes **psautiers*** enluminés datent du XVᵉ s. Au centre de la salle trône une belle copie romaine d'une œuvre hellénistique, les *Trois Grâces**.

Nouvelle crypte

Entre le Duomo et le baptistère *(accès direct par l'escalier qui joint le Duomo au baptistère)*, une crypte a été décou-

Fresques de la libreria Piccolomini, attenante à la cathédrale, où le Pinturicchio raconte la vie édifiante d'Enea Silvio Piccolomini, devenu pape (Pie II). Il préside ici à la rencontre de Frédéric III et d'Éléonore d'Aragon.

verte lors de travaux en 2003. En partie sous le Duomo lui-même, elle présente, entre autres, une fresque dont la fraîcheur des teintes s'est admirablement conservée. Elle serait due à l'atelier du maître de Duccio. L'aménagement complet n'était pas terminé début 2004.

Baptistère**

➤ **A2** *En contrebas du Duomo, piazza San Giovanni. Ouv. t.l.j. mi-mars-sept. 9h-19h30; le reste de l'année 9h-18h. F. 1er janv. et Noël. Entrée payante. Non accessible aux handicapés.*

La belle façade inachevée, en marbre blanc et rose souligné d'encadrements noirs, donne de la majesté à la petite place en pente, bordée de maisons en brique, où elle s'inscrit.

L'intérieur, recouvert de fresques aux coloris frais (rose et vert tendre sur un ciel d'un bleu profond) par Vecchietta, un des très bons artistes siennois du XVe s., possède de magnifiques **fonts baptismaux**** ornés de six panneaux

en bronze illustrant la vie de Jean-Baptiste. Remarquer notamment *Zacharie chassé du Temple*, par Jacopo della Quercia ; le *Baptême du Christ* (face à l'entrée), par Lorenzo Ghiberti, et le *Festin d'Hérode* auquel est présentée la tête de Jean, par Donatello. Également, la statue de la *Foi*, du même Donatello.

Museo dell'Opera del Duomo**

➤ **A2-3** *Piazza della Quercia. Ouv. t.l.j. mi-mars-sept. 9h-19h30; oct. 9h-18h; le reste de l'année 9h-13h30. F. 1er janv. et Noël. Entrée payante* ☎ *0577.28.30.48, <www.operaduomo. it>. Visite: env. 1h. Accessible aux handicapés.*

➤ **REZ-DE-CHAUSSÉE**. Il servit d'atelier au sculpteur Jacopo della Quercia (1374-1438) dont on voit, au centre de la grande salle, un **bas-relief*** du cardinal Casini à genoux. Au centre, également, original de la très belle *Vierge à l'Enfant*** de Donatello. Les 12 **statues****, sculptées entre 1285 et 1296 par Giovanni Pisano pour la façade de la cathédrale, sont disposées sur les côtés. Plus grandes que nature, elles devaient être vues de loin. Telles quelles, on peut en admirer la force d'expression, particulièrement chez ♥ *Maria di Mose* (la sœur de Moïse).

➤ **1er ÉTAGE.** Il abrite la fameuse *Maestà**** de Duccio, peinte entre 1308 et 1311 sur fond d'or et portée en triomphe à travers la ville. Duccio compose autour de la Vierge une harmonie céleste. Les 26 petits **tableaux**** qui ornaient le dos de la Maestà sont plus libres et anecdotiques. Ils se lisent de g. à dr. depuis l'*Entrée à Jérusalem* (2e registre du bas) et racontent les épisodes de la Passion. Noter (au centre) la *Veillée au mont des Oliviers*, l'*Arrestation de Jésus*, et, juste au-dessus, l'admirable *Crucifixion*; sur le mur de g., fragments de la partie qui entourait la *Maestà*.

On admirera aussi la **Nativité de la Vierge***, peinte en 1342 par Pietro Lorenzetti (le frère d'Ambrogio, auteur du *Bon et du Mauvais Gouver-nement* du Museo civico), d'une forte présence, un peu lourde et massive.

➤ **2e ÉTAGE.** Dans la salle du Trésor, trois bustes gracieux de Francesco di Valdambrino (1409), collaborateur de Jacopo della Quercia. Et surtout, le ***Cru-cifix**** de Giovanni Pisano, sur un bois non dégrossi. Sa forme en Y (souvent reprise, plus tard, par les protestants) dramatise la pose du Crucifié, dont le visage reflète une douleur intense.

➤ **3e ÉTAGE.** Dans une première salle, *Vierge à l'Enfant* du début du XIIIe s., dite ♥ « **Vierge aux gros yeux** », presque naïve; dans le salon d'Alfieri, **Saint Paul*** aux couleurs somptueuses et hardies, réalisé en 1515 « à la manière » si personnelle de Beccafumi.

De là, on passe à l'extérieur, sur le mur inachevé de la façade du projet de « grand duomo » d'où l'on imagine très bien ce qu'aurait été la grande nef (la place, juste au-dessous), transformant la cathédrale que nous connaissons en un colossal transept. Très beau ♥ **panorama**** sur Sienne et sur la campagne toute proche.

L'école siennoise : l'art du conteur

S'il est difficile de parler précisément d'une école de peinture siennoise, il existe en revanche une « ambiance siennoise » qui, sans prétendre révolutionner le monde de l'art, conte les mille et un détails de la vie des hommes et de la nature. À travers le sujet obligé – très souvent religieux –, ou à côté de lui, l'artiste donne libre cours à son imagination et à sa fantaisie. On le voit bien dans ces prédelles (les côtés et le bas d'un retable) qui recèlent l'aspect le plus spontané de leur talent.

Cette volonté de rester petit, « entre soi » et rivé à la tradition, est trop constante, notamment aux XIVe et XVe s., pour ne pas être aussi un refus collectif de se laisser contaminer par le bouleversement intellectuel dont Florence était le théâtre. Ce refus semble bien s'enraciner dans la rivalité exacerbée qui opposait alors les deux cités dans tous les domaines. C'est sans doute par orgueil que les Siennois ne se sont pas vraiment intéressés à la première Renaissance; mais c'est aussi par culture. Ils y ont vite décelé des faiblesses et des risques. Faiblesses d'un modèle artistique trop théorique pour des gens épris de pragmatisme ; risques de voir s'effondrer les valeurs morales chères à un peuple de marchands. Quoi qu'il en soit, quelques immenses talents comme Duccio, Simone Martini, les frères Lorenzetti ou Beccafumi se sont imposés bien au-delà de Sienne. ❖

Hôpital Santa Maria della Scala**

➤ **A2-3** *Face à la cathédrale. Ouv. t.l.j. avr.-oct. et 23 déc.-7 janv. 10h-18h; le reste de l'année 10h30-16h30. Entrée payante ☎ 0577.22.48.11. Visite: 1h.*

Fondé dès le IXᵉ s. par l'Église, l'hôpital S. Maria della Scala fut très vite pris en main par les laïcs qui en firent une **œuvre communale** gérée par le pouvoir populaire. Doté par les bourgeois, dont les legs se déduisaient des impôts, l'hôpital, qui accueillait aussi de nombreux pèlerins, s'enrichit énormément des héritages recueillis à la suite de l'épidémie de peste qui décima des familles entières (1348). Il put acheter à Constantinople d'importantes reliques de la **Passion du Christ** (clou de la Vraie Croix, une partie de la ceinture de la Vierge, etc.): un «placement» hautement profitable qui lui valut une affluence décuplée de croyants… Les soins étaient régis par une **charte diététique et d'hygiène**, très en avance sur son époque.

C'est à la fin du XXᵉ s. que l'on envisagea de transformer radicalement cet

Fondé au IXᵉ s., l'hôpital S. Maria della Scala demeura en service jusque dans les années 1990.

immense ensemble, devenu inadapté à la médecine. Pour prolonger la vocation première de l'ancien hôpital, des expositions liées aux dernières connaissances médicales et psychiques seront régulièrement organisées autour du noyau des œuvres d'art existant. Mais le projet va beaucoup plus loin: il veut faire de la Scala une véritable «**citadelle culturelle**» qui présente toutes les facettes du génie de la «terre siennoise». Depuis 1995, il est progressivement réaménagé, ouvrant au public le trésor de ses fresques et de ses sanctuaires. L'«insolite» Musée archéologique (ouvert en 2001-2002) a été créé dans ses soussols *(p. 261)*, tandis que de vastes espaces d'expositions temporaires sont aménagés. Ces travaux gigantesques, menés sous l'autorité de l'architecte Guido Canali, ne sont pas pour autant terminés. La Scala doit encore accueillir, entre autres, la pinacothèque, actuellement au palais Buonsignori. Par ailleurs, dans le palais restauré (2002-2003) contigu à la Scala, s'est ouvert un nouvel espace culturel consacré à l'œuvre et à l'atelier du grand Duccio di Buoninsegna (1255-v. 1319).

➤ **CAPPELLA DEL MANTO** *(à dr. de l'entrée).* ♥ **Fresque**** (1513) restaurée de Beccafumi, montrant la rencontre d'Anne et de Joachim, les parents mythiques de la Vierge. Très bel exercice maniériste, nimbé de la lumière extra-terrestre de l'ange (en haut).

➤ **IL PELLEGRINAIO** *(salle des Pèlerins).* Les ♥ **fresques***** de cette grande salle transformée en infirmerie au XVIIᵉ s. constituent le joyau de l'ancien hôpital. Peintes entre 1440 et 1442 par Domenico di Bartolo, elles ont été entièrement restaurées dans les années 1990. Il s'agit de documents passionnants – et éblouissants de maîtrise – sur la vie hospitalière au Moyen Âge et la vie civile à Sienne.

Dans la tradition siennoise, son pinceau fourmille d'anecdotes piquantes et de détails sur l'architecture ou les costumes. L'*Agrandissement de l'hôpital* fait assister à l'arrivée de l'évêque sur son cheval blanc; le *Pape donnant son autonomie à l'hôpital* foisonne de marchands siennois et orientaux. Dans les ♥ *Soins aux malades*, Bartolo décrit avec une joyeuse ironie le «personnel soignant». Dans la ♥ *Distribution des aumônes*, la place de la cathédrale apparaît au milieu de pèlerins voyageurs. ♥ L'*Accueil des enfants trouvés* accompagne les étapes de la vie des orphelins, depuis leur formation – les devoirs surveillés – jusqu'à leur mariage, en présence d'amis, au balcon.

➤ CAPPELLA DEL SACRO CHIODO *(sagrestia vecchia)*. Cette chapelle (restaurée) fut construite pour abriter les reliques acquises par l'hôpital après la peste de 1348 auprès d'un Florentin installé à Constantinople, la plus précieuse étant un clou *(chiodo)* de la Croix de Jésus. La salle est ornée de belles **fresques*** du Siennois Vecchietta (XVe s.) illustrant le Credo.

➤ ÉGLISE DELLA SANTISSIMA ANNUNZIATA. Cette église de style Renaissance était celle des malades. Au-dessus de l'autel, le vibrant ♥ *Christ ressuscité**, en bronze, de Vecchietta (1476), semble surgir du trompe-l'œil colossal peint au fond du chœur par Sébastien Conca au XVIIIe s. Élégant **buffet d'orgue*** Renaissance, réalisé en 1510 par Giovanni Castelnuovo. À l'étage inférieur, la belle salle à piliers (entièrement rénovée), où s'entassaient les réserves de nourriture, est consacrée aux **panneaux**** originaux sculptés dans le marbre entre 1414 et 1419 par Jacopo della Quercia pour la grande fontaine Gaia, sur le Campo (aujourd'hui ornée de copies).

♥ Museo archeologico***

➤ **A3** *Entrée par la piazzetta della Selva, en contrebas de S. Maria della Scala. Mêmes horaires que l'hôpital della Scala. Entrée payante ou billet groupé* ☎ *0577.22.48.28. Visite: 45 mn. Accès partiel aux handicapés.*

La piazzetta della Selva donne accès à une véritable rue dans les sous-sols de l'ancien hôpital, par laquelle s'effectuaient les livraisons. Elle départage, à dr., le Musée archéologique et, à g., un jardin couvert, des magasins, restaurants, bars, etc.

Ce Musée archéologique, ouvert en 2001, est aménagé dans les «entrailles» de la Scala. Il forme un labyrinthe fantastique de couloirs souterrains voûtés – dont certains ont été creusés pour la circonstance – desservant des caves superposées. Les trouvailles archéologiques couvrant, en gros, le dernier millénaire av. J.-C. surgissent de la nuit, admirablement disposées dans de sobres vitrines éclairées. Cheminant dans ce dédale de la mémoire, on se trouve à la fois au cœur de l'histoire de l'art et témoin privilégié d'un héritage fabuleux.

Les fonds exposés, tous originaires de la région de Sienne, au sens large, proviennent pour l'essentiel de tombes fouillées dès le XIXe s. par quatre riches collectionneurs privés (Petrucci, Casuccini, Mieli, Zondadari), de l'accademia dei Fisicritici et de réserves d'État – le tout naguère éparpillé dans des châteaux, palais ou autres musées. L'ensemble propose le plus intelligent voyage qui soit, depuis l'époque villanovienne (Xe s. av. J.-C.) aux Romains, en passant par les Grecs et les Étrusques. Venez avec vos enfants: ils seront saisis par la magie du lieu.

Pinacothèque nationale***

➤ **AB-3** *Palazzo Buonsignori. Via S. Pietro, 29. Ouv. lun. 8h30-13h30; mar.-sam. 8h-19h; dim. et j.f. 8h-13h. F. 1er janv., 1er mai et Noël. Entrée payante* ☎ *0577.28.11.61. Visite: 1h30 à 2h. Accessible aux handicapés.*

La famille Buonsignori, qui créa une des premières banques d'Italie en 1204, fit faillite un siècle plus tard, après que le pape eut retiré ses fonds pour les placer à Florence. Mais elle eut le temps de faire édifier ce charmant palais gothique organisé autour d'une cour.

Dans sa présentation actuelle, ce vaste panorama de la peinture siennoise, entre les XIIIe et XVIe s., se déroule par ordre chronologique. La visite com-

À voir

Au 2ᵉ ét. : **Duccio** (salles **3** et **4**) ; **Simone Martini** (salle **6**) ; les créateurs typiquement régionaux, peu connus du profane mais talentueux : **Giovanni di Paolo** (salles **12** et **13**), **Giorgio Martini** (salle **14**) et **Sano di Pietro** (salles **16** et **17**). Au 1ᵉʳ ét. : **Beccafumi** (salles **27**, **30** et **37**). ❖

mence par le 2ᵉ étage (XIIIᵉ au XVᵉ s.) et se continue au 1ᵉʳ (XVIᵉ s.). Le 3ᵉ étage, lui, expose la **collection Spannocchi** qui possède des œuvres intéressantes des XVIᵉ et XVIIᵉ s. (Lorenzo Lotto, Dürer, Peter Snayers), mais sans rapport avec la Toscane. Nous ne présentons ici que les œuvres qui nous paraissent les plus importantes ou les plus caractéristiques de ce que l'on nomme «l'école siennoise».

DEUXIÈME ÉTAGE

➤ **DÉBUTS DE LA PEINTURE SIENNOISE : XIIIᵉ s.** (salles **1** à **4**). Le *Retable du Sauveur* (1215), du Maître de Tressa, est une des premières œuvres datées de la peinture siennoise (salle **1**). Suivent (salle **2**) des élèves ou contemporains de **Guido da Siena**, le premier maître siennois connu, dont les œuvres signées sont rarissimes. Admirer, par exemple, l'élégance suprême des femmes aux très longues jambes du *Jean-Baptiste sur un trône** ou la fraîcheur des scènes de la *Vie de saint Pierre**. **Duccio** (v. 1255-v. 1319) et son école sont exposés dans les salles **3** et **4**. La petite *Madone des franciscains*** (salle **4**) est un des chefs-d'œuvre de Duccio, d'une superbe harmonie de bleus et de verts. Émouvante *Madone pleurant** d'Ugolino di Nerio.

➤ **XIVᵉ s.** (salles **5** à **8**). La salle **5** expose des polyptyques ou charmantes prédelles de Luca di Tommè, typique-

ment siennois, ainsi qu'un triptyque du *Couronnement de la Vierge**, par Bartolo di Fredi.

En salle **6**, *Vierge à l'Enfant** et miracles du *Bienheureux Agostino Novello**, par Simone Martini, un des grands maîtres du XIVᵉ s. qui inspira, entre autres, Lippo Memmi dont on voit une *Madone à l'Enfant*. Belle *Madone de la miséricorde*, par Niccolò di Segno, accueillant le peuple des chrétiens sous son manteau.

La salle **7** est essentiellement consacrée à **Ambrogio Lorenzetti** (v. 1290-1348). Voyez notamment, à g., le grand retable du Carmine représentant une *Vierge à l'Enfant entre Madeleine et Dorothée** (1330) dont l'attitude et le visage sont très beaux. Au-dessous, *Déposition du Christ** montrant Marie-Madeleine (en vert) debout, ses longs cheveux pendant, les bras comme crucifiés, et un groupe très vivant de trois femmes (à dr.). ♥ *Ville sur la mer** et ♥ *Château au bord du lac**, de Lorenzetti ou de Sassetta, figurent parmi les premiers «paysages» de l'art occidental, antérieurs au XVᵉ s. De Pietro Lorenzetti, frère d'Ambrogio, une magnifique *Crucifixion*** sur fond doré et un grand **retable** avec, au centre, la Vierge à l'Enfant entourée d'anges, de saint Nicolas et d'Élie. Ce retable a une merveilleuse ♥ **prédelle**, surtout dans sa scène centrale très fouillée et vivante malgré sa petite taille. Du Maître de San Lucchese (XIVᵉ s.) est exposée une ♥ *Nativité* familière et pleine de charme.

Enfin, la salle **8** abrite un émouvant **Christ en bois***, épuisé de douleur.

➤ **XVᵉ s.** (salles **11** à **19**). Dans la salle **11**, *Annonciation**, par Taddeo di Bartolo (1409) et plusieurs petits tableaux du même artiste, dont le cruel *Martyre des saints Cosme et Damien*. Dans l'atrium, au-dessus de la cour, un implacable *Saint Michel** de Puccinelli.

Les salles **12** et **13** mettent en vedette **Giovanni di Paolo** (1396-1482), peintre siennois par excellence, hermétique à la révolution florentine de la Renaissance. Ce miniaturiste et conteur de grand talent exprime aussi un sens tragique de la vie, tout particulièrement dans les apôtres de son *Assomption* (1475) et dans sa *Crucifixion* (1440) où Jean hurle sa douleur au pied de la croix. Son chef-d'œuvre est, peut-être, la **Madone de l'humilité**★★ (salle **13**), dans un étrange paysage semé de «pains de sucre» et de châteaux. Dans la même salle, charmant ♥ *Saint Jérôme*, et le *Jugement dernier*★, un des plus célèbres tableaux de Di Paolo, qui juxtapose l'autorité du Christ nu, la poésie du paradis et les terreurs de la damnation. Enfin, une très belle œuvre de Sassetta (1426): le *Pala dell'Arte della Lana*★.

La salle **14** présente plusieurs œuvres de **Giorgio Martini** (1439-1502). Fils du peuple (son père était volailler), il montra une insatiable curiosité. Architecte militaire, ingénieur et peintre, il modifia l'art de la défense, s'intéressa à l'hydraulique et suivit les courants artistiques de Florence (Renaissance) tout en demeurant profondément siennois. Il arrêta de peindre assez jeune et, à voir les quatre tableaux raffinés exposés ici, on le regrette. Botticelli n'aurait pas renié les anges de son *Annonciation*★ (1475) et de sa *Madone*. Voyez également les deux belles madones de Landi, avec lequel, justement, Giorgio Martini avait monté un atelier.

La salle **15** accueille la *Madone au lait* (1490) de **Bernardino Fungai**. Artiste en général très conventionnel, il fit sensation en laissant nettement apparaître dans cette toile le sexe de Jésus.

Les salles **16** et **17** sont consacrées à **Sano di Pietro** (1406-1481), artiste doué, excellent coloriste, dont l'œuvre abondante est typiquement siennoise: style narratif et fidélité au dessin gothique. Avec **Vecchietta** ou **Giovanni di Paolo**, ses contemporains, il contribue à cette «école siennoise» qui, au cœur de la révolution de la Renaissance, maintient imperturbablement le cap sur un art religieux très décoratif. La poétique ♥ *Annonciation*

La façade gothique du palais Buonsignori, Pinacothèque nationale de Sienne.

aux bergers★ figure parmi les tableaux les plus attachants de Di Pietro. En bas du retable (prédelle), deux chirurgiens amputent d'une jambe un homme noir (décédé) pour la greffer sur un patient blanc.

Salle **19**: **portes d'un reliquaire**★, par Sassetta (1445), où figurent différents personnages des ordres mendiants. Du même Sassetta, intéressante *Madone* d'une présence assez rare chez lui. Le *Couronnement de la Vierge*★, par Giorgio Martini (1470) montre clairement l'influence de la Renaissance florentine.

PREMIER ÉTAGE

➤ XVIᵉ S.: **BECCAFUMI ET SODOMA**. Cet étage permet surtout de découvrir les **œuvres**★★★ de **Domenico Beccafumi** (1486-1551), un élève pétri de talent de Sodoma. Son œuvre s'inscrit dans le «premier maniérisme» *(voir p. 264)*; il décentre ses sujets, déforme ses personnages, invente des lumières et joue d'une palette de couleurs provocantes. Bref, comme Pontormo ou Rosso Fiorentino, il crée un monde dont on commence aujourd'hui à redécouvrir la richesse. Il occupe les salles **27** à **30** et une partie de la salle **37**.

➤ *suite p. 266*

Le maniérisme toscan

*E*n France, le «maniérisme» est toujours assimilé au mièvre et à l'ampoulé. Or, au début du XVIᵉ s., les premiers «maniéristes», les Toscans Pontormo, Rosso Fiorentino et Beccafumi marquent au contraire une rupture éclatante avec leur époque. C'est cette peinture de visionnaires que, modestement, nous essayons de faire redécouvrir ici.

Les trois mousquetaires

À Florence, le porche d'entrée de l'église della SS. Annunziata *(p. 102)* confronte le dernier des grands classiques, Andrea del Sarto, à ses deux élèves, Pontormo et Rosso Fiorentino. Ces deux-là jettent ici, en tâtonnant, les bases d'un style d'une nouveauté radicale, qu'on appellera plus tard le maniérisme.

Nous sommes dans les années 1515. Le maître – Andrea del Sarto a 30 ans – est à peine plus âgé que ses apprentis – qui en ont tout juste 20. Avec le Siennois Domenico Beccafumi, ils sont à l'origine de cette «manière moderne» dont parle Vasari, qui rejette le «réalisme scientifique» qu'ont essayé d'imposer un siècle plus tôt Masaccio et Brunelleschi. Avec ses formes serpentines et ses couleurs vibrantes, leur aîné, Michel-Ange, a déjà déblayé le terrain. Leur cadet à tous, Bronzino, formé par Pontormo, marche sur leurs traces, mais dans un registre sombre et glacé.

Des «faussaires» de génie

Comme toujours, le sujet religieux et l'allégorie servent de creuset à ces iconoclastes. Les Byzantins maintenaient la représentation humaine hors du temps; la Renaissance l'incarne dans le monde réel; les maniéristes la projetteront dans un univers imaginaire. Alchimistes très savants

Portrait d'un jeune homme, par Pontormo, un des plus brillants maniéristes. Musée du palais Mansi, Lucques.

La reine étrusque Tanaquil traitée «à la manière» de Beccafumi, surgissant en pleine lumière des ténèbres de l'histoire. National Gallery, Londres.

de «fausse» lumière, de «fausse» perspective, de «faux» volumes et de «fausses» couleurs, ces «faussaires» de génie embarquent le spectateur-témoin sur leur étrange planète, incendiée de couleurs acides. Enfants de la Renaissance, ils font craquer le corset de la raison et inventent une réalité bizarre peuplée de personnages déformés, de contrastes violents et de passion. On les a accusés de s'acharner sur la forme; ils ont prouvé qu'elle n'était que le masque d'une autre vérité qui, renversant les tabous d'alors, nous parle toujours.

Un rayonnement européen

Le maniérisme ne se cantonna pas à la Toscane. Son regard sur l'art était trop neuf, il reflétait trop bien les inquiétudes et les révoltes du temps initiées par Calvin ou Luther pour que l'Europe, à son tour, ne soit sensible à son expression. Le Parmesan en Émilie, Jules Romain à Mantoue allaient le faire rayonner dans l'Italie du Nord. Le Greco le découvre à Rome et l'importe en Espagne. Le Primatice et Fiorentino lui-même, qui vient à Fontainebleau, le portent en France, cependant que Bartholomeus Spranger le développe avec beaucoup de talent à Prague. Après quoi, c'est vrai, le maniérisme bascule dans la préciosité gratuite et la grâce de guimauve. C'est trop souvent cette dégénérescence que l'on retient, peut-être à cause de ce nom, le maniérisme, qui, dans notre esprit, colle si bien avec le vain artifice.

Où voir les peintures ?

À la galerie des Offices de Florence *(p. 86)*. Le chef-d'œuvre de Rosso Fiorentino est à Volterra ; il vaut, à lui seul, le déplacement *(p. 155)*. Pontormo a peint des fresques extra-ordinaires dans l'église S. Felicità de Florence *(p. 116)* et à la chartreuse de Galluzzo, aux environs proches *(p. 131)*. Bronzino se découvre surtout au palazzo Vecchio de Florence *(p. 79)*. À Sienne, Beccafumi règne sur un étage de la pinacothèque *(p. 263)* et a peint le plafond d'une salle du Museo civico *(p. 248)*, mais l'un de ses chefs-d'œuvre est dans la petite église S. Niccolò al Carmine *(p. 266)*. ∎

Passage de la mer Rouge, par Bronzino. Palazzo Vecchio, Florence.

Madone à l'Enfant, par Domenico Beccafumi. Pinacothèque nationale, Sienne.

Dans la salle **27**, le *Triptyque de la Trinité** (v. 1513) offre déjà une bonne illustration de sa manière avec la lumière qui jaillit derrière Dieu le père, dont la robe rouge sert de toile de fond à la souffrance du Christ, qui s'en trouve amplifiée. Cette œuvre démontre aussi ses faiblesses, dans le traitement parfois mignard des personnages (ici, les anges). *Sainte Catherine recevant les stigmates*** (1515) porte encore plus loin le jeu des ombres et des lumières, constant chez les maniéristes. Ici, ce jeu crée une sorte de contre-perspective sur un mystérieux paysage noyé dans la brume. Les couleurs plutôt calmes de l'ensemble sont réveillées comme en sursaut par le vert acidulé du rideau tenu par les anges et la robe de Jérôme.

Dans la salle **29**, la *Nativité de la Vierge*** (1540) est construite selon une ligne de fuite à g. alors que les personnages se groupent à dr. Beccafumi fait ici une démonstration foudroyante de son génie. Ce tableau à contre-regard, comme on parle de contre-pied, oblige l'œil du spectateur à se faire complice d'une réalité artifi-

ciellement créée par la magie des couleurs et d'une lumière «inventée» de toutes pièces.

La salle **30** expose de nombreux **dessins**** qui servirent à l'exécution du pavement de l'hexagone, à la croisée du transept de la cathédrale. Racontant des scènes de la vie du prophète Élie, ils sont tout simplement superbes. Enfin, on verra, dans la salle **37**, la *Descente du Christ aux limbes* et *Saint Michel archange**** avec son extraordinaire chute des anges rebelles dans l'incandescence d'une lumière de feu.

Comparé à Beccafumi, **Sodoma**, son maître (1477-1549), paraît bien sage. Ce Lombard fixé à Sienne dès le début du XVIᵉ s. est resté fidèle à ses maîtres, Signorelli, Raphaël et Vinci, sans jamais atteindre leur génie. Il a enthousiasmé la critique du XIXᵉ s. et presque tiré des larmes à Paul Bourget… On le découvre surtout dans son *Cycle de saint Benoît*, au cloître de l'abbaye du Monte Oliveto Maggiore (*p. 272*). Mais ici, son *Christ à la colonne* (salle **31**), dont le torse était jugé digne de Michel-Ange, sa *Nativité* (salle **32**) et sa *Prière au jardin des Oliviers* (salle **37**) paraissent bien suaves… La *Déposition de la Croix** (1510) de la salle **32** est plus convaincante, sans toutefois jamais atteindre l'intensité de celle de Rosso Fiorentino à Volterra (*encadré p. 156*). Avant de quitter le musée, traverser le palier et jeter un œil à la très mignonne ♥ *Sainte Famille* du Pinturicchio (salle **23**).

Église San Niccolò al Carmine

➤ **A3** *Pian dei Mantellini.*

Elle possède un *Saint Michel terrassant le dragon*** de Beccafumi qui vaut le détour. Dieu le Père entouré d'anges règne en contre-jour dans un habit rouge. De la pénombre surgissent des lueurs incandescentes et un saint Michel en plein vol qui, tel un justicier, s'apprête à enfoncer son épée dans la gueule béante du monstre, en bas du tableau. L'ensemble, assez mal éclairé, est d'une rare puissance. ■

Le quartier de San Francesco et l'Osservanza*

Du quartier de la basilique S. Francesco, à un quart d'heure à pied au nord-est du Campo, vous pouvez gagner, par la porta Ovile, la basilique de l'Osservanza, superbement située à 3 km à l'extérieur des murs de Sienne. Une promenade agréable, le plus souvent sous le couvert des arbres, jalonnée de souvenirs de saint Bernardin, un franciscain qui eut une forte influence populaire et politique dans la première partie du XVe s.

➤ *Du Campo, prendre la via Banchi di Sopra jusqu'à la piazza Tolomei. Tourner à dr. vers S. Cristoforo et S. Maria di Provenzano. Compter 1h.*

Église Santa Maria di Provenzano

➤ **B1-2** *Piazza Provenzano Salvani.*

Achevée en 1594, cette vaste église d'où s'envole une haute coupole est tapissée d'ex-voto témoignant de la confiance des Siennois en la Madone de Provenzano Salvani, vainqueur de la célèbre bataille de Montaperti (1260) contre Florence (*encadré p. 270*). Cette *Madone* en terre cuite, placée derrière l'autel et encadrée de bronze, d'argent et d'or, serait un faux, puisque les experts affirment qu'elle n'est que du XVe s. Quoi qu'il en soit, elle est toujours l'objet d'une immense vénération.

Piazza San Francesco

➤ **B1** *Accès par la via dei Rossi.*

Cette vaste place austère, où se dressent la basilique S. Francesco et l'oratoire de S. Bernardino, était un des lieux favoris du moine franciscain **Bernardin** (1380-1444). Ses longs prêches qui insistaient sur le salut personnel de chacun y drainaient des foules énormes. On lui offrit l'évêché de Sienne qu'il refusa pour fonder le couvent franciscain de l'Osservanza.

L'**oratoire de S. Bernardino** qui lui est consacré (*ouv. mi-mars-oct. 10h30-13h30 et 15h-17h30. Entrée payante ☎ 0577.28.30.48. Non accessible aux handicapés*) est surtout intéressant pour son étage supérieur, dont le plafond et les boiseries sont décorés de motifs en papier mâché. Restauré, il abrite plusieurs tableaux de Beccafumi, dont le *Mariage mystique de la Vierge**.

Basilique San Francesco

➤ **B1** *Ouv. lun.-sam. 8h-12h et 15h-19h. Entrée gratuite ☎ 0577.28.90.81. Accessible aux handicapés.*

Cette grande église, bâtie à partir de 1326, modifiée au XVIIe s. et restaurée en façade au début du XXe s., est flanquée d'un cloître aux jolies colonnes, au milieu duquel s'élève un immense cèdre.

À l'intérieur, d'une ampleur impressionnante, ce sont surtout les fresques d'**Ambrogio et Pietro Lorenzetti** placées à g. du chœur qui retiennent l'attention. La ♥ *Crucifixion** (1331) est frappante par le tourbillon d'angelots autour du Christ. Dans l'*Obédience**, Louis de Toulouse, neveu de saint Louis, abandonne ses biens, se fait franciscain et se prosterne aux pieds du pape. Les ♥ **visages** des spectateurs forment une des galeries de portraits les plus intéressantes de l'époque. Même qualité d'expression dans le *Martyre des moines**, décapités sans doute par des Mongols, à Ceuta, au Maroc, englobée dans le monde des «Barbares».

Basilique de l'Osservanza

➤ **Hors pl. par B1** *En bus : les lignes 8 et 12 passent par la porta Ovile* **B1** *et desservent l'Osservanza.* **En taxi :** *depuis la piazza A. Gramsci* **A1**.

➤ *suite p. 270*

Huit siècles de Palio

Le Palio est une farouche course de chevaux qui a lieu à Sienne, lors des fêtes de la Vierge (2 juil. et 16 août). Se déroulant sur le Campo depuis trois cents ans seulement, cette tradition mondialement connue est toujours vécue comme une véritable guerre de clans : en quelques minutes se joue la gloire ou la défaite d'un des dix quartiers de la ville admis à participer.

La contrada, une famille élargie

Depuis l'origine, Sienne est organisée en *contrade*, ou quartiers. De 23, leur nombre est tombé à 17 depuis le XVIIᵉ s., constituant toujours de véritables États lilliputiens, avec des responsables élus pour deux ans. Chaque *contrada* possède son église, son musée, ses salles de réunions et encadre la vie quotidienne : associations, bals, excursions, réjouissances pour les naissances ou les mariages, entraide lors des décès et assistance financière. La *contrada* est un clan enraciné dans l'histoire des rivalités de Sienne,

auquel chacun s'identifie, quelle que soit son appartenance sociale ou politique. Encore aujourd'hui, on « naît » Dragon, Louve, Mouton ou Licorne et, toute l'année, l'on vit la préparation du Palio comme une affaire de famille. Il arrive que des couples issus de *contrade* ennemies se séparent quelques jours au moment de l'épreuve...

Un jeu d'alliances

Dix *contrade*, donc dix chevaux, participent chaque année à la course : sept par alternance, et trois tirées au sort. La course, trois tours autour du Campo, n'est que l'ultime dénouement de tractations aléatoires : les chevaux ne sont tirés au sort que trois jours avant l'épreuve, et les jockeys recrutés parmi des « mercenaires » étrangers à la région. Si l'on hérite d'un mauvais canasson ou que l'on engage un jockey corruptible (tous les coups sont possibles), les manigances sont rendues inutiles ; en fait, tout peut encore se jouer sur la ligne de départ, d'où l'extraordinaire tension qui règne jusqu'au dernier moment.

Le drapeau portant l'animal emblème de la *contrada* de l'Oie.

Le graphisme des affiches annonçant le Palio rappelle les origines médiévales de cette compétition, dont la première se déroula au XIIIᵉ s.

Deux fois l'an, les Siennois défilent dans les rues de la ville en costumes Renaissance, aux couleurs de leur *contrada* – ici, celle du *Chicciola*, l'Escargot.

Le dixième cavalier

Au jour fatidique, chaque *contrada* fait bénir son cheval dans son église, et à la cathédrale, par l'évêque. Puis, derrière la fanfare, le cortège en costume Renaissance s'ébranle vers le Campo bondé et la piste en tuf. Porte-bannières avec leurs étendards de soie, roulements de grosses caisses, sons déchirants des cuivres, hurlements du public : dans une ambiance électrique, les chevaux caracolent vers leur place. Le n° 10 fixe le départ à sa guise. S'il représente la Louve, dont les ennemis seraient l'Escargot, l'Oie, la Chenille et la Perdrix, il attend (cela peut durer une heure, parfois plus) que ses alliés coincent les chevaux rivaux pour s'élancer. Une fois partis, les jockeys, qui montent à cru et sont armés de nerfs de bœuf, frappent autant leur monture que leurs adversaires. En trois tours d'un combat d'une violence inouïe, l'espoir d'une année entière est anéanti ou exaucé. Après la remise du trophée, une bannière (*pallium* en latin), viennent les banquets de rues, où le cheval vainqueur occupe la place d'honneur. *Pour assister au Palio, voir encadré p. 282.* ∎

La course des chevaux sur le Campo de Sienne couronne les festivités du Palio, avec ce seul mot d'ordre : « *Va e ritorna vincitore !* »

La bataille de Montaperti (1260)

C'est encore une histoire de guelfes (Florentins) contre gibelins (Siennois). Après le gouvernement des Vingt-Quatre, mi-nobles, mi-roturiers, dont Provenzano Salvani était un éminent représentant, Sienne tombe en 1258 sous la domination de l'empereur germanique Frédéric II. Ses élites se convertissent à sa cause, espérant pour la ville d'importants avantages.

La rivalité avec Florence, fidèle au pape qui souhaite bouter l'empereur hors d'Italie, est exacerbée par les rodomontades et l'ambition des Florentins. Ils parlent purement et simplement de démanteler Sienne qui, à l'époque, est une des principales villes d'Occident. Vainqueurs, les Siennois voient s'ouvrir à eux la porte de la fortune. Il n'en sera malheureusement rien, puisqu'ils perdent leur charge auprès du Saint-Siège (voir p. 44). Commence alors une période très difficile pour la ville qui se conclut en 1269 par un désastre militaire sans appel contre Florence, à Colle di Val d'Elsa, où Provenzano Salvani, le héros de Montaperti, trouve la mort. ❖

À pied : la balade demande 45 mn. Compter env. 1 h pour la visite.

Sur sa vaste esplanade-belvédère d'où la ♥ **vue** sur Sienne et ses murailles est splendide, la basilique se voit de loin. Retiré ici, saint Bernardin entreprit en 1423 la construction d'un couvent, agrandi un demi-siècle plus tard par l'architecte-peintre-ingénieur Francesco di Giorgio Martini et par Giacomo Cozzarelli qui lui donnèrent l'imposante silhouette que nous connaissons.

Il fut presque entièrement reconstruit après le seul bombardement qui ait touché Sienne en 1944. Parmi les nombreuses œuvres d'art se détache

(2e chapelle de g.) un ***Couronnement de la Vierge**** en terre cuite, d'Andrea della Robbia *(encadré p. 168)*, à qui l'on doit aussi les statues placées de part et d'autre du chœur, ainsi que les **médaillons*** de terre vernissée qui ornent la voûte et la coupole, réalisés avec Cozzarelli.

La crypte est aussi vaste que l'église. Elle contient les tombeaux de Francesco di Giorgio Martini et de Giacomo Cozzarelli. Dans la sacristie, un beau **groupe polychrome** de Cozzarelli (1497) illustre la *Passion*. Derrière la sacristie, la cellule de Bernardin a été reconstruite près de la loggia ; autographes et reliques. ∎

Aux environs :
des Crete à Chiusi★★

Voilà la Toscane telle qu'on l'imagine, toute en rondeurs avec des bourgs perchés où le temps coule lentement. L'itinéraire que nous proposons est un complément naturel de la visite de Sienne, d'autant plus attachant qu'il est à l'écart des grands axes et permet de découvrir de vraies petites merveilles.

Les Crete siennoises★

➤ *Crete senese. Quitter Sienne par la S 73 en direction d'Arezzo et prendre à dr., peu après le pont du chemin de fer, la S 438, vers Taverne d'Arbia et Asciano.*

Avec ses mamelons chauves que crève l'argile, le paysage rêche des Crete a toujours inspiré les peintres siennois. Impression que rien ne change jamais : la glaise pâle, ravinée, sous un soleil pesant ; les moutons piqués sur de maigres herbages ; la procession de cyprès qui mènent à une ferme juchée sur une bosse. Ces terres austères, qu'un simple bouquet d'ifs humanise, s'étendent à l'infini dans un dépouille-

Programme

L'itinéraire proposé fait au total **environ 200 km**. Étant donné la densité de choses à voir, l'idéal est de le diviser en **deux ou trois journées** décontractées avec étape de nuit, par exemple à Montalcino, Montepulciano ou Chiusi. Si vous disposez de peu de temps, privilégiez l'abbaye du Monte Oliveto Maggiore, Montalcino, Pienza, Montepulciano et Chiusi. ❖

ment adouci par la rondeur des lignes. Loin du décor chaleureux du Chianti, cette Toscane-là a de la grandeur, de la rudesse jusque dans sa chaleur d'étuve en été et son froid mordant en hiver. Même en plein mois d'août, on y est solitaire.

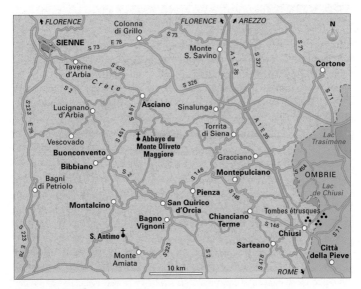

LES ENVIRONS DE SIENNE

Asciano

➤ *25 km S-E de Sienne, sur la S 438.*
Marché *le sam. (via Amendola).* **Restaurant** *p. 278.*

Au cœur d'un désert de roches et de monts calcinés où serpente l'Ombrone, Asciano apparaît comme un refuge figé dans le temps médiéval où Florence et Sienne se l'arrachaient. Sur la place centrale de ce bourg calme, la sobre **église romane S. Agata**, en travertin, égrène le temps (bel intérieur très sobre).

➤ **Museo d'Arte sacra*** *(maison Corboli, sur le Corso).* Cette belle demeure médiévale entièrement réaménagée accueille les trouvailles étrusques d'une nécropole proche du bourg, Poggio Pinci, ainsi que l'intéressante collection de tableaux de l'ancien musée, représentative de la peinture gothique et narrative siennoise. Ambrogio Lorenzetti y a peint sur les murs ses quatre superbes figures des *Saisons**. À remarquer aussi, la ♥ *Nativité* très familière du Maître de l'Osservanza; la tendre *Vierge à l'Enfant* de Matteo di Giovanni; l'*Assomption* et son escouade d'anges musiciens, de Giovanni di Paolo, et deux Madones, l'une de Lippo Memmi et l'autre, byzantine, de Duccio.

Au sortir d'Asciano, prenez la S 451 en direction de l'Abbazia di Monte Oliveto Maggiore (9 km) et de Buonconvento (18 km). À l'approche de l'abbaye, le paysage raviné, squelettique, de terres grattées jusqu'à l'os, frappe d'autant plus que le site du sanctuaire, lui, est très apaisant.

Abbaye du Monte Oliveto Maggiore*

➤ *9 km S-E d'Asciano, sur la S 451. Ouv. 9h 15-12h et 15h 15-17h 45 (17h en hiver). Entrée gratuite* ☎ *0577. 70.76.11, < www.ftbcc.it/monteoliveto>. À g. de la porte fortifiée de l'entrée, café-restaurant correct (ouv. le midi, f. mar.), terrasse très agréable au milieu des fleurs, sous les grands arbres.*

Après une rude montée, une porte fortifiée s'ouvre sur un chemin piéton qui serpente sous les oliviers et les cyprès vers le couvent en brique rose construit du XVᵉ au XVIIᵉ s., blotti dans un vallon fleuri. Maison-mère des olivétains, très proches de la règle bénédictine, il n'a plus rien à voir avec le modeste monastère fondé en 1313 par Bernard Tolo-

Les paysages de glaise et d'argile des Crete siennoises se découvrent surtout au nord d'Asciano, par la petite route proche de la vallée de l'Ombrone.

mei, originaire d'une riche famille de Sienne, et deux de ses amis. Voir surtout le **grand cloître** décoré de **fresques**** racontant la vie du fondateur des bénédictins, saint Benoît (480-547). **Luca Signorelli** y travailla plusieurs mois en 1497. Il peignit dans le désordre, mais avec force et talent, les neuf scènes qui l'inspiraient… et s'en alla. Huit ans plus tard (1505-1508), **Sodoma** continuera l'ouvrage sur les trois murs demeurés vierges, décrivant la vie du saint dans l'ordre chronologique, avec force anecdotes souvent savoureuses. L'ensemble (Signorelli et Sodoma) est très séduisant et compose un des plus grands ensembles de peinture à fresque de Toscane.

➤ **ÉGLISE.** Le couloir qui y mène est décoré de belles fresques de Giovanni di Paolo représentant les Pères dans le désert. Dans l'église au décor baroque, de superbes **stalles marquetées**** (1503), dues à Fra Giovanni da Verona, offrent des effets de perspective et des paysages imaginaires. Remarquez le *Paysage aux oiseaux**, la *Cité idéale** et l'admirable ♥ *Chat** (panneau bas du lutrin).

Buonconvento

➤ *9 km de l'abbaye, au carrefour des S 451 et 2.* **Marché le sam.** *(piazza Gramsci).* **Hôtel-restaurant** *p. 278.*

Buonconvento garde une belle porte monumentale et son palais communal dont la façade est ornée des armoiries d'anciens podestats. Non loin de l'église, l'intéressant **musée d'Art sacré du Val d'Arbia** *(via Soccini, 18. Ouv. en été 10h30-13h et 15h-19h; en hiver 10h-13h et 15h-17h. F. lun. Entrée payante. Non accessible aux handicapés)* expose des œuvres de l'école de Sienne provenant d'églises et de cures des environs, notamment des tableaux de Sano di Pietro et de Matteo di Giovanni, ainsi que des sculptures en bois et en marbre. La truffe blanche des Crete, le vin blanc et le vino santo (liquoreux) sont des spécialités locales.

À environ 3 km à l'ouest, une petite route mène au **castello di Bibbiano**, petite forteresse médiévale du XIVe s.

Montalcino*

➤ *21 km de Buonconvento. Suivre la S 2 puis la petite route vers Montalcino.* **Marché le ven.** **Informations pratiques** *p. 278.*

Des années de résistance à Charles Quint et de fidélité à Sienne valent au drapeau de Montalcino de figurer en place d'honneur à l'occasion du Palio de Sienne. L'impressionnante forteresse *(ouv. à la visite; œnothèque)* surplombe le bourg en pente raide, qu'abrite une couronne de murailles posée de guingois au sommet de la colline. Au centre, l'ambiance de la petite ♥ **piazza del Popolo** échappe au temps. Le beffroi tinte les heures d'un timbre cassé. À la terrasse du bar-café Fiaschetteria, les promeneurs du soir se régalent de cochonnailles et de brunello.

➤ **MUSEO CIVICO, DIOCESANO E D'ARTE SACRA*** *(via Ricasoli, 31. Ouv. avr.-déc. 10h-18h; janv.-mars 10h-15h. F. lun. Entrée payante ☎ 0577.84.60.14. Non accessible aux handicapés).* Il est installé dans le couvent restauré S. Agostino. Pièces religieuses de qualité provenant de la région – dont le beau *Christ** polychrome de l'abbaye voisine de S. Antimo. Parmi les œuvres de Sano di Pietro, Giovanni di Paolo, Lorenzo di Pietro (dit le Vieux) ou Giovanni di Lorenzo, on remarquera les céramiques d'Andrea della Robbia, une *Madone avec l'Enfant* de Simone Martini et **Saint Pierre et saint Paul*** d'Ambrogio Lorenzetti. Intéressante collection de 52 majoliques à figures géométriques et animales.

➤ **AUX ENVIRONS: ABBAYE DE SANT'ANTIMO**** *(à 10 km env. vers Castelnuovo dell'Abate ☎ 0577.83.56.59, < www.antimo.it >. Ouv. 10h30-12h30 et 15h-18h30, dim. et j.f. 9h-10h30 et 15h-18h).* Au départ de la forteresse, une petite route mène à cette abbaye, jadis une des plus importantes de Toscane. Il n'en reste, au creux d'un vallon, que la puissante église d'un roman très pur (XIIe s.) sur le modèle français cistercien. Les vestiges des bâtiments monastiques encore debout sont inclus dans une ferme. L'intérieur

Le brunello : un grand vin italien

Le brunello fut « inventé » en 1888 par Ferruccio Biondi Santi, dont la famille cultive depuis quatre générations une quinzaine d'hectares sur la commune de Montalcino. L'appellation s'est étendue à plusieurs producteurs du site et se limite à 1 500 ha.

Au contraire du chianti qui se boit jeune, ce vin, fait uniquement à partir du cépage sangiovese grosso, exige un long vieillissement : quatre ans en tonneaux de chêne et au moins deux ou trois ans en bouteille. Les spécialistes l'estiment excellent au bout de vingt ans et parfait au bout de cinquante… Les vignes doivent avoir au moins trois ans pour donner droit à l'appellation. Le brunello millésimé est produit, en général, à partir de ceps qui ont entre 10 et 20 ans ; l'éclaircissage fait en juillet sacrifie entre 30 et 50 % des grappes.

Vin de garde exceptionnel d'une qualité comparable aux grands crus français, le brunello est cher ; il fut le premier après la réforme de 1967, inspirée des méthodes de production et de classements français, à bénéficier de l'appellation la plus élevée (DOCG, dénomination d'origine contrôlée et garantie). On peut s'en procurer à Montalcino même. Le vignoble de Montalcino produit du brunello, mais aussi du « rouge de Montalcino » à partir des jeunes ceps : d'un prix plus abordable, il est fort agréable et ne doit pas trop vieillir. ❖

de l'abbatiale, très élancée et parfaitement sobre, offre des volumes de toute beauté. Les murs en travertin et les chapiteaux d'albâtre prennent une légèreté extraordinaire sous l'effet de la lumière. Parmi les chapiteaux, notez *Daniel dans la fosse aux lions**, dont les bras écartés semblent dompter les fauves (2e pilier à dr.). Sur le côté dr., très belle *Vierge à l'Enfant** en bois peint. Un escalier descend dans la toute petite crypte à trois nefs du IXe s. La sacristie, elle, est un ancien oratoire que Spinello Aretino (1346-1410) décora de fresques sur saint Benoît.

San Quirico d'Orcia*

➤ *14 km E de Montalcino, sur la S 2. Marché les 2e et 4e mar. du mois. Festa del Barbarossa le 3e dim. de juin.*

À l'entrée du bourg, ♥ **S. Maria Assunta**, église romane très simple, dont un portail est orné de curieux monstres. À côté, remarquable **puits** du XVIe s. La rue principale, calme et agréable, juxtapose de belles demeures gothiques ou Renaissance près d'un grand **jardin** aux parterres de buis. À l'autre bout du village, la modeste **collégiale*** est un petit chef-d'œuvre roman. Bâti en travertin doré le soir par le soleil, son portail est une rareté dans la région. Encadré de fines colonnettes nouées reposant sur des lions, il met en scène deux crocodiles (ou deux dragons-serpents) qui s'affrontent sous des sirènes. Sur le côté, l'autre porte (1288), dont les fines caryatides reposent sur des lions majestueux, est attribuée au grand Giovanni Pisano.

➤ **Aux environs : Bagno Vignoni**** *(7 km S).* Nous recommandons vivement le détour jusqu'à ce hameau, qui se résume à quelques maisons autour d'un vaste et très beau bassin d'eau chauffée dans l'écorce terrestre (52 °C), et dont le trop-plein s'épanche en **ruisseaux-baignoires** dans le sous-bois alentour. Les Romains y soignaient l'arthrite. Catherine de Sienne espéra y guérir et Pie II Piccolomini y possédait un palais. Ce bassin fume en permanence, surtout l'automne et en hiver. La nuit, sous la lumière parcimonieuse des réverbères, la vapeur habille le village d'un décor fantomatique envoûtant. Le site frappa tellement le cinéaste russe Andreï Tarkowski qu'il y tourna des scènes de son film *Nostalghia*.

Pienza*

➤ *10 km N-E de San Quirico d'Orcia, sur la S 146.* **Marché** *le ven.*

Enea Silvio Piccolomini naquit ici en 1405. Le village s'appelait alors Corsignano. Élu pape en 1458, cet humaniste qui admirait la Renaissance florentine et jouissait d'une belle fortune fit raser les maisons et construire par Bernardo Rossellino (architecte du palais Rucellai de Florence, *p. 114*) une sorte de cité idéale à son nom: Pienza. L'église, elle, ne devait être décorée que par des artistes siennois: Giovanni di Paolo (bas-côté dr.), Matteo di Giovanni (transept dr. et bas-côté g.), Vecchietta (à g. de l'autel central) et Sano di Pietro (transept g.). Il est mort trop tôt pour achever son œuvre, qui se résume à la théâtrale **piazza Pio II**** et à ses abords. On visite son **palais** et ses jardins suspendus *(ouv. 10h-12h30 et 15h-18h. F. lun., 15 nov.-15 déc.* ☎ *0578.74.85.03)* ainsi que, de l'autre côté de la place, le **musée de la Cathédrale** *(corso Rossellino, 30. Ouv. avr.- oct. 10h-13h et 15h-18h30, f. le mar.; le reste de l'année, uniquement les sam., dim. et j.f. 10h-13h et 15h-18h* ☎ *0578.74.99.05. Non accessible aux handicapés)* qui expose une ♥ *Vie de Jésus* en 40 épisodes. À g. de l'église, le **palais épiscopal** fut offert par Pie II à Rodrigo Borgia (pape Alexandre VI) qui, encore cardinal, vivait en ménage à Rome et eut quatre enfants…

Passant derrière l'église, ne manquez pas la promenade sur les ♥ **remparts**. À 1 km de la porta al Ciglio se dresse une église romane flanquée d'une tour, ♥ **Pieve de S. Vito**, où Enea Piccolomini fut baptisé.

♥ Montepulciano*

➤ *13 km N-E de Pienza, sur la S 146.* **Marché** *le jeu. Parking porta al Prato en haut de la cité.* **Informations pratiques** *p. 279.*

Du haut de ses 600 m, ce bourg très pittoresque, entouré de remparts, dévale une étroite crête de colline, dominant, d'un côté, une paisible vallée et, de l'autre, la houle des monts de Toscane. Ange Politien, poète humaniste et précepteur de Laurent le Magnifique, est natif d'ici, tout comme le cardinal Bellarmin, célèbre théologien jésuite défenseur de l'orthodoxie de l'Église contre Galilée. Il attira élites et artistes, d'où l'impressionnante série de **palais*** et d'églises des XVe et XVIe s. Au centre, le palais à arcades Nobili-Tarugi jouxte la superbe **piazza Grande***, ornée d'un puits. L'imposante cathédrale, elle, abrite le *Triptyque de l'Assomption** de Taddeo di Bartolo. Les amateurs du vino nobile de Montepulciano visiteront la cave de vente située sous le palais Contucci, sur la piazza Grande.

En contrebas, un long chemin droit bordé d'arbres descend à la solitaire et monumentale **église S. Biagio****, bâtie à l'écart de la cité, dans un style Renaissance classique, entre 1519 et 1529, par un des meilleurs architectes de l'époque, Antonio da Sangallo l'Ancien.

L'église San Biagio, à Montepulciano.

Le pape en personne vint inaugurer ce bijou grandiose en forme de croix grecque dont le volume intérieur, très dépouillé, atteint la perfection.

Chianciano Terme

➤ *10 km S-E de Montepulciano, sur la S 146. **Marché** le mer.*

À l'écart de l'agréable station thermale ombragée de beaux parcs, la vieille ville domine le Val di Chiana et conserve son caractère médiéval. Le **Museo archeologico delle Acque** *(viale Dante, 30. Ouv. 9h30-13h et 16h-19h30. F. lun. Entrée payante ☎ 0578.30.471)* est très bien présenté.

➤ **AUX ENVIRONS: SARTEANO** *(12 km au S-E par la S 146 et la très jolie S 478).* Les palais et le château des XIᵉ-XVᵉ s. de ce bourg médiéval méritent un détour, d'autant que l'église S. Martino possède une rare ***Annonciation*** de Beccafumi. La région, truffée de sources thermales (plusieurs bassins à Sarteano même), est absolument superbe.

Chiusi et ses environs*

➤ *14 km E de Chianciano, sur la S 146. **En bus** ou **en train**: au départ d'Arezzo. **Informations pratiques** p. 278.*

La promenade dans cette gentille petite cité ombragée et assez plate est agréable, sans pour autant offrir de monuments vraiment spectaculaires. On en fait assez rapidement le tour, admirant au passage le joli cloître et la façade rose de S. Francesco, la «fontaine du lait» de l'hôtel des Loges (destinée aux pauvres), les petites maisons à escaliers du quartier médiéval et le charme du jardin public I Forti. Mais Chiusi est surtout intéressante pour ses musées, souterrains, catacombes et tombes étrusques qui parsèment une merveilleuse campagne vallonnée.

➤ **MUSEO ARCHEOLOGICO*** *(via Porsenna. Ouv. t.l.j. 9h-19h30. Entrée payante ☎ 0578.20.177. Accessible aux handicapés).* Ce musée très riche en **art étrusque** est en grande partie consacré au développement artistique local: vases en céramique, sculptures (belle

jeune fille aux nattes, VIᵉ s. av. J.-C.), objets en bronze (miroirs, bassins), statuettes votives, tirelires fort semblables aux nôtres, urnes en albâtre et surtout «canopes», ces vases cinéraires anthropomorphes typiques de Chiusi. Parmi d'autres, on remarquera particulièrement ce couvercle très émouvant d'une urne funéraire (VIIIᵉ s. av. J.-C.) où un homme et une femme s'étreignent, peut-être lors d'une scène d'adieu, avant la mort?

Une maquette reconstitue la **tomba della Pellegrina** («de la Pèlerine», *ouv. 9h-19h30*), découverte en 1928: un long couloir souterrain *(dromos)* bordé de plusieurs petites salles mène à une grande chambre rectangulaire où se trouvent des urnes et des sarcophages.

➤ **MUSÉE DE LA CATHÉDRALE** *(ouv. juin-mi-oct. t.l.j. 9h30-12h45 et 16h-19h; mi-oct.-mai t.l.j. 9h30-12h45, dim. et fêtes 16h30-19h ☎ 0578.22.64.90).* Divisé en quatre sections, ce musée présente des fragments de sculptures, des **coffrets*** porte-reliques en bois et en ivoire, une collection de 22 **codex enluminés*** et des peintures provenant d'églises de la région.

➤ **LABYRINTHE DE PORSENNA*** *(ouv. 10h-12h30 ☎ 0578.22.64.90).* La visite, très intéressante, débute par le jardin épiscopal, derrière le musée de la Cathédrale, et gagne la citerne romaine et le beffroi médiéval (vue) par un réseau souterrain appelé le labyrinthe de Porsenna *(encadré ci-contre).* Ces galeries souterraines superposées creusées dans le tuf vers le VIᵉ s. av. J.-C. constituaient en fait un système de drainage fort intelligent relié à de nombreux puits. La **citerne*** voûtée et pavée ne fut creusée qu'au Iᵉʳ s. av. J.-C. Alimentée par les eaux de pluie, elle est reliée au **beffroi*** par un escalier.

➤ **CATACOMBES DE SANTA MUSTIOLA*** **ET DE SANTA CATERINA*** *(visites guidées à 11h et 16h ☎ 0578.22.64.90).* Évangélisée dès le IIIᵉ s., avant que Rome ne se convertisse au christianisme, Chiusi est la seule ville de Toscane à posséder

Porsenna, le roi étrusque de Chiusi

Un réfugié de Corinthe, établi à Tarquinia au VIIe s. av. J.-C., parvint par traîtrise à devenir le premier roi étrusque de Rome, sous le nom de Tarquin l'Ancien. Mais l'un de ses successeurs, Tarquin le Superbe, parvenu au pouvoir par la violence, fut chassé par la révolte des Romains en 509 av. J.-C., et la République fut proclamée.

C'est ici qu'intervient le roi de Chiusi, Porsenna, également chef de la ligue des 12 cités étrusques. Il assiégea Rome et sans doute finit par la conquérir pour quelque temps malgré les exploits des défenseurs qui signèrent une des pages glorieuses de la saga romaine. Acclamé comme un vainqueur à Chiusi et quasiment déifié, Porsenna y aurait été enterré sous un gigantesque mausolée dont on n'a toujours pas retrouvé de traces certaines. Sur la foi de témoignages, Pline nous en a pourtant laissé une description assez précise.

Cinq hautes pyramides reposaient sur un vaste rectangle maçonné de 90 m de large, ce rectangle étant lui-même bâti sur un réseau très complexe de souterrains. La légende accrédite l'idée que le réseau en question court sous le centre actuel de Chiusi. C'est le labyrinthe de Porsenna que l'on visite aujourd'hui. ❖

des catacombes, utilisées jusqu'à la fin du Ve s. On accède à celles de **S. Mustiola**★ (du nom de la patronne de Chiusi, martyrisée en 274) par une belle volée de marches bordées de cyprès *(1 km E)*. Le cimetière est creusé dans le tuf à une vingtaine de mètres de profondeur et forme un réseau de galeries d'environ 200 m reliées aux différentes salles tombales. Plusieurs inscriptions gravées subsistent, indiquant ici ou là la présence d'un enfant de 4 ans, d'évêques ou d'un pèlerin anonyme. Les catacombes de **S. Caterina**★ *(2 km S)*, vierge et martyre d'Alexandrie, elles aussi fort impressionnantes, sont voûtées de terre cuite ; deux très belles colonnes corinthiennes encadrent un autel dans le vestibule d'entrée.

➤ **TOMBES ÉTRUSQUES**★. Les environs immédiats de Chiusi, en direction du lac, révèlent plusieurs tombes étrusques ouvertes au public à certaines heures, dont deux conservent des peintures murales représentant chacune des danses funèbres : tomba del Colle *(fermée)* et surtout **tomba della Scimma**★ (tombe du Singe) où une frise bien conservée représente des jeux organi-sés en l'honneur du défunt *(ouv. mar., jeu. et sam. à 11 h et 16 h. 24 pers. maximum. Rés. ☎ 0578.20.177)*.

➤ **LAC DE CHIUSI**★. À quelques kilomètres seulement de Chiusi, ce vaste lac entouré de prairies et de bois offre des sites très reposants. À la belle saison, on peut y louer des bateaux et déguster dehors du poisson grillé. On y rencontre toujours des pêcheurs amateurs de perches.

➤ **CITTÀ DELLA PIEVE**★ *(à 8 km S-E, en Ombrie, par la S 71)* est une jolie petite cité en briques roses où naquit le **Pérugin** (v. 1448-1523). La cathédrale S. Maria dei Bianchi et l'église S. Maria dei Servi conservent des œuvres intéressantes de l'artiste.

De Chiusi, on peut « remonter » au nord vers Cortone (30 km) en frôlant le lac Trasimène, en Ombrie, et vers Arezzo. On peut aussi, vers le sud-ouest, pousser jusqu'au **monte Amiata**, sommet de la Toscane à 1738 m, et la belle abbaye S. Salvatore. Ou encore regagner Sienne par le chemin rapide de l'autoroute (direction Florence) et de la S 326 qui sinue entre Crete et Chianti. ■

La via della Galluzza, avec sa forte pente et ses maisons médiévales, est caractéristique des ruelles de Sienne.

➤ **Carte** *p. 271.*

■ Asciano

➤ *Visite p. 272.*

ⓘ **Office de tourisme**, corso Matteotti, 18 ☎ 0577.71.95.10, < biancane@inwind.it >.

Restaurant

♦ **La Mencia**, corso Matteotti, 85 ☎ 0577.71.82.27. *F. lun.* Pour déguster pâtes ou charcuterie dans le jardin fleuri. Très reposant et familial.

■ Buonconvento

➤ *Visite p. 273.*

Hôtel-restaurant

▲▲ **Percenna**, à Percenna, 3-4 km N-E ☎ 0577.80.90.00, fax 0577.80.99.00, < www.percenna.com >. Cette vieille maison avec une grande terrasse sous parasols fait tout, et le fait bien : quelques chambres ; ♦♦ **restaurant** régional ; pizzas. Un petit endroit épatant et bon marché.

■ Chiusi

➤ *Visite p. 276.*

ⓘ **Office de tourisme**, via Porsenna (à deux pas du Duomo) ☎/fax 0578.22.76.67, < prolocochiusi@tiscalinet.it >. *Ouv. 9 h 30-12 h 30 et 15 h-17 h ; dim. et fêtes 9 h 30-12 h 30.*

➤ **MARCHÉ** le mar.

Hôtel

▲▲▲ **La Fattoria**, Le Paccianese, 48.3 km N env. ☎ 0578.21.407, fax 0578.20.644, < info@lafattoria.it >. *F. 15 janv.-15 fév. Réserver.* Belle maison en surplomb du lac de Chiusi. *8 ch.,* dont certaines pour 3 ou 4 pers. Bon ♦♦♦ **restaurant** de poisson ; service en été sur la terrasse panoramique. Demi-pension intéressante. Un **camping** bien ombragé et très familial est aménagé dans le parc.

Restaurants

♦♦ **Osteria la Solita Zuppa**, via Porsenna, 21 ☎/fax 0578.21.006, < rl@lasolitazuppa.it >. *F. mar. et 7 janv.-9 mars.* En plein centre. Bonne petite maison d'habitués. *Réserver.*

♦ **Pesce d'Oro**, via Sbarchino ☎ 0578.21.403. *F. mar. et 15 fév.-15 mars.* Un bar-restaurant tout simple au bord du lac qui sert (en saison) de bons poissons grillés. On mange dehors ; très reposant.

■ Montalcino

➤ *Visite p. 273.*

ⓘ **Office de tourisme**, costa del Municipio, 8 ☎/fax 0577.84.93.31, < www.prolocomontalcino.it >.

Hôtels

▲▲▲▲ **Agriturismo Piombaia** ☎ 0577.84.71.97, fax 0577.84.65.40, < agriturismo@piombaia.com >. *7 ch.* Dans une très belle ferme aux environs. Cadre luxueux ; piscine, magnifique campagne.

▲▲▲ **Bellaria**, via Osticcio, 19. À 1,5 km S, sur la route de Grosseto ☎ 0577.84.93.26 et 0577.84.86.68, fax 0577.84.60.12, < hotelbellaria@tin.

it >. *25 ch.* Situation très calme et panoramique. Piscine. Très bon rapport qualité/prix.

▲▲ **Il Giglio**, via Soccorso Saloni, 5 ☎/fax 0577.84.81.67, < hotelgiglio @tin.it >. *F. janv. 12 ch.* Plusieurs chambres ont une belle vue sur la campagne. Petit hôtel villageois sympathique et à prix doux. Le ♦♦♦ **restaurant**, très prisé, est moins bon marché *(f. le midi et mar.).*

Dégustation et achat de vin

Fiaschetteria, piazza del Popolo, 6 ☎ 0577.84.90.43. *F. jeu. en hiver.* Ce n'est pas vraiment un restaurant, mais y déguster, en terrasse vers 20 h, une assiette de charcuterie accompagnée de brunello ou de «rouge de Montalcino» est un régal et un moment de bonheur. La place en pente est toute petite, fermée sur elle-même et très intime.

Enoteca la Fortezza, piazzale Fortezza. Dégustation et achat de brunello.

Manifestation

➤ **SAGRA DEL TORDO. Dernier dim. d'oct.** Compétitions d'archers.

■ Montepulciano

➤ *Visite p. 275.*

❶ **Office de tourisme**, via Gracciano del Corso, 59/a ☎/fax 0578.75.73.41, < www.comune.montepulciano.si.it >.

Hôtels

▲▲▲ **Il Marzocco**, piazza Savonarola, 18 ☎ 0578.75.72.62, fax 0578. 75.75.30, < info@albergoilmarzocco. it >. *16 ch. F. fév.* À l'intérieur des murs, avec terrasse panoramique. Confort simple, mais suffisant

▲▲▲ **Il Riccio**, via Talosa, 21 ☎/fax 0578.75.77.13, < info@ilriccio.net >. *F. 15-30 janv.* Charmant petit palais du XVe s., en plein centre. *5 ch.* bien meublées. Jolie terrasse. Pas de restaurant.

▲▲▲ **La Terrazza**, via Pie al Sasso, 16 ☎/fax 0578.75.74.40, < albergoterrazza@libero.it >. *14 ch. doubles* dans une maison ancienne.

Restaurant

♦ **Evoe**, via dell'Opio nel Corso, 30 ☎/fax 0578.75.87.57. Un peu plus bas que la piazza Grande. Pizzas cuites au bois, cochonnailles régionales, quelques plats bien classiques, sous la voûte d'un petit restaurant d'habitués.

Manifestations

➤ **EN AOÛT.** Au début du mois : **Cantiere internazionale d'arte** (théâtre, concerts, ballets). Le 16 : **festival d'opéra populaire.** Avant-dernier sam. du mois : **fête du Vino nobile.** Dernier dim. du mois : **bravo delle Botti.**

■ Sienne

➤ **Plan** *p. 249.* **Visite** *p. 247.*

❶ **Office de tourisme**, piazza del Campo, 56 **B2** ☎ 0577.28.05.51, fax 0577.27.06.76, < www.terresiena.it >, < aptsiena@siena.turismo.toscana.it >. *Ouv. lun.-sam. 8 h 30-19 h 30; dim. et j.f. 9 h-15 h.*

Hébergement

Les hôtels de Sienne sont chers et souvent pleins. Il est vivement recommandé de réserver.

➤ **RÉSERVATIONS HÔTELIÈRES. Siena Hotels Promotion**, piazza S. Domenico **A2** ☎ 0577.28.80.84, fax 0577. 28.02.90, < www.hotelsiena.com >. *Ouv. en été 9 h-20 h; en hiver 9 h-19 h. F. dim. et fêtes.* **Vacanze Senesi**, via Fontanella, 4 (parking du Campo) **B3** ☎ 0577.45.900, fax 0577.28.31.45, < www.vacanzesenesi.it >. *Ouv. 9 h-13 h et 15 h-19 h, f. sam. après-midi et dim.*

▲▲▲▲ **Jolly Hotel Excelsior**, piazza La Lizza **A1** ☎ 0577.28.84.48, fax 0577. 412.72, < www.jollyhotels.it >. *126 ch.* Très bon établissement (comme tous ceux de la chaîne); excellent confort.

▲▲▲▲ **Sangallo Park**, strada di Vico Alto, 2 **hors pl. par A1** ☎ 0577.33. 41.49, fax 0577.33.33.06, < www.sangalloparkhotel.it >. *50 ch.* Hôtel de standing. Piscine extérieure.

▲▲▲ **Cannon d'Oro**, via dei Montanini, 28 **A1** ☎ 0577.44.321, fax 0577. 28.08.68, < cannondoro@libero.it >.

Saveurs et fêtes de la terre siennoise

Gibier, fromages, vins, huile, truffes, charcuterie : du Chianti à Chiusi, la « terre siennoise » est riche de produits qui, aromatisés à l'ail, à l'estragon, à la menthe ou au basilic, figurent parmi les meilleurs d'Italie. C'est dire la qualité de la table, même dans les gargotes de villages qui vous offrent, avec un pain sans sel, de délicieux artichauts et des truffes blanches des Crete (Asciano), des escargots en ragoût (San Quirico d'Orcia), d'exquises cochonnailles (Montalcino), du *pecorino* – fromage de chèvre – piquant (Pienza), de la *porchetta* (cochon de lait rôti, Montepulciano)... Sans parler du miel du Val d'Orcia ou de Montalcino, des liqueurs et... du vin dont la réputation n'est plus à faire : chianti classico, brunello de Montalcino, vino nobile de Montepulciano, pour ne citer que les plus fameux. Plusieurs **fêtes villageoises** traditionnelles accompagnent cet art de bien vivre et offrent l'occasion de ripailles. Ainsi de la Foire à la grenouille (1er dim. de juin) à Asciano ; de la Foire du miel (1er w.-e. de sept.) ou de celle de la grive (dernier dim. d'oct.) à Montalcino ; des foires gastronomiques du Val d'Arbia (dernière semaine de sept.) à Buonconvento ; de la Fête de l'huile (mi-déc.) à San Quirico d'Orcia et de quelques autres dans la Toscane profonde... ❖

---

30 ch. dans un ancien palais. Manque un peu de personnalité, mais bien situé et prix abordables.

▲▲▲ **Chiusarelli**, viale Curtatone, 15 **A1-2**, à deux pas de S. Domenico ☎ 0577.28.05.62, fax 0577.27.11.77, < www.chiusarelli.com >. *50 ch.* dans une grande villa. Intérieur rénové. Parking ; restaurant. Bonne adresse.

▲▲▲ **Mini Residence il Casato** ♥. Deux entrées : via Casato di Sopra, 33 et via G. Dupré, 126 **B3** ☎ 0577.23.60.01, fax 0577.22.69.97. *13 ch.* Un palais du XIVe s. aux plafonds gothiques décorés de fresques, entièrement rénové : un de ces petits hôtels de charme qui plaisent immédiatement. Une adresse qu'il faudrait chuchoter...

▲▲▲ **Pensione Lea**, viale XXIV Maggio, 10 **hors pl. par A2** ☎/fax 0577. 28.32.07, < hotellea@libero.it >. *10 ch.* Ambiance familiale dans une charmante villa début XIXe s. Bon rapport qualité/prix.

▲▲ **Alma Domus Casa del Pellegrino**, via Camporegio, 37 **A2** ☎ 0577.44.177, fax 0577.47.601. *27 ch.* Près de S. Domenico. Cet hôtel confortable et moderne tenu par des religieuses n'est plus réservé aux pèlerins, mais la porte est bouclée après 23 h.

▲▲ **Piccolo Hotel Etruria**, via delle Donzelle, 3 **B2** ☎ 0577.28.80.88, fax 0577.28.84.61, < etruria@tin.it >. *13 ch.* En plein centre, modernisé et propre. Bon rapport qualité/prix.

➤ **AUBERGE DE JEUNESSE. Ostello della Gioventù Guidoriccio**, via Fiorentina, 89 **hors pl. par A1** ☎ 0577.52.212, fax 055.80.50.104. À 1 km env. de la gare. Bus à partir de la gare : n° 10 ou 3 (le dim.) ; bus à partir du centre-ville : n° 10 ou 15. *F. à 23 h 30 en hiver et à 1 h en été.* Auberge très bien tenue.

➤ **CAMPINGS. Colleverde**, strada di Scacciapensieri, 47 **hors pl. par A1** ☎ 0577.28.00.44, fax 0577.33.32.98. *Ouv. 21 mars-10 nov.* À 3 km au N. Bus n° 8 et 12 de la piazza del Sale **A1**. Un beau site, mais beaucoup de monde en été. Piscine. Sanitaires très propres. Prix assez élevés. **Luxor** ☎/fax 0577.74.30.47, < www.luxorcamping. com >. *Ouv. juin-fin sept.* À Trasqua, sur la commune de Castellina in Chianti : une quinzaine de kilomètres au N de Sienne par la S 2 ; sortie Monteriggioni. Bien ombragé dans la forêt. Piscine. Agréable. **Le Soline** ☎ 0577. 81.74.10, fax 0577.81.74.15, < camping@lesoline.it >. À Casafranci-Casciano di Murlo : env. 20 km S de Sienne, par la S 223 vers Grosseto et à g. vers Casciano. Joli site ; piscine.

Restaurants

Attention, les restaurants et *trattorie* de Sienne sont souvent plus chers qu'à Florence, le choix étant nettement plus restreint.

♦♦♦♦ **Medio Evo**, via dei Rossi, 40 **B1-2** ☎ 0577.28.03.15. *F. jeu.* Derrière la piazza Salimbeni, un superbe palais du XIe s. Cadre absolument magnifique mais cuisine juste honnête, servie avec componction.

♦♦♦ **Osteria Le Logge**, via del Porrione, 33 **B2** ☎ 0577.48.013. *F. dim., 15 j. en juin et 15 j. en nov. Réserver.* Ambiance très chaleureuse (souvent bondé) à deux pas du Campo : bois sombre, marbre et plantes vertes. Bonne cuisine (pintade farcie, poulet au citron) et une addition confortable... Très gouleyants petits vins des environs de Montalcino.

♦♦♦ **Spadaforte**, piazza del Campo, 13 **B2** ☎ 0577.28.11.23. À l'extrémité dr. lorsqu'on regarde le palazzo Pubblico. Pour déjeuner ou dîner simplement, en terrasse, à prix raisonnables, sur une des plus belles places du monde. Bons poissons et excellentes pizzas.

♦♦ **Antica Trattoria Pappei**, piazza del Mercato, 6 **B2-3** ☎/fax 0577.28.08.94. *F. lun.* Juste derrière la piazza del Campo. À la belle saison, on mange en terrasse une fort bonne cuisine toscane traditionnelle à un prix très raisonnable. L'intérieur est petit, mais sympathique. Il est prudent de réserver.

♦♦ **Compagnia dei Vinattieri**, via delle Terme, 79 (angle de la via dei Pittori) **A2** ☎ 0577.23.65.68. *F. mar.* Un joli bar à vin où l'on peut déguster un plat simple, mais bon.

♦♦ **La Tellina**, via delle Terme, 52 **A2** ☎ 0577.28.31.33. *F. sam. et déc.-janv.* Un petit restaurant populaire où la cuisine, très honorable, est assez bon

marché. Décor mignon et belle vue sur le chevet rose de S. Domenico.

♦♦ **La Torre**, via di Salicotto, 7-9 **B2** (juste derrière le palazzo Pubblico) ☎ 0577.28.75.48. *F. jeu.* Restaurant très amical où les recettes sont confectionnées sous les yeux des clients. Pas de menu ; prix très raisonnables. Venir tôt ou réserver, la salle voûtée étant petite.

♦ **Grattacielo**, via dei Pontani, 8 (petit passage à hauteur du 47 de la via Banchi di Sopra) **B2** ☎ 0577.28.93.26. *F. dim.* Un des très rares petits « caboulots » du centre, connu des seuls habitués. Dans une pièce basse, deux tables communes et un grand comptoir où le client fait composer son assiette en choisissant parmi les mets froids exposés. Tout est délicieux pour un prix très accessible.

♦ **Il Vinaio dell'Eremita di Porta All'Argo**, via delle Cerchia, 2 **A3** ☎/fax 0577.49.490. À 350 m de la Pinacothèque nationale. Épatant et original petit restaurant de quartier où l'on pourrait faire un repas entier de délicieux *crostini* arrosé d'un bon vin de pays. Un des hauts lieux de la *contrada* de la Tortue. *Réserver.*

HORS LES MURS

Voir aussi adresses à Pianella, Pieve Asciata, San Gusme et Villa a Sesta (Castelnuovo Berardenga et alentour, p. 158).

♦♦♦ **Il Giuggiolo**, via Massetana, 30 **hors pl. par A3** ☎ 0577.28.42.95. *F. mer. et août. Réserver.* La via Massetana descend en lacet après la porte S. Marco. Le restaurant est à 600 m env. Sans chichis mais cuisine traditionnelle très savoureuse. Bon rapport qualité/prix.

Dégustation

Enoteca Italiana, fortezza Medicea **hors pl. par A1** ☎ 0577.28.84.97. *Ouv. lun. 12 h-20 h ; mar.-sam. 12 h-1 h du matin. F. dim.* Dans les bastions de la forteresse, l'œnothèque présente un panorama complet des vins d'Italie, que l'on peut acheter par cartons. On peut aussi déguster au très agréable *wine bar*, avec des *crostini* ou des spécialités charcutières...

Assister au Palio de Sienne

Réservez plusieurs mois à l'avance places et chambres d'hôtel, surtout pour le Palio du 16 août. Le plus simple est de passer par une agence de voyages *(p. 19)*. L'ambiance de la semaine qui précède le Palio est à la fête dans les 10 *contrade* sélectionnées : fanfares qui répètent, enfants s'exerçant à manier les bannières et à jouer au tambour, repas dans la rue... Profitez-en pour visiter oratoires et musées des *contrade*, souvent très charmants, tels ceux du Porc-Épic (*Istrice* ; via Camollia, 87 **A1**), de la Louve (*Lupa* ; via Vallerozzi, 71-73 **AB1**), de la Licorne (*Leocorno* ; via di Follonica, 15 **B2**), de la Tortue (*Tartuca* ; via Tommaso Pendola, 21-25 **A3**) ou de la Tour (*Torre* ; via di Salicotto, 76 **B2-3**). L'office de tourisme dispose d'un dépliant. ❖

Manifestations

➤ **PALIO**. 2 juil. et 16 août *(encadré ci-dessus)*.

➤ **SEMAINE MUSICALE**. Dernière semaine de juil. Organisée par l'Accademia Chigiana.

Adresses utiles

➤ **HÔPITAL**. **Le Scotte**, viale Bracci, 4 km N, bien au-delà de la gare **hors pl. par A1** ; poste de secours ☎ 0577. 58.58.07 ; conciergerie ☎ 0577. 58.51.37.

➤ **LOCATION DE DEUX-ROUES**. **DF Moto**, via dei Gazzani, 16-18 **A1** ☎ 0577.28.83.87. **DF Byke** (bicyclettes), via Massetana, 54 **hors pl. par A3** ☎ 0577.27.19.05.

➤ **LOCATION DE VOITURES**. **Avis**, via Simone Martini, 36 **B1** ☎ 0577. 27.03.05. **Hertz**, viale Sardegna, 37 **hors pl. par A1** ☎ 0577.45.085.

➤ **OBJETS TROUVÉS**. Comune di Siena, Casato di Sotto, 23 **B2-3**. *Ouv. lun.-sam. 9h-12h30*. **Police**, via del Castoro **A2-3** ☎ 0577.20.11.11. *Ouv. 24h/24*.

➤ **POSTE PRINCIPALE**, piazza G. Matteotti, 37 **A1**. *Ouv. lun.-sam. 8h15-19h* ☎ 0577.21.42/61.

➤ **TAXIS**. Siena Radiotaxi ☎ 0577. 49.222. **Taxis Piazza Matteotti** ☎ 0577.28.93.50. **Taxis Piazza Rosselli** (gare) ☎ 0577.44.504.

➤ **TRANSPORTS**. Cars régionaux, piazza Antonio Gramsci **A1** ☎ 0577. 20.42.46 ; cars pour San Gimignano, Volterra, Montalcino, Pienza, Montepulciano, ou vers le Chianti (Castellina) ; cars quotidiens pour Florence (compagnies **SITA** et **LAZZI**). **Gare ferroviaire**, piazzale F. Rosselli (2 km N du centre) **hors pl. par A1**. Rens. ☎ 0577.89.20.21. Grandes lignes et trains directs pour Florence.

➤ **URGENCES**. Ambulance ☎ 118. **Croix Rouge** ☎ 0577.28.00.09. **Gendarmerie** ☎ 0577.33.91. **Police** *(Vigili)* ☎ 0577.29.25.50.

➤ **VISITES ORGANISÉES**. **Balzana Viaggi**, via dei Montanini, 73/75 **A1** ☎ 0577.28.50.13 et 0577.48.451. **Corymbus**, via Massetana, 46 **hors pl. par A3** ☎ 0577. 27.16.54.

➤ **VOITURE**. **Automobile Club de Sienne**, viale Vittorio Veneto, 47 **hors pl. par A1** ☎ 0577.49.001. **Fourrière** (police municipale) ☎ 0577.29.25.50. **Police de la route** ☎ 0577.246.21. ■

AREZZO, CASENTINO ET CORTONE

ux marges de l'Ombrie et séparée du reste de la Toscane par le Val d'Arno et les marais assainis du Val di Chiana, cette région montagneuse a conservé son caractère propre. Elle a longtemps résisté à Florence avant de tomber sous sa coupe. Encore aujourd'hui volontiers ombrageuse, elle allie avec bonheur la rudesse d'un Casentino toujours isolé, l'élégance volubile d'Arezzo (92 000 hab.) et la douceur de la campagne de Cortone (22 000 hab.). Cortone étant elle-même une de ces perles rares qu'il faudrait presque découvrir par hasard.

Programme

Compter au minimum **un jour** pour visiter Arezzo.

Garer la voiture à l'extérieur des remparts pour découvrir la ville à pied.

Commencer par les fresques de Piero della Francesca, à S. Francesco, et continuer par la piazza Grande et ses alentours. ❖

Arezzo**

Imaginez un plan incliné couleur du vieux rose des tuiles. En bas, l'amphithéâtre romain au cœur d'un quartier un peu ingrat reconstruit après les bombardements de la Seconde Guerre mondiale. Puis au fur et à mesure que l'on monte, le décor s'épure, s'unifie dans une coexistence harmonieuse du Moyen Âge à la Renaissance. Festival de ruelles en gradins, bordées ou non d'arcades, juchées les unes sur les autres pour mieux découvrir le Val di Chiana. Le long corso Italia tranche à vif ce « patchwork » urbain qui s'étage raidement en vagues concentriques jusqu'à une gigantesque terrasse ombragée où nage, bien solitaire dans son coin, le Duomo. À l'autre bout, la forteresse des Médicis lui fait pendant. Entre les deux, un long parapet ondule et plonge sur un rêve de collines aux dos ronds. Y venir le soir, au couchant, à l'heure où les campaniles chantent, et où les chats tiennent concile, fait partie de ces privilèges qui enchantent les souvenirs.

Centre important de la civilisation étrusque – la *Chimère* du Musée archéologique de Florence *(photo p. 234)* provient d'ici –, Arezzo fut aussi une ville romaine célèbre pour sa production de vases. Au Moyen Âge, la cité s'opposa violemment à Sienne et à Florence. Elle perdit une partie de son indépendance au profit de cette dernière lors de la bataille de Campaldino *(voir p. 294)* en 1289, passant entièrement dans le giron flo-

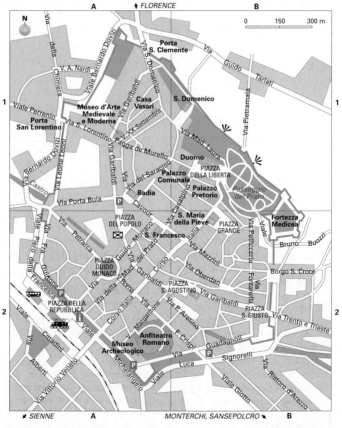

AREZZO

rentin un siècle plus tard, en 1384. Pétrarque (1304-1374) y est né.

➤ *84 km S-E de Florence; 65 km N-E de Sienne.* **Informations pratiques** *p. 299.*

➤ **BON À SAVOIR** : *un* **billet unique** *(valable 2 jours) est vendu au prix de 11 € et donne accès aux: Museo archeologico «G.C. Mecenate», Museo d'Arte medievale e moderna, Casa Vasari, fresques de Piero della Francesca (église San Francesco).*

Église San Francesco*

➤ **A2** *Via Cavour. Ouv. été lun.-ven. 9h-18h30, sam. 9h-17h30, dim. et j.f. 13h-18h30; hiver lun.-ven. 9h-17h30, sam. 9h-17h, dim. et j.f. 9h-17h30. Attention, rés. obligatoire* ☎ *0575.90. 04.04 et 0575.35.27.27, <www.piero dellafrancesca.it>. Visite par groupes de 25 pers. maximum à raison d'un roulement toutes les 30 mn (jumelles conseillées). Les billets sont à retirer, le plus en avance possible, à la caisse qui se trouve à dr. de l'église. En saison, la cacophonie des groupes de voyagistes, très nombreux, n'aide pas à la concentration... Les meilleures heures sont vers 13h et le soir, avant la fermeture. Accessible aux handicapés.*

Un des chefs-d'œuvre les plus précieux d'Italie, les ♥ **fresques***** de Piero della Francesca (1416-1492) illustrant la légende médiévale de la Vraie Croix, se trouve dans le chœur de l'église S. Francesco. Cette composition

---

À voir

Le cycle de ♥ **fresques***** de Piero della Francesca dans l'église S. Francesco, la ♥ **façade**** aérienne de **S. Maria della Pieve**, la ♥ **piazza Grande****, où se tiennent les principales festivités de la ville. Si vous êtes un inconditionnel de Piero della Francesca, la **Madonna del Parto**** dans le village de Monterchi *(p. 288)*. ❖

---

majeure de la Renaissance a nécessité quinze ans de restauration très fine (1985-2000) avec l'aide du système informatique ADS, programme de pointe qui analyse toutes les données de la texture des pigments et de leur support, guidant en quelque sorte le pinceau des artistes-restaurateurs.

Afin de faciliter la compréhension de cet ensemble d'une beauté exceptionnelle, nous présentons les séquences selon la chronologie qui nous paraît appropriée (les numéros de **1** à **10** renvoient au schéma ci-dessous).

PIERO DELLA FRANCESCA : LES FRESQUES DE LA LÉGENDE DE LA VRAIE CROIX

1 *Paradis terrestre.* À dr., Adam meurt; à g., son fils Seth met dans la bouche de son père des graines de l'arbre de la Connaissance, qui s'épanouit au-dessus de sa tombe et qui n'est autre que celui du fruit défendu qu'il a tout de même goûté. Signe prémonitoire ? Sous le grand arbre, remarquer les bras en croix de la femme.

2 *Visite de la reine de Saba à Salomon.* À g., elle prie devant un pont dont le bois provient de l'arbre de la Connaissance. À dr., elle rencontre Salomon, sous les traits du cardinal Bessarion (XVe s.), grand défenseur des églises d'Orient et de Rome.

3 *Annonciation.*

4 *Élévation de la Croix.* Les historiens de l'art se sont penchés sur le sens de cette scène. S'agit-il du bois du pont que Salomon veut faire enterrer, la

La quête intérieure de la foi

Le cycle des fresques de la **légende de la Vraie Croix** (église S. Francesco) que les visiteurs découvrent dans sa fraîcheur retrouvée fut réalisé à partir de 1452. Il raconte en une dizaine de scènes superbes une histoire très simple et très compliquée à la fois : l'arbre du péché d'Adam devient celui du salut des hommes. La croix sur laquelle Jésus agonise est faite du bois de cet arbre. Et toute la saga qui tourne autour de cette Vraie Croix, disparue ou volée, n'est que celle de l'humanité à la recherche de sa rédemption.

Pour illustrer la légende de la Vraie Croix, Piero della Francesca choisit les costumes et les décors fastueux de son temps, la Renaissance. Mais l'histoire n'est qu'un prétexte pour développer son vrai sujet, la quête intérieure de la foi, du rachat du péché originel. D'où ces regards intemporels, ces traits souvent figés et ces poses hiératiques. L'ordre logique des scènes importe moins à Piero dans la place dont il dispose pour célébrer son rêve mystique. « Redécouvert » au XXe s. seulement, Piero della Francesca ne fut admiré en son temps que par une poignée de mécènes. ❖

reine de Saba ayant eu la prescience du martyre de Jésus au Golgotha ? En fait, la croix proprement dite n'est suggérée que par la pose des porteurs, rappelant la montée au Calvaire. L'auréole formée par le dessin du bois au-dessus du personnage de tête est-elle volontaire ou le fruit du hasard ?

5 *Songe de Constantin.* En 312, à la veille d'une bataille contre son rival Maxence, l'empereur romain Constantin (encore païen) voit en rêve un ange qui lui souffle : « Par ce signe, tu vaincras. » Ce « signe » est la Croix du Christ. Cette scène est l'un des premiers « clairs-obscurs » de la peinture.

6 *Bataille contre Maxence.* Immédiatement converti, Constantin brandit face à ses ennemis une petite croix d'or qui les met en déroute et fait, pour la première fois, triompher la chrétienté.

7 La *Vraie Croix,* celle du supplice de Jésus, a disparu. Hélène, la mère de Constantin, part à sa recherche. Un certain Judas saurait où elle se trouve. On le plonge plusieurs jours dans un puits pour le faire parler…

8 *Découverte de la Vraie Croix.* À g., Hélène retrouve trois croix enterrées devant les murs de Jérusalem évoquée,

dans le fond, par la cité d'Arezzo au XVe s. À dr., dans un décor superbe, celle de Jésus est authentifiée par la résurrection d'un mort (à dr.) sous les yeux d'Hélène et des dames de sa cour dont les yeux brillent de joie.

9 *La Bataille d'Héraclius.* Nous sautons encore trois siècles. Le Perse Chosroès, dont les victoires successives ébranlent la jeune Chrétienté, avec notamment la prise de Jérusalem, détient la Vraie Croix. Héraclius, lointain successeur de Constantin, parvient malgré tout à le battre et à récupérer la Croix attachée à son trône (à dr.) qu'il rapportera à Jérusalem. Cette somptueuse scène de bataille illustre la croisade que voulait mener, au XVe s., le cardinal Bessarion (vu dans la fresque **2**) contre les infidèles. D'ailleurs, de g. à dr. sur les bannières flottant au vent, on distingue le pélican, symbole de la résurrection, l'aigle du Saint Empire romain germanique, le lion des États du pape, et la croix blanche sur champ rouge des croisés, les étendards des Maures, en berne, occupant l'extrême dr. de la composition.

10 *Adoration de la Croix.* Cette scène fait pendant à celle d'Adam (voir fresque **1**). Héraclius en larmes marche pieds nus comme un pénitent et tend la Croix à des habitants de Jérusalem. C'est un retour au dépouillement de la scène **1**, la Vraie Croix, dressée entre deux arbres, symbolisant à la fois le péché et son rachat. On notera encore, dans l'église, des fresques des XIVe et XVe s., dont une *Annonciation* de Luca Signorelli.

Église Santa Maria della Pieve**

➤ **B2** *Corso Italia, 7* ☎ *0575.22.629, ouv. 1er oct.-30 avr. 8 h-12 h et 15 h-18 h; 1er mai-30 sept. 8 h-19 h. Accès partiel aux handicapés.*

Le décor urbain très dense dans lequel s'inscrit ce monument à la ♥ **façade*** si légère n'a pas changé depuis l'origine. On est saisi par la grâce du campanile et les trois étages aérés de galeries dont les colonnes offrent un répertoire de fantaisie étourdissant. L'intérieur est d'une sobriété monacale; au maître-autel, le polyptyque très dépouillé de la *Madone et des Saints** de Pietro Lorenzetti (1320) lui sied admirablement.

♥ Piazza Grande**

B2 À toute heure du jour ou de la nuit la piazza Grande, qui sert de cadre aux principales manifestations et festivités d'Arezzo (*Fiera antiquaria* chaque 1er w.-e. du mois et *giostra del Saracino* en juin et sept., *encadré p. 300),* est un enchantement. Non qu'on y trouve des monuments exceptionnels, même si le **campanile** « aux cent trous», le **tribunal** et ses blasons ou le **palazzo della Fraternità dei Laici** sont des morceaux de choix de l'âge roman à la Renaissance. Mais hormis l'immense **palazzo delle Loge**, de Vasari, tiré au cordeau, tout ici n'est qu'imagination joyeuse : le sol tellement pentu qu'on a l'impression qu'il se dérobe, les maisons minces et hautes, d'autres basses et trapues, certaines ornées au dernier étage de galeries ouvertes ou de balcons accrochés au petit bonheur. Chaque immeuble boite et se rattrape par des jeux d'escaliers qui sont autant de bancs, de tribunes ou de perchoirs pour les martinets et hirondelles qui, le soir venu, font la ronde en piaillant.

Duomo

➤ **B1** ☎ *0575.23.991. Ouv. t.l.j. 6 h 30-12 h 30 et 15 h-19 h. Accessible aux handicapés.*

Il ne reste presque rien de la construction initiale de la cathédrale, consacrée en 1032. Ce lourd navire n'a cessé

La giostro del Saracino (joute du Sarrasin) enflamme chaque année Arezzo. Elle se déroule sur la piazza Grande à la fin juin et au début septembre.

d'être remanié jusqu'à notre époque. L'intérieur, orné de très beaux **vitraux*** de Marcillat, est meublé d'un **autel*** sculpté par Nicola Pisano. Piero della Francesca a peint à fresque, dans la sacristie, une juvénile et digne *Marie-Madeleine**.

Église San Domenico

➤ **B1** ☎ 0575.22.906. Ouv. 8h30-13h et 15h30-19h. Accessible aux handicapés.

Cette église du XIIIe s. abrite les fresques de l'école siennoise de Duccio et de Spinello Aretino, et un très beau *Christ en Croix**, œuvre de jeunesse de Cimabue (v. 1260).

♥ Casa Vasari

➤ **A1** Via XX Settembre, 55 ☎ 0575. 40.90.40. Entrée payante. Ouv. 9h-19h; dim. et j.f. 8h30-13h. F. mar. Accessible aux handicapés.

Enfant du pays, le prodige architecte-peintre-historien **Giorgio Vasari** aimait revenir à Arezzo. Vers 1540, Il décora sa maison de délicieux trompe-l'œil et de portraits des artistes qu'il aimait. Un véritable charme se dégage de cette demeure à la lumière feutrée.

Museo d'Arte medievale e moderna*

➤ **A1** Via S. Lorentino, 8 ☎ 0575.40. 90.50. Ouv. 8h30-19h. F. lun. Entrée payante. Accessible aux handicapés.

Ce palais du XVe s. regroupe des collections de peinture, d'orfèvrerie et de sculptures de diverses provenances et de toutes les époques, depuis Guidi da Siena ou Luca Signorelli aux tachistes (*macchiaioli*). Ici, pas de « fil rouge » : à chacun de trouver son bonheur. Noter la très belle collection de **majoliques*** de la Renaissance au XVIIIe s.

Museo archeologico « G.C. Mecenate »

➤ **A2** Via Margaritone, 10. Ouv. t.l.j. 8h30-19h30. Entrée payante. Accès partiel aux handicapés.

La principale vertu de ce musée un peu fourre-tout (de la préhistoire aux Étrusques et à l'Empire romain) est de border les ruines de l'**amphithéâtre romain** de la fin du Ier s. Noter la très belle collection de **vases corallins*** (ou arétins), caractérisés par leur vernis rouge-orangé et leur décor en relief au moule, qui firent la richesse d'Arezzo dès le Ier s. av. J.-C. et furent exportés dans tout le monde méditerranéen.

Aux environs : Monterchi et Sansepolcro*

➤ Env. 30 km E et 38 km N-E d'Arezzo par les S 73-S 221 (Monterchi) et la S 73 (Sansepolcro).

➤ **MONTERCHI**. Un petit musée (ouv. t.l.j. 9h-13h et 14h-18h; nocturne 21h-24h en juil.-août. Entrée payante ☎ 0575.70.713. Concerts en été mer. soir dans le jardin) situé au centre du village abrite l'une des œuvres les plus connues – et les plus curieuses – de Piero della Francesca : la *Madonna del Parto***. À travers sa robe déboutonnée, la Vierge indique de son doigt qu'elle est enceinte.

➤ **SANSEPOLCRO** (*Informations pratiques* p. 303) est le village natal de Piero della Francesca (1416-1492). Groupé autour du Duomo roman, du palazzo delle Laudi, de la maison présumée de Piero (dont le père était cordonnier) et de la riche pinacothèque, son beau centre monumental paraît hors du temps. Pourtant, la petite cité vit de l'artisanat (travail de l'or) et d'une activité industrielle, puisqu'elle abrite, entre autres, les pâtes Buitoni.

Bien rénové et à l'écart des routes touristiques, le **Museo civico*** (ouv. juin-sept. 9h-13h30 et 14h30-19h30, f. à 13h et à 18h d'oct. à mai. Entrée payante ☎ 0575.73.22.18. Accès partiel aux handicapés), riche de belles œuvres de Signorelli, de Pontormo et de l'école régionale, abrite plusieurs tableaux de Piero della Francesca : *Madonna della Misericordia**, *Madonna del Parto*, et surtout la célèbre *Résurrection*** du Christ qui, fixant droit dans les yeux l'éternité, enjambe son tombeau devant les gardes endormis. ■

ⓅLe Casentino**

Trop souvent oubliés, les monts du Casentino qui encadrent la haute vallée de l'Arno jusqu'à sa source du mont Falterona offrent une image non conventionnelle de la Toscane. Malgré ses célèbres abbayes de Vallombrosa, La Verna et Camaldoli, ses belles *pieve* (églises-mères) romanes de campagne, ses nombreux décors en céramique d'Andrea della Robbia et ses formidables forteresses du Moyen Âge, on vient surtout pour les admirables forêts de hêtres, de châtaigniers et de pins classées parc national, la fraîcheur de l'air en été et le charme des gros bourgs et villages de montagne (35 000 hab. en tout) où travaillent toujours artisans du bois et du fer. Ici, nombre de boutiques, où pendent du plafond jambons de sanglier et saucisses en tous genres, font encore épicerie-bar-restaurant-journaux. Bref, une Toscane rurale, parfois rude, et bien attachante.

➤ *Accès par le train et par le bus au départ d'Arezzo et de Florence.* **En voiture**: *quitter Arezzo par la S 71, au N. Après Giovi (à 7 km), la vallée du haut Arno commence à s'encaisser.* **Excursions en train**: *d'Arezzo, le « Trenino del Casentino », linea LFI Arezzo-Stia, dessert les localités de la haute vallée de l'Arno* ☎ *0575.59.34.71.* **Carte** *p. 290-291.*

Capolona

➤ *Env. 17 km N d'Arezzo par la S 71.*

Le village possède une belle petite église romane décorée de fresques du XVᵉ s., ♥ **pieve a Sietina** *(pour visiter,* ☎ *presbytère : 0575.45.10.18/11.42. Accès partiel aux handicapés).* Après Capolona, la vallée sinue entre les Alpe di Catenaia et les monts de Pratomagno.

Socana

➤ *27 km N d'Arezzo : une toute petite route, à g., mène à Socana (1,5 km).*

Érigée sur un site étrusque récemment fouillé, la **pieve di S. Antonio** est une église romane (XIᵉ s.) très originale avec sa tour à six côtés *(ouv. en hiver 8 h 30-12 h 30 et 15 h-17 h 30 ; en été 8 h-13 h et 15 h-19 h* ☎ *0575.59.25.61 Accès partiel aux handicapés).* De retour sur la S 71, un embranchement, à dr., grimpe (18 km) au célèbre monastère de La Verna.

La Verna**

➤ *45 km d'Arezzo. Ouv. 8 h-19 h. Visite guidée libre en italien (1 h)* ☎ *0575. 53.42.10, fax 0575.59.93.20. Possibilité d'hébergement 3 nuits au plus dans le couvent ; également, « séjours spirituels » à partir de 18 ans.* **Hôtels-restaurants** *à Chiusi della Verna (2 km S du monastère), p. 302.*

Programme

Totalisant **120 km**, parfois vagabonds, l'itinéraire que nous vous proposons remonte la haute vallée de l'Arno depuis Arezzo. Il suppose au moins **deux journées** – voire nettement plus si l'on veut randonner dans le parc national. Les lieux d'étape offrant une solide cuisine régionale à prix raisonnables, souvent à base de gibier – notamment le sanglier *(cinghiale)* –, ne manquent pas, que ce soit à Bibbiena, à Poppi, à Chiusi della Verna, ou à Stia *(informations pratiques p. 299).*

La **variante** de Poppi à Florence par le Pratomagno (ou vice-versa ; env. **86 km**) demande **une journée**. Au lieu d'emprunter la route la plus classique *via* Consuma, d'ailleurs fort belle (S 70), nous proposons des chemins buissonniers de découverte (Castel San Niccolò, Montemignaio, Vallombrosa). ❖

En 1213, **saint François d'Assise** reçut en don cette montagne couverte de hêtres et de sapins. Il vint s'y retirer avec quelques franciscains – il avait fondé l'ordre en 1210 –, vivant dans une grotte, priant et dormant à pierre nue *(crudo sasso)*. C'est ici qu'en 1224 il fut marqué par les stigmates. Après sa mort, saint Romualdo fonda en ces lieux un premier ermitage très simple, englobant la grotte dans un oratoire dit **cappella delle Stimmate** (chapelle des Stigmates; *visite*), aujourd'hui ornée de belles stalles et d'une *Crucifixion** d'Andrea della Robbia. On y parvient par un corridor où, chaque soir, la petite communauté franciscaine du lieu se rend en procession. L'immense **couvent** actuel *(que l'on peut visiter en partie)* date de plusieurs époques et n'a plus rien à voir avec l'originel. Dans l'église, quatre très belles **céramiques*** d'Andrea della Robbia. Plusieurs **sentiers balisés** dans la forêt mènent à des points de vue panoramiques sur les vallées de l'Arno et du Tibre, notamment au **mont Penna** (1 283 m; facile) qui surplombe le monastère.

On rejoint Bibbiena, dans la vallée, par la S 208.

Bibbiena*

➤ *25 km de La Verna (33 km d'Arezzo par la route directe).* **Marché** *le jeu. matin.* **Informations pratiques** *p. 299.*

Bibbiena, dont la campagne est très fertile, est devenue à partir des années 1950 le principal centre économique de la vallée du haut Arno. La ville moderne, sans intérêt particulier, a glissé de la charmante vieille cité qui couronne la colline jusqu'aux bords de la rivière. Monter le coteau, c'est remonter le temps. D'abord jusqu'à la Renaissance, époque faste dont témoignent plusieurs belles demeures, à commencer par le **palazzo Dovizi** *(26, via Dovizi)*, du nom du cardinal, ami de Raphaël, que l'on appelait familièrement « Bibbiena », et par l'église **S. Lorenzo**, face au palais, où l'on admire deux grandes céramiques attribuées à Andrea della Robbia, la *Nativité** et la *Déposition**.

CASENTINO, VAL D'ARNO ET VAL DI CHIANA

Grimpant encore par les rues étroites, on atteint le Moyen Âge de la belliqueuse famille Tarlati qui bâtit tout en haut de la cité une forteresse dont il reste peu de chose. Subsiste, néanmoins, une tour crénelée et l'ancienne chapelle romane du XIIe s. (remaniée ensuite) **SS. Ipolito e Donato**, jadis couverte de fresques (quelques beaux vestiges) et toujours décorée de plu-

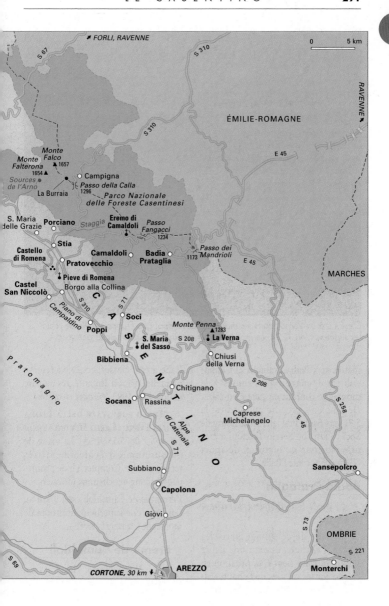

sieurs œuvres d'art de qualité, dont la **Vierge avec des anges*** d'Arcangelo di Cola (XVᵉ s.). De la terrasse contiguë à la piazza Tarlati, magnifique ♥ **vue** sur la vallée et sur Poppi.

➤ **AUX ENVIRONS : SANTA MARIA DEL SASSO** *(à 1 km; ouv. 7h30-12h et 15h-19h30* ☎ *0575.59.32.66, fax 0575.56.98.13.* Gracieux monastère de la Renaissance autour d'un beau cloître. L'église supérieure conserve dans un petit temple élevé sur un bloc de calcaire la *Madonna del Sasso* (Madone du rocher) qui apparut à une petite fille en 1347. Le rocher est toujours visible.

Poppi et son château sont à 5 km au nord par la S 70 *(voir p. 293)*. Mais, pour y parvenir, nous proposons une escapade d'une quarantaine de kilo-

C'est ici, à La Verna, dans les monts du Casentino, que François d'Assise reçut les stigmates, en 1224. Le monastère fut construit quelques siècles plus tard.

mètres vers Badia Prataglia et Camaldoli par de **magnifiques routes**** de montagne courant en partie en forêt. De Bibbiena, prendre au nord-est la S 71 vers Badia Prataglia *via* le bourg de **Soci** (5 km) où Sergio Tacchini a créé une fabrique de matériel de sport célèbre dans toute l'Italie.

Badia Prataglia

➤ *15 km N-E de Bibbiena.* **Marché le ven. matin.**

Le charme de ce village perché à 835 m d'altitude, devenu une petite station estivale, tient à sa situation en balcon sur les collines de la haute vallée de l'Arno et à la **forêt**** escarpée, de toute beauté, qui s'étend à sa porte. Au XIXᵉ s., elle fut l'objet de tous les soins de Carlo Siemoni qui y fit planter des milliers de sapins blancs, de hêtres et de châtaigniers. Il traça des allées pour faciliter l'entretien et l'exploitation, prit grand soin de la flore et, enfin, introduisit des daims, des cerfs et des mouflons issus de différentes régions d'Europe. C'est à lui que ces somptueux paysages forestiers doivent d'avoir été les premiers en

Italie à être classés, en 1959, réserve naturelle, avant d'être intégrés au parc national, en 1993 *(encadré ci-contre).*

➤ **MUSEO FORESTALE DELLA FLORA E DELLA FAUNA «CARLO SIEMONI»** *(pour rés.* ☎/*fax 0575.55.91.55).* La visite de l'arboretum est évidemment très recommandée. Compter 1 h de promenade au long des chemins forestiers.

L'ermitage de Camaldoli est à 9 km au nord par une superbe petite route de montagne à travers la forêt.

♥ Eremo de Camaldoli*

➤ *29 km N de Bibbiena. Visite lun.-ven. 9h-11h15 (12h15 sam. et 10h45 dim. et fêtes) et 15h-18h* ☎ *0575.55.60.21. Accessible aux handicapés.*

Ce ♥ **site*** sévère est émouvant. C'est ici, très exactement, que le bouillant Romualdo fonda en 1012 l'ordre des camaldules *(encadré p. 295),* du nom du village de Camaldoli tout proche. À la petite église rectangulaire et totalement dépouillée de l'origine a succédé le sanctuaire baroque (XVIIIᵉ s.) de l'**ermitage** actuel, regorgeant de statues, de dorures, de stucs et de marbres… Mais le principe même de la vie d'ermite a été préservé: chacun des 20 moines formant la communauté vit en silence dans un pavillon composé d'une cellule et d'un oratoire, et flanqué d'un jardinet. En face de l'église, Romualdo aurait vécu dans l'un d'entre eux *(visite)*. L'ermitage demeura longtemps la maison-mère de l'ordre qui essaima très rapidement. Un hospice destiné aux pauvres et aux malades fut créé au XIe s. à 3 km au sud, en contrebas, à Camaldoli.

Camaldoli

➤ *33 km de Bibbiena.* **Restaurant** *p. 301.*

On parvient à Camaldoli par une route bordée d'un torrent. C'est aujourd'hui un imposant **monastère** de 40 membres qui organise des retraites et des rencontres spirituelles (☎ *0575.55.60.13, <www.camaldoli.it>. Ouv. t.l.j. 8 h 30-12 h 30 et 14 h 30-18 h 30. Accès partiel aux handicapés).* Hormis une partie de l'hospice primitif et une cour à portique, tous les bâtiments s'échelonnent dans le temps.

On visitera l'**ancienne pharmacie*** Renaissance, de 1543 *(f. mer.)*, où sont vendus aujourd'hui liqueurs et onguents. Camaldoli même est un village agréable au cœur d'une **forêt*** classée réserve naturelle, entretenue par les moines pendant près d'un millénaire (nombreux sentiers balisés, aires de pique-nique, camping ombragé, agréable). La route qui descend vers Poppi, dans la vallée (15 km), offre une succession de points de vue très spectaculaires.

Poppi*

➤ *15 km S de Camaldoli (40 km d'Arezzo par la route directe).* **Marché** *à Ponte a Poppi le mar. matin.* **Hébergement** *p. 303.* **Variante**: *de Poppi à Florence, p. 296.*

En avril et en août, une grande **brocante** envahit la haute ville de Poppi qui a belle allure avec la tour en brique rose de son château dominant les places et les rues bordées d'arcades en pierre (notamment la longue via Cavour). Très belle **vue*** sur les forêts du Casentino.

➤ ♥ **Il Castello*** *(ouv. t.l.j. en été 10 h-18 h; en hiver jeu.-dim. 10 h-17 h et rés. aux groupes. Entrée payante* ☎*/fax 0575.52.05.16, <www.casentino.it/ poppi>).* Dès l'entrée, le vaste et haut *cortile** saisit le visiteur, avec ses blasons et son spectaculaire grand escalier de pierre débouchant sur une galerie en bois au plafond peint. L'ensemble des pièces s'organise autour de ce magnifique espace. À remarquer: une des salles de la **bibliothèque***

Une région naturelle protégée

Le ♥ **parc naturel national** (*Parco nazionale delle Foreste casentinesi, Monte Falterona e Campigna*) qui inclut celui du Casentino – ou haute vallée de l'Arno – a été créé en 1993. Il s'étend sur plus de 36 000 ha de part et d'autre de la crête de l'Apennin (1 500 m d'alt. en moyenne) qui sépare la Toscane (le Casentino) de la Romagne. Côté toscan, il comprend principalement les communes de Chiusi della Verna, Bibbiena, Poppi, Pratovecchio et Stia que nous visitons au cours de notre itinéraire. C'est dire que ces collines et montagnes sillonnées de chemins parfaitement balisés par le Club alpin italien (CAI), sont très bien sauvegardées. On y pratique la descente de torrents en canoë, les randonnées pédestres, à cheval ou à ski, en hiver, et l'on peut y observer plus de 1000 espèces végétales dont une centaine sont rares, ainsi que daims, cerfs, chevreuils, sangliers qui vivent en altitude avec leur prédateur naturel, le loup. ❖

Le château de Poppi est situé en surplomb de la haute vallée de l'Arno.

garnie d'ouvrages jusqu'au plafond. Cette bibliothèque contient 70 000 recueils médiévaux, 800 manuscrits et 600 incunables. Dans la **chapelle** (2ᵉ ét.), fresques de Taddeo Gaddi (fin du XIVᵉ s.) représentant des scènes de la vie de Jésus. La partie g. du château est due à Arnolfo di Cambio (architecte du palazzo Vecchio de Florence). L'ensemble fut construit entre 1274 et 1290 pour le compte de la puissante famille Guidi qui hébergea Dante, durant son exil, dans un de ses châteaux (le castello di Romena, visible depuis Poppi; *voir ci-après*).

➤ **Zoo Fauna Europa** *(à 500 m S du bourg. Ouv. t.l.j. en été 9h-20h; en hiver 9h-17h. Entrée payante ☎ 0575. 504.541/542, <www.parcozoopoppi. it>. Accessible aux handicapés).* C'est l'occasion d'une agréable promenade ombragée autour d'un étang central pour découvrir le loup de l'Apennin, le lynx et d'autres espèces d'Europe.

Le sort d'Arezzo et de sa région se joua à deux pas de Poppi, légèrement au nord, dans la **plaine de Campaldino** (colonne commémorative), au pied de collines douces formant amphithéâtre. C'est là que, en 1289, le guelfe florentin Amerigo de Narbone parvint à encercler les troupes gibelines d'Arezzo, pourtant beaucoup plus nombreuses. La famille des Guidi y perdit sa prépondérance sur la région au profit de Florence. Dante évoque cette bataille dans sa *Divine Comédie* à propos de Boncante de Montefeltro qui y trouva la mort.

Pratovecchio

➤ *8 km N-O de Poppi.*

Le peintre Paolo Uccello naquit dans cette petite cité aux rues bordées d'arcades. Le monastère de **S. Giovanni Evangelista** conserve de précieuses œuvres d'art dans son église *(piazza Landino, 20 ☎ 0575.58.37.67. Accès partiel aux handicapés. Ouv. 1ᵉʳ mai-15 oct. 10h-12h et 15h-18h).* Mais l'intérêt essentiel se tient au bourg de Romena, où l'on verra le château et l'église.

➤ **Aux environs: Romena** *(3 km O de Pratovecchio).* Une belle allée de cyprès mène au **castello di Romena** *(ouv. sur rendez-vous ☎ 0575.58.13.53),* forteresse solitaire (visible depuis Poppi) qui domine l'Arno. Il faut l'imaginer au temps de Dante, qui y vécut une

La montagne sainte des « fous de Dieu »

Dans tout l'Occident, le XIe s. est celui de la réforme d'une Église enrichie et embourgeoisée. L'abbaye de Cluny réagit la première avec la volonté d'un retour à l'essentiel, mais trouve porte presque close en Italie : malgré la volonté réformatrice de Grégoire VII (un pape toscan), féodaux et évêques y voient une perte de pouvoir et de ressources.

Apparaissent alors deux jeunes gens enflammés par leur conversion après des années turbulentes : **Jean Gualbert** et **Romualdo**. Leur révolte s'exprime par la stricte application de la règle de saint Bruno, à commencer par la pauvreté. Romualdo, hanté par l'exemple des Pères du désert, se retire en 1012 sur une montagne, conjuguant la vie d'ermite avec celle d'une communauté. Chaque moine vit, prie, médite et fait pénitence dans un pavillon autonome, ne se mêlant aux autres qu'à l'occasion des offices. Sa vie exemplaire galvanise nombre de moines qui créent à leur tour des ermitages. Quantité de monastères existants passent sous la coupe des camaldules (de Camaldoli, lieu de retraite de Romualdo).

En 1036, l'expérience de Jean Gualbert est parallèle, celui-ci n'envisageant que la vie communautaire. À Vallombrosa, il adopte le plan d'église en forme de croix, surmonté d'un dôme à la croisée des deux bras (transept). Ainsi apparaissent clairement les trois fondements théologiques de l'ordre : la Trinité (chœur et transepts), la Passion du Christ (la croix) et sa Résurrection (le dôme, image du ciel).

Au fil du temps, l'exigence de pauvreté et le refus de toute propriété s'effilocheront. François d'Assise, à La Verna, prendra bien la relève. Mais, à la fin du XIIe s., camaldules et vallombrosiens se retrouvent à la tête de patrimoines considérables. L'architecture a suivi. Les lignes simples et pures s'effacent sous les signes de puissance et les décors chargés qui signent la fin d'un rêve. ❖

partie de son exil. Avec ses 14 tours et son triple mur d'enceinte, elle était la mieux défendue de toutes les possessions de la famille Guidi qui « régnait » alors sur le Casentino. Le site est toujours beau, mais il ne reste qu'un donjon, la tour de la prison et la poterne. D'Annunzio s'y retira quelque temps pour composer des poèmes.

Tout près du château, la **pieve di Romena*** (*ouv. sur rendez-vous 10h-12h et 15h-19h* ☎ *0575.58.37.25)* fut bâtie au XIIe s. sur un ancien temple romain. Malgré le tremblement de terre du XVIIe s. qui fit s'effondrer la façade et deux travées de la nef, elle demeure un des meilleurs fleurons de l'art roman en Casentino. La nef centrale, soutenue par de puissantes colonnes en grès aux chapiteaux sculptés, est surélevée ; très beau **chevet** décoré de deux arcatures superposées.

Stia*

➤ *12 km N-O de Poppi.* **Marché** *le mar. après-midi.* **Biennale d'Arte febrile** *(fer forgé) : 1re semaine de sept. les années impaires.*

Avec sa fontaine, ses grosses dalles en pente, ses arcades et l'église romane de **S. Maria Assunta** qui abrite, entre autres, une *Vierge à l'Enfant* d'Andrea della Robbia et une *Annonciation* de Bicci di Lorenzo (XVe s.), la ♥ **piazza Tanucci** qui se termine en goulet est une des plus harmonieuses de la contrée.

Stia est un excellent point de départ (*S 310, N-E*) vers le Parco nazionale delle Foreste casentinesi (*encadré p. 293*) qui englobe la source de l'Arno, le mont Falterona culminant à 1654 m (*refuges à Passo della Calla et à La Burraia; téléskis*) et le mont Falco, plus haut sommet de la région à 1657 m. Les pentes ruissellent de cascades gelées en hiver, escaladées par des randonneurs encadrés.

➤ **AUX ENVIRONS : ♥ CASTELLO DI PORCIANO** (*1 km N ; ouv. 15 mai-15 oct. dim. 10 h-12 h et 16 h-19 h, 15 oct.-15 mai t.l.j. 10 h-12 h et 16 h-19 h. Entrée gratuite* ☎ *0575.58.26.26. Accès partiel aux handicapés*). Cette ancienne possession des Guidi abrite dans son impressionnant donjon l'intéressant **museo della Civiltà contadina** (musée de la Civilisation paysanne) : instruments aratoires, costumes, panneaux explicatifs – en italien – de l'économie de la vallée.

Variante : de Poppi à Florence (86 km)

Nous suggérons un itinéraire à l'ouest, *via* Castel San Niccolò, Montemignaio (étapes gourmandes) et l'abbaye de Vallombrosa, qui rejoindra Pontassieve (S 67) par de petites routes très pittoresques. Compter une journée. Les kilométrages sont indiqués au départ de Poppi.

➤ **BORGO ALLA COLLINA** (*5 km N sur la S 70*). C'est ici que l'on quitte la S 70 pour une variante à l'ouest entre Poppi et Florence.

➤ **♥ CASTEL SAN NICCOLÒ/STRADA** (*8 km. Restaurants p. 301*). Petite ville surplombée par un délicieux quartier médiéval, très peu connu, bien groupé autour de son château, le castel San Niccolò, qui abrite un **écomusée du Casentino** (*pour visiter, se renseigner sur place*).

➤ **MONTEMIGNAIO** (*18 km*). Beau village montagnard bâti en pierre comme on en voit plusieurs dans le Casentino, bien groupé autour des vestiges de son castel et de l'église des XIe-XIIIe s. ornée de belles fresques et de terres cuites des Della Robbia. Montemignaio a une particularité très sympathique à l'occasion de sa **festa del Castello**, le 20 août. Les villageois s'habillent comme autrefois et préparent des mets, polenta et porchetto, que l'on peut déguster en se promenant de maison en maison. Tout commence par un apéritif monstre et se termine le soir par un grand bal. Une fête très amicale, qui attire beaucoup de monde des environs. Une participation presque symbolique est demandée aux non-résidents (env. 5 €).

➤ **ABBAYE DE VALLOMBROSA** (*23 km*). C'est au milieu de ces bois que saint Jean Gualbert fonda une première abbaye, en 1036 (*voir S. Miniato, p. 127*). Il y créa l'ordre très strict des vallombrosiens (*encadré p. 295*) qui, plus tard, enrichis, rebâtirent leur monastère aux XVIe et XVIIe s. autour du vieux campanile.

Retour à la civilisation citadine à **Pontassieve** (68 km) et cap sur Florence. ∎

Cortone**

S'il est une petite ville dont on peut tomber amoureux, c'est bien Cortone. Merveilleusement située sur un contrefort du mont Sant'Egidio en surplomb du lac Trasimène, 10 km au sud, elle domine aussi le quadrillage agricole du Val di Chiana. C'est à sa position d'acrobate escaladant une colline raide que Cortone, bâtie en grès sombre, doit d'avoir conservé presque intact son cachet médiéval et Renaissance.

Nul besoin ici d'itinéraire pour se faire guider: de la bien laide S. Margherita, heureusement perchée hors de vue, mais où la vue sur la région est superbe, laissez-vous descendre sur un chemin planté d'ifs et pavé à la diable qui déboule sur des volées de marches, lesquelles tombent dans des ruelles d'artisans, pour se ramifier enfin aux rues commerçantes où la moindre boutique est le rez-de-chaussée d'un palais... Toute la ville aboutit à la piazza della Repubblica, laquelle s'enchaîne à l'adorable piazza Signorelli grouillante de monde chaque samedi, jour de marché. Aucune ville n'est aussi éreintante, mais aucune n'est aussi mystérieuse et ne jouit, en toute saison, de vues aussi imprenables.

➤ *30 km S d'Arezzo.* **Trains** *réguliers de Florence et d'Arezzo. Nombreux* **bus** *depuis Arezzo (gare des bus: piazza Garibaldi).* **En voiture:** *laisser impérativement les véhicules dans le parking*

Écharpe de brouillard sur Cortone.

aménagé au pied des murailles (en arrivant), ou piazza Garibaldi, porta Colonna (au N) et porta Montanina, tout en haut de la ville, près de S. Margherita. **Informations pratiques** *p. 302.*

Museo diocesano*

➤ *Piazza del Duomo, 1. Dans l'ancienne église du Gesù. Ouv. 1ᵉʳ janv.-30 sept. 10 h-17 h; 1ᵉʳ oct.-31 mars,*

Signorelli, enfant de Cortone

Le fresquiste Luca Signorelli (v. 1450-1523), natif de Cortone, y eut son atelier dans le palazzo Pretorio après avoir été l'élève de Piero della Francesca. Il travailla dans les églises S. Niccolò et S. Domenico, tout en exerçant son talent à Rome (chapelle Sixtine), à Pérouse, à Orvieto (Duomo), à Florence... Il revint sur le tard à Cortone, et c'est non loin de là qu'il mourut d'un accident d'échafaudage à 73 ans. Il est enterré à l'église S. Francisco, et plusieurs de ses meilleures œuvres se trouvent au Museo diocesano. ❖

Le Val di Chiana

Cette longue et large vallée ordonnée comme un jardin rappelle un peu l'histoire de la Maremme *(voir p. 224)*. Entre Arezzo et Chiusi, 60 km au sud, ce sont les Étrusques qui drainèrent ces marais jadis pestilentiels. Ils le firent si bien qu'Hannibal y fit provisions pour son armée avant d'attirer les légions romaines vers le piège tendu au lac Trasimène. Puis les invasions et les guerres détruisirent le bel ouvrage qui ne fut sérieusement remis en chantier qu'au XIXe s. À nouveau asséchée par le canal Maestro qui va droit à l'Arno, la vallée vit pousser de grandes propriétés que l'on peut admirer de l'« autoroute du Soleil » ou du train qui file sur Rome ou Milan. ❖

10 h-13 h et 15 h-17 h. F. lun. Entrée payante ☎ *0575.628.30.*

Célèbre *Déposition*** de Signorelli sur fond de Crucifixion et d'un beau paysage. De Signorelli, également, une *Cène* et la *Flagellation du Christ* assez théâtrale. On verra aussi deux très belles œuvres de Fra Angelico : ♥ *Annonciation** et *Adoration des Mages*. L'école siennoise est représentée par Pietro Lorenzetti (*Crucifixion** et *Vierge avec des saints*), Sasseta et Duccio (*Vierge*). Dans l'église inférieure, fresques de Vasari et belle *Pietà* en terre cuite.

Museo dell'Accademia etrusca*

➤ *Palazzo Pretorio, piazza Signorelli, 8. Ouv. avr.-oct. 10 h-19 h ; nov.-mars 9 h 30-17 h. F. lun. Entrée payante* ☎ *0575.63.04.15/72.35. Accessible aux handicapés.*

Ce musée possède un chef-d'œuvre de l'art étrusque : un **lustre**** en bronze du Ve s. av. J.-C. admirablement décoré d'une tête de Gorgone entourée de serpents, de lions et de chimères... D'un diamètre de 58 cm, il ne pèse que 57 kg. De l'huile d'olive était versée dans la vasque centrale qui alimentait la flamme des 16 petites vasques périphériques. Voir également les beaux petits **bronzes étrusques**. Le musée rassemble aussi des œuvres des trois peintres originaires de Cortone : **Signorelli** (*Adoration des bergers*), **Pierre de Cortone** (1596-1669), artiste baroque qui exerça ses talents surtout à Rome et **Gino Severini** (1883-1966), le contemporain, qui vécut longtemps à Paris et dont on voit ici des œuvres de jeunesse.

Église San Niccolò

➤ *Au débouché de la via S. Margherita, en contrebas.*

L'art du minimum parfait : cette église évoque quelque temple zen avec son sobre petit **cloître** sur le côté. Luca Signorelli a peint à fresque, à l'intérieur, une *Vierge* et surtout un retable (au maître-autel) représentant une *Mise au tombeau*** très fervente.

Aux environs

➤ **Convento delle Celle** (3 km N-E). Fondé par saint François en 1211 dans une vallée étroite d'une sévérité sereine. Subsistent l'oratoire d'origine et la cellule du saint.

➤ **Santa Maria del Calcinaio*** (3 km S ☎ 0575.62.537. Ouv. hiver 15 h-19 h, été 16 h-20 h. Accessible aux handicapés.). C'est en préparant de la chaux (*calcinaio*) que des ouvriers trouvèrent une représentation de la Vierge, vite annoncée comme miraculeuse. Signorelli proposa que son ami, l'architecte siennois Francesco di Gorgio Martini, y construisît un sanctuaire. De proportions très nobles, l'édifice, bâti à la fin du XVe s., offre un admirable volume intérieur ; Sangallo s'en inspirera largement pour l'église S. Biagio, à Montepulciano (*p. 275*). Superbes **vitraux*** de la rosace du Français Guillaume de Marcillat. ∎

➤ **Carte** *p. 290-291.*

■ Arezzo

➤ **Plan** *et visite p. 284.*

ⓘ **Office de tourisme** (EPT), piazza della Repubblica, 28 **A2** ☎ 0575. 37.76.78, fax 0575.20.839 < www.apt. arezzo.it >, < info@arezzo.turismo. toscana.it >. En bas de la ville, près des gares ferroviaire et routière. *Ouv. avr.- oct. lun.-ven. 9 h 30-13 h et 15 h 30-18 h, sam.-dim. 9 h-13 h ; nov.-mars lun.- sam. 9 h-12 h 30 et 15 h 30-18 h.*

➤ **MARCHÉ :** le sam. matin.

Hébergement

▲▲▲▲ **Cavaliere Palace**, via della Madonna del Prato, 83 **A2** ☎ 0575. 268.36, fax 0575.219.25, < info@cava lierehotel.com >. *27 ch.* Excellente adresse dans le centre médiéval. Tota- lement rénové.

▲▲▲ **Casa Volpi**, Le Pietre, 2 (2 km S par viale Giotto) **hors pl. par B2** ☎ 0575.35.43.64, fax 0575.35.971, < posta@casavolpi.it >. *15 ch. avec s.d.b. F. 1 semaine en août.* Très agréable et reposant : une grande demeure du XIXᵉ s. située dans un parc. L'hôtel possède également un bon ◆◆◆ **restaurant** *(ouv. le soir, sf mer.)*, à prix très abordables. Recom- mandé.

▲▲▲ **Continentale**, piazza Guido Monaco **A2** ☎ 0575.202.51, fax 0575. 35.04.85, < info@hotelcontinentale. com >. *73 ch., toutes avec sanitaires et climatisation.* Central. Classique et correct.

▲▲ **Astoria**, via Guido Monaco, 54 **A2** ☎ 0575.243.61, fax 0575.243.62, < hotel-astoria@tiscali.it >. *32 ch., dont 26 avec s.d.b.* Pas cher, central, mais assez défraîchi.

➤ **AUBERGE DE JEUNESSE. Ostello «Villa Severi»**, via F. Redi, 13 **hors pl. par A2** *(1 km env. à l'E du centre ; depuis la gare : bus n° 4)* ☎/fax 0575.29.90.47, < peterpan@peterpan.it >. *F. en hiver.* Remarquable auberge toute récente. Possibilité de demi-pension ou de pen- sion complète.

Restaurants

◆◆◆ **Casa Volpi** *(voir «Hébergement»).*

◆◆ **Antica Osteria l'Agania**, via Maz- zini, 10 **B2** ☎ 0575.29.53.81. *F. lun.* Central. Ambiance très sympathique d'habitués ; bonnes recettes régionales. Bon rapport qualité/prix.

◆◆ **Trattoria il Saraceno**, via Mazzini, 6a **B2** ☎ 0575.276.44. *F. mer., juil. et 3 semaines en janv.* On peut manger très correctement pour une somme raison- nable, mais l'addition grimpe vite en fonction des vins et des spécialités.

◆ **Le Tastevin**, via de' Cenci, 9 ☎/fax 0575.283.04. *F. dim. sf 1ᵉʳ dim. du mois.* Piano bar. Central.

Manifestations

➤ **FIERA ANTIQUARIA :** 1ᵉʳ w.-e. de **chaque mois**. Très réputée, sur la piazza Grande et aux alentours. Anti- quaires et brocanteurs viennent de toute l'Italie. Mobilier, céramiques, porcelaines, tableaux, sculptures, sou- vent de belle qualité. Et plutôt cher.

➤ **GIOSTRA DEL SARACINO :** avant-der- nier dim. de juin et 1ᵉʳ dim. de sept. *(encadré p. 300).*

Transports

Par le **train**, plusieurs par jour sur la ligne Milan-Rome. En **bus** (gare des bus **Lazzi**, viale Piero della Francesca **A2** ☎ 055.91.99.922) : nombreuses liaisons avec Florence et Sienne.

■ Bibbiena

➤ *Visite p. 290.*

ⓘ **Office de tourisme**, via Berni, 25 ☎/fax 0575.59.30.98. *Ouv. lun.-sam. 9 h-12 h 30 et 16 h-18 h 30, dim. et j.f. 10 h-12 h 30 et 16 h-18 h 30.*

➤ **MARCHÉ :** le jeu.

Hôtels

▲▲▲ **Fattoria di Marena**, à Marena, 3 km N sur la route 208 vers La Verna, puis à g., vers Soci ☎/fax 0575.59.36.55, < marena@lina.it >. *9 ch.* Ferme- manoir de caractère dans un grand parc, pour séjourner et rayonner dans le Casentino (petit centre équestre).

La giostra del Saracino

Cavalier s'apprêtant à frapper le mannequin durant la giostra del Saracino.

La *giostra del Saracino* (tournoi du Sarrasin) d'Arezzo fait partie de ces festivités populaires hautes en couleur qui doivent s'enraciner dans les souvenirs des Croisades. Joyeux et conçu comme un grand spectacle costumé à travers la ville, le tournoi, qui met en scène plus de 300 personnages, oppose sur la piazza Grande huit cavaliers (deux par quartier). Ils doivent frapper de leur lance le bouclier d'un mannequin qui, pivotant sous l'effet du choc et armé d'un fléau lesté de boules de plomb et de cuir, peut les désarmer, les frapper, voire les désarçonner... Mais pour en arriver à ce dénouement, la fête a commencé dès la veille au soir, sous la forme de grands banquets de plein air à la lumière des torches. Le lendemain matin, dimanche, les Arétins sont réveillés par un coup de canon tiré de la forteresse. À 14 h précises, un nouveau coup de canon met en branle les différents cortèges qui, partis de leurs quartiers respectifs, convergent en musique au milieu d'une foule de plus en plus dense vers la cathédrale, pour recevoir la bénédiction de l'évêque. Puis le défilé, composé de ses capitaines et jouteurs, de cavaliers, massiers, soldats, arbalétriers et bien sûr de la *banda*, orchestre de tambours et de cuivres jouant des airs martiaux, gagne la piazza Grande déjà noire de monde. Tapis, tentures, drapeaux pendent aux fenêtres... Les jongleurs lancent leurs drapeaux multicolores qui s'envolent en un véritable ballet aérien, et le tournoi proprement dit contre le mannequin commence... ❖

La gastronomie paysanne du Casentino

Tous les plats régionaux du Casentino sont issus de vieilles recettes paysannes comme l'*acquacotta*, potage de légumes épicés, les *tortelli di patate* (pâtes farcies de pommes de terre), bouillies à l'eau ou, mieux, cuites sur la braise. La *torta di ceci*, ou tourte aux pois chiches, est une spécialité de Stia.

L'entrée la plus fréquente est la *scottiglia*, mélange de viandes de volailles bien relevé, servie avec du pain grillé, souvent frotté à l'ail. Si la truite de montagne est très appréciée, les plus solides des spécialités sont, avec le lièvre, essentiellement à base de porc ou de sanglier. Ainsi des fameux jambons crus, des salades de viande, du *sambudello*, saucisse remplie d'abats de porc parfumée au fenouil, des ragoûts de sanglier... Il existe même une recette de sang de porc cuit au four, salé et assaisonné de condiments : le *migliaccio*.

Et puis, il y a les champignons, très nombreux dans les forêts, et surtout la châtaigne qui fut longtemps la base de l'alimentation sous forme de farine, de pain, de gâteaux, de « fruits » bouillis ou grillés, dégustée froide ou chaude, mélangée à de la viande, etc.

Ici comme ailleurs en Toscane, l'huile d'olive régionale – évidemment la meilleure et la plus digeste d'Italie – est omniprésente dans les recettes. N'oublions ni les fromages ni les crus locaux de vins, dont certains sont très agréables. ❖

▲▲ **Borgo Antico**, via Dovizi, 18 ☎ 0575.53.64.45, fax 0575.53.64.47, < borgoantico@brami.com >. *18 ch.* En plein centre, pas de restaurant. Bon hôtel moyen.

▲▲ **Giardino**, piazza Pelagi, 2 ☎ 0575. 59.31.94, fax 0575.53.64.73. *22 ch.* d'un bon confort. Très bon ♦♦ **restaurant** *(☎ 0575.59.46.83, même adresse)* de produits « maison ».

Transports

Les **autobus Sita** (☎ 055.21.47.21 et n° vert 800.37.37.60) font chaque jour le trajet Florence-Bibbiena ; Bibbiena est reliée par autobus à Badia Prataglia, Chiusi della Verna et Camaldoli.

■ Camaldoli

➤ *Visite p. 293.*

Restaurant

♦♦ **Il Cedro**, via de Camaldoli, 20, à Moggiona (5 km S-O) ☎/fax 0575. 55.60.80. *F. 1ᵉʳ janv., Noël et lun.*

sf 15 juil.-fin août. Il est prudent de réserver, la salle n'étant pas grande (belle vue) et la table à base de gibier (sanglier) fort appréciée. Bon rapport qualité/prix.

■ Castel San Niccoló/ Strada

➤ *Visite p. 296.*

Restaurants

♦ **L'Arco Antico**, piazza Matteoti, 4 ☎/fax 0575.57.03.96. *Ouv. mai-sept.* Grande variété d'excellents *crostini* dont on peut faire un véritable repas.

♦ **Trattoria Bonciani**, piazza Vittorio Veneto, 30 ☎ 0575.57.00.06. *F. mer.* Il faut connaître... Le petit restaurant de village par excellence, d'apparence très banale. Ce qui est dans l'assiette l'est nettement moins : des pâtes au sanglier, tout est délicieux et très bon marché, vin compris. Ambiance très amicale et bon enfant.

■ Chiusi della Verna

➤ *Visite p. 289.*

Hôtels-restaurants

▲▲ **La Beccia**, à 2 km N-O de Chiusi della Verna, sur la S 208, vers Bibbiena ☎ 0575.59.90.02, fax 0575.59.93.78. *F. en hiver. 11 ch.* Un peu plus simple que La Verna.

▲▲ **Letizia**, via Roma, 26 ☎/fax 0575.59.90.20. *F. en hiver. 9 ch.* Bon petit établissement dans un site agréable et à prix assez doux.

▲▲ **La Verna**, à La Beccia, 2 km N-O de Chiusi della Verna, sur la S 208, vers Bibbiena ☎ 0575.59.90.39, fax 0575. 53.21.10, < marcofiumana@virgilio. it>. *F. lun. 12 ch.* Bien situé, l'hôtel (très classique) le plus confortable du secteur. Très fréquenté par les «pèlerins» du monastère. Fait aussi **restaurant**.

■ Cortone

➤ *Visite p. 297.*

❶ **Office de tourisme**, via Nazionale, 42 (dans la rue qui relie la piazza Garibaldi à la piazza della Repubblica)

☎ 0575.63.03.52, fax 0575.63.06.56, < infocortona@jumpy.it >. *Ouv. lun.-ven. 8h-13h et 15h-18h; en été t.l.j. 9h-13h et 15h-19h, dim. 9h-13h.*

➤ **Marché** : le sam. matin, piazza Signorelli et piazza Trento e Trieste.

Hébergement

▲▲▲ **San Lucca**, piazza Garibaldi, 1 ☎ 0575.63.04.60, fax 0575.63.01.05, < info@sanluccacortona.com >. *53 ch.* simples dont plusieurs ont vue sur la campagne. Restaurant.

▲▲▲ **San Michele**, via Guelfa, 15 ☎ 0575.60.43.48, fax 0575.63.01.47, < info@hotelsanmichele.net>. *F. janv. à début mars. 37 ch.* dans un très élégant palais Renaissance bien réaménagé. En pleine ville.

▲▲ **Albergo Athens** ♥, via S. Antonio, 12 ☎ 0575.63.05.08, fax 0575.60.44.57. *Ouv. 15 mars-15 nov. 22 ch., dont 8 avec s.d.b.* Ce petit hôtel qui a beaucoup de charme est perché en haut de la ville, dans un quartier de village plein de jardinets. Terrasse couverte d'une treille. Chambres simples (mais quelles vues!).

Parc naturel national du Casentino

❶ **Informations**. La **maison du Parc** délivre toutes informations et documentations utiles : Ente Parco nazionale delle Foreste casentinesi, palazzo Vigiani, via Brocchi, 7, à Pratovecchio ☎ 0575.503.01 et 0575.50.30.29, fax 0575.50.44.97, < www.parks.it/parco.nazio nale.for.casentinesi/index.html >.

➤ **Excursions**. **Bibbiena**, **Poppi** et **Badia Prataglia** sont les étapes les plus fréquentées comme point de départ d'excursions pour les randonnées dans la montagne, mais les abbayes et monastères de **Vallombrosa, Camaldoli** et **La Verna** offrent également des possibilités d'hébergement plus isolé.

➤ **Guides**. Le **Guide del Parco**, l'organisme des guides du parc, est situé à Gaviserri, 1, commune de Pratovecchio ☎/fax 0575.50.90.66, < www.comunic.it/pnfc/guide/ >, < scipiocovan@technet.it >. **Comunità Montana del Casentino**, via Roma, 203, Ponte a Poppi ☎ 0575.50.71. Documentation sur les sentiers balisés, etc. **Association des guides** : piazza XIII Aprile, 6, Badia Prataglia ☎ 0575. 59.41.88, fax 0575.51.13.48. ❖

La *bistecca alla fiorentina*

Entre les vergers d'oliviers et les vignobles de l'excellent bianco vergine, le Val di Chiana est devenu le lieu de production exclusif d'une race de bovins de qualité supérieure dont la lignée remonte à la préhistoire : la Chianina. Elle, et elle seule, a droit à l'appellation *bistecca alla fiorentina*. Le restaurateur qui l'affiche sur sa carte ne peut tricher. Cuite une bonne dizaine de minutes sur le grill, légèrement arrosée d'huile d'olive et salée au dernier moment, la *bistecca* doit être servie encore rouge et toute fondante dans la bouche… ❖

➤ **AUBERGE DE JEUNESSE. Ostello San Marco**, via Maffei, 75 ☎ 0575.60. 17.65, fax 0575.60.13.92. À 600 m du centre. *Ouv. mars-fin oct. 80 places en tout.* Sympathique et propre.

Restaurant

♦♦ **La Grotta**, piazzetta Baldelli ☎ 0575.63.02.71. *F. janv. et le mar.* Sur une délicieuse placette où l'on mange en terrasse. Bon rapport qualité/prix, si l'on prend le premier menu.

Manifestations

➤ **SAGRA DELLA BISTECCA** : les **14 et 15 août** dans le giardino pubblico (entrée payante). Les fameux beefsteaks du Val di Chiana sont rôtis sur d'énormes grils. Cette fête très populaire est à ne manquer à aucun prix ; elle est bien arrosée…

➤ **FIERA ANTIQUARIA** : **mi-sept.** Foire nationale des antiquaires. Les stands sont dispersés autour des places centrales.

■ Poppi

➤ *Visite p. 293.*

➤ **MARCHÉ** : le mar.

Hôtels

▲▲▲ **Park Hotel**, via Roma, 214, à Ponte a Poppi ☎ 0575.52.99.94, fax 0575.52.99.84, < info@parkhotel. it >. Excellent hôtel d'une quarantaine de chambres. Piscine et jardin agréable. Le ♦♦ **restaurant** *(f. lun. sf en août)* à base de recettes locales est recommandé. Bon rapport qualité/prix.

▲▲ **La Torricella**, via Torricelli, 14, à Ponte a Poppi ☎ 0575.52.70.45, fax 0575.52.70.46, < la_torricella@ technet.it >. Charmant établissement d'une douzaine de chambres simples mais confortables, avec une très belle vue sur la vieille ville et la vallée. Le ♦♦ **restaurant** propose un bon menu à petit prix. Recommandé.

■ Sansepolcro

➤ *Visite p. 288.*

ℹ **Office de tourisme**, piazza Garibaldi, 2 ☎/fax 0575.74.05.36, < info@ infotour.sansepolcro.net >. *Ouv. t.l.j. 9h30-13h et 15h-19h.*

➤ **MARCHÉ** : le mar. et le sam.

Hôtels-restaurants

▲▲▲ **La Balestra**, via Montefeltro, 29 ☎ 0575.73.51.51, fax 0575.74.02.82, < balestra@labalestra.it >. *51 ch.* Le meilleur établissement de la ville. Prix très raisonnable. Bon ♦♦♦ **restaurant** *(f. dim. soir et lun.).*

▲▲ **Da Ventura**, via Aggiunti, 30 ☎/fax 0575.74.25.60. *F. dim. soir et lun., 15 j. en janv. et les 3 premières semaines d'août. 5 ch.* simples à prix doux et agréable. ♦♦♦ **Restaurant**… presque aussi cher que les chambres.

Restaurant

♦♦♦ **L'Oroscopo**, via Palmiro Togliatti, 68 ☎/fax 0575.73.48.75. *Ouv. le soir. F. dim.* Récent. Bon rapport qualité/prix. ■

Ci-contre : Charmant trompe-l'œil
peint par Vasari dans sa maison
d'Arezzo.
Ci-dessus : Clin d'œil coquin
au plafond du salon de Vasari.

EN SAVOIR PLUS

Un peu de lecture

Art et histoire

ANTONETTI (P.), *Histoire de Florence*, « Que sais-je ? », PUF, 1989. Un voyage agréable à travers les siècles.

ANTONETTI (P.), *La Vie quotidienne à Florence au temps de Dante*, Hachette, 1990 ; HEURGON (J.), *La Vie quotidienne chez les Étrusques*, Hachette, 1975. Une excellente collection qui met en scène l'histoire de façon vivante.

BEC (Ch.), *Le Siècle des Médicis*, « Que sais-je ? », PUF, 1977. Le condensé d'une extraordinaire saga.

BERTI (L.), *Florence : la ville et ses arts*, Becocci, 1984. Somptueux panorama d'une des villes mondiales de l'art.

CARLI (E.), *La Peinture siennoise*, Scala, 1983. Par un des meilleurs connaisseurs de l'école siennoise.

CHASTEL (A.), *Art et Humanisme à Florence au temps de Laurent le Magnifique*, PUF, 1982. Un grand classique par un des meilleurs connaisseurs de la Renaissance. Très fouillé, mais parfois austère.

CLOULAS (I.), *Laurent le Magnifique*, Fayard, 1982. La fascination d'un personnage complexe, à la croisée de l'âge d'or de la Renaissance.

COSTAMAGNA (Ph.), *Pontormo*, Gallimard/Electa, 1994. Une somme sur un peintre à redécouvrir d'urgence.

JESTAZ (B.), *L'Art de la Renaissance*, Mazenod, 1987. Le beau livre d'art et sur l'art par excellence.

LEMAÎTRE (A.) et LESSING (E.), *Florence et la Renaissance : le Quattrocento*, Terrail, 2002. Remarquable introduction aux secrets de la création.

POPE-HENNESSY (J.), *Fra Angelico*, Sers, 1989. Par un des papes de la critique d'art.

RIGHINI (M.), *Florentine*, Flammarion, 1995. Le roman du modèle de Botticelli. Une introduction imagée au Quattrocento.

ROITER (F.), *Vivre Florence et la Toscane*, Mengès, 1981. Un essai pénétrant sur un art de vivre.

STONE (I.), *La Vie ardente de Michel-Ange*, Plon, 1983. Le roman de l'histoire.

THUILLIER (J.-P.), *Les Étrusques, la fin d'un mystère*, Gallimard, 1990. Pour en savoir plus sur les ancêtres des Toscans.

Récits de voyage

DUMAS (A.), *Une année à Florence : impressions de voyages*, F. Bourin, 1991. La nostalgie d'une brillante décadence.

GIONO (J.), *Voyage en Italie*, « Folio », Gallimard, 1979. Le pèlerinage aux sources d'un visionnaire.

HERSANT (Y.), *Italies : anthologie des voyageurs français aux XVIIIe et XIXe siècles*, « Bouquins », Laffont, 1988. La redécouverte d'une civilisation qui a façonné les temps modernes.

STENDHAL, *Rome, Naples, Florence*, dir. P. Brunel, « Folio », Gallimard, 1987. Le plus fin connaisseur de l'Italie du XIXe s. Une écriture voluptueuse.

SUARÈS (A.), *Voyage du Condottiere*, Livre de Poche, 1996. Brillant essai sur l'Italie et la Toscane.

TAINE (H.), *D'Assise à Florence, Voyage en Italie*, t. II, Complexe, 1990.

Littérature florentine

ALIGHIERI (Dante), dit DANTE, *La Divine Comédie*, Flammarion, 1990 ; *Le Purgatoire* et *L'Enfer*, L'Âge d'Homme, 1994. De 1306-1308 à sa mort en 1321, l'auteur imagine son voyage fictif, en compagnie de Virgile, dans les sphères de l'outre-tombe.

BOCCACE (G.), *Décaméron*, LGF, 1994. Version complète et illustrée, tirée d'éditions françaises du XVe s. *(encadré p. 149)*.

COLLODI (C.), *Les Aventures de Pinocchio*, Actes Sud, 2002. Célèbre fable (1880-1883) où, à fin pédagogique, les désobéissances d'une marionnette transformée en petit garçon sont cruellement punies.

MACHIAVEL (N.), *Le Prince*, Gallimard, 1995. Essai philosophique et politique, dédié à Laurent le Magnifique, écrit en 1513 et publié en 1532. Analyse de diverses formes de gouvernement et des qualités requises du prince.

PÉTRARQUE (F.), *Canzoniere*, Garnier, 1989 ; *Les Miroirs meurtriers* (extraits de 33 chants du *Canzoniere*), Ressouvenances, 1994. Un recueil de chants (1340) évoquant, notamment, les sentiments de Pétrarque pour Laure, la femme aimée, qui vaudra à l'auteur d'être couronné premier poète de son temps. ∎

Les grands artistes toscans

Précurseurs, acteurs ou héritiers de la Renaissance, ces peintres, architectes, sculpteurs et penseurs ont tous réfléchi sur la nature de l'homme, sur sa place dans le monde et ont nourri leur art de leurs découvertes.

ALBERTI Leon Battista (1404-1472)

Sous le choc du « réalisme » imposé en sculpture par Donatello et en peinture par Masaccio, Alberti rédige à 30 ans un *Traité de la peinture*. Son thème s'organise autour de l'idée de beauté qui n'est pas imitation précise de la nature, mais le résultat « d'une harmonie telle que rien ne peut lui être ôté ou ajouté ». Plus tard, dans *De l'architecture*, Alberti théorise le rapport entre cette harmonie et la fonction d'un édifice, fondé sur la « musique des nombres ». Pas d'art pour l'art, pas de beauté gratuite : la beauté résulte d'une application précise de principes. Cet intellectuel typique de la Renaissance dont les principes fondent l'architecture moderne n'a jamais mis la main à la pâte : il fit exécuter par d'autres ses épures.

➤ **Ses œuvres à Florence.** Façade de S. Maria Novella *(p. 108)* et palais Rucellai *(p. 114)*.

BECCAFUMI Domenico (1486-1551)

Bel exemple d'un fils du peuple poussé à l'étude de la peinture par le patron de son père, un certain Lorenzo Beccafumi, grand propriétaire terrien des environs de Sienne. Par reconnaissance, Domenico adopte son nom. Très vite, il rejette le classicisme de la Renaissance, trop froid et trop sage à son goût, et invente, avec Rosso Fiorentino, une autre réalité, que l'on appellera maniériste *(voir p. 264)*. Personnages déformés, couleurs acides, ombres profondes, plans inattendus : Beccafumi crée un univers parfois à la lisière du fantastique. Longtemps méprisé, il commence à être redécouvert pour ce qu'il est : un remarquable graveur, un peintre puissant et un dessinateur hors pair comme l'attestent les cartons du pavement de la cathédrale de Sienne.

➤ **Ses œuvres à Sienne.** Museo civico *(p. 249)*; cathédrale (pavement d'Élie, *p. 257)*; hôpital S. Maria della Scala *(p. 260)*; oratoire de S. Bernardino *(p. 267)*; Pinacothèque nationale *(p. 263)*; église S. Niccoló al Carmine *(p. 266)*.

BOTTICELLI Sandro (1444-1510)

Élève de Filippo Lippi dès l'âge de 15 ans et peut-être aussi de Verrocchio, Botticelli passe l'essentiel de sa vie à Florence. Selon Vasari, il meurt très pauvre, tourmenté et solitaire. Celui qui peignit et surtout dessina la beauté féminine comme personne, au point d'en définir le canon toujours frémissant, était une mélancolique et un assoiffé de vertu. Son trait aérien, musical et si charnel en fait souvent le symbole de la Renaissance alors qu'il n'en partage, au fond, aucun combat. Ni au plan esthétique (les querelles de volume et de perspective ne l'intéressent pas) ni au plan philosophique. Si l'humanisme le touche, c'est pour glorifier le Créateur à travers sa créature. L'ambiance païenne de l'époque le met mal à l'aise. Il hésite sans cesse entre le profane et le sacré, et ce tourment, cette ambiguïté, est peut-être le secret de cet « inventeur de beauté » selon le joli mot de Suarès, que le mysticisme fanatique de Savonarole fera basculer dans les ténèbres.

➤ **Ses œuvres à Florence.** L'essentiel : galerie des Offices *(p. 84)*; église Ognissanti *(p. 115)*; palais Pitti *(p. 122)*.

BRONZINO Agnolo (1503-1572)

Formé par Pontormo dont il demeure le collaborateur, Bronzino suit un chemin très personnel, exécutant des portraits glacés, souvent sombres, toujours très léchés et raffinés, saupoudrés des recettes « maniéristes » de son maître et ami *(voir p. 264)*. Peintre officiel de Cosme Ier de Médicis, il élargit le champ de la commande de cour princière ou royale et devient une des grandes références européennes. Tous les grands portraitistes l'étudieront avec soin, dont Vélasquez et surtout Ingres.

➤ **Ses œuvres à Florence.** Palazzo Vecchio *(p. 80)*; galerie des Offices *(p. 84)*.

BRUNELLESCHI Filippo (1377-1446)

D'abord orfèvre et sculpteur, Brunelleschi se tourne vers l'architecture après un voyage à Rome, en compagnie de son ami Donatello, où il découvre les monuments antiques. Sans les copier, il s'en inspire pour les divers édifices religieux ou civils, tous d'une élégance extrême, qui lui sont commandés à Florence et aux environs. Théoricien de la perspective mathématique et de volumes géométriques parfaits, il met au service du dôme de la cathédrale son extraordinaire capacité d'abstraction. Il incarne avec un rare génie l'idéal d'harmonie de la Renaissance.

➤ **Ses œuvres à Florence.** L'essentiel : coupole du Duomo *(p. 69)*; piazza SS. Annunziata *(p. 102)*; église S. Lorenzo et ancienne sacristie *(p. 105)*; S. Maria Novella *(p. 108)*; église S. Spirito *(p. 117)*; palais Pitti *(p. 118)*; chapelle des Pazzi et cloître (musée de S. Lorenzo, *p. 65*). **Aux environs de Florence.** Chartreuse de Galuzzo (cloître des frères convers, *p. 131*). Voir aussi *p. 72*.

BUONTALENTI Bernardo (1536-1608)

Son nom le dit clairement : ses contemporains lui reconnurent tous les talents, de l'orfèvrerie à l'architecture, de la scénographie des grandes fêtes du palais Pitti aux automates, jeux hydrauliques ou ouvrages militaires. Ce touche-à-tout, disciple de Vasari, qui adula sous Cosme Ier et bâtit (ou fit bâtir) à tour de bras : palais, villas, grottes, chapelles... sans compter les projets qui ne virent jamais le jour, comme la façade de S. Lorenzo. Maniériste et déjà baroque, Buontalenti met en quelque sorte la touche finale à la Florence de la Renaissance entreprise un siècle et demi plus tôt. Un feu d'artifice avant le grand sommeil...

➤ **Ses œuvres à Florence.** Façade de S. Trinità *(p. 113)* et grotte des jardins de Bóboli *(p. 124)*.

CELLINI Benvenuto (1500-1571)

Étrange personnage que ce fiévreux Florentin, tout à la fois aventurier, voyou, orfèvre, sculpteur, mémorialiste auteur d'une passionnante *Histoire de ma vie* et virtuose en tout. Il connut les cachots et la gloire des cours (Rome, Mantoue, Fontainebleau, où il réalise la fameuse salière dite de François Ier, aujourd'hui conservée à Vienne). Représentant du courant maniériste de la Renaissance, il est l'un des rares artistes de l'époque qui n'ait pas suivi Michel-Ange. Le raffinement et le modelé du sculpteur ne font jamais oublier l'orfèvre hors pair qu'il fut. Et l'artiste traduisit dans ses portraits en bronze ou en marbre l'extraordinaire vitalité de son tempérament.

➤ **Ses œuvres à Florence.** Loggia della Signoria *(p. 78)*; Bargello *(p. 90)*. Voir aussi *p. 79*.

CIMABUE (v. 1240-1302)

S'il reste fidèle à l'héritage byzantin de l'Italie centrale, Cimabue fait des recherches sur les volumes, les couleurs et l'expression qui ouvrent une brèche dans laquelle s'engouffre Giotto, son élève, le grand précurseur de la Renaissance. La vie de Cimabue demeure obscure. Du moins connaît-on de lui les admirables fresques d'Assise (dont certaines, hélas, ont beaucoup souffert du tremblement de terre de 1997) et sait-on qu'il contribua à la mosaïque du baptistère de Florence. La ville possède aussi son émouvante *Vierge en majesté* et l'un de ses deux grands Christs peints, restauré après la crue de 1966 (l'autre est à Arezzo).

➤ **Ses œuvres à Florence.** Baptistère *(p. 68)*; galerie des Offices *(p. 81)*; musée de S. Croce *(p. 96)*. **À Arezzo.** S. Domenico *(p. 288)*.

DELLA ROBBIA Luca, Andrea et Govianni

« Inventeur » de la terre cuite vernissée, Luca della Robbia (v. 1400-1482) est le patriarche d'une prospère lignée d'artistes : son neveu Andrea (1435-1525) et son petit-neveu Giovanni (1469-1529) règnent sur cette technique et la font rayonner en Europe pendant un siècle et demi *(voir p. 168)*. Les terres cuites de Luca qui, dit-on, ont la force du marbre – marbre qu'il sculpta aussi avec talent – sont reconnaissables entre mille, grâce à leurs visages blancs sur fond bleu. D'esprit sensible et religieux, il crée un genre très populaire.

➤ **Leurs œuvres à Florence :** *Luca :* Duomo *(p. 70)*; campanile de Giotto *(p. 71)* et museo dell'Opera del Duomo *(p. 74)*; Bargello *(p. 92)*; chapelle des Pazzi *(p. 95)*. Nombreuses œuvres également d'*Andrea* (hôpital des Innocents, *p. 103*) et de *Giovanni*. **À Fiesole.** Museo Bandini *(p. 129)*. **À Pistoia.** *Luca :* S. Giovanni Fuorcivitas *(p. 168)*; *Giovanni :* frise de l'ospedale del Ceppo *(p. 167)*. *Andrea :* monastère de **La Verna** *(p. 289)*.

DONATELLO (1386-1466)

Ce fils de tisserand, né et mort à Florence, fut le plus grand sculpteur du XVe s. S'inspirant des Anciens sans les copier, il « rejoint l'expression morale à travers l'esthétique » (R. Longhi). Ami de Brunelleschi, il applique la perspective linéaire pour la première fois en sculpture, ce qui influence fortement les peintres Masaccio et Mantegna. Génial technicien du marbre, du bronze, du stuc ou du bois, son imagination créatrice ne se dément jamais au fil de 60 ans de vie active. Capable du style le plus radieux (son *David* en bronze, un des premiers nus de la Renaissance) ou le plus concentré (*Saint Georges*), il infléchit sa manière dans la seconde partie de sa vie vers un expressionnisme pathétique.

▶ **Ses œuvres à Florence.** L'essentiel: baptistère (*p. 68*); museo dell'Opera del Duomo (*p. 74*); Bargello (*p. 91*); S. Croce (*p. 96*); S. Lorenzo (*p. 105*). **À Sienne.** Museo dell'Opera del Duomo et baptistère (*p. 258*).

DUCCIO (1255-v. 1319)

Contemporain de Cimabue et de Giotto, Duccio commence sa carrière à Florence (belle *Madone de Rucellai*) puis revient à Sienne, sa ville natale, où il règne en maître au point que sa célèbre *Vierge en majesté* est portée en grande pompe à la cathédrale en 1311. Nourri d'art byzantin comme Cimabue, il fait preuve d'un souci d'élégance et d'expression assez nouveau, sans pourtant s'attacher à situer ses personnages dans des espaces autonomes, ce que tentera Giotto. Mais, comme souvent chez les Siennois, il s'exprime avec une liberté presque badine dans ses petites œuvres, par exemple dans les délicieuses prédelles de sa *Maestà*.

▶ **Ses œuvres à Florence.** Galerie des Offices (*p. 81*). **À Sienne.** Museo dell'Opera del Duomo (*p. 259*); Pinacothèque nationale (*p. 262*).

FRA ANGELICO (v. 1395-1455)

Angelico prit l'habit dominicain à Fiesole vers 1407. Ancré dans l'imagerie traditionnelle de l'enluminure, il bâtit une œuvre solidement charpentée sous l'influence de Giotto et surtout de Masaccio, dont la gravité et

le sens de l'espace le frappent. Mais son vrai guide est sa foi profonde. Il peint avec amour les beautés de la création divine. La fraîcheur de son art, la douceur et la sérénité qui baignent ses compositions savantes ou naïves témoignent de son élan mystique. Sa renommée fut considérable; il travailla surtout à Florence et à Rome où il mourut en 1455; son tombeau est à S. Maria Sopra Minerva.

▶ **Ses œuvres à Florence.** L'essentiel: galerie des Offices (*p. 82*); musée de S. Marco (*p. 98*). **À Cortone.** Museo diocesano (*p. 297*).

GHIBERTI Lorenzo (1378-1455)

Orfèvre, architecte et surtout grand sculpteur florentin, Ghiberti consacre une large partie de sa vie aux panneaux de bronze des portes nord et est du baptistère de Florence qui feront sa gloire. On y suit l'évolution passionnante d'une œuvre jusqu'à l'épanouissement des conceptions de la Renaissance. La porte nord a encore la grâce et l'élégance de l'âge gothique; celle de l'est, dite du Paradis, innove complètement. Ghiberti donne une ampleur sans précédent à l'espace, anime ses fonds, naguère vides, de paysages et d'architecture, multiplie les effets de perspective en jouant des reliefs, du raccourci des personnages traités avec une alacrité sans précédent chez lui. Bref, il assimile et résume dans ce chef-d'œuvre la «leçon» de Donatello et des humanistes. Le panneau qu'il réalisa pour les fonts baptismaux de Sienne est de cette veine, la meilleure…

▶ **Ses œuvres à Florence.** Baptistère (*p. 65*); Duomo (*p. 70*); Bargello (*p. 92*). **À Sienne.** Baptistère (*p. 258*).

GHIRLANDAIO Domenico (1449-1494)

Ghirlandaio dirige un atelier où l'on fabrique notamment de petites guirlandes en argent dont s'ornent les jeunes Florentines, d'où son surnom. La critique d'art n'est pas tendre avec lui: manque de puissance, manque d'esprit créatif, peintre anecdotique… Oublions ! Ghirlandaio n'est pas un théoricien, mais un conteur, un chroniqueur de son temps. Les sujets religieux de commande lui servent de prétexte pour illustrer la Florence des édiles et des élégantes dont il reproduit les costumes. À l'aise dans les grandes compositions, il se fait l'illustrateur, souvent merveilleux, de son époque. Ne lui en demandons pas plus: son témoignage est un régal et un repos dans le grand tourbillon de la révolution artistique du Quattrocento.

▶ **Ses œuvres à Florence.** L'essentiel: palazzo Vecchio (*p. 80*); galerie des Offices (*p. 84*); galerie de l'hôpital des Innocents (*p. 103*); S. Maria Novella (*p. 108*); S. Trinità (*p. 113*); église et réfectoire d'Ognissanti (*p. 115*). **À San Gimignano.** Duomo (*p. 152*).

GIOTTO (1266-1337)

Giotto marque un repère fondamental dans l'histoire de la peinture et l'avènement de l'art «moderne». Avant lui, des artistes anonymes font triompher dans la mosaïque une image somptueuse, mais intangible, de la divinité. Avec lui et après, c'est la fresque qui s'impose. La fresque et sa souplesse de toucher, l'émotion permise au bout du pinceau, la nuance. Pour la première fois, la représentation religieuse n'est plus stéréotypée : Dieu, les saints, les prophètes prennent chair sur les murs des églises, expriment des sentiments, se meuvent dans un espace personnel et portent des vêtements dont le poids pèse rien qu'au regard. Cette révolution qui s'accomplit surtout à Assise et à Padoue et, dans une moindre mesure, à Florence, enthousiasme le public, à commencer par Dante ; le mythe du grand artiste est né. Un siècle plus tard, le véritable enfant spirituel de Giotto sera un autre génie disparu trop tôt : Masaccio.

➤ **Ses œuvres à Florence.** Campanile *(p. 71)* ; galerie des Offices *(p. 81)* ; S. Maria Novella *(p. 108)* ; S. Croce *(p. 95). Voir aussi p. 214.*

JEAN DE BOLOGNE (1529-1608)

« Flamand, noble et protégé des Médicis », dit l'épitaphe de son tombeau, dans l'église SS. Annunziata de Florence. Né à Douai et formé à Anvers, Jean de Bologne, dit Giambologna, part à Rome, s'arrête au retour à Florence où il décide de se fixer à l'âge de 27 ans. Artiste majeur du XVIe s., Jean de Bologne s'affranchit du classicisme en interprétant en sculpture le répertoire maniériste : figures allongées, expressions voluptueuses, torsions savantes. Son style aérien, léger, parfois plein d'humour, fait école à travers l'Europe. Il avait concouru pour réaliser le *Neptune* de la piazza della Signoria de Florence : l'artiste étant jugé trop jeune, le projet est, hélas, confié à Ammannati. Seules les divinités marines – de petites merveilles – sont de sa main.

➤ **Ses œuvres à Florence.** Piazza della Signoria *(p. 78)* ; Bargello *(p. 90)* ; piazza della SS. Annunziata (statue équestre de *Ferdinand Ier*, *p. 102).*

LÉONARD DE VINCI (1452-1519)

Vinci est un village paisible de la campagne toscane près duquel on voit la maison natale (très restaurée) de celui qui incarne le mieux l'esprit d'universalité et la soif de connaissance des hommes de la Renaissance. Peintre, architecte, sculpteur, ingénieur et savant, Léonard entreprend des recherches dans tous les domaines de la science et des arts. Formé très jeune par Verrocchio, il court de Milan à Mantoue, de Venise à Florence et à Rome, avant de s'installer à Amboise (Touraine). Il meurt au Clos-Lucé, où l'on peut voir ses maquettes. Ses nombreux dessins et études révèlent un sens aigu du geste et du mouvement. En peinture, il choisit la composition pyramidale et développe la technique du *sfumato* (modelé vaporeux des contours). La lumière intérieure qui baigne figures et paysages, la modulation délicate des valeurs et l'équilibre parfait des scènes qu'il représente révèlent la beauté indicible d'une réalité sublimée.

➤ **Ses œuvres à Florence.** Galerie des Offices *(p. 84)*, l'immense fresque de la *Bataille d'Anghiari* (1503) du palazzo Vecchio ayant disparu. **À Vinci.** Museo ideale *(p. 172).*

LIPPI Filippino (1457-1504)

Fils de Filippo, Filippino travaille dès l'âge de 15 ans dans l'atelier de Botticelli dont il restera proche : derrière une grâce charmante et un instinct pictural très sûr transparaît la même nervosité inquiète. Il admire aussi Masaccio, dont il achève les fresques de la chapelle Brancacci. Son goût pour l'archéologie se traduit souvent par de savants jeux de

lumière, donnant un aspect fantastique au décor architectural. Très admiré en son temps, il laisse une œuvre abondante, parfois masquée par l'éclat du talent.

➤ **Ses œuvres à Florence.** Galerie des Offices *(p. 83)* ; la Badia *(p. 89)* ; S. Maria Novella *(p. 108)* ; chapelle Brancacci *(p. 117)* ; galerie Palatine *(p. 122).* **À Lucques.** S. Michele in Foro *(p. 182).*

LIPPI Fra Filippo (1406-1469)

Né à Florence, Lippi entre très tôt au monastère des Carmes où, à la même époque (1426), Masaccio et Masolino exécutent les fameuses fresques de la chapelle Brancacci qui influencent profondément le jeune peintre. Au sens de l'espace hérité de Masaccio s'ajoutent chez Lippi un souci de l'éclairage et une qualité de coloriste remarquable qui mènent très vite au succès. Sa peinture est joyeuse, sereine et souvent sensuelle. Au drame de la Passion du Christ, il préfère les thèmes de la Nativité et de la Madone à laquelle il donna parfois les traits de Lucrezia Buti, une jeune nonne qui fut sa maîtresse. Après un beau scandale, ils furent tous deux relevés de leurs vœux monastiques. Leur fils, Filippino, sera peintre à son tour.

➤ **Ses œuvres à Florence.** Galerie des Offices *(p. 82)* ; galerie Palatine *(p. 122).*

LORENZETTI Ambrogio (v. 1290-1348)

Élève de son frère aîné, Pietro – un grand peintre dont l'œuvre est surtout présente à Assise et à Arezzo –, Ambrogio trouve une voie très personnelle à cheval entre les innovations de Giotto (son contemporain), le goût narratif siennois, la tradition incarnée par Duccio et le style aimable et fleuri de l'époque. Les fresques inoubliables du *Bon et du Mauvais Gouvernement,* à Sienne, offrent la meilleure illustration d'un art de conter de très grande ampleur. Très sensible aux avancées artistiques de son temps, Ambrogio ne théorise guère et fait d'abord du Lorenzetti. On s'en émerveille à Sienne et lors des promenades aux environs.

➤ **Ses œuvres à Sienne.** Museo civico (*p. 250*); Pinacothèque nationale (*p. 262*); église S. Francesco (*p. 267*). **Aux environs de Sienne.** Asciano (*p. 272*); Montalcino (Museo civico, *p. 273*); abbaye de San Galgano (*p. 231*). **À Massa Marittima.** Museo archeologico (*p. 229*).

MARTINI Simone (1284-1344)

Simone Martini surgit d'un coup dans le monde pictural siennois avec un chef-d'œuvre que l'on admire au Museo civico : sa *Maestà,* Vierge en majesté. Quatre ans seulement le séparent de celle du « maître » Duccio, quatre ans qui suffisent à changer d'époque tant les progrès vers l'humanisation des personnages et leur ancrage sur terre paraissent foudroyants. Trop peu de ses œuvres nous sont parvenues, mais elles suffisent à le classer parmi les plus grands : retable de Naples, fresques éblouissantes de la *Vie de saint Martin,* à Assise, *Annonciation* (aujourd'hui à Florence), fragment de ses décorations d'Avignon et bien sûr cet insolite condottiere *Guidoriccio,* qui chemine dans une campagne hostile (Museo civico de Sienne).

➤ **Ses œuvres à Florence.** Galerie des Offices (*p. 82*).

À Sienne. Museo civico (*p. 250*), Pinacothèque nationale (*p. 262*). **À Pise**. Museo nazionale S. Matteo (*p. 217*).

MASACCIO (1401-1428)

On aimerait tout savoir de la vie de ce jeune prodige disparu à 27 ans et qui nous laisse la première peinture au monde qualifiée de « réaliste ». Mais rien ne transparaît, ou presque : un père notaire et une mort mystérieuse à Rome. Il étudie attentivement Giotto et plus encore ses deux contemporains, Brunelleschi dont il applique le premier la théorie sur la perspective (fresque la *Trinité,* à S. Maria Novella) et Donatello dont le naturalisme imprègne sa peinture. Associé à Masolino, il entreprend à 25 ans la *Vie de saint Pierre* dans la chapelle Brancacci de l'église du Carmine de Florence. Masaccio y met tout son savoir au service d'une vision claire et intransigeante de la peinture : fixer un moment de la vie avec un maximum de réalisme grâce à la troisième dimension, à l'impression la plus tactile possible des personnages et du décor, et enfin à l'expression de leur visage, comme volée à l'instant. Pour comprendre la nouveauté radicale de cette œuvre, il faut la remettre dans une époque d'imagerie gracieuse, élégante et décorative qui voyait le triomphe du « gothique international ». Giotto avait deviné le chemin ; Masaccio l'explore et hisse l'homme au rang d'un dieu en fleur. Le choix de coloris (vert-violet, bleu-orange) qui rompent avec la tradition contribue également à cette « laïcisation » de la peinture religieuse. On comprend la fascination des humanistes et des artistes de la Renaissance qui décou-

vrent soudain l'application concrète de leur philosophie. Un coup de tonnerre trop bref pour assurer à Masaccio la célébrité auprès du grand public.

➤ **Ses œuvres à Florence.** Galerie des Offices (*p. 82*) ; S. Maria Novella (*p. 109*) ; chapelle Brancacci (*p. 117*). **À Pise.** Museo nazionale S. Matteo (*p. 217*).

MICHEL-ANGE (1475-1564)

Comme Léonard, Michel-Ange traverse son siècle en prophète d'un art nouveau. À peine formé, encore adolescent, dans l'atelier de Ghirlandaio, il se passionne pour l'art antique et se fait remarquer par Laurent de Médicis. Imprégné d'humanisme et défenseur d'une forme émancipée des tabous, il devance les modes, ouvre des voies nouvelles en architecture, en peinture et surtout en sculpture. Brillant, puissant, théâtral, son génie éclate dans ses nus colossaux où s'expriment avec une force contenue sa douleur, son angoisse et sa rage. Partageant son temps entre Florence et Rome où l'appellent les papes (tombeau de Jules II, chapelle Sixtine), il ne cesse de chercher, d'évoluer, d'inventer. Du réalisme de Masaccio, qu'il admire, aux prémices du premier maniérisme ; du modèle grec et romain à la bibliothèque Laurentienne de Florence, Michel-Ange domine l'art de son temps et amorce de façon spectaculaire les grands mouvements des siècles à venir.

➤ **Ses œuvres à Florence.** Museo dell'Opera del Duomo (*p. 74*) ; palazzo Vecchio (*p. 79*) ; galerie des Offices (*p. 86*) ; Bargello (*p. 90*) ; casa Buonarroti (*p. 96*) ; galerie de l'Académie (*p. 101*) ; bibliothèque Laurentienne (*p. 105*) ; chapelles des Médicis (*p. 106*).

MICHELOZZO
(1396-1472)

Architecte préféré de Cosme l'Ancien, Michelozzo ne prétend pas révolutionner son temps, tout en étant moderne. Sensible à l'apport de ses aînés, Alberti et Brunelleschi, faisant plusieurs fois équipe avec Donatello, il a le talent de la synthèse, de la transition élégante et intelligente entre l'âge gothique et la Renaissance. Il invente peu, mais réforme beaucoup, trouvant la solution efficace aux nouveaux besoins. On le voit bien au palazzo Vecchio de Florence, au couvent de S. Marco qu'il reconstruit, au palais Medici-Riccardi. Florence et la Toscane lui doivent beaucoup : il travaille sur tous les grands chantiers du XVe s., capable aussi bien d'innover que d'insérer ses constructions dans les tissus urbains existants.

➤ **Ses œuvres à Florence.** Cour du palazzo Vecchio (p. 79); musée de S. Marco (p. 101); palais Medici-Riccardi (p. 104).

PIERO DELLA FRANCESCA
(1416-1492)

Aussi curieux que cela paraisse, ce très grand artiste a très peu travaillé pour Florence, et ce peu, même, est perdu. Il y a pourtant une vraie parenté entre Masaccio et lui : même vision de la présence forte, impassible et digne de l'homme, même sens de l'espace ample, même vigueur concentrée. Aux Offices, les deux extraordinaires portraits de *Federico de Montefeltro* et de *Battista Sforza* donneront peut-être envie d'aller découvrir à Arezzo (80 km au S-E de Florence) les fresques de la *Légende de la Vraie Croix*, un des plus purs chefs-d'œuvre de la Renaissance.

➤ **Ses œuvres à Florence.** Galerie des Offices (p. 82). **À Arezzo.** Église S. Francesco (p. 285). **À Sansepolcro.** Museo civico (p. 288). **À Monterchi** (p. 288).

PISANO Nicola
et Giovanni

Formé à l'école de l'Italie du Sud, le génie de Nicola (v. 1215-v. 1280) éclate véritablement vers 1260, lorsqu'il termine l'admirable chaire du baptistère de Pise. Il forma son fils Giovanni (v. 1250-v. 1314), artiste atypique aussi génial que lui, avec lequel il travailla énormément. Tous deux partagèrent l'essentiel de leur temps entre Pise et Sienne, tour à tour architectes et sculpteurs. Giovanni conçut le « programme » de la façade de la cathédrale de Sienne et y sculpta des statues qui le placent parmi les plus grands créateurs. À Pise, il réalisa la chaire du Duomo qui, dans son genre, est un chef-d'œuvre à l'égal de celle de son père dans le baptistère. Tous deux furent considérés comme des maîtres par plusieurs générations de sculpteurs.

➤ **L'essentiel de leurs œuvres. À Pise.** *Nicola* : baptistère du campo dei Miracoli (p. 208); *Giovanni*: Duomo (p. 208); *Nicola et Giovanni*: museo dell'Opera del Duomo (p. 212) et museo nazionale S. Matteo (p. 217). **À Pistoia.** *Giovanni*: S. Andrea (p. 167). **À Sienne.** *Giovanni*: Duomo (p. 254); museo dell'Opera del Duomo (p. 258). *Nicola*: chaire de la cathédrale (p. 257). **À Lucques.** *Nicola*: Duomo (p. 177).

POLLAIOLO Antonio del
(v. 1431-1498)

Peintre, graveur, sculpteur et orfèvre florentin, Antonio est, avec son frère Piero (1443-1496), à la tête d'un atelier prospère. Sa manière de peindre, typique d'un Quattrocento qui exalte l'homme de façon païenne, révèle une connaissance extraordinaire de l'anatomie. La densité de sa couleur montre l'apport de la peinture flamande, mais la ligne qui tend à l'arabesque appartient bien à l'école florentine. En gravure et en sculpture, Antonio del Pollaiolo fait preuve de la même maîtrise. On y retrouve ce dynamisme nerveux et vibrant qui confère à ses personnages une singulière énergie.

➤ **Ses œuvres à Florence.** Galerie des Offices (p. 83); Bargello (p. 92).

PONTORMO Jacopo
(1494-1557)

On imagine Pontormo travaillant dans son grenier et tirant derrière lui l'échelle pour se retrancher du monde. On l'imagine tordant d'un pinceau ardent le corps de ses personnages comme s'il tordait le cou à ce classicisme de la Renaissance qu'il abhorre : place aux étoffes qui moussent, aux poses de ballerines, à la peinture aérienne d'un monde blafard ; place à la liberté des fantasmes, à la planète interdite des songes. On l'imagine inquiet, farouche, passionné et intuitif en diable, tel qu'il se dévoile dans l'hallucinante *Déposition de Croix* de Florence et dans tant d'autres peintures un peu folles, instables et géniales. Comme d'autres, il fut bêtement qualifié de « maniériste ». Jamais un mot si douceâtre n'a si mal correspondu à une révolte si radicale.

➤ **Ses œuvres à Florence.** Galerie des Offices (p. 84); S. Felicità (p. 116); SS. Annunziata (p. 102). **Aux environs de Florence.** Chartreuse de Galluzzo (p. 131). *Voir aussi p. 264.*

ROSSO FIORENTINO (1494-1540)

Bizarre, outré, fougueux sont les qualificatifs qui reviennent le plus souvent sous la plume des critiques pour expliquer leur incompréhension de voir un artiste si doué faire profession de choquer. Mais si, comme Pontormo, Rosso reniait les canons du « bon goût », sa provocation n'était pas gratuite : il voulait faire bouger la perception de la beauté. Sa *Descente de Croix* de Volterra, si ferme, si chaude, si puissante de coloris et de muscles tendus, est un des plus mémorables chefs-d'œuvre de la peinture. Ce « maniériste » peint au scalpel : il dissèque les couleurs, sculpte les vêtements, tranche les visages, ordonne des espaces savants.

Bref, il crée un monde effectivement fougueux, mais à la manière d'une tornade qui réinvente la lumière et l'ordre du monde.

➤ **Ses œuvres à Florence.** Galerie des Offices *(p. 86)* ; SS. Annunziata *(p. 102)*. **À Volterra.** Pinacothèque *(p. 155)*. *Voir aussi p. 264.*

UCCELLO Paolo (1397-1475)

Ainsi Vasari parlait-il d'Uccello : « Ses compositions sont loin d'être harmonieuses, car il imaginait de faire les paysages bleus, les fabriques et les maisons rouges et de diverses couleurs. » Voilà, en effet, de quoi choquer ! Poète avant tout, Uccello laisse parler sa fantaisie, privilégiant la puissance d'évocation au détriment de la réalité apparente. Il n'appartient à aucune école. S'il étudie l'organisation de l'espace c'est pour l'interpréter à sa manière, juxtaposant par exemple plusieurs perspectives dans la même scène. Il fait de la peinture un langage dégagé de la réalité minutieuse pour mieux traduire la représentation intérieure que s'en fait l'homme. En ce sens, ce très grand artiste est un étonnant précurseur des grands courants de pensée modernes.

➤ **Ses œuvres à Florence.** Duomo *(p. 71)* ; galerie des Offices *(p. 82)* ; cloître de S. Maria Novella *(p. 112)*.

VERROCCHIO Andrea (1435-1488)

Sculpteur, orfèvre et peintre, mais aussi ornemaniste, musicien et organisateur de fêtes somptueuses, Verrocchio fut l'un de ces princes universels de l'esprit comme seule la Renaissance en a vu naître. De son premier métier d'orfèvre, il a gardé un goût pour les formes nettes et ciselées. Son œuvre se caractérise par une suprême élégance et témoigne d'un goût assez classique. De nombreux peintres fréquentèrent son atelier, dont Léonard de Vinci, le Pérugin et Lorenzo di Credi.

➤ **Ses œuvres à Florence.** Palazzo Vecchio *(p. 79)* ; galerie des Offices *(p. 84)* ; Bargello *(p. 92)*. ■

Quelques mots d'italien

Formules usuelles

Oui	si
Non	no
Monsieur	Signore
Madame	Signora
Bonjour	buongiorno
Bonsoir	buona sera
Bonne nuit	buona notte
Au revoir	arrivederci
Excusez-moi	scusi
S'il vous plaît	per favore
Merci	grazie
Je vous en prie	prego
Pourquoi ?	perchè ?
Loin	lontano
Près	vicino
À droite	a destra
À gauche	a sinistra
Encore	ancora
Pouvez-vous me dire ?	può dirmi ?
Avez-vous ?	ha ?
Je ne comprends pas	non capisco
Parlez lentement	parli lentamente
Beaucoup	molto
Peu	poco
Trop	troppo
Assez	abbastanza
Tout	tutto
Rien	niente
Combien coûte ?	quanto costa ?
C'est trop cher	è troppo caro

Les nombres

Un	uno
Deux	due
Trois	tre
Quatre	quattro
Cinq	cinque
Six	sei
Sept	sette
Huit	otto
Neuf	nove
Dix	dieci
Onze	undici
Douze	dodici
Treize	tredici
Quatorze	quattordici
Quinze	quindici
Seize	sedici
Dix-sept	diciassette
Dix-huit	diciotto
Dix-neuf	diciannove
Vingt	venti
Vingt et un	ventuno
Vingt-deux	ventidue
Trente	trenta
Quarante	quaranta
Cinquante	cinquanta
Soixante	sessanta
Soixante-dix	settanta
Quatre-vingts	ottanta
Quatre-vingt-dix	novanta
Cent	cento
Deux cents	duecento
Trois cents	trecento
Mille	mille
Deux mille	duemila
Trois mille	tremila
Un million	un milione
Un milliard	un miliardo

Le temps

Lundi	lunedì
Mardi	martedì
Mercredi	mercoledì
Jeudi	giovedì
Vendredi	venerdì
Samedi	sabato
Dimanche	domenica
Printemps	primavera
Été	estate
Automne	autunno
Hiver	inverno
Aujourd'hui	oggi
Hier	ieri
Avant-hier	ieri l'altro
Demain	domani
Après-demain	dopodomani
Le matin	la mattina
Dans l'après-midi	nel pomeriggio
Le soir	la sera

À la gare et à l'aéroport

Un billet pour...	un biglietto per...
Changer	cambiare
À quelle heure part...	a che ora parte...
À quelle heure arrive...	a che ora arriva...
Arrêt	fermata
Arriver	arrivare
Bagages	bagagli
Consigne	deposito
Contrôleur	controllore
Couchette	cuccetta
Gare	stazione
Horaire	orario
Partir	partire
Porteur	facchino
Quai	binario
Valise	valigia

En voiture

Attention	attenzione
Danger	pericolo
Automobile	macchina

Chaussée glissante strada sdrucciolevole
Entrée ....ingresso
Essence ....benzina
Gonflage ....gonfiatura
Graissage ....lubrificazione
Huile ....olio
Interdit ....vietato
Lavage ....lavaggio
Parking ....parcheggio
Péage ....pedaggio
Pneu ....pneumatico
Sortie ....uscita
Stationnement interdit ..divieto di sosta
Travaux en cours ......lavori in corso

En ville

Avenue ....viale
Cimetière ......campo santo, cimitero
Cloître ....chiostro
Cour ....cortile
Cours ....corso
Église ....chiesa
Escalier ....scala
Grand place ....piazzale
Jardin ....giardino, orto
Marché ....mercato
Musée ....museo
Palais ....palazzo
Place ....piazza, largo
Promenade ....passeggiata
Rue ....via
Ruelle......................vicolo
Ruines ....rovine
Menu ....carta, lista
Plat, assiette ....piatto
Repas ....pranzo
Restaurant ....ristorante, trattoria
Verre ....bicchiere

Les aliments

Agneau ....agnello, abbacchio
Beurre ....burro
Fromage ....formaggio
Fruits ....frutta
Gâteau ....dolce
Glace (dessert) ....gelato
Glaçon ....ghiaccio
Jambon ....prosciutto
Moutarde ....senape
Mouton ....castrato
Œuf ....uovo
Omelette ....frittata
Orange ....arancia
Pain ....pane
Pâtes ....pasta
Pêche ....pesca
Poisson ....pesce

Pomme ....mela
Pomme de terre ....patata
Porc ....maiale
Poulet ....pollo
Raisin ....uva
Riz ....riso
Salade ....insalata
Saucisson ....salame
Sel ....sale
Sucre ....zucchero
Veau.......................vitello

À l'hôtel

Auberge ....locanda
Hôtel ....albergo
Une pension de famille ....
.............una pensione familiare
Je désire une chambre ....
.............vorrei una camera
À un lit, à deux lits ....
..............a un letto, a due letti
Grand lit ....letto matrimoniale
Chambre avec salle de bains ....
.................camera con bagno
Sur la rue ....sulla strada
Sur la cour ....sul cortile
Quel est le prix ? ......qual è il prezzo ?
Services et taxes compris ?
...........servizio e tasse compresi ?
Tout compris ? ....tutto compreso ?
Petit déjeuner à l'anglaise
...............colazione all'inglese
À quelle heure, le déjeuner ? ....
...............a che ora, il pranzo ?
Et le dîner ? ....e la cena ?
Réveillez-moi à X heures
...........svegliatemi alle ore X...
L'addition, s'il vous plaît ....
.................il conto, per favore

Médicaments

Antibiotique ....antibiotico
Antidiarrhéique ....antidiarroico
Antiseptique ....antisettico
Aspirine ....aspirina
Bandage ....fasciature
Comprimés ....compresse
Gouttes ....gocce
Laxatif ....lassativo
Ordonnance ....ricetta medica
Pommade ....pomata
Serviettes périodiques assorbenti igienici
Sparadrap ....cerotto
Suppositoire ....supposte
Tampons hygiéniques ......tamponi ∎

Index

Imprimé en France par I.M.E - 25110 Baume-les-Dames
Dépôt légal 47419 - juin 2004 - Collection n°25 - Éd 01
Impression n°17428 - ISBN : 2-01.240026/4
24/0026/5-11

À nos Lecteurs...

Ces pages vous appartiennent. Notez-y vos remarques, vos impressions de voyage, vos découvertes personnelles, vos bonnes adresses. Et ne manquez pas de nous en informer à votre retour. Nous accordons la plus grande attention au courrier de nos lecteurs.

carnet de voyage

HACHETTE
Tourisme

Guides Bleus Évasion – Courrier des lecteurs
43, quai de Grenelle – 75905 PARIS Cedex 15